Islwyn

Golygydd Cyffredinol: Brynley F. Roberts

Hen gwestiwn mewn beirniadaeth lenyddol yw mater annibyniaeth y gwaith a ddarllenir; ai creadigaeth unigryw yw cerdd neu ysgrif neu nofel, i'w dehongli o'r newydd gan bob darllenydd; neu i ba raddau mae'n gynnyrch awdur unigol ar adeg arbennig yn ei fywyd ac yn aelod o'r gymdeithas y mae'n byw ynddi? Yn y pen draw diau fod gweithiau llenyddol yn sefyll neu'n cwympo yn ôl yr hyn a gaiff darllenwyr unigol ohonynt, ond aelodau o'u cymdeithas ac o'u hoes yw'r darllenwyr hwythau, a'r gweithiau a brisir uchaf yw'r rheini y gellir ymateb iddynt a thynnu maeth ohonynt ymhob cenhedlaeth gyfnewidiol am fod yr oes yn clywed ei llais ynddynt. Ni all y darllenydd na'r awdur ymryddhau'n llwyr o amgylchiadau'r dydd.

Yn y gyfres hon o fywgraffiadau llenyddol yr hyn a geisir yw cyflwyno ymdriniaeth feirniadol o waith awdur nid yn unig o fewn fframwaith cronolegol ond gan ystyried yn arbennig ei bersonoliaeth, ei yrfa a hynt a helynt ei fywyd a'i ymateb i'r byd o'i gwmpas. Y bwriad, felly, yw dyfnhau dealltwriaeth y darllenydd o amgylchiadau creu gwaith llenyddol heb ymhonni fod hynny'n agos at ei esbonio'n llwyr.

Dyma'r wythfed gyfrol yn y gyfres. Y gyfrol nesaf i ymddangos fydd bywgraffiad llenyddol o Pennar Davies.

W. J. Gruffydd	gan T. Robin Chapman
W. Ambrose Bebb	gan T. Robin Chapman
R. Williams Parry	gan Bedwyr Lewis Jones, golygwyd a chwblhawyd gan Gwyn Thomas
T. H. Parry-Williams	gan R. Gerallt Jones
'Doc Tom'; Thomas Richards	gan Geraint H. Jenkins
Talhaiarn	gan Dewi M. Lloyd
Daniel Owen	gan Robert Rhys

DAWN DWEUD

Islwyn

gan
Glyn Tegai Hughes

GWASG PRIFYSGOL CYMRU
CAERDYDD
2003

ISBN   0–7083–1781–2

Mae cofnod catalogio'r gyfrol hon ar gael gan y Llyfrgell Brydeinig.

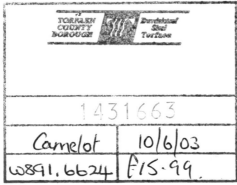

Cynllun y clawr gan Chris Neale
Cysodwyd yng Ngwasg Prifysgol Cymru
Argraffwyd yng Nghymru gan Wasg Dinefwr, Llandybïe

Cynnwys

Lluniau

Rhwng tudalennau 220 a 221.

1. Islwyn yn ifanc, tua 1859.

2. Pont Dramffordd Penllwyn, Nine-Mile Point, Dyffryn Sirhywi.

3. Yr hen felin ger Gelli-groes, cartref Aneurin Fardd.

4. Capel y Babell, yn Nyffryn Sirhywi.

5. Y Parchedig Daniel Jenkyns, Babell, tua 1875.

6. Llun o bump o weinidogion y Methodistiaid Calfinaidd yn Sir Fynwy, tua 1875.

7. Tudalen o lawysgrif *Yr Ail Storm* (1856).

8. Islwyn, tua 1875.

9. Carreg fedd Islwyn ym mynwent Capel y Babell.

Rhagair

Ar wahân i farwolaeth Ann Bowen ychydig iawn sydd yn amgylchiadau allanol bywyd Islwyn i ennyn chwilfrydedd. Felly bywgraffiad mewnol sy'n ei gynnig ei hun; teithi ei brofiadau fel y maent yn eu hamlygu eu hunain yn ei farddoniaeth. Nid, sylwer, teithi ei feddwl yn unig. Er cystal arweinydd i hanes athroniaeth oedd Richard Aaron, syn iawn yw ei gael yn dweud nad bardd mo Islwyn ond systemwr o athronydd.[1] Odid nad canlyniad yr astudiaeth sy'n dilyn fydd dangos mai'r gwrthwyneb sydd wir. Nid nad oes elfennau pur ddiddorol yn y systemeiddio – nid lleiaf tarddle'r syniadau – ond a yw hi'n bosibl credu y byddai'r gwaith o hyd yn gafael ynom petai ar ffurf traethawd?

Y mae rhywun yn gwybod yn weddol pa nodyn i'w daro wrth drafod beirdd sy'n marw'n ifanc: Keats, Chatterton, Novalis, Golyddan, Hedd Wyn. Daw'n fwy anodd gyda beirdd sy'n ymwybodol yn troi cefn ar lenyddiaeth yn ifanc: yr enghraifft glasurol yw Rimbaud, ac yntau'n 21 oed. Ar un wedd gellir syrthio'n ôl ar sylw Ezra Pound mai'r oedran telynegol yw rhwng 17 a 22 oed; wedi hynny gwanhau, os nad cilio'n gyfan gwbl, y mae'r cynhyrfiad gwreiddiol oedd ynghlwm â chodi'r llais yn y gwacter i weld pa sŵn sy'n dod allan, a cheisio gwthio'ch dryswch personol a'ch trefn bersonol ar y byd.

Ond wedyn dyna'r beirdd sy'n goroesi eu hawen, yn byw ymlaen ar ôl i'r cynhyrfiad eu gadael. Annheg efallai yw cyfrif Wordsworth yn un o'r rheini, er gwaethaf parodi J. K. Stephen: 'Two voices are there: one is of the deep; / And one is of an old half-witted sheep, / . . . And Wordsworth, both are thine'; ond anodd osgoi'r casgliad mai dyna sefyllfa Islwyn. Beth, felly, y mae'r cofiannydd i'w wneud? Drama bum act a'r arwr yn gelain erbyn diwedd yr ail.

Yn sicr dylid osgoi un temtasiwn, sef darllen yn ôl i'r gwaith arloesol cynnar y syniadau ac arferion a ddatblygodd ym mlynyddoedd y gwastatir. Y mae hyn rywfaint yn haws yn achos Islwyn, gan mai unwaith yn unig, a hynny hefyd yng nghyfnod y cynnwrf, y ceisiodd ddiwygio ei gampwaith, nid tincran seithwaith fel Bailey gyda *Festus*.

Temtasiwn o'r tu arall yw dibrisio holl gynnyrch blynyddoedd y locust-iaid; os nad yw'n dod yn agos at *Y Storm* y mae fflachiadau gafaelgar o bryd i'w gilydd. Ar ei salaf y mae cystal â'r rhelyw o feirdd y bedwaredd ganrif ar bymtheg.

'Y methiant mwyaf ysblennydd yn hanes ein llên', meddai Williams Parry amdano.[2] Efallai y bydd yr hyn sy'n dilyn yn cyfleu agwedd ychydig yn fwy cadarnhaol; os oedd gan y Cymry fardd mawr yn ystod y ganrif, Islwyn oedd hwnnw. 'Islwyn ar ei orau', medd rhai; ond dyna'r maen prawf cyffredinol, wedi'r cyfan. Prin iawn, o ran hynny, yw'r cerddi hir sy'n cynnal yr un lefel o ysbrydoliaeth drwyddynt: *Dwyfol Gân* Dante; *Paradise Lost* Miltwn, ond nid, o bosibl, *Paradise Regained*; *Prelude* Wordsworth, ond nid *The Excursion*; *Messias* Klopstock, go brin; *Golwg ar Deyrnas Crist* a *Theomemphus* Pantycelyn, detholion yn unig bid siŵr. Ac am gerddi hir grotésg a chwyddedig y ganrif, megis *Emmanuel* Gwilym Hiraethog, nid ydynt wedi gadael ôl traed ar y tywod.

Wedi anghytuno â Richard Aaron, hawdd iawn croesawu gosodiad arall yn ei ysgrif, sef: 'Anodd iawn fyddai sgrifennu hanes ei fywyd. Ni fyddai casglu'r ffeithiau amdano ond dechrau y gwaith; eu deall fyddai'r gamp.' Cronolegol, er hynny, fydd yr ymdriniaeth ar y cyfan. Fe fydd hyn, erbyn y diwedd, yn rhwym o gyfleu syniad hydrefol o gwymp y dail; ond y bwriad fydd darlunio ei fywyd, nid ei ystumio, ac yr oedd ef ei hun yn ymwybodol o fflatrwydd y degawdau olaf:

> Gorffwysaist lawer blwyddyn, f'awen gu,
> A'th gerub-ben oblygaist ar dy blu
> Gan bêr freuddwydio am y dyddiau fu.
>
> 'Dechreu Canu' GBI 837

Ni all neb astudio Islwyn heb gydnabod dyled i dri gŵr: Daniel Davies, Ton; O. M. Edwards; ac, yn bennaf oll, Meurig Walters. Hebddo ef fe fyddem eto, ymhell dros gan mlynedd wedi marw'r bardd, heb destun agos i ddibynadwy o'i brif waith. Gresyn meddwl fod gweddill cynnyrch Islwyn yn dal i ddisgwyl argraffiad beirniadol, fel, yn wir, bron bob un o'n llenorion o'r ddeunawfed ganrif ymlaen. Hoffwn ychwanegu fy mod wedi clywed canmol ar draethawd Dr Catrin Hopkins, a da o beth fyddai gweld ei gyhoeddi'n fuan a chael cyfle i'w ddarllen. Yn sicr, y mae lle i amrywiol astudiaethau yn achos bardd o safon a chymhlethdod Islwyn.

Dymunaf ddiolch i'r Llyfrgell Genedlaethol am ganiatâd i ddyfynnu mor helaeth o'r llawysgrif *Byd-gonglau*, a'r fersiwn Saesneg o'r *Storm*. Cefais bob cymorth a goddefgarwch o gyfeiriad Dr Brynley F. Roberts, ac yr wyf yn dra dyledus iddo am ei fanyldra ac am lu o gywiriadau ac awgrymiadau gwerthfawr. Bu Gwasg Prifysgol Cymru hefyd yn amyneddgar iawn, a minnau'n cripian mor boenus o araf, a mawr yw fy nyled i Llion Pryderi Roberts am ei waith, hynod fanwl a chynorthwyol, ar y deipysgrif.

Glyn Tegai Hughes
Ionawr 2003

Byrfoddau

AMC   Archifau'r Methodistiaid Calfinaidd yn Llyfrgell Genedlaethol Cymru.

Atod.   *Islwyn, Pigion o'i waith. Pigion Rhyddiaith. Atodiad Barddoniaeth*, [gol. Owen M.Edwards], (Gwrecsam, 1897), *Y Llenor*, Llyfr xi, 'Atodiad i'r *Gwaith*', tt.i–xxliii; 'Pigion o Ryddiaith', tt. 17–64.

GBI   *Gwaith Barddonol Islwyn*, gol. Owen M. Edwards (Gwrecsam, argraffwyd dros Owen M. Edwards gan Hughes a'i Fab, 1897).

IEP   *Islwyn's English Poems*, ed. Hannah Williams and Tom Evans. (Cardiff, 1913), xxiv+48 tt.

LlGC   Llyfrgell Genedlaethol Cymru.

S1   '*Y Storm*' *Gyntaf gan Islwyn*, gol. Meurig Walters (Caerdydd, Gwasg Prifysgol Cymru ar ran yr Academi Gymreig, 1980. Cyfres Clasuron yr Academi, 1).

S2   *Yr Ail Storm gan Islwyn*, gol. Meurig Walters (Caerdydd, Yr Academi Gymreig, 1990. Cyfres Clasuron yr Academi, 2).

Yn y nodiadau, pan grybwyllir awdur gyda dyddiad mewn cromfachau, y mae'r manylion i'w gweld yn y Llyfryddiaeth.

Dynodir rhifau llinellau ar ddiwedd dyfyniadau â ll./llau. Oni nodir hyn, cyfeirio at rifau tudalennau y mae unrhyw rifau ar ddiwedd dyfyniadau.

1 ❧ Siwgr ar y bara 'menyn

Ogerdded llwybr coediog, clawstrol Parc Gwlad Sirhywi uwchben pentref Ynys-ddu, ambell gipolwg yn unig a geir ar staen diwyd-iannol y ganrif a hanner diwethaf. Ond saif Capel y Babell bellach yn unig a sobr ar lecyn gwyrdd yng nghanol erwau o dai di-lun. Nid oedd diwydiant wedi cyrraedd y pentref erbyn geni William Thomas yn 1832, ond yr oedd ei gysgod yn lledu'n gyflym i lawr dyffryn Sirhywi. Ugain mlynedd ynghynt yr oedd Nicholson yn ei *Cambrian Traveller's Guide* yn taro nodyn rhamantaidd wrth deithio'i fyny'r dyffryn:

> Ascend the side of the hill, which bounds the vale and continue along an elevated ridge, through thickets, corn fields, and meadows, sprinkled with hamlets, watered by numerous torrents, and overlooking the Sorwy. The features of this vale are more wild and romantic than those of the Ebwy; it is narrower and deeper.[1]

Ar ddechrau'r bedwaredd ganrif ar bymtheg roedd ychydig o fythynnod a melin flawd yng Nghwm Corrwg (nid oedd y Coed-duon yn bod); ym-hellach i lawr yr afon roedd melin Gelli-groes, ac yna fe geid ambell ffarm fechan neu fwthyn gwyngalchog mewn ardal goediog, nes cyrraedd y cymer â'r Ebwy. Hyd yn oed yn 1896 fe allai Daniel Davies, Ton, adleisio hyn:

> Y mae y dyffryn yng nghymdogaeth yr Ynysddu yn dra chul, ond y mae yn brydferth iawn, ac yn llawn coed, sydd yn tyfu mewn rhai rhannau o hono ymron hyd geulanau yr afon, yr hon a elwir yn awr y Sirhowy, ond y Fraith oedd ei hen enw . . . Hyd yn hyn, y mae y rhan yma o'r dyffryn wedi ei esgeuluso agos yn hollol gan ymchwilwyr am fwnau . . . – a bywyd tawel, araf a didrwst llafurwyr gwyneb y ddaear yw y bywyd a ddilynir yma gan ymron bawb o'r trigolion . . . Gellir cerdded llawer o ffordd yma heb weled neb, na chlywed dim, ond seiniau perorol yr adar sydd mor lluosog yn y coedwigoedd yma.[2]

Ac fe fydd Islwyn ei hun, mewn blynyddoedd i ddod, yn canu am 'lanerch rhwng eurlwyni / Mewn bro fras', yr 'eurog adar o'r goedwig', y blodau'n addurno'r ddôl, a'r 'gloewfwyn afonig' yn llifo. ('Preswylfa'r Bardd', GBI 433–4). Roedd hanes yr ardal i gyd, a'r mynych draddodiadau, o bwys i Islwyn ar hyd ei oes. Y mae pentref Ynys-ddu wedi ei adeiladu wrth droed Mynydd Islwyn, bryn y lleolir nifer o chwedlau arno, a mwy nag un esboniad yn cael ei gynnig ar yr enw, fel y mae Islwyn yn ei gofnodi yn ei feirniadaeth ar gystadleuaeth yn Eisteddfod Mynyddislwyn ym Mai 1873.[3] Wedi wfftio, ond heb enwi, 'yr hen draddodiad ynfyd . . . rhy ffol bron i hyd yn nod yr Hen Gymry ofergoelus ei dderbyn' (y chwedl, mae'n debyg, am fethiant yr ymgais i adeiladu'r eglwys ar domen gladdu o'r Oes Efydd, gan fod y diafol yn symud y cerrig bob nos), y mae'n sylwi, heb frwdfrydedd, ar ddamcaniaeth yr unig ymgeisydd mai 'Mynydd-y-llysi' oedd yr hen enw. Yna fe â ymlaen:

> Y mae llyn uwchlaw yr Eglwys, ac awgryma y Vicar presenol wrthyf y gallai mai 'Mynydd-is-y-llyn' oedd y tarddiad. Awgrym da iawn ydyw hwn. Efallai, hefyd, y gellid awgrymu arall. Yr oedd Penllwyn yn enwog fel eisteddle yr Archdderwydd – dyna y *brif* allor; oni allasai fod allor *lai* pwysig gerllaw *site* presenol yr Eglwys, a elwid *Isllwyn*? Gyda golwg ar afon Syrhowy, ystyriem ni yr enw bob amser yn annhebygol, diystyr, ac an-Nghymreig, ac y mae yr ysgrifenydd yn profi yn lled foddhaol mai ei gwir enw yw yr afon Fraith. Yr hen Gymry a alwent neidr yn Braith neu Brithi, a thybir iddynt roi yr enw hwn ar yr afon oherwydd ei lluosog droadau.

Un rhyfeddod yw cyn lleied o ddylanwad Siartiaeth a'r Scotch Cattle a geir o gwmpas yr Ynys-ddu, o ystyried y cyfrifid y Coed-duon y pentref â'r ganran fwyaf o Siartwyr yng Nghymru ar droad y 1830au a'r 1840au, ac mai Croespenmaen gerllaw iddo oedd un o brif gynullfannau fin nos i hyd at fil o'r Scotch Cattle yn y degawdau blaenorol. Cael a chael fu hi i ddyffryn Sirhywi islaw Gelli-groes osgoi'r diwydiannu, agor pyllau glo a thŵf poblogaeth a oedd yn brif gymdeithion neu'n brif achos y cynyrfiadau hyn. Mater o ychydig filltiroedd oedd hi, ond fe barhaodd cynefin Islwyn yn ardal wledig am y rhan fwyaf o'i oes, gyda meddylfryd pur wahanol i'r Coed-duon neu Gaerffili.[4]

Felly, prin yr oedd Dewi Wyn o Essyllt yn delfrydu wrth ddisgrifio Islwyn yn cael y mwynhad o 'drigianu yn ddigon pell o ddwndwr tref a dinas, a ffwdan masnach a thrafnidiaeth'.[5] Masnach a thrafnidiaeth, er hynny, ddaeth â theulu ei dad i'r ardal yn y lle cyntaf. Mab ffarm Penllwyn Teg, Ystradgynlais, oedd y tad, Morgan Thomas, mab i Morgan

Thomas arall, hwnnw efallai'n borthmon.[6] Erbyn tua 1806 rhoddwyd gorau i'r ffarm a daeth Morgan, tad Islwyn, yn ŵr 30 oed, i Bont-y-pŵl at gefnder iddo, Prothero, gwerthwr glo.[7] Fe adroddir un hanes amdano gan Daniel Davies, Ton:

Ychydig dros gan mlynedd yn ôl [felly tua 1800] yr oedd tad y bardd Islwyn yn fachgen ieuanc, wedi blino yn lladd ei hun wrth geisio lladd gwair ar dir garw, anwastad, gerllaw Ystradgynlais, yn paratoi i ymadael oddiyno i le gwell, a dyma fel y dywedodd: –

> 'Ffarwel i Ballog byllog,
> I Sami, a'i waun dwmpathog;
> Mi af yforu i ladd fy shâr
> I Gwm Cyw Iar a Cheiliog.'[8]

Toc wedi symud fe briododd ond nid oes tystiolaeth â phwy; dichon iddi farw ar enedigaeth mab, Thomas (1809–30), gan i Morgan Thomas ailbriodi ar 13 Ebrill 1813 â merch 24 oed,[9] Mary Jones, ffarm Blaengwawrne (Blaengwrney ar y map ordnans diweddaraf) ym mhlwyf Mynyddislwyn ar godiad rhwng Crymlyn a Threcelyn. Ar y pryd yr oedd Morgan yn byw yn Nhrefddyn (Trevethin) ar gyrion Pont-y-pŵl.

Cawn y teulu newydd yn byw wedyn yn 'Cymau' (ai rhwng Rhisga a Threcelyn? – y mae William Coxe yn 1801 yn dweud am y dyffrynnoedd yn yr ardal 'they are called Cwms by the natives') a'r Goetre, y symudiad yno fel canlyniad, mae'n debyg, i apwyntiad Morgan yn asiant i deulu Llan-arth, ryw bum milltir o'r Goetre.[10] Y mae Abraham Morris, hanesydd y Methodistiaid, yn dweud mai fel Morgan Thomas, Mamheilad, yr adwaenid ef, ond y Goetre a ddyweд Mary'r ferch. Oddi yno y daethant yn 1825 yn rhai o'r trigolion cyntaf i bentref newydd Ynys-ddu, un o dri phentref – y Coed-duon a Thre-lyn (Fleur-de-Lys[11]) gerllaw oedd y lleill – a adeiladwyd gan John Hodder Moggridge yn y 1820au. Yn Bradford-on-Avon y ganwyd Moggridge yn 1771 ond symudodd y teulu, rai blynyddoedd wedyn, i Dymock, Swydd Gaerloyw, ar ôl etifeddu stad yno a gwneud eu ffortiwn yn y diwydiant brethyn. Am ryw reswm symudodd John Hodder o Dymock rywbryd rhwng 1809 a 1812, a throi'n sgweiar Cymreig, gan brynu stad Rhosnewydd neu Blas Bedwellte, hen gartre'r Morganiaid. Gwnaeth ei gartref yn Neuadd Llanrhymni, nes adeiladu ei blasdy newydd, Woodfield, mewn ardal goediog yn nyffryn Sirhywi, erbyn heddiw rhwng y Coed-duon ac Oakdale. Er nad oedd ei ymwneud â'i denantiaid yn gwbl hapus, roedd

Moggridge yn amcanu at fod yn ddiwygiwr cymdeithasol; diddorol sylwi, er enghraifft, mai'r Siartydd John Frost a'i henwebodd fel ymgeisydd, aflwyddiannus, dros Fwrdeisdrefi Mynwy yn etholiad cyffredinol 1820, er iddynt gweryla wedi hynny. Roedd elfen o'r iwtopydd dyngarol tebyg i Robert Owen ym Moggridge, ac amcan ei gynllun pentrefi oedd darparu tai teilwng i'r 'gweision ffermydd a glowyr gweithgar sy'n ei chael hi'n anodd i gynnal eu hunain a'u teuluoedd'. Am rent isel fe roddai brydles ar ddarn o dir, a digon o gyfalaf i adeiladu bwthyn o garreg leol gyda gardd yn gysylltiedig. Er bod rhai'n amau ar y cychwyn, fe welwyd y manteision yn fuan, ac erbyn 1829 roedd y Coed-duon ('Tre-Moggeridge' yn ôl y *Cambrian*, 9 Tachwedd 1822) wedi tyfu'n bentref o 1,550. (Bu Moggridge farw yn Abertawe yn Chwefror 1834.)[12]

Prin y byddai Morgan Thomas, yn awr yn arolygwr tramffordd, yn perthyn i un o gategorïau Moggridge, ac efallai mai teulu Llan-arth oedd yn gyfrifol am 'Dŷ'r Agent'; ond rywfodd, dros y blynyddoedd, fe ddaeth Morgan yn berchen ar hanner dwsin o fythynnod yn y pentref hefyd.[13] Y demtasiwn yw credu mai lein fach Sirhywi oedd yr un a arolygai, lein dros ugain milltir o hyd a agorwyd yn 1805 ac a ddaeth tua 1810 yn un o'r rhai cyntaf ym Mhrydain i fod yn agored i gludiant cyhoeddus, ar daliad toll fel ar y ffyrdd tyrpeg; lein hefyd oedd ar fin arloesi drwy fabwysiadu locomotifau stêm; ychydig cyn Nadolig 1829 cafwyd taith brawf yr injan *Britannia* i lawr i Gasnewydd – cychwyn o Dredegar ar doriad gwawr a chyrraedd Basaleg, milltir a hanner o Gasnewydd, erbyn nos. Y drafferth oedd bod yr injan yn rhy drwm i'r platiau, gan achosi nifer fawr o doriadau. Yna yn 1831 fe ychwanegwyd *Speedwell* a *Hercules*, a *St David* yn 1832.[14] Trowyd y lein yn rheilffordd yn 1860 drwy ddeddf seneddol. Da cadw hyn i gyd mewn cof, wrth feddwl am deithio cyson y bardd ar y rheilffordd yn y blynyddoedd i ddod.

Fel 'tramroad agent' y disgrifir Morgan Thomas yng Nghyfrifiad 1851 (er bod Mary Thomas yn 'Railway agent's widow' yn 1861), ac yn ôl pob golwg nid asiant i'r Sirhywi a oedd ar fin datblygu'n rheilffordd mohono ond yn hytrach i dramffordd Penllwyn, ar ochr ddwyreiniol Dyffryn Sirhywi. Y mae'n bosibl, wrth gwrs, ei fod rywfodd yn gweithio i'r ddau gwmni, a bod a wnelo hynny â phroblemau diwedd ei oes. Dau fonheddwr, John Jones, Llan-arth, a Syr Charles Morgan, Parc Tredegar, fu'n gyfrifol am greu'r dramffordd. Drwy briodas daethai Jones yn berchen ar stad Penllwyn-sarff ym Mhontllan-fraith gyda thri can erw o dir yn nyffryn Sirhywi a oedd yn gyfoethog mewn glo ac yn galw allan am gael ei weithio. Wedi tipyn o ymrafael rhyngddynt a chwmni tramffordd Sirhywi, daethpwyd i gytundeb y gellid adeiladu tramffordd Penllwyn o dan nifer o amodau. Rhedai o lefel Rock, y Coed-duon, i 'Nine-Mile Point' (sef naw milltir o Gasnewydd) ac, er nad oes sicrwydd pa bryd yr agorwyd y lein, y tebygolrwydd yw mai ychydig cyn 1825, pan symudodd Morgan o'i hen swydd yn Llan-arth i Dŷ'r Agent, Ynys-ddu y bu hynny. Arhosodd Penllwyn yn dramffordd ceffylau ar hyd ei hoes o tua deugain mlynedd. Gellir nodi hefyd mai cyflog Morgan Thomas am fis Mehefin 1832 oedd pum punt; amrywiai cyflogau'r gweithwyr o swllt ac wyth geiniog i ddeuswllt ac wyth geiniog y dydd. Gellid llogi dyn a cheffyl am ddiwrnod am bum swllt.[15]

Cafodd Morgan a Mary naw o blant: Anne (1814–29), David (1816–80), Elizabeth (1818–25), Mary (1821–1900), Morgan (1823–31), John (1825–c.1896), Elizabeth (1827–1911), Margaret (1829–30; bu farw'n bedwar mis oed) a William (1832–78).[16] Felly ar enedigaeth William roedd pedwar o'r plant yn fyw, efallai tri gartref, a thybio y byddai David, un ar bymtheg oed, wedi gadael ar brentisiaeth: Mary, yn tynnu at un ar ddeg, John yn saith ac Elizabeth yn bedair a hanner – y brodyr a'r chwiorydd yn yr oed i weld y babi newydd fel tegan, a'r rhieni yn galaru ar ôl colli Margaret ac o'r herwydd yn maldodi'r newydd-anedig. Y dystiolaeth sylfaenol i hyn yw eiddo Edward Matthews, Ewenni:

> Yr oedd amryw o'r [plant eraill] wedi tyfu i fyny, a chwedi dechrau masnachu, pan oedd efe yn un bach gyda ei dad a'i fam gartref; felly, yr oedd yn fab eu henaint [Morgan yn 55, Mary yn 43], ac efallai nad oes eisiau cymeryd trafferth i ddyweyd, 'anwyl gan ei fam'; ie, a llawn mor anwyl gan ei dad hefyd . . . Ni allent wrthod dim a ddymunai ac a geisiai. Byddai digon o felusion, o wahanol liwiau a ffurfiau, wrth law iddo bob amser . . . Plentyn hyfrydwch oedd ef gan ei rieni; yr oedd yn un o'r rhai y geilw y Saeson yn *spoilt children. (Pregethau*, 1896, xiv)

Cyn ei eni roedd ei fam, meddir, yn bur afiach, ond wedi hynny fe ddaeth 'mor iach â'r geirchen', ac fe fyddai hi'n aml yn gosod ei llaw ar ysgwydd William, gan ddweud 'dyma'r bachgen a achubodd fywyd ei fam'.[17]

Roedd cysylltiadau teuluol yn bwysig i William ar hyd ei oes. Dylanwad y fam oedd gryfaf: 'Mam yn Israel', yn ôl y ferch Mary (Jenkyns, ar ôl priodi), 'yn feddianol ar lawer o synwyr cyffredin, pwyll, deall a chrefydd . . . Dywedodd fy mrawd wrthyf ychydig cyn iddo farw ei fod yn teimlo unigedd byth wedi colli ein Mam er ei bod wedi marw dros ddeuddeg mlynedd o'i flaen.'[18] Beth amser wedi ei marw ar 26 Gorffennaf 1866, canodd gerdd o 180 llinell iddi:

Ffarwel, lon ddiofalwch bore oes,
Ffarwel i'r hon a ddygai bob rhyw groes
Ei hun, i mi gael llonydd i fyfyrio
Heb unrhyw ofal yn y byd i'm blino. (GBI 167–71)

Prentisiwyd y ddau frawd hynaf yn fesurwyr tir a pheirianwyr. Gadawodd David y cartref yn ieuanc iawn ac, ar ôl cyfnod yn y Coedduon, ymsefydlodd yn y Rhondda; adeg ei farw ar 1 Gorffennaf 1880 disgrifiwyd ef fel 'mining and geological engineer'. Prin, os o gwbl, y mae Islwyn yn cyfeirio ato, ond fe'i henwir fel un o ymddiriedolwyr Capel Ed yn 1845.[19] Y mae mwy i'w ddweud am John, a gollodd arian yn ceisio agor glofeydd, cyn troi'n ôl at ei alwedigaeth yn dirfesurydd ac ymfudo i Awstralia i swydd dan y llywodraeth. Dywedir iddo ddod i adnabod Dai'r Cantwr a Shoni Sgubor Fawr[20] yn Nhasmania, lle ganwyd dau blentyn iddo ef a'i wraig gyntaf Catherine, 'y ddynes fwyaf rhinweddol a mwyaf superior a adnabyddais erioed' meddai Mary Jenkyns, a thestun teyrnged gan William yn ei gerdd 'Fy Mrawd', a gyfansoddwyd ar ei marwolaeth hi rywbryd yn y 1860au:

Yr oedd mor dda – yr wyf yn ameu bron
A fu'r fath un yn rhodio'r ddaear hon;
Ai nid angyles oedd a welais i
Ar glogwyn breuddwyd yn dy ymyl di? (GBI 160)

Y mae cerdd arall, 'Fy Nai tu hwnt i'r môr, Willie', yn awgrymu perthynas arbennig â'r teulu hwn. Ymddengys i John a Catherine gychwyn am Awstralia rywbryd cyn 1855 gan adael Willie dros dro yng ngofal perthnasau yng Nghymru; mae'n rhaid mai William arall oedd y nai deuddeg oed a oedd yn aros yn Nhŷ'r Agent yn 1851.

Yr oedd dy dad tu hwnt i'r don
Tu arall i'r ddaearen hon,
A'th fam dyneraf gydag e,
A minnau'n ceisio llanw eu lle.[21] (GBI 162)

Gwelir yr un hoffter, meddalwch yng ngolwg rhai mae'n debyg, yn y cerddi coll ar ôl plant y chwaer Elizabeth ('my innocent and harmless sister Eliza', yn ei lythyr at Martha Davies, 22 Ionawr 1864). Ei phriod hi oedd Daniel Howells, yn enedigol o Fachen, ac ni symudodd y ddau o'r Ynys-ddu. Yn ôl Cyfrifiad 1881, oed Daniel oedd 53 a'i alwedigaeth oedd ffermwr. Bu farw tri o'u plant yn ifanc: William Thomas yn ddwy-flwydd a deg mis ym Mawrth 1863, Elizabeth yn dair a hanner ym Mai 1868, a Mary Louisa yn chwech oed ym Mai 1874; ond roedd dwy ferch yn fyw pan wnaeth Islwyn ei ewyllys, a bu un ohonynt yn organyddes Capel y Babell.[22] Roedd y mab John yn bresennol adeg ei farwolaeth. At y cyntaf o'r plant y mae'r gerdd 'Fy Nai tu hwnt i'r bedd' yn cyfeirio:

> Chwareuwn gyda thi, a gwnawn fy ngoreu
> I deimlo'n llon fel yn fy mebyd boreu.
> Ni chefaist fyw i ddweud fy enw'n gyfan,
> Roedd gennyt arnaf enw bychan, bychan; (GBI 163)

yr enw oedd Dittwn, gan na fedrai ynganu Islwyn: 'os gwelsai bregethwr a gwallt du yn y pulpud buasai yn dweud allan "There is Dittwn".' Elizabeth yw testun y gân 'Lille':

> O Lille y brydferth! y brydferthaf bron
> Erioed fu'n sangu ar y ddaear hon
> . . .
>
> Mae llawer tymor bellach wedi pasio
> Er pan y'th roisom di i lonydd huno.
> . . .
>
> 'Rwyf yn dy gofio fel angyles iach
> Yn dod i dŷ fy mam, a'th fasged fach
> Yn hongian ar dy fraich a'i llond o ros. (GBI 165)

Ond y mae'r cwlwm teuluol yn ymestyn yn ôl i'r gorffennol hefyd. Yn y gerdd 'Y Fynwent' (1871) fe genir am y chwaer Elizabeth a fu farw saith mlynedd cyn geni William:

> A minnau wyf am annedd – dawelaf
> Yn ochr Elisa fy chwaer lwyswedd.
> Mae adenydd Ior am dani,
> 'R un dlos, mae yn aros yn hir
> Yn ei bedd, yn ei bedd bach,
> Heb ball, am ei brawd bellach. (GBI 180)

Yn 'My Sister' fe bwysleisir y berthynas gudd:

> It seems as though I knew thee well,
>   As though that angel-hand of thine
> With grasp of love, tongue ne'er can tell,
>   Had once been locked in mine. (IEP 18)

Fe ddown yn y man at Mary a'i gŵr, Daniel Jenkyns.

I Dŷ'r Agent yn yr Ynys-ddu y daeth y teulu felly yn 1825 ac yno y ganwyd William ar 3 Ebrill 1832, a'i fedyddio yng Nghapel y Babell ar 6 Ebrill. Tystiolaeth Mary Jenkyns yw i'r teulu symud o'r Ynys-ddu i Green Meadow, gerllaw Capel y Babell, am y tro cyntaf yn 1843, gan fynd yn ôl i'r Ynys-ddu am beth amser ac yna'r ail waith i Green Meadow yn 1854. 'Machine House' yw'r enw ar y tŷ yng Nghyfrifiad 1861; pen y teulu oedd Mary Thomas, 72 oed, gweddw asiant y rheilffyrdd (roedd Morgan wedi marw er 15 Mai 1857), ei mab William, 29 oed, gweinidog gyda'r Methodistiaid Calfinaidd, Margaret James, morwyn, ac Edmund Davies, gweinidog arall yn yr Hen Gorff, yn amlwg yn cadw cyhoeddiad. Erbyn Cyfrifiad 1871 yr oedd William wedi adeiladu tŷ iddo'i hun, 'Y Glyn', gerllaw tŷ Mary a Daniel Jenkyns.

Saesneg oedd iaith cartref Islwyn, a'r dybiaeth gyffredinol a naturiol yw mai'r fam, o ddwyrain Mynwy oedd yn gyfrifol am hynny. Mae'n bur debyg mai felly yr oedd hi, ond fe ddylid cofio i'r fam fynychu capeli Cymraeg yn gyson, a ffaith ogleisiol yw mai ati hi y trodd Islwyn pan oedd yn chwilio am air Cymraeg (fe ddyfynnir y darn o'i ddyddiadur yn nes ymlaen). Tybed ai gwraig gyntaf Morgan oedd yn ddi-Gymraeg ac mai felly y sefydlwyd y Seisnigrwydd? Ond cofier nad peth anarferol, yn enwedig ar y ffin ieithyddol ac yng ngwasanaeth y bonedd lleol, oedd i rywun oedd wedi codi dipyn yn y byd droi i'r Saesneg. Nid oes amheuaeth ynglŷn â'r Seisnigeiddio mewn rhannau helaeth o'r sir o, dyweder, ail chwarter y bedwaredd ganrif a'r bymtheg ymlaen. Yn Nhrefddyn, lle roedd y teulu'n byw wedi'r ail briodas yn 1813, yr unig wasanaethau yn yr eglwys yr adeg honno oedd rhai yn Gymraeg, ond erbyn 1839 nid oedd ond 51 y cant o'r boblogaeth yn medru'r iaith. Anodd gwybod am bentref newydd yr Ynys-ddu, ond y mae rhywun yn cael yr argraff mai Cymraeg oedd iaith y mwyafrif o'r trigolion yn oes Islwyn. Ac, wedi'r cyfan, Cymraeg oedd iaith Capel Ed, Shiloh, Gelli-groes a'r Babell ei hun ac fe fyddai plant y teulu wedi dysgu darllen Cymraeg ynddynt yn yr ysgolion Sul.[23]

Y termau a ddefnyddir i nodweddu Morgan Thomas yw bywiog, diwyd, gweithgar, gwresog fel gweddïwr, a doniol – sef huawdl; ac yn y gerdd 'Fy Nhad', ceir tynerwch, gofalgarwch, teimladrwydd tirion,

caredigrwydd, haeledd a'i 'nefol anghofusrwydd'. Yn y gerdd, hefyd, fe
geir awgrym o bryder mawr, o amlder gorthrymderau, o 'fachludiad di-
hedd . . . blynyddau o donnau' ac 'y gwenau mewn llwyddiant, a'r brad
mewn aflwydd', sy'n awgrymu i'w amgylchiadau fynd ar y goriwaered yn
ei flynyddoedd olaf. Y mae awgrym o densiynau rhyng-deuluol yn 'Y
Fynwent'; wrth gyfarch bedd ei fam, dywed:

> Ni thyr llef dy dangnefedd
> Na gelyn byth gloion bedd.
> Ni enfyn neb o lin fy nhad – lythyr
> I lethu dy deimlad. (GBI 173)

Anodd bod yn sicr beth sydd y tu ôl i hyn i gyd. Gan fod Islwyn wedi
etifeddu chwech o dai, nid yw'n ymddangos i'r tad fynd yn fethdalwr, er
enghraifft. Tybed a ddygwyd cyhuddiadau o ryw fath yn ei erbyn? Sut
bynnag am hynny, y mae hefyd linellau hyfryd am unoliaeth ei fywyd a'i
grefydd:

> Yr oedd gwirionedd fel arddunol wawr
>   Ar wyneb ei dduwioldeb, nid oedd crefydd
> Ond mynwes arall am ei galon fawr
>   O fewn yr hon y cura yn dragywydd.
> Y llais a alwai'r gweithiwr tua'i orchwyl
>   Yn fyw a llon, yr un yn gymwys gaed
> Yn groesaw dynion at y Ceidwad anwyl,
>   Yn llon a bywiog ganmol rhin y gwaed. (GBI 157–8)

Dywedir iddo ef a'i wraig ddod at grefydd yn y Goetre, ac yng
nghapel y Methodistiaid Calfinaidd yno, Capel Ed ('a meibion Reuben a
meibion Gad a alwasant yr allor Ed', Josua 22:34), y bedyddiwyd Mary
yn 1821 a Morgan yn 1823. Adeiladwyd Capel Ed yn 1807 a'r Gymraeg
oedd iaith y gwasanaethau hyd at y 1870au. Ar eu symudiad i'r Ynys-
ddu ymunodd y teulu â'r eglwys yng Ngelli-groes, ryw dair milltir i
fyny'r dyffryn ac yno y bedyddiwyd Elizabeth yn 1827. Capel a adeil-
adwyd yn 1813 oedd hwn, wedi i'r Methodistiaid adael y tŷ cwrdd lle yr
oeddynt yn y lleiafrif o gymharu â'r Annibynwyr a Bedyddwyr mewn
eglwys gymysg. Fe ddywedir gan y cofianwyr mai oherwydd nad oedd
ysgol Sul yn y gymdogaeth yr aeth Morgan Thomas ati i gychwyn ysgol
mewn tŷ annedd yn Ynys-ddu. Un cymhlethdod bychan yw bod Llyfrau
Gleision 1847, wrth roddi manylion am ysgol Sul yr Hen Gorff yng

Ngelli-groes, yn dweud iddi gael ei sefydlu yn 1811 (erbyn 1847 roedd 35 dan bymtheg oed ynddi, a 18 dros bymtheg.) Sut bynnag am hyn, bu menter yr Ynys-ddu yn dra llwyddiannus, a phlant Annibynwyr a Bedyddwyr yn mynychu'r ysgol, ac yn 1827 penderfynwyd codi capel gerllaw, Capel y Babell – enw a gynigiwyd gan weinidog Cilgeran, William Morris.[24]

Bachgen bach eiddil ddigon oedd William. 'Nis gallai fwyta bara 'menyn heb siwgr arno,' meddai Matthews, Ewenni. Cafodd gystudd trwm pan oedd yn chwech oed, ac yn fuan wedi hynny dioddefodd ddwywaith gan y pliwrisi – achosion eraill, mae'n bur debyg, i'w rieni fod yn or-ofalus ohono. Anaml y gwelid ef yn chwarae â'r plant eraill, ond yr oedd yn ffefryn mawr gyda'r hen bobl ac yn treulio'i amser yn eu cwmni.[25] Bachgen 'a'i ben mewn llyfr', mae'n sicr.

Bwriad y tad oedd gwneud tirfesurydd a pheiriannydd ohono yntau; ni welais yn unman arall gadarnhad o osodiad Rhuddwawr, sef 'rhoddwyd ef i ddysgu crefft fel töwr',[26] ac y mae'n ymddangos yn dra annhebyg. Cafodd y plant i gyd, gan gynnwys y merched, addysg well na'r cyffredin, ond gyda William yr aethpwyd i fwyaf o drafferth. 'Cafodd fy mrawd addysg mewn ysgolion *superior* er yn fachgen bychan,' meddai Mary Jenkyns, ac nid yw'n amlwg ei bod yn cyfrif yr ysgolion lleol ymysg y rheini. Ond y mae Dyfed (Evan Rees) yn dweud, 'cadwyd ef yn yr ysgol, yn y pentref y ganwyd ef ynddo, hyd nes y daeth yn ddigon hen i'w ollwng oddicartref i ysgol uwch',[27] ac y mae nifer o'r ysgrifau coffa ar ei ôl yn dweud iddo gael ei addysg yn yr Ynys-ddu. Erbyn 1847 roedd wyth ysgol ddyddiol ym mhlwyf Mynyddislwyn, yn ychwanegol at yr Ysgol Brydeinig, ond anodd eu lleoli'n fwy pendant.[28] Sut bynnag am hyn, y lle cyntaf yr anfonwyd y bachgen iddo oddi cartref oedd ysgol David Morgan Williams, a agorwyd tua 1838 yn festri'r Bedyddwyr Saesneg, Tredegar.[29] Ymddengys fod yr athro yn dipyn o ysgolhaig ac i'w 'academi' ddod i beth amlygrwydd drwy 'the numerous groups of splendid intellects which received their rudimentary instructions at the hands of this shrewd and competent man'. Dywedir bod ei ddisgyblaeth yn ddiarhebol, ac mai hon oedd yr ysgol o'r radd uchaf yn y dref. Yno, er enghraifft, yr anfonwyd dwy ferch William Bevan, goruchwyliwr y gweithfeydd glo.[30] Ond, am ryw reswm, fe symudodd William i ysgol breifat Mrs Sarah Poole, 99 Stow Hill, Casnewydd: '[an]Establishment for the education of young Gentlemen'; roedd ganddi '[a]Young Ladies' Seminary' hefyd.[31] Cyflogodd ei rieni athro i ddysgu Lladin a Groeg iddo, gartref fe ymddengys.[32] Wedyn, yn ôl tystiolaeth ei chwaer, fe aeth i 'hen ysgol ramadegol' y Bont-faen, fel disgybl preswyl mae'n debyg, naill ai yn yr ysgol ei hun neu, pan aeth nifer y disgyblion ar gynnydd, mewn lletyoddi allan. Anodd iawn dyfalu pa bryd y bu yno (os yno hefyd), er ei fod gartref yn yr Ynys-ddu adeg Cyfrifiad 1851.

Daethai cryn newid ar yr ysgol wedi marw'r prifathro, Dr William Williams, ym mis Ionawr 1847 ar ôl teyrnasu ar Ysgol Rad y Bont-faen am yn agos i drigain mlynedd. Ei olynydd am dair blynedd oedd gŵr egnïol anghyffredin, Dr Hugo Daniel Harper, cymrawd yng Ngholeg yr Iesu, Rhydychen, ac fe ddechreuodd hwnnw ar y dasg angenrheidiol iawn o atgyweirio ac ailwampio'r adeiladau, gan sicrhau nad oedd y gwlâu yn yr ystafelloedd cysgu i fod ar batrwm ysbytai 'since this would not be very agreeable to the feelings of young gentlemen, for it is not pleasant for the occupant of one bed to be staring at that of the other'.[33] Adeg y Nadolig 1847 roedd 31 o fechgyn yn yr ysgol; erbyn canol haf 1849 roedd 80 ohonynt. Y mae'r rhestr o ddisgyblion yn 1860, a'r nifer erbyn hynny i lawr i tua 40, yn cynnwys galwedigaeth y tad; hanner dwsin o glerigwyr, wyth 'gentleman', tri ffarmwr – un ohonynt yn 'gent farmer' – pum meddyg, 'manager of iron works', 'manager of National Provincial Bank Cardiff' ac yn y blaen. Yn sicr roedd angen cefndir go solet cyn anfon y mab yno.

Clasurol oedd yr addysg yn y bôn, ond o leiaf erbyn tua 1852 roedd gan yr ysgol gangen 'fodern', yn dysgu Ffrangeg ac Almaeneg yn hytrach na Groeg a Lladin. Rhestrir Henri Bertrand fel athro Ffrangeg yng Nghyfrifiad 1851. Gosodid cryn bwyslais ar fathemateg, ac fe ddysgid hefyd hanes Lloegr a daearyddiaeth. Roedd nifer o'i ddisgyblion, dros y blynyddoedd, yn barddoni yn Saesneg, Lladin a Groeg ac fe ddywedir mai yn y Bont-faen y dechreuodd William hefyd farddoni.[34] Go brin mai dylanwad yr ysgol oedd yn gyfrifol ond, yn hytrach, y gyfathrach â'i frawd-yng-nghyfraith, Daniel Jenkyns, a ddaeth yn weinidog ar Gapel y Babell yn 1840 gan fyw y drws nesaf i deulu Morgan Thomas, ynghyd â chyfarwyddyd beirdd y fro, fel y cawn weld. Roedd Edward Matthews wedi clywed am ei farddoni hefyd: 'Yr ydym yn cofio pan yr ydoedd yn yr ysgol yn y Bontfaen y tynodd ein sylw ni gyntaf; yr oedd mewn *shop* llyfrwerthwr, a dywedwyd wrthym fod y bachgenyn hwnw yn cyfansoddi barddoniaeth, braidd yn anghredadwy o dda, ag ystyried ei oedran.'[35]

Wedi traethu fel hyn am yr Ysgol Ramadeg, teg ychwanegu bod esboniad cwbl wahanol, a mwy tebygol o bosibl, sef iddo fynychu'r 'Eagle Academy', ysgol arall yn y Bont-faen a enwyd am iddi tua throad y ganrif gymryd drosodd hen dafarn y Spread Eagle a'r ystafell gynnull y tu cefn, ac a oedd yn lled enwog yn hanner cyntaf y bedwaredd ganrif ar bymtheg. Cyfeirir ati gan Gomisiynwyr 1847 mewn termau sy'n ategu ei bri: 'a private establishment, called the Eagle School, enjoys a very extensive reputation as a commercial school, but is beyond the reach of the poor'; ac wedi cau'r ysgol yn y 1880au fe fu cryn bwyso ar i'r Ysgol Ramadeg fabwysiadu rhai o'i phynciau ymarferol. Mewn erthygl yn *Ceninen Gŵyl Dewi* 1902, myn Cynwyd Thomas i Islwyn fynd o'r ysgol yng Nghasnewydd 'i ysgol yn y Bontfaen, yr hon a gedwid gan Mr Lewis'. Ni ellir bod yn sicr pwy ddilynodd y meistri cyntaf, sef Thomas Williams, a fu farw yn 1839 yn 81 oed, a Thomas Rhys, a fu farw yn 1851; ond y mae'n bur debyg mai William Lewis oedd hwnnw, gan ei fod yn ymddangos fel deiliad yr Eagle yng Nghyfrifiadau 1851, 1861 a 1871. Mae'n debyg iddo farw tua 1879.[36] Ond y dystiolaeth gadarnaf i gryfhau'r ddadl dros yr Eagle yw geiriau David Howell ('Llawdden') mewn erthygl ar 'Peredur' yn 1899:

Cydgychwynnodd pedwar o honom tua'r un pryd, ac yr oeddym yn gyfeillion tra mynwesol, sef Islwyn, Cuhelyn, Peredur, a'r ysgrifennydd. Aeth Islwyn anwyl i fyny i'r uchelderau, fel eryr yn herfeiddio yr haul, gan adael i'r rhelyw o honom i ymgripio yn ofnus yn nhysgod yr adar mawr, sef Nefydd, Ioan Emlyn, Cynddelw, ac eraill oeddynt oll y pryd hyny yn trigianu ar fynyddau Gwent.

Yn ôl Gwenallt yn Y *Bywgraffiadur Cymreig hyd 1940*, aeth Llawdden i 'Eagle School y Bont-faen, ac fe ategir hyn gan ei gofiannydd: "It was thus settled that Daniel should attend the Eagle Academy in Cowbridge, conducted by William Lewis, a strict disciplinarian, in order to obtain an elementary knowledge in the Classics. This was in 1851–2. The year after Bishop Olivant had withdrawn his licence for Cowbridge Grammar School to act as a divinity school." '[37]

Gellir synhwyro ein bod ar dir cadarnach wrth chwilio am y flwyddyn yr aeth ymlaen i academi'r Dr Evan Davies yn Abertawe, er bod un dirgelwch yn y ffaith fod cyfrol yn Llyfrgell Prifysgol Cymru Abertawe (C. J. Kennedy, *Nature and Revelation Harmonious: A Defence of Scriptural Truths*, 1846), y bydd angen cyfeirio ati fwy nag unwaith ymhellach ymlaen, yn dwyn y llofnod 'William Thomas's Book. Ynysddu, Monmouthshire, South Wales. Bought at Swansea. July, 1848.' Y mae'r syniad o wibdaith o'r Bont-faen yn swnio braidd yn anacron-istaidd, ond nid oes esboniad arall yn ei gynnig ei hun.[38] Diddorol ynddo'i hun, wrth gwrs, yw cael bachgen 16 oed yn prynu'r fath lyfryn.

Ond i ddychwelyd at yr academi. Ganwyd Evan Davies yn Ffaldybrenin yn 1826 ac ar ôl addysg fore yn ysgol William Davies yn Ffrwd-fâl, 'academi' ragbaratoawl i ddarpar-weinidogion, fe raddiodd ym Mhrif-ysgol Glasgow. Dyna gyfnod y mudiad addysg wirfoddol ymhlith yr Annibynwyr, a esgorodd ar goleg hyfforddi athrawon yn Aberhonddu, gydag Evan Davies ugain oed yn brifathro arno, a phymtheg myfyriwr pan agorodd yn 1846. Symudwyd y coleg i Abertawe ar 1 Ionawr 1849, gan ei sefydlu dros dro yn ardal slymlyd Terras Rutland gyda'r bwriad o ariannu adeiladau pwrpasol maes o law; ond camgymeriad fu'r symud ac o achos diffyg brwdfrydedd a phrinder arian fe'i caewyd yn niwedd 1851, pan nad oedd ond deunaw disgybl ar y llyfrau.

Adeg Cyfrifiad mis Ebrill 1851 pymtheg oedd yn byw i mewn, a diddorol sylwi mai dim ond pedwar o'r rhain oedd o dan 24 oed. Cariodd Evan Davies y fenter ymlaen fel athrofa breifat yn Stryd Nelson yng nghanol y dref ac yn agos iawn i'r Garden Street y byddwn yn dod ar ei thraws yn y man, ac yno yr aeth William, yn ôl pob golwg rywbryd yn 1852, gan aros tan 1853, blwyddyn marw Ann Bowen. Yn ôl Cyfrifiad 1851, fel y nodwyd eisoes, roedd William gartref yn 'Machine' Ynys-ddu, a'i waith yn 'surveyor'. Tybed a oedd Morgan Thomas wedi ei gam-arwain gan yr awgrym y byddid yn ehangu'r academi i gynnwys Ysgol Fwyngloddiol ac Amaethyddol?[39] Ond arall oedd gwir ddiddordebau Evan Davies. Roedd yn gerddor o fri, yn eisteddfodwr,[40] ac yn Rhydd-frydwr tanbaid ac mae'n amlwg iddo gael disgybl wrth ei fodd yn y bachgen a oedd wedi bod am gyfnod yn arweinydd ysgol gân y Babell[41] ac a goleddai syniadau gwleidyddol tebyg iawn i'r ysgolfeistr. At hyn roedd yn y llanc duedd athronyddol (neu athroneiddiol yn hytrach efallai) ac fe geisiodd Evan Davies ei gael i'w ddilyn i Brifysgol Glasgow. (Cofier nad oedd mynediad i Rydychen a Chaergrawnt yn agored i Anghydffurfwyr yr adeg honno.) Ond, medd ei chwaer Mary Jenkyns, 'daeth rhwystrau ar ei ffordd i fyned yno, ac yn Abertawe y gorffennodd ei addysg.'

Cyfeiriwyd eisoes at y bachgenyn o fardd ac, yn *Y Diwygiwr* am fis Awst 1851 (xvi, 193, 247–8), cyhoeddwyd cerdd 'Marwolaeth Crist. Pryddest Ddiodl' gan W. Thomas, Babell, Mynwy; golygydd y cylch-grawn oedd David Rees, Llanelli, un o gefnogwyr cynnar yr Annibynnwr arall, Evan Davies; tybed ai dyna'r cysylltiad a barodd i'r bardd anfon ei gerdd? Ym mis Hydref o'r un flwyddyn fe geir deg o 'Englynion i'r Gerbydres (*Railway Engine*)' gan Gwilym Fardd, Babell, Mynwy, yn seithfed rhifyn cyfnodolyn newydd, *Y Cylchgrawn* (t.219), a gyhoeddwyd yn Abertawe gan ddau Fethodist Calfinaidd, William Williams, gweinidog eglwys Saesneg Bethany yn y ddinas, a'r bardd a'r blaenor John Howell. Am hwnnw, gyda llaw, y dywedodd Edward Matthews, Ewenni:

Pw! 'Dyw Islwyn, welwch chi, ddim yn cadw rheolau barddoniaeth; pe baech chi'n meddwl am John Howells, Pencoed [y Bardd Coch], thorrws e' reol erioed![42]

Sut bynnag am hynny, y mae'r englynion yn rhai destlus ddigon gan lanc 19 oed, yn cloi fel y maent yn cychwyn, gyda'r mŵg:

> Er glaned ei heurog olwynion – chwim,
>   Er mor chwai ei troïon,
>   Ac er ei holl ragorion,
>   Onid tarth yw enaid hon?

Dyma un o'r enghreifftiau cynharaf o'r farddoniaeth 'relweddol', cyfnod o ryfeddu at y 'peiriant o ddofnwech ddarpariaeth'.[43]

Yna ym mis Tachwedd (t.251) fe geir 'Cywydd Balchder', cerdd o ryw 115 o linellau. Ynddi gwelir geirfa eithaf cyfoethog ac, er iddo ladd ar 'chwyddfawr eiriau, pryddestwyr, pregethwyr gau', y mae ei hoffter o dermau cyfansawdd eisoes yn amlwg: 'ofernwyd', 'oferfawl', er enghraifft, ac nid yw heb ddioddef dylanwad William Owen Pughe gyda'r benthyciad clasurol 'Amaethon' am ffarmwr. Diddorol hefyd yw sylwi ei fod y pryd hyn yn bleidiol i'r cynganeddion; cawn weld newid agwedd cyn bo hir.

> Prydyddion, pa raid iddynt,
> Wŷr gau, fod mor fawr ag ynt?
> Eu sor at 'gaeth fesurau'
> A gwyd o ucheldeb gau;
> Mesurau'r hen amseroedd
> Ro'nt dan farn trwy gollfarn goedd. (tt.229–32)

Mwy o syndod, efallai, yw canfod pregeth ganddo yn y lle blaenaf o'r un rhifyn o'r *Cylchgrawn* (gan W.T.—, B—). Y mae'r nodyn hwn gan y golygydd yn dilyn:

Nid ydym yn adnabyddus yn bersonol ag awdwr yr erthygl uchod, ond yr ydym yn gosod ei ysgrif i mewn, ac yn ei gosod yn y *fan yma*, am ein bod yn ei hystyried yn un dda. Dywedwyd wrthym mai gwr ieuanc yw; goreu i gyd; gobeithio na fydd wedi gwaelu erbyn yr elo yn hen.

Testun y bregeth yw 'Heddwch â Duw yn sicrwydd o berffeithiad iechydwriaeth'; nid oes hynodrwydd iddi, ond yn hynny nid yw'n wahanol i bregethau gan hynafgwyr yn y cylchgrawn. Y mae'r ymresymu'n drefnus oddi mewn i feddylfyd cyfyng ac ar y cyfan y mae'r arddull yn blaen a phwyllog, gydag ychydig o frawddegau gweddol flodeuog: 'llyncwyd afonydd dyfais uffernol yn moroedd doethineb dwyfol'; 'Yr oedd yn nghymeriad llofrudd ar y pren, ond y mae yn nghymeriad Llywiwr y bydoedd ar yr orsedd.' Dyfais rethregol sy'n rhedeg drwy'r bregeth yw pentyrru cymalau cydradd:

dygwyd y pell yn agos . . . dyoddefwyd melldithion y ddeddf doredig . . . enillwyd yr oruchafiaeth ar Satan . . . gyrwyd ei fyddin mewn annhrefn a braw o faes y frwydr . . . gafaelwyd yn ngwaelodion seiliau Babilon . . . goruchlywiwyd gwrthwynebiad y byd . . . drylliwyd galluoedd seraffaidd . . . llyncwyd afonydd dyfais uffernol . . . diddymwyd angeu, a dygwyd bywyd ac anllygredigaeth i oleuni . . . Oni achubir trwy ei eiriolaeth yr holl wrthrychau a heddychwyd trwy ei farwolaeth, 'bu Crist farw yn ofer'; ymostyngodd yn ofer; carodd yn ofer; pregethodd yn ofer; dyoddefodd yn ofer; gwnaeth y cwbl yn ofer.

Yn ail gyfrol *Y Cylchgrawn* yn 1852 fe geir dau gyfraniad yn rhifyn Ionawr: ysgrif 'Enaid', gan W.T., B— (tt.6–10); a phryddest 530-llinell 'Abram yn aberthu Isaac' (tt.22–6), buddugol yn Eisteddfod Dowlais 1851 a phedestraidd hollol, gan 'Un o'r llanciau', sef W. Thomas, Babell, Mynwy. Pwnc yr ysgrif yw ceisio profi bod yr enaid yn sylwedd gwahanol i'r corff, er ei fod mewn undeb ag ef.

Mae holl weithrediadau y corph ar bethau amser, ond y mae enaid yn croesi y terfyn ac yn preswylio yn mhlith golygfeydd tragwyddoldeb ac anfarwoldeb . . . Mae dirgeledigaethau yn nghyfansoddiad dyn nad oes dim ond anfarwoldeb a all eu dehongli . . . Anwrthwynebol law angau yn unig a all ddadfolltiaw y ddôr, a gollwng yr ysbryd allan i'r awyr rhydd ac i gyflawn oleuni dydd tragwyddoldeb.

Brithir yr iaith â thermau y byddwn yn dod yn bur gyfarwydd â nhw yn *Y Storm*: anfeidroldeb, anllygredigaeth, anweledig, annefnyddiol (yn yr ystyr 'anghorfforol'). Cawn hefyd y rhestru cymalau eto, yn effeithiol ddigon. Dywed am yr enaid:

Adeilada ddinasoedd, cyfyd amherodraethau, ffurfia gyfreithiau, arweinia fyddinoedd, llunia lyngesau, cymyna ffordd ddidro trwy gelltaidd fonwes y mynydd, eheda gyda'r eryr yn yr awyr, a nofia gyda'r morfil yn y dyfnfor.

Y mae'n gwrthwynebu daliadau Epicurus, yn canmol Newton, Herschel a Miltwn, ac yn dyfynnu, heb enwi, ddrama Addison *Cato*.

Y mae'r 'Emyn Genadol' yn rhifyn Ebrill yn andwyol gaeth i ofynion odl:

> I seiniaw y newyddion cu
> Ar grasboeth anial Tartari. (t.120)

Nid oes hynodrwydd arbennig i'r ugain englyn coffa i Morgan Howell ym mis Mai (tt.150–1 sy'n cael eu dilyn gan benillion Eryr Glan Taf ar yr un testun (t.151). 'William Thomas' yw awdur yr englynion o hyd ond, erbyn y traethawd 'Uchelfryd' (tt.294–8) ym mis Hydref, y llofnod yw 'Bardd Islwyn', ac fe gawn hefyd y cyfeiriad cyntaf at eisteddfod. Wrth drafod diflastod uchelfryd mewn dynion 'o feddwl cyffredin a chynneddfau eiddil', fe â ymlaen:

> Os ydych am eu gweled yn eu prif luestdy (head quarters), ewch i'r eisteddfod; yno y mae haid o honynt yn marchog y beirniaid druan, gan ei guro yn erwin yn rhinwedd eu cynffonau (ffugenwau) culion, hirfain.

Y mae i'r ysgrif ei pherorasiwn:

> Uchelfryd sydd yn trylenwi y byd ag elfenau dinystr; uchelfryd sydd yn hyrddio cenhedloedd cyfain i warth oesol a cholledigaeth dragwyddol, ar draws mur o gleddyfau, ac o dan gawodydd o saethau; ie, uchelfryd beunydd sydd yn gorlwytho allorau pyrth uffern a myrdd fyrddiwn o ebyrth dynol! Gan hyny, ddarllenydd, na fydd uchelfryd, eithr ofna!

Mae'n werth sylwi hefyd ar ddau ddyfyniad o farddoniaeth Saesneg: 'Man must soar' a 'Desire of fame, by various ways is cross'd, / Hard to be gained, and easy to be lost' – y ddau gan Edward Young.

Ym mis Tachwedd (tt.342–3), y mae 'Cywydd Ffydd', gan 'Bardd Islwyn, Ynysddu', yn fwy cymedrol ei hyd o 136 llinell. Fe gynhwysir y gerdd yng nghasgliad O. M. Edwards (heb y dyfyniadau arysgrifol o waith Young) ond fe dâl rhoddi blas ohoni:

> Yr iawn ffydd, seren hoff yw,
> Ein hodiaeth huan ydyw;

Llygad i ddwyn holl eigion
Bytholddrych i'r llewyrch llon.
I goll â ein rheswm gau
Yn ingol lynclyn angau;
Eithr ffydd ar ei haruthr ffo
Er hyn, ni luddir yno;
Tyr trwy folltau* angau hyll,
Hi a ysgwyd ei hesgyll,
Mantella mewn tywyllwch,
Hed i'r llen, gan adaw'r llwch;

[*nid 'holl folltau' fel gan O.M.E.] (GBI 618)

Yr hyn sy'n taro ar unwaith yw'r eirfa. Cawn arwyddion o ddarllen yr hen feirdd, o Aneirin i Ddafydd ap Gwilym ac Iolo Goch: 'aes', 'amnoddi', 'blwng', 'diwael', 'garm', 'huan' – a adferwyd hefyd gan William Owen Pughe. Y mae geiriau Puwaidd megis 'arbylir' ac 'arfri'; diddorol hefyd gweld newydd-ddyfodiaid i'r iaith: 'ffloewder', neu 'nwyflon', gair nad yw *Geiriadur Prifysgol Cymru* yn ei groniclo cyn 1867. Un gair pur anghyfarwydd yw 'dieilfydd', ond gair a ddefnyddiwyd fwy nag unwaith gan Iorwerth Glan Aled yn ei bryddest *Palestina* a gyhoeddwyd yn 1851. Nodwedd amlwg yng ngwaith Iorwerth yw'r modd y mae'n bathu geiriau cyfansawdd; felly'n union Islwyn: 'arwrnerth', 'bytholddrych', 'ceinlaw', 'dewrwych', 'enynbwll', 'eryrnwyd', 'rhwyddlef'. Cyn gadael *Cylchgrawn* 1852, nodwn bregeth ar 'Gariad Efengylaidd' (tt.161–5) gan y Parchedig D. Jenkins, Babell, Mynwy ac englynion ar farwolaeth Morgan Howell gan Aneurin Fardd, Gelli-groes (t.248).

Yn rhifynnau 1853 ceir 11 o gerddi gan Islwyn, ynghyd â phregeth, 'Dadleniad Anfarwoldeb' (tt.65–70). Y mae dwy gerdd ('Ruddos y Morfa: *Marsh Marigold*' (t.182) ac 'Y Gwyddfid' (t.182)) yn eithaf manwl ddisgrifiadol. Y mae un, 'Bryniau' (tt.214–15), yn ymgais at aruchledd, un arall, 'Englynion i briodas Gwilym Teilo' (t.215), yn achlysurol, pump yn grefyddol, a dwy ar 'Angau' ac 'Adgyfodiad'. (Ceir englyn 'Blodeuyn y Glaswelltyn' gan Gwilym Ilid ar yr un tudalen.) Sylwer mai yn ystod ei garwriaeth ag Ann Bowen yr ysgrifennwyd y rhain.

Y mae paragraff cyntaf y bregeth, 'Dadleniad Anfarwoldeb', yn ymylu ar y morbid:

Oh! y fath esgyrndy anferth yw y ddaear hon! Mae wedi ei hamdoi ag adfeilion ein natur, wedi ei gwaghau a'i thangloddio â beddau ein hynafiaid. Pe cydgesglid holl weddillion dynolryw at eu gilydd, y fath fynyddoedd a ffurfient!

Er holl ddarganfyddiadau rhyfeddol dysgedigion ym myd meddwl a gwyddoniaeth, yn wyneb angau:

> tröai eu tafodau yn fud, eu rheswm yn ffolineb, eu dychymyg yn wagedd, a'u teimlad yn oerni . . . Yn absenoldeb goleuni dadguddiad, ni fuasai haul rheswm y digyffelyb Newton yn ddigon dysglaer i oleuo glyn cysgod angau.

O flaen y pagan a'r Groegwr,

> mae angau fel mynyddoedd tywyll, uchel, cribog yn ymddyrchafu yn unionsyth o'u blaen, yn gorhongian ac yn gorymestyn uwchlaw iddynt, gan fwgwth eu tragwyddol ddifodi.

Datguddiad ac awdurdod yr Efengyl sy'n arwain y Cristion:

> Nis gall rheswm brofi hanfodiad anfarwoldeb, llawer llai desgrifio golygfaoedd eilfyd. Gadewch athroniaeth ffuantus Athen, ac areith-yddiaeth flodeuawg Rhufain; gwrthodwch rwyfo bellach gyda Socrates a Phlato yn nghwch rheswm rhwng creigiau a thywod y cnawd . . . ewch i mewn i long gadarn dadguddiad, yr hon a gwyd yr hwyliau yn ffurfafen eilfyd, ac a'ch arweinia dros fôr tawel sicrwydd, heb don amheuaeth i'ch ysgwyd; buan yr â amser a daear o'r golwg, ac y cyd-ddadlenir golygfâoedd anfarwoldeb o'ch blaen.

Y mae'n camu ymlaen

> at foreu ofnadwy, fawreddog yr adgyfodiad . . . Onid yw'r olygfa yn ein harswydo? Bryniau yn ymddadwreiddio ac yn ffoi fel brain trwy yr entrych – moroedd yn ymgynddeiriogi ac yn gorchuddio cyfandiroedd â'u llifeiriant berwol – leuadau yn gwaedu – heuliau yn tywyllu – deddfau oesol natur yn cydymatal, a bydoedd yn ymruthro ar draws eu gilydd, nes y bydd anian yn un adfail aruthrol.

Yna y mae'n rhag-weld y

> [t]eimladau fydd yn llenwi meddwl yr annuwiol, pan, ar fore y farn, y dygir ef i olwg ei gorff adluniedig, yr hwn fydd yn garchar ac yn

ddienyddle tragwyddol iddo, [ond corff pur y cyfiawn yn] blagur[o] mewn ieuenctyd anfarwol, egni a bywiawgrwydd tragwyddol.

Uchafbwynt y bregeth yw canfod anfarwoldeb yr enaid, 'y wreichionen ddwyfawl, sydd yn bywiocâu y peiriant cnawdol':

Pan ymosoda angau ar y babell bridd, ac y tyna i lawr ei chleilyd furiau, dianga yr enaid o gaethiwed llygredigaeth, a ffoa yn fuddugoliaethus ar aden gynefin anfarwoldeb i hinsawdd gyfnaws bydoedd eraill.

A'r clo ar y bregeth yw dyfyniad arall o *Cato*, drama Addison. Y mae'r huodledd i'w ryfeddu, er y gall y mynegiant ymddangos yn bur chwyddedig ar brydiau, ac y mae'r dychmygu yn brasgamu tu hwnt i'r ysgrythurol heb dramgwyddo uniongrededd. Ond y mae'r ymhél â marwolaeth ac anfarwoldeb yn ymylu at fod yn obsesiynol, a hyn, cofier eto, cyn colli Ann.

Bellach y mae'n bryd ymholi am y dylanwadau personol ar y bardd a phregethwr ifanc yn y blynyddoedd hyn. Yn holiadur D. Davies, Ton, y mae ganddo gwestiwn i Mary Jenkyns: 'A oedd hynodrwydd yn perthyn i'ch brawd pan yn yr Ysgol Sabbothol, cyn iddo ddechrau pregethu?'

Oedd, byddai ei weddiau pan yn ieuanc iawn yn synu pawb ai clywai. Areithiodd ar yr ysgol Sabbothol mewn cyfarfod adroddiadol yr oedd pobl y wlad yn synu fod bachgen mor ieuanc yn gallu siarad mor fedrus.[44]

Roedd yr arwyddion hyn o dduwioldeb yn codi, yn ôl pob tebyg, o ddylanwad Daniel Jenkyns (sillafiad dewisol y gŵr parchedig ei hun, er mai fel Jenkins y cyfeiriwyd ato ar hyd ei oes yn *Y Drysorfa*). Wyth oed oedd William pan briodwyd Mary a Daniel Jenkyns wythnos y Nadolig 1840.[45] Mab i saer maen oedd Daniel Jenkyns; fe'i ganwyd ym Mhontypridd (yn Eglwysilan yn ôl Cyfrifiad 1851) ond yn Nhredegar y cafodd ei fagu, ac yno y dechreuodd bregethu yn 21 oed, sef tua 1835 neu 1836. Daeth yn weinidog ar Gapel y Babell yn union ar ôl priodi, ac yntau yn 25 oed, ac fe'i hordeiniwyd ym Merthyr yn 1842. Yn ôl ysgrif goffa yn *Y Goleuad* yn 1884,[46] ychydig o addysg ffurfiol a gafodd ond yr oedd 'wedi dysgu celfyddyd . . . yn drwyadl'. Dywedir ymhellach iddo wneud cynllun iddo'i hun ar ôl dechrau ar waith y weinidogaeth: 'trefnodd ei amser pa nifer o oriau a allai roddi bob dydd at ei efrydiaeth; yna pa gymaint at y gwahanol ganghenau.' Darllenodd lawer ar y Piwritaniaid, a thrwy 'astudio Jonathan Edwards, ac awduron cyffelyb, derbyniodd ei feddwl wrteithiad uwch a mwy gorphenedig nag mae meddwl ambell un sydd wedi graddio mewn prifysgol wedi ei dderbyn'. Y mae araith o'i eiddo, a draddodwyd yng Nghymdeithasfa Llanelli ac a argraffwyd yn *Y Cylchgrawn* ym Medi 1852 (II, xviii, 262– 6) ar 'Ddirywiad Ysbrydol yn ein Heglwysi' yn dangos cryn dipyn o synnwyr cyffredin, gan annog pregethu'n syml, siarad yn ddifrifol â'r gydwybod, cynhyrfu y teimlad, a chael 'mwy o ddoethineb a phwyll mewn adeiladu capelau ac amlhau eglwysi' (beth feddyliai Morgan Thomas o hynny, tybed?). Y mae hefyd yn anghymeradwyo dwyn 'pethau y Senedd a neuadd y dref' i mewn i dŷ Duw; yna y mae am gael 'dangos mwy o ofal am gyflawniad gweddus o'r ordinhad bwysig o ganu mawl', am 'ddwyn crefydd i ymddyddan cyffredin', am 'godi addoliad teuluaidd i sefyllfa uwch, cysonach, a mwy cyffredinol', am 'feithrin symledd duwiol, a gwylder santaidd', am 'wrteithio cariad brawdol' – 'Mae yr ysbryd cul, cyfyng, a sectol, ag sydd yn ffynu yn mhlith y gwahanol enwadau yn ddinystriol i wir grefydd.' Chwarae teg i Daniel Jenkyns.

Yn ei ddyddiau cynnar roedd 'yn taflu Morgan Howells i'r cysgod' ac wedi hynny o bryd i'w gilydd fe gâi oedfaon nerthol iawn, 'heb neb yn neidio na thori allan i folianu . . . ond ugeiniau o dan deimlad dwfn'; ond ar y cyfan pregethwr trefnus oedd, yn paratoi'n fanwl a chyda rhyw burdeb neilltuol yn ei bregethu. Clywodd Henry Rees ef mewn cymanfa yng ngogledd Cymru: 'Dyna burdeb – purdeb iaith, purdeb meddyliau, a phurdeb teimlad, pregethu fel yna wyf yn leicio.' 'Mwynder efengyl-aidd'[47] oedd ei brif nodwedd, meddai un arall amdano. Ymwelodd â siroedd y gogledd yn fuan wedi iddo gael ei ordeinio, ac fe fu oddi cartref am 13 wythnos, ond ychydig a deithiodd wedyn, er cael gwahoddiadau mynych a thaer. Yr oedd yn araf a phwyllog ym mhob peth, gan gynnwys ei ffordd o siarad 'heb ystum nac ysgogiad llaw na throed'. Llygaid tanbaid ond dipyn yn welw ei bryd. Bu farw 16 Medi 1884 yn 69 oed.

Ar ddiwedd holiadur Davies, Ton, y mae Mary Jenkyns yn ychwanegu:

Yr oedd [William] yn siarad yn dda iawn yn y Cyfarfodydd byddai hen aelodau ag sydd yn awr yn y nefoedd yn gwrando arno gyda phleser mawr. Bu mewn teimladau dwys iawn am ei gyflwr pan yn ieuanc iawn elai i'r lofft at Mr Jenkyns wylai yn hidl parhaodd y teimlad am gryn amser. Yr oedd Mr Jenkyns yn dweud wrthyf 'Mae mwy o grefydd yn y bachgen bach yma nag sydd ynom ei gyd.'

Yna mewn llythyr at Davies:

Ni fu erioed o'r Eglwys derbyniwyd ef yn aelod cyflawn pan yn unarbymtheg oed. Nid oedd neb o'r teulu yn feddianol ar ddoniau gweddi tebyg i Islwyn. Yr oedd fy nhad yn wresog iawn ag yn cael ei ystyried yn ddoniol [h.y. â dawn siarad yn gyhoeddus] ond nid fel Islwyn.[48]

Priodol ychwanegu bod Daniel Davies yn hanner gwrth-ddweud hyn:[49]

Ymddengys fod y ddawn hon [gweddïo] yn y teulu; y mae llawer ar hyd Mynwy a Morgannwg yn cofio am weddïau hynod cefnder iddo, Jenkin Jones, un o flaenoriaid Nazareth, Aberdâr. Byddai llawer yn ei theimlo yn fraint i roddi llety noswaith i Jenkin Jones, pan ar deithiau wrth werthu llyfrau, er mwyn ei weddiau yn y 'ddyledswydd deuluaidd'.

Ac y mae Davies yn mynd ymlaen i ddweud y byddai'r ddawn yn cael ei meithrin yng nghymdogaethau Mynyddislwyn a Chaerffili yn fwy nag mewn lleoedd yn gyffredin, gan enwi rhai o'r gweddïwyr hynod a godwyd, yn eu plith John James, un o flaenoriaid y Babell, sydd â phennill gan Islwyn ar ei garreg fedd:

> Gweddiwr mawr, gorchfygwr ydoedd ef,
> Nid ffurf, ond bywyd oedd ei weddi gref,
> A phan orffennodd y ddaearol daith,
> Lle'r aethai'r weddi, y gweddiwr aeth. (GBI 504)

Yna, yn rhagymadrodd Mary Jenkyns i'r gyfrol o bregethau Islwyn:

Yr oedd tuedd ynddo er yn foreu at bregethu, a chafodd y duedd hono ei symbylu trwy gymdeithasu cymaint â fy mhriod. Daeth ei gymhwysderau i'r gwaith i amlygrywydd mawr yn gynar, yn yr Ysgol Sabbathol, y Cyfarfodydd Dau-fisol, ac yn neillduol yn y Cyfarfodydd Gweddiau yn y Babell, ac mewn tai anedd yn y gymdogaeth, ac wrth ganfod y fath gymhwysderau ynddo, byddai llawer yn ei gymhell i ymgymeryd a'r gwaith, ac o'r diwedd, llwyddwyd i gael ganddo yntau ufuddhau. Cymerodd hyny le yn agos i ddiwedd y flwyddyn 1853.

Cychwyn pregethu, felly, ar ôl marw Ann Bowen, yr ysgytiad a fu'n drech na'i swildod a'i ofnusrwydd. Tystia Mary ei fod yn pregethu gydag arddeliad mawr yn yr oedfaon cyntaf, a dywedir i hen gyfaill droi at ei dad ar ddiwedd ei bregeth gyntaf yn y Babell, gan ofyn: 'Beth am dani'n awr, Morgan?' Ateb y tad oedd: 'mae Joseff fy mab yn fyw!', sef ateb un a oedd wedi sylweddoli am y tro cyntaf nad tirfesurydd oedd William i fod.[50]

Cyn hyn, mae'n weddol sicr, y bu'r arbrawf aflwyddiannus o'i anfon i swyddfa ei frawd ym Mhontypridd i ddysgu'r busnes (y mae'r ysgrifau coffa yn dweud iddo gael ei anfon i swyddfa ei 'ewythr' David Thomas, *mining engineer*, Glofa y Darrenddu, Pontypridd yn 1845, ond go brin y gall y berthynas na'r dyddiad fod yn gywir); ond o hyn ymlaen y weinidogaeth amdani, ac fe welwn law'r brawd-yng-nghyfraith yn amlwg yn y datblygiad. Cawn weld eto yr agosrwydd a dyfodd fwyfwy rhwng y ddau. Yn y cyfamser roedd Cyfarfod Misol Twyncarno, Rhymni, ar 3 a 4 Ionawr 1854 wedi derbyn cenadwri oddi wrth yr eglwys yn y Babell fod gŵr ifanc o'r enw William Thomas yn ymgeisydd yno am ganiatâd i bregethu, a phenodwyd y Parchedig Thomas Evans, Risca, a Mr Henry Edmunds, Gelli-groes, i ymweld â'r eglwys yn yr achos. Yng Nghyfarfod Misol Gelli-groes, 16 Awst 1854, 'penderfynwyd, ar ôl y prawf a gafwyd o hono, i roddi caniatad i Mr William Thomas, Babell, i ddechrau pregethu yn ôl y drefn arferol'. Yng Nghyfarfod Misol Rock, 20 a 24 Medi 1854, a Daniel Jenkyns yn Llywydd, ymddiddanwyd â Mr William Thomas, Babell, 'mewn trefn i roddi derbyniad iddo i lafurio o fewn holl gylch y Cyfarfod Misol, ac i fod yn aelod o hono. Rhoddwyd iddo dderbyniad unfrydol.'

Y cam nesaf, yng Nghyfarfod Misol Babell, 3 a 4 Medi 1856, oedd ei gynnig, ymhlith eraill, yn Sasiwn Brynmawr i fod yn aelod o'r Gymdeithasfa, ac fe wnaed hynny yn Hydref 1856 – y tro olaf yn ne Cymru, meddir, i bregethwyr gael eu derbyn yn aelodau o'r Gymdeithasfa cyn cael eu hordeinio. Yng Nghyfarfod Misol Twyncarno, Rhymni, 5 a 6 Ionawr 1859, 'penderfynwyd yn unfrydol fod Mr William Thomas, Babell, i fod yn Ysgrifenydd y Cyfarfod Misol gyda Mr Evan Jones.' Ac, o'r diwedd, yng Nghyfarfod Misol Penycae, 30 a 31 Mawrth 1859, 'penderfynwyd fod y brodyr canlynol i gael eu hordeinio eleni: William Thomas, Babell; Samuel Price, a Jeremiah Davies'. Cyflawnwyd yr ordeiniad yn Llangeitho, 4 Awst 1859, yn Sasiwn enwog y Diwygiad. Yn ystod y gwasanaeth, gofynnwyd y cwestiynau o'r Cyffes Ffydd gan y Dr Owen Thomas, a rhoddwyd y Cyngor gan Daniel Jenkyns.

Nid oes sôn yn ysgrif goffa Jenkyns yn y *Goleuad* am ddiddordeb mewn llenyddiaeth Gymraeg, ond ef, yn sicr, a Gymreigiodd deulu'r Ynys-ddu. Jenkyns, a'r capel hefyd, a ddaeth ag Islwyn a'i brif athro llenyddol at ei gilydd. Ychydig i fyny'r dyffryn yng Ngelli-groes roedd melin o'r ail ganrif ar bymtheg, sydd heddiw'n atyniad twristaidd. Y melinydd yn ail chwarter y ganrif oedd John Jones, a adwaenid fel Siôn

Fardd, Siôn y Felin, neu Siôn (Ioan) Brydydd Gwent, blaenor yng nghapel Gelli-groes, fel yr oedd Morgan Thomas yn y Babell. Mab i John Jones oedd Aneurin, a anwyd yn 1822 ac a gafodd yntau addysg well na'r cyffredin, gan dreulio cryn amser mewn ysgol breifat yng Nghasnewydd. Prentisiwyd ef yn bensaer a pheiriannydd sifil, gweithgareddau tebyg iawn i rai brodyr Islwyn. Bu'n cynnal busnes adeiladydd, mesuronydd a phrisiwr yng Ngelli-groes am gyfnod, a rywbryd, efallai yn niwedd y 1850au, daeth yn gyfrifol am y felin. Fel Aneurin ap Brydydd Gwent yr adnabuwyd ef i ddechrau yn y wasg, ond yn fuan fe fabwysiadodd yr enw Aneurin Fardd.

Ymhen blynyddoedd, yn ei gerdd 'I'm Hathraw', y mae Islwyn yn tystio i'w cyfeillgarwch, ac yn bathu atgofion wrth y felin:

> Mae llawer blwyddyn, anwyl frawd, er pan gymerem ni
> Ein hwyrol daith, ein llonydd rawd, ar ymyl llonydd li
> Yr hen Sirhowy . . .
> A! mae yr olwyn fel yn flin wrth droi y felin fad,
> Mae tôn y nant, o gywir reddf, yn lleddf o dan bruddhad;
> Mae fel pe'n cwyno wrthyf fi o'th eisiau di a'th dad! (GBI 164–5)

Yn 1861, fel petai heb ddigon i'w wneud, agorodd Aneurin argraffdy yn seler yr Halfway Inn, Gelli-groes, yn bennaf er mwyn argraffu misolyn ei enwad, *Y Bedyddiwr* – yntau'n gyd-olygydd arno ar ei newydd wedd. Ond cymharol fer fu oes y fenter, ac fe aeth pethau yn o dynn arno, yn rhannol efallai oherwydd iddo fynd yn drwm i ddyled o ganlyniad i achos cyfreithiol yn erbyn William Ashe, gof y pentref. 'Yn ôl traddodiad lleol,' medd Trefin, 'aeth Islwyn yn fechnïwr am hanner can punt, gan fod ganddo feddwl mawr o'i hen athro.'[51] Sut bynnag, aeth pethau'n drech nag Aneurin ac yn 1864 fe ymfudodd i America,[52] gan ymsefydlu am rai blynyddoedd yn Scranton. O 1870 i 1874 roedd yn Wilkesbarre, yn tynnu pobl i'w ben yn ôl ei arfer, ac yna symudodd i Efrog Newydd, lle y cafodd gyfnod pur lewyrchus fel prif arolygwr parciau'r ddinas. Ond oherwydd newidiadau gwleidyddol, ac yntau heb fod yr ystwythaf i'w hwynebu, fe drowyd ef o'r neilltu yn 1885 ac fe geisiodd ennill bywoliaeth ar ei liwt ei hun. Yna, ym mis Chwefror 1889, fe'i penodwyd yn brif arolygwr parciau Dinas Brooklyn ac fe fu yn y swydd honno tan yn agos i ddiwedd y ganrif. Erbyn 1901 roedd yn byw gyda'i ferch yn ymyl Scranton, cyn mynd yn ôl am ryw flwyddyn i Efrog Newydd ac yna symud i Los Angeles gyda'r bwriad o gynllunio gardd i'r Cyrnol G. W. Griffiths. Yno y bu farw ar 5 Medi 1904.

Yn ystod y blynyddoedd yn America fe fu'n beirniadu llawer mewn eisteddfodau nes troi'r drol yno hefyd, ac er iddo dderbyn ymwelwyr o feirdd o Gymru, cwynai yn gyson am agwedd y Cymry tuag ato. Cawsai'r ysfa eisteddfodol afael arno yn gynnar, ac y mae Trefin yn dyfynnu cofnod yn ei lawysgrif sy'n nodi ei fuddugoliaethau rhwng 1842 (Eisteddfod y Coed-duon) a 1862, 22 ohonynt. Bu'n feirniad mewn 30 o eisteddfodau, gan gynnwys Eisteddfod Genedlaethol Aberdâr, 1861. Meddai'r Deon Howell ('Llawdden'): 'Hwn, ag eithrio Gwalchmai a Chreuddynfab, yw'r beirniad mwyaf llygatgraff a galluocaf a adnabûm erioed.'

Parhaodd y cysylltiad rhwng Islwyn ac Aneurin, ac y mae llythyrau gwerthfawrogol a hiraethus gan Islwyn ato. Ar 20 Gorffennaf 1866 (LlGC 8099) y mae'n agor drwy geisio darbwyllo Aneurin nad yw:

> i dybied oddiwrth fy mod heb ysgrifenu cyhyd o amser fod llinynau yr hen undeb rhyngom wedi llacâu. Na, fy anwyl gyfaill, y maent cyn dyned ag y buont erioed. Yr wyf yn teimlo hyfrydwch mawr mewn ysgrifenu atoch, ond mil mwy hyfryd fyddai gweled yr hen wyneb siriol a chlywed yr hen arabedd a oleodd fy wyneb â gwênau lawer tro cyn hyn. Yr oedd ein cyfeillgarwch ni yn un pur a dwfn ag ynddo berffaith hyder ac ymddiried bob tu. Byddaf yn teimlo yn bruddaidd yn aml wrth fyned trwy Gellygroes. Y mae swyn y lle wedi darfod i mi. Y mae adgof yn ddiwyd iawn wrth fyned heibio, y mae y ty y felin yr afon a'r hen rodfeydd oll yn galw i gof y llon gymundeb gynt, yr ymddyddanion am farddas a llên ein hoff Gymru. Nis gallaf basio y lle heb gofio mebyd fy Awen, a'i dringiadau boreuol yn llaw a than gyfarwyddyd pwyllog fy mardd-gyfaill. Byddaf bob amser yn teimlo fy hun dan rwymau mawrion i chwi am yr hyfforddiadau a gefais gennych, ac yn enwedig am ffrwyno gwylltineb yr awen foreuol – gwylltineb ag sydd yn awr, feddyliaf, wedi rhoi lle i bwyll arafus canol oed. Ond os yw y tân anianol yn llosgi yn îs gobeithiaf ei fod yn llosgi yn burach, mwy o oleuni os oes llai o fwg.

Yna fe â ymlaen i ddiolch am linellau Aneurin ar ei briodas, ac i sôn am yr Eisteddfod (cawn gyfeirio ymhellach at hynny yn y man), anfon cofion ei fam at dad Aneurin, cyn diweddu:

> Go farwaidd yw y gymdogaeth hon – Y mae ein cledr ffordd ni yn gorwedd yn segur, a'r cledrau yn rhydu – Y Rock [y lofa, ond odid] o'r diwedd wedi ei dyhysbyddu. Yr wyf yn byw, hyd yn hyn, yn yr hên dy, ond y mae manteision yr Agency wedi darfod. Clywir son am agor pyllau gerllaw y lle.

Gwelsom fod tramffordd Penllwyn wedi cau o gwmpas 1865 a dyna, mae'n debyg, yw'r cyfeiriad at y cledrau yn rhydu. Yn llythyr 22 Mehefin 1871 (LlGC 8104), y mae awgrym hefyd o ochr grafog Aneurin:

Mi a deimlais gyffrôad cryf pan y gwelais eich hen ysgriflaw hoff, ond pan agorwyd yr amlen a syrthio o'r arluniau allan, aeth yn uchel lanw ar fôr teimlad. Y fath ddihuniad trwyadl! Yr wyf – wrth dynu at y deugain oed – yn teimlo fy serch yn ymgryfâu at fy hên gyfeillion, y cyfeillion *cyntaf*, cyfeillion boreu ddydd Awen – a chwi, yn benaf, yn eu plith. Oh! fel y carwn eich gweled. Gallwn fyned i America o bwrpas er mwyn eich gweled, ac nid yw yn anmhosibl na fydd hyny rywbryd. Y mae eich darlun fel cynt . . . yr hên *expression* yn ddigyfnewid, ond ymddengys i mi eich bod yn dewach a llawnach o gryn lawer na phan oeddych yn y wlad hon. Nid oes genyf arlun o honof fy hun wrth law ar hyn o bryd, ond mi a'i mynaf yn fuan ac a'i danfonaf i chwi. Yr wyf finau gryn lawer yn gryfach [?] fy mhersonoliaeth na phan yn derbyn eich gwersi buddiol gynt, ac yn gryfach o lawer o ran iechyd.

Nid wyf yn fodlawn eich bod mor surawl wrth Gymru Cymro a Chymraeg. Nid wyf yn meddwl fod eich hên gyfeillion mor oeraidd eu teimlad ag y tybiwch. Dyna fi fy hun, er esiampl, 'does dim modd fod neb yn teimlo yn fwy cynhes at gyfaill nag yr wyf tuag atoch chwi, ac eto ychydig iawn o lythyrau sydd wedi pasio rhyngom. Rhyw ysbryd gohiriol a fu yr achos o hyn, ac nid y filfed cysgod o anghariad.

Prif gymwynas Aneurin ag Islwyn oedd cryfhau'r diddordeb yn hanes a llenyddiaeth Cymru a ddeffrowyd gan Daniel Jenkyns a hefyd ei drwytho yn y cynganeddion, ond heb ddarbwyllo'r disgybl o ragorfraint y mesurau caeth. Bardd lleol arall a gydnabyddir gan Islwyn fel un o'i athrawon oedd Gwilym Ilid (William Jones, c.1806–69), gwehydd ym Mhandy Machen – rhyw bedair milltir i lawr y dyffryn – a ddaeth yn berchen ffatrïoedd gwlanen ym Machen a Chaerffili a blaenor hefyd yng Nghaerffili. Roedd yn feirniad tynerach nag Aneurin ond llai ei ddylanwad. Ymhen blynyddoedd fe fyddai Islwyn yn gwahaniaethu rhwng y ddau: Aneurin yn 'beio yn ddidor, ond yn gwneud mwy o les na'r llall a oedd yn canmol popeth'.[53] Bu Gwilym Ilid yn amlwg yng ngweithgareddau Cymreigyddion y Fenni er 1837, ac efallai iddo gymell Islwyn i ymddiddori yn y byd eisteddfodol; ond yr oedd cryn dipyn yn hŷn ac nid oedd perthynas barhaol glòs – nid oedd Islwyn yn bresennol yn ei angladd yng Nghaerffili ym mis Rhagfyr 1869. Er hynny, fe gyfansoddodd 'alargerdd' wresog (Atod. xxxv) i'w 'hen barchus Athro':

Fy arweinydd i fryniau
Yr awen bêr, eirian bau,
Enwog ŵr, fe 'nysgai'n gu
Yn gynnar iawn i ganu.

Yna englyn sy'n dangos ochr Gwilym Ilid yn glir ddigon:

Na nydder ond cynghaneddion, – hwylus
    Fyth i Ilid dirion;
Yn ei sel ni fynnai son
Am wael bryddestau moelion.

Gwelir calon athrawiaeth Aneurin yn ei 'ragdraith' i lyfr Robert Ellis ('Cynddelw'), *Tafol y Beirdd*, Llangollen, 1852. Traethawd buddugol Cynddelw yn Eisteddfod Gelli-groes, ddydd Nadolig 1850, yw corff y gyfrol; ond gan fod y cyfansoddiadau yn eiddo pwyllgor yr eisteddfod, sef i bob pwrpas Aneurin, mynnwyd yr hawl iddo gael ysgrifennu'r rhag-ymadrodd cyn rhoddi caniatâd cyhoeddi. Y mae arddull y rhagdraeth yn hynod o chwyddedig a rhwysgfawr ond y mae'r neges yn ddigamsyniol, sef bod hanfod barddoniaeth Gymraeg ynghlwm wrth y mesurau caeth. Wrth floeddio 'Rhyddid! Rhyddid! o gadwynau y mesurau caethion' y mae'r beirdd

heb ystyried eu bod, wrth geisio cael pawb i'w sefyllfa ddiegni hwy, yn ymestyn at ein difreinio fel cenedl o gymeriad barddonawl uwchlaw un genedl arall; yn nghydag yspeiliaw ein hiaith o'i harddwisg odidocaf . . . Gwna camddefnyddiad rhyddid fwy o niwed na'r caethder yr achwynir o'i herwydd; ysbeilir rheolau a defodau o'u hanrhydedd, a freintiwyd trwy ymbwyll a phrofiad, nes eu dwyn i'w sefyllfa an-nosbarthus gyntefig.

Wedi traethu'n gondemniol ar enghreifftiau o farddoniaeth rydd Iorwerth Glan Aled, Alun ac eraill, o dan y penawdau 'Y Cyhydedd' a 'Corfanau', crynhoir y ddadl gyda'r diweddglo: 'Nis gellir cael bardd-oniaeth genedlaethol Gymreig, ond ar y mesurau hyny o eiddo y Cymry, nas gall un genedl arall eu hefelychu.'

Cyfraniad i'r dadleuon ffyrnig ym mrwydr y mesurau, a rwygodd y byd eisteddfodol ac a lanwodd dudalennau di-rif o'r cylchgronau a phapurau newydd yn hanner cyntaf y ganrif yw hyn, wrth reswm.[54] Y mae cribyn manwl Aneurin i'w weld hefyd mewn cyfres o erthyglau yn

Seren Gomer yn 1854, gyda'u dadansoddiad o fydryddiaeth emynau a'r cysylltiad, anffodus yn aml, rhyngddynt a'r tonau.[55]

O 1835 i 1853 eisteddfodau pwysicaf Gwent oedd y rhai a gynhaliwyd dan nawdd Cymreigyddion y Fenni, cymdeithas a ffurfiwyd yn 1833 gan nifer o garedigion yr iaith ac a ddaeth yn fuan dan ddylanwad ficer Cwm-du, Thomas Price ('Carnhuanawc', 1787–1848) ac Arglwyddes Llanofer ('Gwenynen Gwent'). Cyfraniad pwysicaf y deg eisteddfod oedd lledaenu gwybodaeth am hen lenyddiaeth a chaneuon gwerin y Cymry ac ni ellir dweud bod rhyw lawer o sglein ar y cynhyrchion prydyddol. Roedd Gwilym Ilid yn gystadleuydd cyson o'r eisteddfod gyntaf ymlaen, ac yn enillydd droeon hefyd, bob amser yn y mesurau caeth. Bu Aneurin yntau yn llwyddiannus yn 1848 a 1853 (ni chyn-haliwyd eisteddfod yn y blynyddoedd 1849–1852). Diau mai yn sgil ei ddau athro y mentrodd Islwyn, 21 oed, i gystadlaethau 1853. 'Pan yn chwilio am ffugenw', medd Daniel Davies,

> awgrymodd Mr Jenkyns yr enw 'Islwyn' iddo, a phan atebodd i'r enw hwnnw yn y Fenni, anogodd Arglwyddes Llanofer ef i'w fabwysiadu fel ei enw barddol, ac o'r pryd hwnnw allan yr enw hwnnw a osodai wrth ei holl gyfansoddiadau.

Fe ddywedir iddo ymweld â'r plas rywbryd yn 1853; dichon mai ar ôl ei wrhydri yn yr eisteddfod y digwyddodd hyn.

Fe geir englynion molawd i'r Arglwyddes ar Ddydd Nadolig 1875, ac yng ngwasanaeth ailgylchu y mae'n eu cyhoeddi yn *Y Gwladgarwr*, 7 Ionawr 1876, a'r *Goleuad*, vii, rhif 324, 8 Ionawr:

> Ni fagwyd Pendefiges – mor enwog
>   Am rinwedd ei hanes:
>   A dymuniad ei monwes
>   O du ei gwlad a'i gwiw lês.
>
> O! noddes awenyddiaeth – digymhar
>   Dêg em y D'wysogaeth!
>   Drwyddi i fri dirfawr aeth,
>   Bro y delyn, bêr dalaeth.
>
> Na bawn yn gyflawn o'r gu – Anianawd,
>   Gwnawn enyn holl Gymru
> I'w chyfion ddyrchafu: – haedda beunydd
>   Angel-awenydd i englynu!

Nadolig clywn y delyn – yn ei llys
Lleisiau pêr i'w dilyn –
Lle ail i Lys Llywelyn,
Ac ein hoff Arthur cyn hyn.

Llanover, llawn o afiaeth – yw'th fyrddau,
A'th feirdd a'th gerddoriaeth,
A'th delyn a'th hudoliaeth – gwnei adfer
Heddyw, Llanover, ddulliau henafiaeth.

Sut bynnag am hyn, yn yr eisteddfod olaf yn 1853 enillodd Islwyn ar
farwnad i Garnhuanawc; gofynnid am awdl, ond pryddest a gafwyd
ganddo (GBI 463–80; yn LlGC 5872B, ceir nodiadau mewn pensil o
feirniadaeth Tegid: 'This is very good, but many of the lines are
prosaic.'). Y mae'r gerdd yn uchelgeisiol: 700 llinell, wyth neu naw o
amrywiaethau mesur, hyd, patrwm odl, a'r cyfan yn ymylu ar fod yn yst-
rydebol. Pam lai? a phrentis o fardd wrth y gwaith yn pentyrru ansodd-
eiriau, yn arbrofi gyda geiriau cyfansawdd ('aurlafar', 'arian bryd',
'aur-phiolau'r awen', 'tân-olwynion' yr heuliau, 'isloerawl', 'am-
blanedau'), yn mabwysiadu ffurfiau Puwaidd ('blydd' a 'derch' yn yr un
llinell unwaith, y ferf 'ardebant', 'mawryd'), yn blasu hen ffurfiau ond
hefyd newyddeiriau fel 'ermigydd'. Yr elfen wladgarol a bwysleisir fwyaf:

E hoffai lwch ei wlad, a'i meini cedyrn hi –
Arwyddion ar barhad o'i hen dderwyddol fri . . .

ac fe geir y gyfatebiaeth glasurol a welir wedyn yn *Y Storm*:

na gwneyd sarn
O lwch gwroniaid, na fai rhaid i brif
Ryfelwyr Groeg, neu ymerawdwyr hyf
Rhufain dragwyddol, gywilyddio mwy
I orffwys yn yr unrhyw fedd â hwy.

Fformiwlëig yw llawer o'r disgrifio:

E hoffai rodio trwy y wig, pan wisgai'i dillad hafaudd, gwyrddion,
E hoffai wrando ar y brig awenau'r pluog delynorion . . .

neu

Dy feilch fynyddau, trwy uchelfryd sydd
Yn cyfarch nef, dan wên tragwyddol ddydd,
Gan hoeddi'n eofn anibyniaeth fry
Trwy lais y daran a'r awelon hy . . .

Ac eto, y mae'n rhaid dweud bod tinc cyfoes a chymharol newydd canol y bedwaredd ar bymtheg yn y gerdd, gyda'r mynych gyfeiriadau at ddiddordebau'r dydd heb syrthio'n hollol i'r rhyddieithol, ynghyd â'r ymdeimlad, er yr holl or-ganmol, o weld ffigwr credadwy yn ymddangos. Yn wir y mae'r farwnad yn cymharu'n dda â dwy o gerddi Eben Fardd, 'Galarnad ar achlysur o farwolaeth Y Parch. John Elias Môn; Mehefin 1841' a 'Marwnad y diweddar Mr John Jones, Llanberis' (1844), y naill fel y llall o 25 pennill ar fesur emyn, 8.7.8.7 D, heb ddim oll i ddeffro'r dychymyg nac ysgogi teimlad, neu â 'Galargerdd' Ieuan Gwynedd ar ôl John Roberts, Llanbryn-mair yn 1834 neu ei Farwnad i Williams o'r Wern, 1840, y ddwy gerdd wedi eu patrymu yn benillion undonog pedair llinell.

Yn Eisteddfod Aberafan, 1853, rhannodd Islwyn a Dewi Wyn o Essyllt y wobr am y farwnad orau i D. Rhys Stephen ('Gwyddonwyson', 1807–52), gweinidog, awdur toreithiog, ac areithydd ar bynciau'r dydd. Y mae'r farwnad yn ymestyn dros 300 o linellau odledig, eto ar wahanol fesurau, ac eto'n awgrymu rhai nodweddion a ddaeth yn amlwg yn *Y Storm*: y geiriau gwneud ('cyfodlddull'), y cyffelybiaethau o'r byd mawr y tu allan i'r Ysgrythur: 'mwy safadwy no / ucheflfeilch bigadeiliau'r Aifftaidd fro' (tybed a oedd 'Ozymandias' Shelley yn ei feddwl?), ehediadau wybrennol megis:

Yn ei awenyddol yrfa ffoai hwnt i blith y sêr
Sydd yn hongian yn y gwagle wrth linynau troedle Ner.
Gyda'r beirdd hyd ffyrdd Caer Gwydon brysiai ar adenydd mawl
I ddarganfod heirdd ddadblygion gallu Ior ym mroydd gwawl. (GBI 578)

Ar y dydd Mercher a'r dydd Iau, 12 a 13 Hydref 1853 y cynhaliwyd yr eisteddfod, ac yn ôl adroddiad mewn papur newydd roedd Islwyn yn bresennol.[56] Ar 24 Hydref bu farw Ann Bowen, ac y mae natur ei brofiad a'i brydyddu yn cael ei thrawsnewid o hynny ymlaen.

2 ଓ Ann Bowen

Gwelsom eisoes mai yn Stryd Nelson yng nghanol Abertawe y
lleolid athrofa Evan Davies a bod hynny o fewn tafliad carreg i
Stryd yr Ardd (Garden Street). Yn ôl un a'i hadwaenai, yn y stryd
honno yr oedd Islwyn yn lletya.[1] Yn rhif 6 yr oedd David Bowen, 58 oed
a oedd yn enedigol o Gasllwchwr, yn cadw siop groser gyda'i wraig
Jane, 43 oed, hithau o Landeilo, a'u hunig ferch Ann, 'grocer's assistant'
yn ôl Cyfrifiad 1851, erbyn hyn yn 19 oed. Enw tad David Bowen oedd
William. Cafodd Richard Aaron yn 1929[2] rai manylion gan ferch cefnder
Ann, John Bowen (ai dyma'r John Bowen a gadwai siop yn ardal St
Thomas yn 1871 ac 1875 tybed?) hithau'n berchennog y tai yn Stryd yr
Ardd yn 1929. Y mae peth ansicrwydd ynglŷn â'r dystiolaeth a gwell
felly fydd ei dyfynnu yng ngeiriau Aaron:

> Bedd-argraffydd ('monumental mason' y galwai ef ei hun) oedd ei thad
> [ond, yn ôl pob golwg, llithriad yw hyn; tadcu a olygir], bron y cyntaf yn
> y dref. Yr oeddynt yn deulu adnabyddus. Yr oedd gan William Bowen
> siop yn yr Heol Fawr (High St) ganrif yn ôl. Safai'r siop ar dir stesion y
> G.W.R. presennol, a William Bowen ei hun a werthodd y tir i Gwmni y
> Great Western. [Ym mis Mehefin 1850 yr agorwyd y stesion.] Canrif yn
> ôl gorweddai gwlad agored a meysydd prydferth o amgylch y fan. Yr
> oedd yn berchen hefyd, ar ddarn o dir yn Green Hill, Abertawe, a thebyg
> mai o'r fan hon yr hanoedd y teulu cyn iddynt symud i Heol yr Ardd.

Efallai y gellir mynd gam ymhellach drwy gymorth cyfarwyddiaduron
masnachol y cyfnod. Y mae Robson (1840) yn rhestru Wm Bowen,
Green Hill, High Street, Beer Retailer, a Wm Bowen, Green Hill, High
Street, Grocer. Yna, yn Hunt (1849), Slater (1850) a Scammel (1852) fe
gawn David Bowen, Garden Street, 'dealer in grocery and sundries' a
William Bowen, High Street yr un modd; ond y mae William Bowen
hefyd yno fel 'Stone mason, letter cutter only', yn High Street. I gwbl-
hau'r darlun fe ddylid ychwanegu bod William Bowen, gof yn 120 High

Street hefyd. Fe welir bod nifer o'r Boweniaid yn siopwyr yn rhestrau Webster (1865), Kelly (1871), Worrall (1875) a Furrier (1908).

Efallai mai Jane, mam Ann, oedd y Methodist Calfinaidd yn wreiddiol, gan i'w brawd fynd i'r weinidogaeth, sef William Jones, Bont-ynys-wen. Priodwyd David a Jane ar 29 Rhagfyr 1832; ganed Ann ar 13 Hydref 1833, a'i bedyddio ar 4 Tachwedd yng Nghapel Methodist-aidd Calfinaidd Triniti, yn Stryd y Parc.[3]

Rhwng llety, siop a chapel fe ddaeth William Thomas ac Ann Bowen i adnabod ei gilydd ac i syrthio mewn cariad. Er y gellir casglu o linellau agoriadol 'The Farewell Walk' bod Islwyn wedi gadael Abertawe yn ystod yr Haf 1853, roedd paratoadau ar gyfer priodas rhyngddynt ar y gweill.

Y mae llythyr ar 16 Tachwedd at rieni Ann, a gofnodwyd gan John E. Davies (Rhuddwawr), yn awgrymu eu bod yn wir o fewn dyddiau i'r briodas:[4] 'Fy anwyl Dad a Mam: Oherwydd nis gallaf eich galw yn ddim arall. Buoch yn rhieni i mi mewn caredigrwydd, a buasech yn rhieni i mi mewn gwirionedd pe cawsai fy anwylaf Ann fyw ychydig ddyddiau yn hwy.' Nid oedd yr uniad yn hollol ddi-wrthwynebiad chwaith, yn yr un llythyr fe geir y frawddeg: 'Amcanodd llawer, gwyddoch fy nghyfeillion parchus, amcanodd llawer dorri yr undeb didwyll oedd rhyngom; ond methodd pob amcan.' Yr awgrym, onide, yn y pwyslais ar y 'dirprwy-rieni', yw mai o du teulu Islwyn yr hanodd y gwrthwynebiad? Merch groser heb fod yn ddigon da iddo o bosibl neu, yn fwy credadwy efallai, am fod y pâr yn rhy ifanc a rhy ddibrofiad? Ond fe ddrylliwyd y cynlluniau gan allu mwy pwerus. Yn frawychus o sydyn clafychodd Ann a bu farw ar ddydd Llun, 24 Hydref. Ar dystysgrif marwolaeth Ann rhoddir yr achos fel 'gastric fever, 13 days'; amhosibl dweud i sicrwydd beth y mae hyn yn ei olygu. Go brin mai'r colera oedd yn gyfrifol; cafwyd ymosodiad ysgafn o'r haint yn Abertawe yn 1849, ac fe fyddai unrhyw feddyg yn gyfarwydd â'r simptomau a than reidrwydd i'w cofnodi. Tebycach efallai yw'r teiffoid. Ar 18 Tachwedd fe drafodwyd carthffosiaeth y dref yng nghyfarfod y Bwrdd Iechyd Lleol, mewn canlyniad, mae'n debyg, i lythyr a gyhoeddwyd yn y *Cambrian* (23 Tachwedd), dridiau cyn marw Ann, gan Samuel Castle Gant, cyn syrfëwr y Bwrdd, yn rhybuddio ynglŷn â'r perygl i iechyd y cyhoedd o'r carthbyllau, ac nid oedd gwaelodion y dref o'r mwyaf iachusol. Go brin fod enw'r man cyfagos, Salubrious Passage, yn addas yn y bedwaredd ganrif ar bymtheg.

Sut bynnag am hyn, nid oes amheuaeth ynglŷn â'r effaith ar Islwyn a'r 'tristwch dirfawr' a ddisgrifir gan ei chwaer: 'tristwch a fu agos a'i lethu i'r bedd, ac oddiwrth effeithiau yr hwn ni allodd ymiachau cyhyd ag y bu byw.'[5] Mewn gwirionedd fe aeth Islwyn yn dipiau mân. Dyma sut y mae Islwyn ei hun yn cofnodi marwolaeth Ann o fewn ychydig wythnosau, os nad dyddiau, i'r digwyddiad:[6]

MISS A BOWEN, ABERTAWY. – Ychydig funudau cyn i wawr bore dydd Llun, y 24ain o Hydref, ymadael â gwawl-lys y dwyrain, ehedodd yr hyn oedd anfarwol o'r ddynes ieuanc a rhinweddol uchod tu hwnt i orllewin cymylog amser i awyr loewach tragwyddolfyd. Byr fu ei chystudd, ond trwm, tra thrwm. Tymhestlog, gan awelon oerion angeu, oedd ei 'mynediad i mewn', eto –

Ystorom arw, nid llongddrylliad fu!

Canai – melus cofio! – canai yn bêr a hyfryd, pan, ar yr ugeinfed flwydd o'i mordaith ddaearol, y taflai y drem olaf ar fydoedd isloerawl, i ymddigoni fyth ar olygfeydd hawddgarach nefolfyd. Yr oedd yn aelod barchus a thra diwyd gyda Chyfundeb y Trefnyddion Calfinaidd yn y dref hon. Hi aeth i lawr yn hawddgar; daw i'r lan yn fil hawddgarach, a'i gwynebpryd càn i gyd yn anfarwoldeb.

Canfyddaf linyn y cyfamod hedd
O'r orsedd fry yn cydio yn ei bedd!

Tangnefedd i'th lwch, hawddgaraf, ffyddlonaf fun! Oddiar glogwyni cedyrn a dysglaer datguddiad ydwyf yn rhagweled gwawr hapusach dydd i ti!

Tangnefedd a hedd iddi;
Cywir iawn oedd, carwn hi.

'Yr udgorn a gân.' hyd hyny, yn iach! yn iach!   ISLWYN

O bosibl nad yw'r ymadroddion barddonllyd at ein chwaeth heddiw, ond y mae dilysrwydd y profiad yn cael ei ategu yn ei barhâd. Priodol fydd cofnodi'r hyn a ysgrifennodd yn ddiweddarach yn uniongyrchol am y golled:

Yr oeddym ar y trothwy, blin y dydd, daeth uchel-fannau, sail, a chwbl, i lawr, a gorsing gobaith, a'i eur-ddringion oll, oll yn adfail. Na ofynned neb, neb fedr deimlo, ble mae'r fan – bedd, bedd sydd yno! A throm yw agwedd anian gylch y lle. – Hir yr ymdrecha Natur dyner ei chalon i gadw y dywarchen ar dy fron yn dyner ac yn werdd ar ol i'r gaeaf anadlu angau ar y byd. Hir, hir, y mae un arall yn oedi o gylch dy fechan ddidrain annedd, fel pe bai yn disgwyl clywed cyffro o'i mewn, neu lais yn son am ail-gyfarfod – balmaidd son am adgyfodiad! Ah! nid yw y bedd sydd yn gofyn, gofyn gan daranu, ac ar ol i oesoedd, gwledydd, bydoedd ateb, a rhoi eu hunain a'u hadgofion olaf iddo, nid yw ef yn ateb un gofyniad, er i'r truan drengu wrth ofyn. Eto, hyfryd yw adgofio yr hyn a fu, na ddaw drachefn, na ddichon eto ddyfod.[7]

Tebyg yw ei dystiolaeth yn ei lythyr at James Rosser, perchennog stablau a huriwr cerbydau yn Wind Street, ar 15 Mehefin 1854:

I have often thought of you, of writing to you, since Death broke off all my affairs at Swansea. Poor Swansea! I am glad yet to think of the old place, indeed love even yet to turn my eye towards Swansea – Ah! if was here I enjoyed my happiest hours, yes there I felt the sweets of happiness, the charm of hope. – Well! it is past, all gone, and oh how suddenly, my dear friend! Do you recollect the morning she died? the morning I would have to go down to see her direct from your house, because, I said, I had slept late – Oh! I well remember that very morning I had been praying for her, and she was in another world! [Felly nid oedd yn bresennol pan fu hi farw?] I have been on the brink of eternity since then, but am now, thank Heaven, recovered, and enjoy tolerable health. I sincerely hope you and kind Mrs Rosser are quite well. Poor Ann and myself were very fond of you!

Yna fe â ymlaen i ddweud efallai y bydd yn ymweld eto ag Abertawe tua diwedd Gorffennaf.[8]
    Yr un yw'r dystiolaeth i'w ystad yn y llythyr at y rhieni:

Mae rhai yn fy meio am wylo cymaint, ond mae gennyf hawl i wylo, a rheswm dros wylo; oes, oes, digon. Fe wylodd yr Iesu, do, mab Duw, fe wlychodd fedd ei gyfaill â dagrau. Gwnaf finnau yr un modd â bedd fy Ann.

Yna daw dau dudalen o geisio cysur yn 'yr olwg ar hawddgarach byd! O fy Ann! Yr ydwyt ti yn hapus, hapus, hapus fyth! . . . Mae bore disgleir-iach gerllaw – mae dydd hapusach ar wawrio. Esgynwch uchelfeydd Pisgah, gyfeillion; dringwch uchelfeydd dadguddiad.' Ac fe ddyfynnir 'O fryniau Caersalem' a 'Bydd myrdd o ryfeddodau'.

Y mae ei lythyr at Thomas Levi ar 25 Tachwedd yn ymdawelu ryw ychydig. Y mae'n syrthio i ddwy ran: disgrifiad eithaf pwyllog o Eisteddfod y Fenni (fe ddeuwn yn ôl at hyn maes o law), ac yna'r gŵyn a'r hiraeth:[9]

> Byd o siomedigaethau yw hwn. Yr wyf yn profi hyny po bellaf y teithiwyf ymlaen. Y mae fy ieuenctyd bron troi yn henaint gan flinder. Gwyddoch fy helynt, ond odid. Do – do – dodais y fodrwy ar ei bys i rydu yn nghysgodion glyn tywyll y bedd.
>
> > Gadewais ei bedd – ac yno, O! yno
> > Gadewais fy nghalon wedi ei dryllio.
>
> Goruchwyliaeth drom, dywell, ydoedd. Goruchwyliaeth ag sydd wedi taflu surni ar bob cysur, a diflasdod ar bob mwynhâd. Pa fodd bynag yr wyf yn ceisio ymdawelu a bod yn ddystaw. Ond bod yn ddideimlad nis gallaf – 'Though young, yet sorrowful.' [Dyfyniad o soned Henry Kirke White, 'The Dark Woodland'] Hyderaf y cawn eto ysgwyd llaw ar draeth dysgleiriach!! a bod gyda'n gilydd fyth, fyth, heb ymadael mwy! Gwlad hapus yw hono nad oes angen na bedd o'i mewn! O am anfarwoldeb pur!

Yn y gerdd 'Y Fynwent', sef mynwent y Babell, ni all ymgadw rhag cyfeirio at yr amgylchiadau:

> > A dwyn i gof dan gafod – o ddagrau
> > Y troion borau, y cartre'n barod, –
> > Y dodrefn wedi'u trefnu
> > Hefyd, a'r gain fodrwy gu,
> > Rhwymyn ein borau amod,
> > A'r ysblenydd ddydd *ar* ddod,
> > Ond yr angau'n mynd rhyngom,
> > A'm heinioes i mwy yn siom,
> > Yn siom oll, fy einioes mwy
> > Yn fedd i mi tra fyddwy. (GBI 173)

Ac, ar ddiwedd ei oes, yn ôl Daniel Davies, yr un yw'r hiraeth:

> Wrth droi yn ddiweddar ddail math o ddyddlyfr a gedwid ganddo yn ei fisoedd olaf, cawsom o hyd i bapur rhwng y dail olaf a ysgrifennodd, ac

ar y papur, yr oedd yn ysgrifenedig y ddau bennill canlynol, ei gyfansoddiad olaf yn ol pob tebygolrwydd . . .[10]

Maent, o bosibl, yn mynd gam o leiaf at wrthweithio'r amheuaeth sy'n codi o ddarllen y cerddi cyhoeddedig am barhad yr hiraeth: ai dilys hollol, ynte'r ymateb a ddisgwylid o du bardd?

> Aeth 25 heibio erbyn hyn!
> A minnau wyf yn teimlo f'hun yn awr
> I farw yn aeddfedu, ac i lawr
> I'th ddilyn di hyd risiau iâ y glyn!:
>
> 'Rwyt ti yn adwaen y fynedfa gul
> (sy rhwng y ddeufyd –: tyr'd i gwrdd â mi!
> Y Bwlch y cenaist i'n yn iach nos Sul
> Er chwarter canri'n ol: O, cwrdd â mi,
> A dwg fi adref i'th bur dangnef di.[11]

Islwyn sy'n gyfrifol am yr arysgrif ym mynwent y Crug Glas yn Abertawe:

> Anwylyd gorphwys! Mae fy nghalon i
> Yn ddrylliau dan y beddfaen gyda thi
> Oh! rhwng y sêr, dysgleiria tecach byd
> Lle bydd y rhai fu erioed yn un
> Drachefn fyth yn nghyd
> Mewn gloewach byd.

Y mae'r fersiwn yn y llawysgrif LlGC 5974C ychydig bach yn wahanol, ond mater o atalnodi neu troi 'Ah' yn 'Oh' yw'r manion. Gwelwn hefyd mai Islwyn oedd yn gyfrifol am drefnu'r garreg, gan ei fod yn nodi iddo ymweld â'r 'Marble & Stone Works', Caerdydd ar 12 a 14 Tachwedd (LlGC 5862A); y mae'r llyfr poced hwn yn dangos hefyd mai ar 16 Tachwedd y cyfansoddwyd 'Ceisio gloewach nen'. Yn ôl Tom Beynon fe daflodd Islwyn fwyell arian, ei wobr eisteddfodol gyntaf, i'r bedd.[12]

Prin iawn yw'r cyfeiriadau at fanylion allanol y berthynas, ond fe geir awgrymiadau o gribo rhai o'r cerddi. Dro ar ôl tro fe ddaw atgof am yr hapusrwydd ar y traeth, fel yn y gerdd 'Ar ôl breuddwyd', gyda'r troednodyn 'Ynys Ddu, Tach. 1853':

O! Na pharasai 'mreuddwyd falmaidd;
  Yr oeddwn, tybiais, gyda hi
Ar draeth y môr, a'r awel beraidd
  Yn arllwys arnom oddi fry
Aroglau 'r gerddi hwnt i'r môr,
A'i chwiban llon fel adsain nefol gôr.

Edrychwn arni, O! mor hardd
  Y gwrid, ac O! mor fwyn
Yr olwg daflai ar ei bardd,—
  Ei bardd Islwyn!
. . .

Edrych yr oeddym am y fan,
  Anwylaf fan i mi,
Gysegrir yn ein mynwes gan
  Adgofion pêr a chu.
Prif harddwch yr olygfa wiw,
Ein cyntaf gyfarfyddfan yw! (Atod. i–ii)

Dyfynner hefyd ychydig linellau o'r un Saesneg, 'The Farewell Walk':

Many years have rolled away
Since the blissful summer day
  When we took our farewell walk,
When the winds were hushed on shore,
  Listening to our farewell talk —
To sweet accents heard no more.

The billows that roll in that fairy bay
Seem, even now, to recall the day;

I was called too soon, in an hour too trying,
To see thee languish, to watch thee dying.
Is it possible, can it be
That thou never rememberest me?
No! for Heaven, tho' never so prized,
Is only Earth immortalized. (IEP 38–9)

Gellir casglu dau beth o'r llinellau hyn, sef nad oedd Islwyn wedi gweld Ann rhwng yr haf a'r gwely angau, a'i bod hithau yn rhy wael i'w adnabod pan gyrhaeddodd. Eto nid dyna'r argraff a roddir yn y gerdd 'Ai Breuddwyd yw Bodolaeth?' (GBI 827–8), ymgais i ateb gofyniad ei gyfaill Llawdden ac un o arwyddion ei ymdrech i ddod i'r afael â 'chysgod' a 'sylwedd' (roedd cyfrol o bregethau'r Annibynnwr Daniel Evans, Mynydd-bach, 1774–1835, wedi ymddangos yn 1851 gyda'r teitl *Y Cysgod a'r Sylwedd*; yn ddiweddarach y daeth cerdd hir Lewis Edwards, 'Cysgod a Sylwedd'):

> Rwy'n cofio'r awr, yr awr y dygwyd hi
> O'm mynwes. A! fe deimlai angeu du
> Fod yno sylwedd, trysor gwerth ei gael
> I gyfoethogi'r nef â'i riniau hael.
> Ai cysgod oedd y DDELW honno o burdeb
> Ymglymai wrthyf a'r fath nefol undeb?
> O, dwed ai cysgod yr angyles gu
> Ymlynai wrthyf yn yr ymdrech ddu,
> Gan erfyn yn ei hiaith a'i threm, 'O! cymorth fi?'

Yna, pan yw'n coffáu mam Ann yn 'Mewn Adgof', sonnir eto am brofiad ar y traeth, un o nifer, gan fod y dyfyniad sy'n dilyn, o 'Fy Mreuddwyd', eto yn sôn am y tro *cyntaf*:

> Mae Langland yn aros, mae Caswell yr un,
> Ond olion ein traed ar yr hen draethau cun,
> >> Nid oes heddyw un.
>
> Yr olaf brydnawn ar yr hen draethell gu
> A dreuliwyd gan un oedd yn anwyl i ti –
> >> *Oedd yn anwyl i mi –*
> Sy'n awr megis breuddwyd o'r hen amser fu. (GBI 443)
>
> Y cyfarfuom am y cyntaf dro
> Ar lan y môr, a'r tonnau oll yn fud,
> Yn ofni treiglo'n drystfawr tua'r traeth
> Rhag aflonyddu ein cyfeillach bêr.
> A pheri ini flinder, pan yr oeddym
> Yn dechreu talu rhan o'n teyrnged fawr
> I gariad, deyrn hawddgaraf, a phan oedd
> Dy saethau, serch, yn glynu yn ein mynwes . . . (GBI 639)

Yn olaf, 'Adgofion Serch', cerdd hynod deimladwy ond a ddifethir, ysywaeth, gan odli amrwd a rhythm hyrdi-gyrdi y cyfan, braidd yn null 'Annabel Lee' Edgar Allan Poe. Y mae un cyfeiriad cartrefol newydd:

> Mae y parlawr yn ddestlus a chryno fel cynt,
> Ei hedau a'i nodwydd wele parod ynt!

ond y traeth yw'r canolbwynt eto:

> Wele'r traeth ger y môr lle y ceraist fi,
> Y traeth ger y môr lle y cerais di,
> Ond galar im mwy yw ymweled â'r fan
> Wrthyf f'hun! wrthyf f'hun! Fy Ann! fy Ann! (GBI 440–2)

Nid oes galw am ddadansoddiad seicolegol soffistigedig i sylweddoli'r ysgytwad ysigol yn hanes Islwyn: un funud ar ei uchelfannau, newydd ennill bri yn eisteddfod bwysfawr y Fenni ac ar fin profi dirgelion y cnawd, a'r funud nesaf y cyfan yn deilchion. Tynnwyd sylw cyn hyn at y mynych gyfeiriadau at fronnau ym marddoniaeth Islwyn yn y blynyddoedd hyn (er nad amlach nag yn y Beibl, o ran hynny), ac er y gallwn fod yn weddol sicr nad aeth y cyffyrddiadau corfforol yn rhyw bell iawn (a oedd y fam yn gwarchod y cyfarfyddiadau ar y traeth?), peth arall oedd y disgwyl. Nid dyma'r unig gyfeiriad mewn barddoniaeth at golli disyfyd dyweddi. Y mae cerdd gonfensiynol gan Ieuan Glan Geirionydd 'Galarnad y Dyweddiedig ar Fedd ei Anwylyd' ar y dôn Wyddelig 'Gramachree Molly', ond nid oes arwydd o ing profiad ynddi. Ofer, dybia' i, yw ceisio darllen unrhyw ddylanwad o'i thu ar ganu Islwyn.

Y ddwy gymhariaeth dramor a gynigir weithiau yw profiadau Lamartine yn Ffrainc a Novalis yn yr Almaen. Y mae nifer o agweddau ar fywyd Lamartine sy'n dra gwahanol i rai Islwyn: cefndir aristocrataidd, addysg gan gyn-Jeswitiaid, buchedd eithaf ofer a dioglyd pan oedd yn ifanc, colli ei ffydd ond dyheu am grefyddolder o ryw fath, carwriaeth â'r ferch briod Julie Charles, chwe blynedd yn hŷn nag ef ac ar wyliau heb ei gŵr (yntau'n 38 mlynedd yn hŷn na hi). Yna, wedi marw Julie ychydig dros flwyddyn ar ôl iddynt gyfarfod, perthynas wynias â merch arall, cyn priodi Saesnes gyfoethog a setlo i lawr. Ond y mae pwyntiau cyswllt hefyd: dylanwad mam dduwiol a bregethai'n gyson barch tuag at y Creawdwr yn ei greadigaeth naturiol, ynghyd â gwybodaeth drylwyr o'r Ysgrythurau; darllen anniwall, ansystematig, dryslyd yn ei arddegau;

yna, yn ei 'Fyfyrdodau Barddonol' (*Méditations poétiques*, 1820), yr hiraeth am Julie yn datblygu'n ymateb i'r byd naturiol, gwarchodydd y munudau o boen ac o lawenydd. Themâu cyson y cerddi yw byrhoedledd amser, hunllef angau, y dyhead am anfarwoldeb.

Yn nhraddodiad Rousseau, Senancour yn *Obermann* a Byron yn *Childe Harold* y mae dychwelyd i'r fan sy'n dwyn atgofion am a fu yn tystio i fyr-barhâd dedwyddwch a threiglad didostur amser. Yn y cerddi y mae tirwedd yn troi'n deimlad, ysbrydol yn hytrach na thiriaethol yw'r golygfeydd (annelwig iawn yw'r disgrifiadau), ac y mae'r meddyliau megis yn tyfu allan o'r teimladau. Cyfnewidiol, ansefydlog, gwibiol, ang-hydlynol, brau yw'r teimladau, ac felly hefyd y syniadau; ofer chwilio yma am system athronyddol; arllwysiad y personol a geir yma gyda rhyw weddnewidiad hanner cyfriniol yn codi o'r profiadau, gyda chymorth Young ac Ossian.

Y mae'n dra annhebyg bod Islwyn yn gyfarwydd â'r cerddi arbennig hyn gan Lamartine; cyfeiriadau gochelgar atynt sydd yn y cylchgronau Saesneg, ac yn *Y Traethodydd* dim mwy na sylw wrth fynd heibio at yrfa wleidyddol Lamartine. Ond fe geir awgrym gan ambell feirniad y gallai Islwyn fod yn gwybod rhywbeth am y llall, Friedrich von Hardenberg (1772–1801), a fabwysiadodd yr enw barddol Novalis. Tras fonheddig, ond pietistaidd, oedd iddo yntau; nid oedd y teulu'n gefnog, a rheolwr cloddfeydd halen oedd y tad. Astudiodd Friedrich y gyfraith yn Jena, ac yna fathemateg ac athroniaeth yn Leipzig. Ym mis Tachwedd 1794 cyfarfu â Sophie von Kühn, deuddeg a hanner oed, ac fe'u dyweddïwyd y mis Mawrth canlynol. Bu farw Sophie newydd gyrraedd ei phymtheg oed ar 19 Mawrth 1797, flwyddyn i'r diwrnod cyn dyddiad arfaethedig eu priodas. Ymateb cyntaf Friedrich oedd awydd i ddilyn Sophie i'r bedd, ond fe dyfodd hyn yn benderfyniad i geisio dileu'r ffin rhwng bywyd a marwolaeth drwy 'athroniaeth gyfansawdd' (*Gesamtphilosophie*). Ym mis Mai y mae Friedrich yn nodi yn ei ddydd-iadur iddo ddarllen *Romeo and Juliet* ac yna:

> Yn yr hwyr euthum at Sophie [h.y. at y bedd]. Yno yr oeddwn yn an-nisgrifiadwy lawen – munudau llachar o frwdfrydedd – chwythais y bedd i ffwrdd fel llwch – daeth canrifoedd yn funudau – roedd ei hagosrwydd yn gyffyrddadwy.

Aralleiriad o'r profiad yw cnewyllyn y trydydd 'Emyn i'r Nos' (*Hymnen an die Nacht*, rhwng Nadolig a Dydd Calan 1799–1800). Ar yr un pryd fe ddaeth Sophie yn ffigwr mytholegol, crefyddol: 'Crefydd sydd gennyf at Sophie fach – nid cariad. Cariad llwyr, annibynol ar y galon, wedi ei seilio ar ffydd, yw crefydd.' (o'r 'Briwsion' *Fragmente* i fyny at 1797). Ymhen blwyddyn y mae'n nodi: 'Y gelfyddyd i drawsnewid popeth yn Sophie – neu i'r gwrthwyneb.'

Nid dyma'r lle i geisio olrhain cymhlethdod syniadau Novalis, yn tyfu allan o'i ddarllen rhyfeddol o eang ac amrywiol, a'i gyfathrach â phrif gynrychiolwyr Rhamantiaeth gynnar yr Almaen: Friedrich Schlegel, Tieck, Schleiermacher, Fichte, Schelling ac eraill. Y mae cyfoeth ei gyfeiriadaeth a'i symbolaeth (gan gynnwys y 'Blodeuyn Glas' enwog) yn anhygoel, yn treiddio i feysydd cemeg, ffiseg, daeareg a mwnoleg, seryddiaeth, meddygaeth, anthropoleg, seicoleg, cymdeithaseg, hanes a chrefydd. Y mae ei gynhyrchion yn aml yn anorffenedig, ac yn ychwanegol at nofel, barddoniaeth a thraethodau fe geir llawer o'i brif waith ar ffurf nodiadau neu 'friwsion'; ond y mae'r cyfan yn tystio i ymgais anghyffredin o gynhyrfus i gyfuno'r gwyddorau, hanes, crefydd, y synhwyrau, y dychymyg a'r celfyddydau yn un system hollgynhwysfawr o athroniaeth ramantaidd. Yn yr argraffiad beirniadol y mae'r mynegai testunol yn ymestyn i 400 tudalen. Fe fu farw'n 29 oed.

Er cymaint ei loes o golli Sophie roedd cwmpas ei chwilfrydedd a'i ddiddordebau mor eang fel nad oedd, wedi'r profiad mawr o'i gweld hi'n gyfryngwraig rhwng dau fyd – y byd empiraidd, rhesymegol a theyrnas rhyddid diamodol – yn ymdaenu drwy'r holl waith fel y mae loes colli Ann i Islwyn. Ond y mae nodau hynod debyg yn yr ymateb hefyd, yn y symbolau yn ogystal â'r ymdrech at gyfannu. Y gwahaniaeth mawr, ond odid, yw'r cefndir addysgol a meddyliol: Novalis ym merw syniadau idealaeth Almaenaidd a'i anturiaethau yntau yn y gwyddorau; Islwyn yn fwy caeth i feddylfyd crefyddol ei gefndir, gyda'i gyfleon addysgol yn llai a chylch ei ddarllen yn fwy cyfyngedig, er y cawn weld nad oedd mor gyfyngedig â hynny chwaith.

Anodd gweld sut yn hollol y gallai Islwyn wybod am Novalis gan nad oedd yn darllen Almaeneg, ac nid oedd trosiadau Saesneg, chwaethach Cymraeg, ar gael yn y 1850au.[13] Yr unig bosibilrwydd yw iddo ddarllen erthygl hir gan Carlyle ac, wedi meddwl, y mae hyn ymhell o fod yn annhebygol gan mor boblogaidd oedd Carlyle yn y blynyddoedd rhwng cyhoeddi hanes y Chwyldro Ffrengig yn 1837 a'i farwolaeth yn 1882; fe fydd angen cadw Carlyle mewn cof ymhellach ymlaen. Y mae'r erthygl hon yn dyfynnu Tieck ar brofiad Sophie:

> In this season, Novalis lived only to his sorrow: it was natural for him to regard the visible and the invisible world as one; and to distinguish Life

and Death only by his longing for the latter. At the same time too, Life became for him a glorified Life; and his whole being melted away as into a bright, conscious vision of a higher Existence. From the sacredness of Sorrow, from heartfelt love and the pious wish for death, his temper and all his conceptions are to be explained.[14]

Syniadau a fyddai yn sicr wedi taro tant ym mhrofiad Islwyn. Y mae Carlyle hefyd yn rhoi cyfieithiad o'r trydydd Emyn i'r Nos.

Beth oedd maes darllen Islwyn ar yr adeg dyngedfennol hon yn ei hanes, adeg pan nad oedd ganddo, mae'n amlwg, ryw lawer o orchwyl-ion gartref rhagor cyfansoddi a darllen? Rhodder dyfalu o'r neilltu ar hyn o bryd, gan droi at dystiolaeth uniongyrchol, mewn *copybook* hynod ddiddorol yn y Llyfrgell Genedlaethol, gyda'r dyddiad 17 Rhagfyr 1853 ar y tudalen gweili.[15]

Detholion pur faith o feirdd Saesneg, eilradd gan mwyaf, o'r ddeu-nawfed ganrif yw cynnwys hanner y llyfryn, y cyfan wedi ei ysgrifennu'n eithaf taclus, gyda nifer o nodiadau ar yr ymyl. Rhoddir chwe thudalen i Mark Akenside (1721–70), pedwar a hanner i Hannah More (1745–1833), chwech i William Mason (1725–97), naw i James Beattie (1735–1803), a phedwar i Oliver Goldsmith (1730?–74). Y tebygolrwydd yw mai o lyfr benthyg y codwyd y dyfyniadau.

Daw'r dyfyniadau o Akenside o'i brif waith, sef *The Pleasures of Imagination* (1744, ac argraffiad diwygiedig 1757; codir o'r ddau), cerdd hir ar fesur diodl sy'n ceisio dadansoddi'r prosesau seicolegol Lockeaidd sy'n gweithio ar gynnyrch y synhwyrau (yn arbennig golwg) fel ag i ddeffro amrywiol bleserau'r dychymyg. Drwy hyn fe all y bardd gyfeirio'r darllenydd i ddeall cysylltiadau a chytgord y byd naturiol, byd estheteg a byd moesol dynion yn llawnach. Y mae'n edrych ar fyd natur yn nhermau graddfa esgynnol, i fyny hyd at feddwl dyn. Mewn rhagymadrodd y mae Akenside yn egluro'i fwriad drwy gyfeirio at

certain powers in human nature which seem to hold a middle place between the organs of bodily sense and the faculties of moral perception: they have been called by a very general name, the Powers of Imagination. Like the external senses, they relate to matter and motion; and, at the same time, give the mind ideas analogous to those of moral approbation and dislike.

Er nad disgrifio natur yw ei brif bwrpas, y mae gan Akenside ehediadau barddonllyd, a'r rheini – amhenodol ac ansylweddol – oedd yn apelio at yr Islwyn ifanc:

Indulgent Fancy! from the fruitful banks
Of Avon, whence thy rosy fingers cull
Fresh flowers and dews to sprinkle on the turf
Where Shakespeare lies, be present . . .

Young Hours and genial Gales with constant hand
Shower'd blossoms, odours, shower'd ambrosial dews,
And Spring's Elysian bloom . . .

. . . Beauty's living image, like the Morn
That wakes in Zephyr's arms the blushing May,
Moves onward . . .

Yna cawn ambell linell gyseiniol:

Lull'd by luxurious Pleasure's languid strain
. . . murmuring from the mossy rock

neu ymadrodd a'i swynodd mewn rhyw ffordd neu'i gilydd:

Where dawns the high expression of a mind

. . . the calm
That soothes this vernal evening into smiles.

Mewn mannau eraill cawn gipolwg, o bosibl, ar bersbectifau sydd eto i
ddod yn amlwg ym marddoniaeth Islwyn:

. . . wandering through Elysium, Fancy dreams
Of sacred fountains, of o'ershadowing groves,
Whose walks with godlike harmony resound:
Fountains, which Homer visits . . .

Tir'd of earth
And this diurnal scene, she [the high-born soul] springs aloft
Through fields of air; pursues the flying storm;
Rides on the vollied lightning through the heavens;
Or, yok'd with whirlwinds and the northern blast.
Sweeps the long tract of day.

> the Sire Omnipotent unfolds
> The world's harmonious volume, there to read
> The transcript of Himself.

Albanwr ac athro athroniaeth oedd James Beattie ac fe ddaeth yn amlwg iawn drwy ei amddiffyniad o'r grefydd Gristionogol yn erbyn sgeptigaeth Hume a Berkeley a hefyd drwy ei ysgrifennu ar estheteg (roedd Kant yn un o'i edmygwyr). Ond fe ddaeth yn enwocach fyth gyda'i gerdd hir, *The Minstrel* (1771 a 1774), mewn penillion mwy neu lai Spenseraidd, ac ymgais pur newydd yn Saesneg i olrhain twf meddwl a dychymyg yr awdur ei hun. Edwin, mab i fugail yn yr Oesoedd Canol, yw'r arwr mewn enw ac ynddo fe ganfyddwn ragflaenydd y ffigwr rhamantaidd yn ei ymwybyddiaeth deimladol fyw, ei unigrwydd, ei werinoldeb; gwelodd Dorothy Wordsworth bortread o'i brawd ynddo.[16] Teitl llawn cerdd Beattie yw *The Minstrel, or, the Progress of Genius. A Poem*, ac nid anodd meddwl am *The Prelude, or Growth of a Poet's Mind: An Autobiographical Poem* (er nad Wordsworth ei hun oedd yn gyfrifol am y teitl); hanes datblygiad y dychymyg barddol a'r meddwl unigol sydd yn y ddau – *Bildungsromane* ar gân.[17]

Rhediad llyfr cyntaf *The Minstrel* yw ymateb dychymyg Edwin i argraffiadau o'r byd naturiol, o ddiniweidrwydd plentyn i'r pendilio rhwng eithafion llawenydd a thristwch a ddaw yng nghwrs ei grwydriadau. Detholion o'r llyfr cyntaf yn unig sydd gan Islwyn, ac i'n pwrpas presennol fe allwn, felly, fynd heibio i'r ail lyfr, lle mae Edwin yn cyfarfod â hen feudwy sy'n ceisio dangos iddo broblemau dynoliaeth mewn hanes ac athroniaeth.

Un o'r detholion yw'r llinellau mwyaf nodweddiadol, a'r un rhai oedd ym meddwl Dorothy Wordsworth:

> In truth he was a strange and wayward wight,
> Fond of each gentle, and each dreadful scene.
> In darkness, and in storm, he found delight . . .

Ar yr ymyl y mae Islwyn yn nodi 'Hoffder o natur'. Ymhlith yr ymylnodau eraill ceir sylwadau megis 'scene',' natur', 'bore' ond hefyd 'mwyniant diflannol', 'gobaith adferiad dyn'. Anodd edrych ar y dyfyniadau a'r ymylnodau hyn heb ddychmygu Islwyn yn ei uniaethu ei hun â'r bardd yn cychwyn ar ei anturiaeth brydyddol:

> When the long-sounding curfew from afar
> Loaded with loud lament the lonely gale,
> Young Edwin, lighted by the evening star,
> Lingering and listening, wander'd down the vale.

Ond nid yw elfennau macâbr cyn-ramantiaeth wedi gafael ynddo chwaith ac y mae'n hepgor y llinellau sy'n dilyn:

> There would he dream of graves, of corses pale;
> And ghosts that to the charnel-dungeon throng,
> And drag a length of clanking chain, and wail . . .

Y mae'r ymylnodau i gerdd Oliver Goldsmith, *The Traveller, or A Prospect of Society* (1764) mewn cwpledi arwrol, eto'n cyfeirio at 'fryniau', 'golygfa', 'natur yn porthi pawb', 'golyg[fa] dyff[ryn] a bryn', 'adgof golygf[eydd]', 'y môr'; ond y mae peth ymateb i rai o brif syniadau'r gerdd. Er enghraifft, y mae'r crwydryn, ar gopa yn yr Alpau, yn edrych ar y gwledydd o amgylch, yr Eidal, y Swisdir, Ffrainc a Holand, ac yn dyfalu sut y mae'r gwahanol gyfundrefnau llywodraethol yn cyfrannu at hapusrwydd y trigolion neu'n ei lesteirio. Yna y mae'n troi'n wlatgar at Brydain, ac ar ôl canmol yr amgylchfyd a greddf y trigolion at ryddid y mae'n synnu at yr hunanoldeb sy'n distrywio cydraddoldeb a rhyddid ei hun (ergyd Goldsmith at aristocratiaid a'u hefelychwyr). Nid yw Islwyn fel petai'n sylwi ryw lawer ar y neges gymdeithasol, er ei fod yn nodi 'ffoledd anniolch a balchder', 'caeth-iwed, gwerthu, rhyddid', ond y mae 'cartref y lle goreu', neu 'hoffder o wlad ein geni' wrth ymyl y llinellau canlynol yn hawdd eu haddasu at ei agwedd at Gymru:

> Thus every good his native wilds impart,
> Imprints the patriot passion on his heart,
> And e'en those ills, that round his mansion rise,
> Enhance the bliss his scanty fund supplies.
> Dear is that shed to which his soul conforms,
> And dear that hill which lifts him to the storms;
> And as a child, when scaring sounds molest,
> Clings close and closer to the mother's breast,
> So the loud torrent, and the whirlwind's roar,
> But bind him to his native mountains more.

Diddorol hefyd yw ei weld yn chwilio am eiriau Cymraeg i gyfateb i ambell linell Saesneg: 'Fferedig oer, nithio, gwyntyllio', wrth ochr 'While sea-born gales their gelid wings expand / To winnow fragrance round the smiling land.'

Un o brif ladmeryddion y pictiwrésg oedd y Parchedig William Mason, garddwr ei hun, ac yn ei hanfod cerdd ddidactig ar y pwnc ar ffurf *Georgica* Fyrsil yw *The English Garden* (1772–81). Er bod Mason am addasu rheolau y celfyddydau, yn enwedig paentio, at ddatblygu parc a gardd, y mae'n pwysleisio amrywiaeth, naturioldeb a gwylltineb. Ymhlith detholion Islwyn y mae dyfyniad o Syr William Temple a wëwyd i'r gerdd gan Mason: 'There is a grace in wild variety / Surpassing rule and order.' Dywed Mason ymhellach iddo ddewis y mesur diodl am fod modd cynhyrchu drwyddo fwy o amrywiaeth na thrwy'r trefnu sillafau terfynol a chytseiniad y byddai cwpledi arwrol ei angen, ac y byddid fel hyn yn cyfateb i'r rhyddid y gelwid amdano gan dirlunio naturiol:

> [Nature] glads our eye
> Sporting in all her lovely carelessness.
> There smiles in varied tufts the velvet rose,
> There flaunts the gadding woodbine, swells the ground
> In gentle hillocks, and around its sides
> Thro' blossom'd shades the secret pathway steals.

Noder un dewisiad arall gan Islwyn, sef llinellau eithaf confensiynol Mason ar farwolaeth ei wraig:

> She left for heav'n. She died, and heav'n is hers!
> Be mine, the pensive solitary balm
> That recollection yields. Yes, Angel pure!
> While Memory holds her seat, thy image still
> Shall reign, shall triumph there . . .

Geirfa nodweddiadol cyn-ramantwyr y ddeunawfed ganrif sy'n britho'r dyfyniadau: 'Nature's careless graces'; 'great Nature's ample tome'; 'verdant mead'; 'changeful seasons'; 'salubrious Zephyrs'; 'shadowy glades'; 'gurgling rills'; 'prison'd rills that darkling crept amid the rustling brakes'; 'the giant oak['s]. . . romantic branches'; 'umbrageous pines'; 'azure hill'; 'vivid green, warm brown, sober olive, softer blue, faintest purple'; 'yawning crags'; 'a lovely unfrequented wild'; 'some mould'ring abbey's ivy-vested wall'; 'the Queen of Night, . . . sailing thro' autumnal skies' ('lloer' gan Islwyn ar yr ymyl).

Moesegol a chrefyddol yw'r dyfyniadau o *David and Goliath: A Sacred Drama, Chiefly Intended for Young Persons* (1782) gan Hannah More, awdures doreithiog, ddyngarol ac, yn ei dydd yn hynod boblogaidd ac yn cael ei chyfrif yn awdurdod ar y bywyd moesol a sut i'w feddiannu. Y mae rhyw gymaint o dyndra seicolegol yn y ddrama – ar fesur diodl ac i'w darllen yn hytrach na'i llwyfannu – ond y darnau sy'n dal sylw Islwyn yw'r trawiadau dyrchafol, o blaid gobaith, yn erbyn cenfigen, yn cydnabod blaenoriaeth Duw: er enghraifft, geiriau Dafydd, 'His praise I covet, whose applause is Life.' Tanlinellir hefyd y syniad o gydraddoldeb a welwyd eisoes yn Goldsmith:

> *Abner* Is valour, then, peculiar to high birth?
> If Heav'n had so decreed, know, scornful king,
> That Saul the Benjamite had never reign'd.
> No: glory darts her soul-pervading ray
> On thrones and cottages, regardless still
> Of all the artificial, nice distinctions
> Vain human customs make.

Yn yr un ysgriflyfr ceir enghreifftiau hynod ddiddorol o'r prentisfardd yn ymarfer, megis y ddau dudalen gwag ond am linellau uwchben y naill a'r llall (llinellau sydd bron yn arweiniad i'r *Storm*):

> ~~Ysbryd~~ Hanfod barddoniaeth, fan yma y mae!
> Mewn bryniau diderfyn

a

> Ysbryd, Hanfod mawr barddoniaeth

Yna ymgais fwy datblygedig:

> Canfyddit Dduw yn llanw pob rhagluniaeth
> O enaid mawr! ychydig dreulit di
>   o'th nerthoedd pur, pan yma, gyda ni   ~~dynion~~
>   Yr oedd dy gylch ~~uwchlaw~~ oddiarnom, draw yn nefoedd
>   Byd y meddyliau, Seren yn Mhellafoedd
>   Y dwyfol a'r tragwyddol oet i mi!

    . . .

~~Trwy ongl~~ Tebygwn weithiau'th fod
Ar benrhyn pell o'm henaid, pell yn gwawrio
yn mor yr annherfynol . . .

Byd-gonglau

Fe ddilynir y detholion o'r beirdd Saesneg a'r ymarferiadau gan bymtheg tudalen sy'n gwrthod unrhyw ymdrech i'w categoreiddio. Y maent ar ffurf drama, ond nid oes digwyddiadau; siglir yn anghysurus rhwng traethu llenyddol, pryfocio diniwed a di-afael, a ffars ddi-hiwmor. Y mae annaturioldeb y sgwrsio yn affwysol. Nid rhyfedd bod tair dalen ar y diwedd wedi eu rhwygo allan, os nad, fel yr awgrymwn yn nes ymlaen, oedd ystyriaeth ychwanegol wedi peri hyn. Ac eto y mae'r cruglwyth yn ddadlennol a diddorol. Yn y dadleuon ar lenyddiaeth y mae modd dilyn datblygiad syniadaeth yr awdur ifanc; yn y cellwair beichus wrth drafod darluniad y prif gymeriad y mae awgrym bod Islwyn yn ymgodymu â hen broblem athronyddol; ac yn sydyn, ar hanner ffordd, y mae colli Ann yn torri mewn.

Teitl y 'ddrama' yw *Byd-gonglau*, ac er i'r term gael ei lusgo i mewn i'r trafod, nid yw'n hawdd gweld ystyr iddo, heblaw efallai am hanner awgrym yn y cyfeiriad gan 'Y Pryddestwr' ar ganol un o'i areithiau at '[f]yd rhamantol barddoniaeth na welit yn awr ond ei gonglau haner-amlygedig'.[18] Fel hyn y mae'r darn yn agor:

DAFYDD: A welsoch chwi Ivan yn eistedd i gael ei ddarlun? A ddarfu i chwi sylwi ar ei agwedd?

GRUFFYDD: Yr oedd yn anhawdd peido sylwi, oblegid roedd hi'n agwedd go newydd. Fe gynhyrfwyd gwaelodion athrylith grèal Ivan y foment hono a dygwyd dyn newydd gerbron.

MARI: Roedd Ivan yn ddig iawn wrtho 'i hyn debygwn ac am wneyd i bobl gredu i Natur wisgo ei enaid ef a mwgwd ar ei llygaid. Ivan ddangosodd ei ddarlun gyntaf i mi ond yr oedd e ei hun mor bell o'm meddwl i â'r byd-gonglau. Pwy yw hwn meddwn i. Adwaenoch chwi o Ivan? Dyn go brydferth ydi o ar y cyfan. Gwlawiai Ivan ei wenau'n gawod o gylch. Ie onte? go brydferth, ha, ha! Pwy ydi o? Fi, fi ie Ivan! Ivan, Ivan, pwy'th berswadiodd i gredu'r fath beth?

Y CYNGHANEDDWR:

> Taw Mari, rwyt ti yn siarad gormod. Mae agoriad dy enau yn ddychryn i gymdeithas bob amser. Mae'th enau di fel clawr pydew erchyll nad edwyn neb ei ddyfnder. Pa sawl gwaith y dywedais wrthyt fod byrdra'n hanfodol i ymddyddan da? Wyt ti a dy fath ddim yn sylwi fel mae dynion yn anesmwytho dan dy ymddyddanion yn troi yn y gader ac yn gyru y mwg o'u pibellau fel anadlau gwallgofrwydd a ffyrnigrwydd ei hun! O gynghanedd! fel yr ydwyt ti yn cyfryngu pob peth, gair a meddwl, i gylchoedd a mesurau gorfanylaf perpheithrwydd a chyfatebrwydd! Ped astudit reolau hon, ti a welit ardderchowgrwydd byrdra ar fyr.

Cyn belled ag y gellir distyllu patrwm o'r cyfan, y mae rhywbeth yn debyg i hyn yn mynd ymlaen. Y mae'r gof Ivan, wedi ei gyfareddu gan lun ohono'i hun, ffotograff ond odid – fe fydd gan Islwyn ddiddordeb mawr yn y ddyfais gymharol newydd hon yn nes ymlaen.[19] Y mae Ivan yn gwylltio am fod Dafydd, Mari a Gruffydd yn gwneud sbort am ei ben, ond y tu ôl i'r gwamalrwydd y mae cipolwg i'w gael ar syniadau dyfnach o urddas gwaith a honiadau di-sail:

(Enter Ivan):

IVAN: Dyma fy narlun gyfeillion, on'd yw o'n dda? Welsoch chwi beth fwy naturiol erioed Gruffydd?

GRUFFYDD: Fe all fod naturiaeth rywle yn ateb iddo, ond nid dy eiddo di Ivan mo honi.

IVAN: Edrychwch yn iawn – dyna, dyna – beth yw e'n awr?

GRUFFYDD: Sèn ar [Sôn am?] dy greadigaeth. Ti eisteddaist yn y gader gan ledu dy ddynoliaeth a dweyd fel hyn y dylaswn i fod. O Ivan, gorchest ydyw bod yn naturiol, ac edrych yn naturiol pan geisio rhywun genyt. Fe ddylesid cymeryd dy ddarlun di pan oeddit wrth dy waith yn meddwl am ddim ond dy orchwyl a'th ffedog o'th flaen, a'th wallt yn grych, a'th bib yn dy ben ddyn.

IVAN: Fuaswn i byth yn edrych ar y fath beth, nac yn hongian y fath ddarlun ar bared o'r byd. Y ffedog ddu o'm mlaen a'r gwreichion fel cawod danllyd o'm hamgylch!

GRUFFYDD: Ivan y gôf wyt ti dywed ac ymleda a fynot. Ai Ivan y gof yw hwn, fydd dynion yn dweyd uwchben y darlun yma. Mae gan y byd eingion a gordd i'th ryw di, a gwae hwnw y dygir ei ben rhyngddynt.

IVAN: 'Chymerai ddim o'n nhrafod a nhwmlo gan neb! Myn y fegin mi a'u chwythaf fel pys i'r gwagle! . . . Mellt a daeargryn! Chaiff neb o'n nhrin i fel yma.

GRUFFYDD: Neb na dim ond dy hun frawd. Gwel di, nid yw y darlun hwn yn ateb tamaid o honot.

IVAN: Yr oeddwn yn fy nillad Sul.

GRUFFYDD: Ac am hyny ti ddylesit edrych y peth ydwyt – pechadur yn dy holl fryntni a'th waeldra, yn lle lledu'r gader fel yna a gwneyd iddi hi a'r ddaear danant riddfan dan y fath faich o falchder . . .

IVAN: Edrychwch yn awr. Dyma fi wedi sicrhau fy narlun oddiar y lle tân. Eisteddwch fan yma yn y gader gyferbyn, Gruffydd, fe wasanaetha pelldder i gynorthwyo y tebygrwydd.

GRUFFYDD: Gobeithio ynte ei fod yn debyg i ti o bell, fu erioed gwychach gwawdlun gerllaw i ddyn. Pe gwelit ti am llygaid i, ac yr wy'n meddwl nad yw dy rai di o'r clira' er fod tipyn o faint ynddynt ar y darlun acw, ti ganfyddit mai y peth gore ellit ei wneyd a'r darlun hwn fyddai dodi'r gwydr i wella'r ffenestr babur draw, a defnyddio'r papur i godi'r gwreichion ddyn yfory nesaf. Gwel di, llygaid bychain *yw* dy rai di, b'le cefaist y rhai globaidd yna? Mi dy welais yn edrych unwaith fel yna, a gwregys enbydlawn o wyn yn aruthroli dy edrychiad, pan dorodd Siân y forwyn damaid o ledr oddiar dy fegyn ers lawer dydd i wella'i hesgid.

IVAN: Melldith arnat! 'Rwyf yn cythruddo gwaelodion fy enaid bob tamaid! Gallwn blygu derwen am danat a'th foddi yn ngwyn fy llygaid! Gallwn bedoli dy geffylau yn y byw!

Eir gam ymhellach gan Mari, ar ôl i'r forwyn Cati gydnabod ei bod hi'n 'gwel'd rhywbeth yn debyg ynddo'.

MARI: Fe fyn gredu mai fe ydyw. A phe cai ddewis rhwng y pictiwr
                 a'i Hunan, 'rwy'n hollol gredu y gadawai ei etifeddiaeth
                 gron o bridd ar lawr yn y fàn gan ddewis y blaenaf. Bid siwr
                 y mae lawer yn wychach.

GRUFFYDD: ... Welaist ti dy hun erioed mewn drych?

IVAN: Do, mewn haiarnlen cyn hyn!

I GYD AR UNWAITH:
                 Ho, ho, ho! Fe welodd Ivan ei hun mewn haiarn!

GRUFFYDD: Rwyt yn sicr o'th bersonoldeb ynte?

IVAN: Beth yw hyny?

GRUFFYDD: Pe baet ti yn cwrdd â thi dy hun, a dy wyneb a'th ddaeardy,
                 yn mhen mil o oesoedd, wyt ti'n tybied y gellit eu adwaen? a
                 dweyd, Dyma fi, lle buest ti?

IVAN: Bid siwr y gallwn, beth a'm rhwystrai?

GRUFFYDD: Dim oddiethr dy adgof o'r darlun hwn.

IVAN: Wele ef o'th flaen! Y gwreiddiol!

GRUFFYDD: O clywch! Y gwreiddiol! Mae Ivan yn honi gwreiddioldeb
                 iddo ei hun: gwaelod-elfen barddoniaeth onide, sylfaen holl
                 adeiladaeth awenyddiaeth sydd yn urddasoli llawr amser ...

    Y tu ôl i'r cellwair y mae syniadau eithaf pellgyrhaeddol yn deor, sef
perthynas darlun â natur, pryd a gwedd â chymeriad, yr allanol â'r
mewnol, y gwerinol â'r ymhongar, gwreiddioldeb â chelfyddyd. Ar ryw
wedd neu'i gilydd roedd y rhain i gyd yn dal yn faterion trafod ar ganol y
ganrif. Bu'r gwyddonydd Syr David Brewster yn trafod y ffotograff yn yr
Edinburgh Review yn 1843, ac yn pwysleisio ei realiti: 'every picture
becomes an authentic chapter in the history of the world.' Ond mimetig
oedd yr holl fwriad gwreiddiol: bod mor debyg i natur ag yr oedd
yn bosibl; ond ar yr un pryd hefyd, wrth gwrs, yn dwyll neu rith. Ac yn
sicr, yn y blynyddoedd cynnar, roedd elfen swyngyfareddol o barchedig
ofn yn perthyn i dynnu lluniau. Eto, fel y dywed y Pryddestwr yn nes

ymlaen: 'Os mawredd, y byd, nid y cwmwl; y peth, nid ei gysgod,' ac wedyn wrth drafod siarad â'r hunan, y siarad mwyaf hunanol, ychwanega, "does modd lai, lle bo hunan yn ddwbl'. Yn *Y Cylchgrawn*, 1853, ochr yn ochr â cherddi ac ysgrifau Islwyn, y mae cyfres o erthyglau gan ryw 'Amicus' ar feddyleg yn cyffwrdd â'r pwnc hefyd: 'Gweled darlun cywir o gyfaill trwyadl a arweinia y meddwl at yr *original*, ac a gynyrcha lawer o gynhyrfiadau meddyliol mewn perthynas iddo.'

Yna, nid oedd syniadau'r pregethwr cyfriniol Johann Caspar Lavater o Zürich (1741–1801) ar ffisiognomi wedi llwyr ddiflannu; roedd Charlotte Brontë, er enghraifft, â chryn ddiddordeb yn ei waith. Diddorol sylwi y caed erthygl eithaf manwl a phwyllog arno yn *Y Gwyddoniadur* yn 1868: 'Dichon fod yr egwyddor, ar yr hon yr oedd yn adeiladu ei gyfundrefn, mewn ystyr yn gywir ac yn anghywir yr un pryd. Camsyniad mawr Lavater oedd ceisio ei ddyrchafu i urddas gwyddor.' Roedd bywgraffiad *The Life of J. K. Lavater* yn llyfrgell Capel Ebenezer, Casnewydd. Cred Lavater oedd y gellid gweld yr ysbrydol, ac felly'r duwiol, ym mhryd a gwedd person, gyda rhyw gymaint o'r hen ddelwedd o'r llygaid fel ffenestri'r enaid yn parhau. Wrth ganmol portreadu fel un o brif ffurfiau paentio, y mae'n hawlio y byddai'r wyneb yn dod yn destun cysegredig petai'r artist yn sylweddoli mai dyna yw campwaith yr Artist Mawr ei hun. (Er na allai Islwyn wybod hyn, roedd Blake, mewn drafft o gerdd o'r enw 'The Everlasting Gospel', yn troi'r athrawiaeth i'w felin ei hun i wrthwynebu synwyriadaeth Locke: 'leads you to believe a lie / When you see with, not through the eye' a llinellau tebyg iawn yn 'Auguries of Innocence'.) Y mae'n werth sylwi hefyd i un o lithoedd 'Amicus' ddangos cryn gydymdeimlad â chefnder ffisiognomi, sef ffrenoleg (defnyddia'r term newydd 'pwyllwyddoreg', a'i air ei hun 'pendraethwyr' am yr ymarferwyr), a chocyn hitio'r llyfryn a brynodd Islwyn yn Abertawe yn 1848 oedd George Combe, prif boblogeiddiwr ffrenoleg yn hanner cyntaf y bedwaredd ganrif ar bymtheg. Nid yw'r llyfr o'i eiddo y dadleuir yn ei erbyn gan Kennedy yn uniongyrchol ar ffrenoleg, ond y mae ei feirniad yn cysegru pennod i'r pwnc, gan ddod i'r casgliad diniwed: 'The deductions of the phrenologist should at present be regarded as probable conjectures, rather than as well established conclusions' (Kennedy, tt.141–2). Diddorol sylwi fel y mae Lewis Edwards yn 1846 yn cyfeirio at

y dynion ieuainc sydd mewn rhai manau yn Nghymru y dyddiau hyn yn cadw cryn sŵn ynghylch llyfrau Combe, ac yn cymeryd ymenyddiaeth yn lle efengyl . . . Nid ydym yn barod i ddyweyd, na ddichon fod cyfundraeth

Combe yn cynnwys rhyw ddarn bychan o wirionedd. Ond y mae ei chynnyg fel esboniad cyflawn ar weithrediadau meddwl dyn, ac ar holl ddirgeledigaethau ei fod a'i fywyd . . . yn ynfyd.[20]

Yn Lloegr rhestrwyd Harriet Martineau a George Eliot ymhlith ei ddisgyblion. Syndod, gyda llaw, gweld Daniel Davies, 'y Cashier', yn cael darllen ei ben gan ŵr o Gaerdydd mor ddiweddar â'r 1870au (papurau Davies yn AMC).

Wedyn, y mae'r gwrthgyferbyniad rhwng ffug y dillad Sul â gweithdy'r gof yn ein hatgoffa mai dyma gyfnod y Cyn-Raffaëliaid, gyda'u pwyslais (o dan ddylanwad crefyddol a chanoloesol y *Nazarener* yn yr Almaen) ar ddiffuantrwydd a dwyster darlun. Yn yr ysbryd hwn y paentiodd Millais, *Crist yn Nhŷ ei Rieni (Gweithdy'r Saer)* yn 1849, gan ei arddangos y flwyddyn ddilynol ac ennyn ffrydlif o anghymeradwyaeth; yn *Household Words*, er enghraifft, cwynai Dickens fod Mair yn ymdebygu i 'a Monster in the vilest cabaret in France, or the lowest gin-shop in England', ac i'r *Times*: 'the attempt to associate the holy family with the meanest details of a carpenter's shop . . . is disgusting.'

Gwreiddioldeb, 'gwaelod-elfen barddoniaeth'; dyna dynnu sylw at un o brif bynciau dadl beirniadaeth esthetig y ddeunawfed ganrif. Yn ei *Conjectures on Original Composition* (1759)[21] y mae Edward Young (y cawn sôn mwy amdano yn y man) yn cysylltu'r 'gwreiddiol' yn yr ystyr o 'gysefin' neu 'sylfaenol' a gwreiddioldeb neu ddychymyg fel y gwelwn ef yn y bardd. Y mae pawb yn cael eu geni'n 'originals', yn wahanol i'w gilydd; nid copïo eraill yw swydd dychymyg y bardd ond gweithredu megis ail greawdwr ('a second Maker under Jove', yng ngeiriau Shaftesbury) a chopïo natur.

'Nature . . . brings us into the world all *Originals:* No two faces, no two minds, are just alike; but all bear Nature's evident mark of Separation on them. Born *Originals*, how comes it to pass that we die *Copies?*' [Yr hyn sy'n gyfrifol yw 'that medling Ape *Imitation*'; nid dynwared Homer sydd eisiau ond ei ddefnyddio.] 'But possibly you may reply, that you must either imitate *Homer*, or depart from Nature. Not so: As far as a regard to Nature, and sound Sense, will permit a Departure from your great Predecessors; so far, ambitiously, depart from them; the farther from them in *Similitude*, the nearer are you to them in *Excellence*; you rise by it into an *Original*; become a noble Collateral, not an humble Descendant from them. Let us build our Compositions with the Spirit, and in the Taste, of the Antients; but not with their Materials.' (paragraff 77)

Fel y mae'n hysbys, fe aeth beirdd diwedd y ddeunawfed ganrif a dechrau'r bedwaredd ganrif ar bymtheg i geisio gwreiddioldeb neu gyntefigiaeth mewn llên gwerin neu lenyddiaeth gynnar gwahanol wledydd; celfyddyd fel y tybient, heb ei llygru â haenau o 'wareiddiad' a dynwarediad, ffrwyth teimlad digyfryngiad. Ac fe ddaw hefyd y syniad o athrylith ('genius') i fod, fel rhywbeth yn ôl Young '[that] has ever been supposed to partake of something divine', ac y mae gwreiddioldeb y Bardd-Athrylith yn golygu cynhyrchu'r newydd, yr unigryw, y personol, diffiniad yr hunan, barddoniaeth profiad.[22]

Erbyn canol y ganrif roedd dadleuon yr Hen a'r Newydd gan mwyaf wedi tawelu yn Lloegr, ond nid felly yng Nghymru, er mai'r cynganeddion oedd maes y frwydr yma. Cawsom gipolwg eisoes ar ddaliadau traddodiadol dau athro Islwyn, Aneurin Fardd a Gwilym Ilid; yn *Bydgonglau* y mae'r disgybl yn gwrthryfela'n llwyr. Dau o'r cymeriadau yw'r 'Cynghaneddwr' a'r 'Pryddestwr', ac er bod y naill fel y llall yn siarad cryn dipyn o lol, y Pryddestwr sy'n amlwg yn mynd â hi. Y mae gofyn dyfynnu'n weddol helaeth i ddangos natur yr ymgodymu, gan bigo yma a thraw o'r tudalennau niferus a phur ddigyswllt.

Y CYNGH.:   Taw Mari, rwyt ti yn siarad gormod . . . Pa sawl gwaith y dywedais wrthyt fod byrdra'n hanfodol i ymddyddan da? . . . O gynghanedd! fel yr ydwyt ti yn cyfryngu pob peth, gair a meddwl, i gylchoedd a mesurau gorfanylaf perpheithrwydd a chyfatebrwydd! Ped astudit reolau hon, ti a welit ardderchowgrwydd byrdra ar fyr.

Y PRYDD.:   Beth yr ydych chwi wedi bod yn ei wneyd trwy yr oesoedd.
              Mae'r haul yn rhigmarolio
              Yn nghlo'r graig ac yn nghlyw'r gro.
              Dyna farddoniaeth! Pa ddeddf sy genych chwi i gondemnio un llythyren yma?
              Difai ac O difywyd
              Dyna y gamp deneu i gyd!

Y CYNGH.:   Dim gwawd yma. Dylid bod yn sobr wrth ymyraeth â hen sefydliadau a deddfau hybarchaf . . . Dylid parchu hên bethau. Y mae amser yn cysegreiddio pethau ac yn eu hanfon i lawr ar ddyfroedd yr oesoedd . . . i weledigaeth pob oes.

Y PRYDD.:   O barchedicaf olwynion cerbydau Pharaoh! O yr hen gader wellt! Fe gânodd Sion Dalygraig ap ffiloregwch yn y dull yma

pum cant o flynyddoedd yn ol. Fe fesurodd amser ei benglog
ef a dyna'r mesurau caethion sydd i gwmpasu neu gyfyngu yr
holl ddyfodolion benglogau o ba oes bynag. Yr wyf yn synu
eich bod chwi yn anturio i Railway carriage a chymeryd eich
llusgo gan y gwallgofbeth newyddbeth hwn ar hyd y
meysydd, a thros yr afonydd, . . . ar ynfydlawn a melltenddull,
heb gael ichwi amser i ddodi dwy linell . . . at eu gilydd o orsaf
i orsaf nac hamdden i drefnu deuair ar gyfer eu gilydd?

. . .

Y PRYDD.:   Y mae amser yn dwyn ei ddynion . . . gydag ef, ac yn profi
yn mhob codiad o'r oesoedd ac o'i oriau, trwy filoedd o
dystiolaethau ac amlygiadau, nad oes dim yn berphaith, nad
yw pob peth ac yn enwedig y dyn ond newydd egino a glasu
ar wyneb anfarwoldeb ac anfarwoldeb, fod y cyflawnder i
gyd ar ol, ac eigion o oesoedd rhyngom moroedd ystormy[s]
o amser rhyngom eto a glán y baradwys ddewisedig, lle
gwelir yr enaid yn codi yn nghyflawn ddydd ei gyneddfau
datblygedig, lle y bydd byd rhamantol barddoniaeth na welit
yn awr ond ei gonglau haner-amlygedig, ambell penrhyn
pell a báu, ambell aber hedd . . . fel delweddiad breuddwyd
draw, oll yn weledig a'r enaid yn ei dramwy fyth yn ol
helaethrwydd ei ewyllys froydd a bryniau areilion.

Y CYNGH.:   Rwyt ti'n cablu urddas a hynafiaeth. Gwrando, ti wneit ti
fryncyn go lew o ddyn pe trefnit dy enaid yn ol deddfau
tragwyddol yr oesoedd, a phe goddefit dy arwain gan rai
sydd yn deall yn well, rhai ag oedd yn byw yn nes i fynu i'r
gwreiddiolderau a'r ffynonnau a'r dechreuadau mawrion
ger y rhai y ganwyd ac y codwyd y byd.

Y PRYDD.:   Edrych yn mlaen yw fy athroniaeth i bob amser. Baban yw y
byd, ac fel baban y mae yn tyfu a phob oes fel blwyddyn
newydd yn ychwanegu at ei nerth ac yn datblygu ei gyneddfau
fwyfwy. Peidiwch â chlymu y llanc hoew wrth y cawell – Am
yr oesoedd yma, byddaf fi'n methu gweld fod rhyw berthynas
anghyffredin rhyngo i â hwynt. Beth ydynt? b'le mae nhw?
Niwl, niwl yw'r cwbl. Dyna'r cwbl o amser a berthyn i mi –
heddyw, y presenol. Rhaid i mi fyw yn fy nydd, o fy nydd, ac
i'm dydd.

Y CYNGH.: Pe buasit ti ddim ond canu y drychfeddyliau uchod yn ol
            pereidd-dra anghydmarol a nefoleiddiaf gydredolrwydd y
            mesurau caethion.

'Dim gwawd yma,' medd y Cynghaneddwr; ond dyna a geir gan Islwyn
mewn nifer o rigymau yn y testun. Cicio dros y tresi annisgwyl braidd,
ond o bosibl y mae cysylltiad â darllen cerddi diodl y Saeson. Nid diffyg
gallu yn y mesurau caeth sy'n gyfrifol, gan ei fod eisoes yn gynganeddwr
da. Nid anallu i werthfawrogi meistri'r gynghanedd chwaith: tystiodd
mewn blynyddoedd i ddod mai Dewi Wyn o Eifion, brenin y mesurau
caeth, oedd 'y bardd mwyaf ei athrylith a fu yng Nghymru erioed'.[23] Ac y
mae ei gyfaill Athan Fardd, pleidiwr mawr i'r gynghanedd, yn lleoli'r
parch at Dewi Wyn yn gynnar yn hanes Islwyn: 'Dywedodd ugeiniau o
weithiau wrthyf mai yn y "Rothsay fawr" [*Drylliad y Rothesay Castle*,
awdl Caledfryn, 1832], yn nghyd â "Chorwyntoedd daeargrynfaol" Dewi
Wyn o Eifion, a roddasant y cynhyrfiadau cyntaf i'w awen.'[24] Roedd Dewi
Wyn yn arwr hefyd gan Iorwerth Glan Aled, Creuddynfab, Ioan Madog
ac eraill, a bu Cynddelw yn achub ei gam yn erbyn ymosodiad Caledfryn
yn *Y Traethodydd* yn 1853. Beio diofalwch, diffyg trefn a diffyg chwaeth
Dewi Wyn y mae Caledfryn yn bennaf, ond y mae hefyd yn canmol yn
hael nifer o'i gyffyrddiadau a'i linellau cynganeddol. A theg dweud efallai
mai ei safbwyntiau gwleidyddol (ei wrthwynebiad i'r degwm, er
enghraifft) ac esthetaidd (nid creadur arbennig wedi ei eni felly yw bardd;
y mae posibilrwydd bardd ym mhobun) oedd yn apelio at lawer. Ffigwr
od, felly, ac anodd ei ddefnyddio mewn dadl: gŵr ag iddo agweddau cyn-
ramantaidd ond ffurfiau traddodiadol. Yn yr un rhifyn o'r *Traethodydd* y
mae Lewis Edwards yn cymeradwyo'n frwd lyfr William Jones, ficer
Nefyn, *Swyddogaeth Barn a Darfelydd mewn Cyfansoddiadau Rhydd-
ieithol a Barddonol*, a gyhoeddwyd y flwyddyn honno.

Y mae sylwadau tra synwyrgall ar deilyngdod cymharol y *gynghanedd
gaeth*, a'r *mesurau rhyddion*; ynghyd â hanes y ddadl yn eu cylch, o amser
Eisteddfod Caerfyrddin, yn y flwyddyn 1819, hyd Eisteddfod Tremadog yn
1851. Fel y mae yn eithaf hysbys, y mae cryn dwysged wedi cael ei ysgrifenu
ar y ddadl anorphen hon o bryd i bryd, yn enwedig yn ystod y tair blynedd
diweddaf; ond dyledus cyfaddef o honom, na welsom ni ddim hyd yma
wedi ei ysgrifenu yn fwy teg a rhesymol na'r hyn a geir yn y tudalenau hyn;
ac nis gwyddom chwaith am ddim cyn debyced i roi dyrnod angeuol ar ben
cadwynau y gerdd, y rhai sydd wedi eu goddef hyd yn hyn i lyffetheirio
awen Cymru, ac i ddifwyno ei llenoriaeth . . . Rhyfygwn broffwydo fod

dydd goruchafiaeth y mydrau caethiwus hyn wedi myned heibio yn dragywydd; ac y gwelir beirdd y Dywysogaeth cyn hir yn arfer y rhyddid y galwyd hwy, a phob creadur rhesymol arall, i'w fwynhau.[25]

Dyna farn go glir gan olygydd *Y Traethodydd*, felly. Nid yw'n digwydd dyfynnu dyfarniad William Jones ar *Gweledigaethau y Bardd Cwsg*:

y cyfansoddiad mwyaf hynod am gymhlethiant Barn fanwl a Darfelydd grymus a hedegog, o'r holl weithiau sydd yn meddiant ein gwlad. Barddoniaeth lawn o dân awenyddol ydyw, mewn gwisg rydd ddigynghanedd. Beth? Barddoniaeth heb gynghanedd? Iê, ddarllenydd, a barddoniaeth ardderchog hefyd![26]

Petai Islwyn wedi gweld y llyfr yna, llyfr William Jones, mae'n debyg y byddai'r cyfeiriad wedi apelio ato, oblegid dywedodd Samuel Evans, Johannesburg, wrth E. Morgan Humphreys am y *Bardd Cwsg*: 'llyfr a brynais ar anogaeth Islwyn oedd o.'[27]

Cafwyd ymosodiad cryfach, os rhywbeth, ar y mesurau caeth gan Morris Davies yn *Y Traethodydd* y flwyddyn gynt:

Y gwir yw, fod crug anferth o'r hyn a elwir barddoniaeth gaeth, er meddu odl a chynghanedd, cymeriad a mesur, yn ddim amgen na rhigymau, heb synwyr na theimlad ynddynt, pryd y mae gwir farddoniaeth i'w chael fynychaf ar fesurau dyri, ac yn aml yn ddïodl, arwrawl; ac weithiau hyd yn nod mewn rhyddiaeth.[28]

Yr hyn oedd wedi ffyrnigo'r ddadl oedd penderfyniad Eisteddfod Rhuddlan yn 1850 i ganiatáu i'r beirdd ddefnyddio'r mesurau a fynnent i ganu ar 'Yr Adgyfodiad', testun y Gadair, a cherdd ar fesur rhydd gan Ieuan Glan Geirionydd a orfu, gydag awdl draddodiadol gan Caledfryn yn ail, a siom i Eben Fardd, er y cytunid gan nifer o ohebwyr i'r wasg mai ei bryddest ef oedd orau. Fe'n temtir yn naturiol i feddwl hefyd am William Williams (Creuddynfab), prif ladmerydd rhyddid a'r 'meddyliol' mewn barddoniaeth, ond dylid cofio mai yn 1855 y cyhoeddwyd rhan gyntaf ei waith arloesol *Y Barddoniadur Cymmreig*; ni allai felly fod wedi dylanwadu ar Islwyn y *Byd-gonglau*; a, hyd yn oed ar ôl hynny, efallai mai cyd-gerdded yn hytrach na dylanwad yw'r wir sefyllfa.

Pwysigrwydd y ffrwgwd a amlygir gyda gormodiaith yn *Byd-gonglau* yw bod Islwyn, dros dro o leiaf, yn ei gael ei hun yng ngwersyll 'rhyddid',

ac mai dyna'r agwedd fydd yn llywodraethu yn ystod blynyddoedd cyf-
ansoddi Y *Storm*:[29]

> Gorffennir galw barddas yn gelfyddyd,
> Pan ymollynga i dragwyddol ryddid,
> Pan edy lyn cynghanedd am y moroedd
> Lle mae pob ton yn fyd, a'r lan yn nef y nefoedd.

> Daw adeg ar farddoniaeth na fydd un
> Gyfundrefn gaethol o fesurau blin,
>   Na deddf, ond greddf;
> O! ddedwydd adeg pan lifeiria cerdd
> O'r enaid pur, fel ffrwd o'r goedwig werdd!
> . . .

> Barddoniaeth, – O! Farddoniaeth! Pwy a roddes
> I neb awdurdod ar y fath angyles
> I benu dy derfynau? Ymaith, Rëol!
> Ffowch, ddeddfau dynol! rhowch i hon dragwyddol hëol.

> Fe enir bardd ryw ddydd a wawdia ddeddfau,
> A lunia'r gân yn ol rhyw ddwyfol reddfau;
> Maluria Babilon y cynghaneddion,
> A'i anghydmarol lwydd ddilea ddeddfau caethion.[30]

Hysbys nad dyna ei agwedd mewn blynyddoedd i ddod, fel y profa'i
gynhyrchion eisteddfodol, ei gyfarwyddiadau mewn colofnau newydd-
iadurol, ac yn arbennig ddyfyniadau o'r awdl 'Cenedl y Cymry'.

    Y syndod efallai yw sydynrwydd y dröedigaeth, fel petai'r angen am
ryddid meddyliol, yn cydredeg â rhyddid ffurf, wedi chwythu ei blwc
wedi cynnwrf Y *Storm*.

> Noddi y cynghaneddion – y byddom
>   Fel buddiawl arwyddion
> O fawrddysg ein cynfeirddion – (sy' mwy'n fud),
>   A môr golud y Gymraeg wiwlon.

> Athrylith i'w rheolau
> A'u cryf ddull, câr ufuddhau.

Awelon, nid hualau, – yw y rhain,
    Is ei aur adain, i'w eres rodau
Fry hed ei fyfyriadau, – ag enwog
    Odidog ehediadau.

Gemau'r awen Gymreig – gwych harddwisg
    Ei cherddi mawreddig,
Nid ydyw'r drefn nodedig – yn gadwen
    Na lludd i awen mewn llaw ddeheuig.

Egyr ei lwybr ar led.
A rhydd wawl i'r bardd weled;
Llwybr i'w fyfyr fwyfwy,
Chwilio am air a chael mwy.
Iawn ddaw i awen ddiwyd,
Gair i fardd a egyr fyd.
E dry gair wrth droi o'i gylch
Fyr ymgais, yn fôr amgylch.   (GBI 421)

Yn ei ysgrif ar Alexander Smith y mae'n ceisio cadw'r ddysgl yn weddol
wastad, ond gyda gogwydd amlwg tuag at ryddid:

Ereill a honnant fod y gynghanedd yn hanfodol i farddoniaeth. Yr ydym
yn hoffi y gynghanedd gymaint â neb, ac yn ymorfoleddu ynddi fel
etifeddiaeth genedlaethol, fel cyfundrefn sydd yn sylfaenedig ar ansawdd
ein hiaith, ac yn ddrych i ddangos ei chyfoeth a'i hamrywiaethau. Mae y
gyfundrefn gynghaneddol yn *literary curiosity* nas gall unrhyw genedl
arall dan y nef ddangos ei chyffelyb. Mae cenedloedd ereill yn rhyw sôn
am *alliteration,* ond y Gymraeg yn unig sydd wedi cario allan yr
egwyddor hon a'i dadblygu, nes ffurfio ohoni gyfundrefn berffaith. Ar yr
un pryd ni fynnem gyfyngu yr Awen Gymroaidd i'r gyfundrefn hon; canys
er amled ei cheinion, ac er mor genedlaethol ei neillduolion, nid ydym yn
meddwl ei fod yn ddichonadwy byth i unrhyw athrylith orchfygu hualau y
gyfundrefn mor llwyr fel ag i ddwyn allan orchestwaith barddonol o'r
radd uchaf, megis *Paradise Lost* neu y *Divina Commedia.* (Atod. t.34)

Deuwn yn ôl at *Byd-gonglau.* Wedi cryn dipyn o rwdlan – Gruffydd a
Dafydd yn gresynu bod merched yn Lloegr yn cael pregethu, er
enghraifft – y mae rhywbeth trawiadol yn digwydd tua hanner ffordd, a
nodyn newydd i'w ganfod yng nghanol chwyddiaith y Pryddestwr. Heb
reswm testunol arbennig mae 'storm' ac 'anfarwoldeb' yn agor araith
ddwywaith neu deirgwaith yn hwy na dim arall yn y darn:

Tarth enaid. ~~Gweddnewidiad y byd meddyliol ar fynydd ysbrydoliaeth~~ ystorm –
dafliad y meddwl dàn gyffröad yr awelon pell. Y prawf ardderchocaf o
anfarwoldeb yr enaid pan deimlo ei hun yn fwy na'r byd pan daflo holl
ffigurau ~~amser~~ y byd dros yr eigion ~~daear~~ tywyll sydd o amgylch amser,
enfys ar ol enfys, tua'r tragwyddol a'r anolrheinadwy, fel profion ysblenydd
o'i undeb a bydoedd eraill a'r berthynas a'r cyfamod tragwyddol, a selwyd
ar fryniau cyntaf amser pan ddyferent gan lifion, y tryblith oesol, ger bron
holl anfarwolion y greadigaeth, yn swn pellddisgynol reieidr y caos aruthr
a gostyngiad adenydd yr annhrefn a gysgodai fydoedd fel tònau gwedd-
newidiol dull-symudol ar for y tragwyddol oesoedd. Colomen wen nefol
blu-lifiol oddiar daearbarth pechod-soddedig bôd, gwelediad cyntaf ac
uchaf anfarwoldeb, oddiar y diluw o drueni a thywyllwch a gwae sydd yn
gwneud i fynu wir fôr y byd.

Ymlaen ag ef yn yr un cywair am dudalen a hanner arall. Noder rhai o'r
ymadroddion:

ambell i ffenestr wybrenol, wedi ei golchi yn fil tryloewach gan y
dyfroedd, yn cau uwchben, a'r seren fore yn edrych i lawr drwyddi
fel gwên o dragwyddoldeb

Llais o'r dyfnder, sydd yn enill adsain o'r nefolion leoedd oddiar eu gilydd
yn brawf nad yw yr angel wedi hollol ymado â natur dyn,

Plentyn alltudiedig yn y carcharfyd pell, dan dywyllwch a nos fedd-ddu,
yn cofio ty ei Dad a mangre ei breswylfod borau ac yn cipio cylchoedd
y planedau a'r ser ac hollalluowgrwydd adgaffaeledig ei anfarwol law,
gan eu harddwych drefnu'n risiau oddiar risiau i ddringo i olwg y
gogoniant a bryn y tragwyddol welediad.

Amhosibl darllen y dyfyniad olaf heb feddwl am Wordsworth yn ei *Ode:
Intimations of Immortality from Recollections of Early Childhood*:

> The Soul that rises with us, our life's Star,
>   Hath elsewhere its setting,
>   And cometh from afar:
>   Not in entire forgetfulness,
>   And not in utter nakedness,
>   But trailing clouds of glory do we come
>   From God, who is our home:

Heaven lies about us in our infancy!
Shades of the prison-house begin to close
Upon the growing Boy . . .

Mighty Prophet! Seer blest!
On whom those truths do rest,
Which we are toiling all our lives to find,
In darkness lost, the darkness of the grave;

Yna, yn ddigamsyniol, y mae profiad Islwyn ei hun i'w ganfod mewn
llinellau sy'n adleisio'r cerddi coffa i Ann; dichon y ceir hefyd, yng
nghanol y galar personol, ambell gyfeiriad diarwybod at lyfr hynod
boblogaidd James Hervey, *Meditations among the Tombs.*

Y swyn sydd yn dileu amser ac yn dwyn ei holl oriau ïe ei oesoedd fel
rhithiau eiddilion dan lywodraeth a gallu yr enaid, nes collir pob ystyriaeth
o'r presenol yn y gwelediad annherfynol a digyffiniau, pan safo yr enaid fel
archangel ar ambell fàn o adgof olau, oddïar dyfroedd tywyll amser, gan
alw i fynu ac arolygu adgyfodiad y pethau a gollasid a chymdeithasu â
gwrthrychau tu faes i'r byd. Edrychwch ar y galarwr draw yn rhodio trwy
ganol y beddau, mor ddystaw a'r hynaf a'r uchaf o honynt, a'i ddagrau a'i
adymfywiadau olynol fel cawodydd awelon . . . gwanwyn o anfarwoldeb yn
adnewyddu byd ei enaid . . . beth ydyw amser iddo ef? . . .
    Y mae yr enaid yn dal cymdeithas a'r oriau pellaf yn ei ymyl ac yn troi
amser fel glob yn ei law gan edrych ar y parth a fyn. Ie y mae yn
cymdeithasu â gwrthrychau tu draw i'r bedd ac yn per ymddyddan a'i
annwylion hir-golledig. Y mae amser a thragwyddoldeb yn dyfod yn
gymydogaeth iddo . . .

Yna'r lled-gyfiawnhad o araith y Pryddestwr yn y cyd-destun, ond, yn
bwysicach o lawer, arwydd o gred Islwyn eisoes yng ngrym adferol
barddoniaeth:

A barddoniaeth yw y ddaeargryn urddunol sydd fel hyn yn gweddnewid
bywyd, ac yn codi golygfaoedd amser o bob dyfnder ac o than gysgod pob
her i fynu i gyd i uchelder y tragwyddol a'r anghyfnewidiol welediad ar
wastad yr hwn y mae ei anwylion nef-gipiedig yn bythol lawenychu ac yn
cydgynal y gydgan dragwyddol i'r lan fel eu hwylbren lawn o beroriaeth a
nefoleidd-dra pur. Y Bardd, y bardd sydd yn meddu y gallu hwn! O y
gwelediad ardderchog o weddnewidiad sydd yn hongian dros bob peth

iddo ef ac yn urdduno y dygwyddiadau lleiaf. Y mae y fonwent yn olau fel cyntedd llydeiniol anfarwoldeb iddo ef, y cyntedd sydd â thragwydd-oldeb yn ddyfnder ac yn helaethrwydd iddo.

A'r cyfeiriad amlycaf at farwolaeth Ann:

Angylion fu ffordd hon, sangwch yn ysgafn! . . . Dyma'r ystafell y cafwyd yr olwg olaf ar ei gwedd, rhodiwch yn ofalus a distaw drwyddo . . . gallai y nefoedd ei gymeryd fel eu porth agorawl, fel arweiniad i mewn y bythol ogoniant.

O hyn ymlaen, ailadrodd diafael o'r gwahanol themâu a gawn, gydag ambell amrywiad wrth fynd heibio: y Pryddestwr yn wfftio'r syniad o 'arucheledd', sbort gydag odlau 'Pwy yw Jaco? / Brawd tybaco!', neu Gruffudd yn tanseilio'r holl ymdrechion llenyddol:

Peth gwael yw dychymyg i ddwyn torth i'r ty, gwneud tân siriol canol-gauaf a dilladu y plant . . . Rywbeth digon ofer a wag, o edrych yn ol ato yw bywyd o farddoni a dodi geiriau ar gyfer eu gilydd.

Yna, gyda'r Pryddestwr yn trafod sut i drin morynion, ac Ivan a Siencyn yn dal pen rheswm, y mae'r hyn sydd ar gael yn dod i ben; rhwygwyd tair dalen o'r copi.

Y dyddiad ar y llyfryn yw 17 Rhagfyr 1853. Rhesymol yw credu mai rywbryd yn gynt yn y flwyddyn y copïwyd y Saesneg; yna, fel y dangoswyd, y tebyg yw bod marwolaeth Ann wedi torri ar y 'ddrama'. Beth tybed oedd ar y tudalennau coll? Ai anfodlonrwydd ar ddadleuon llenyddol eithaf plentynnaidd oedd yn cyfrif; os felly, gellid bod wedi rhwygo llawer mwy. Neu a oedd y cyfan yn tyfu o dan ei ddwylo ac yn troi'n brydyddiaeth nad oedd am ei chysylltu â'r hyn oedd yn blaenori? Onid yw marwolaeth Ann megis wedi herwgipio llenyddiaeth gon-fensiynol? Ai drafft cyntaf *Y Storm*, mewn rhyw ffurf neu'i gilydd, oedd ar y tudalennau hyn?

Sut bynnag am hynny, fe wyddai'n reddfol nad oedd y prentiswaith mewn unrhyw fodd yn deyrnged deilwng i Ann, nac yn un math o gysur iddo yntau. Gwaith mawr ei fywyd fyddai llunio moddion addas.

3 ⊗ *Abwyd yr Aruchel*

y cartre'n barod, –
Y dodrefn wedi'u trefnu.

Ymhle? A beth am fywoliaeth? Anodd osgoi'r casgliad fod William Thomas, efallai fwy neu lai fel amod priodi, wedi derbyn mai tirfesurydd fyddai. Cofier nad oedd wedi dechrau pregethu adeg marwolaeth Ann, ac felly nid oedd y weinidogaeth yn agored iddo, ac nid oedd dim arall ar y gorwel, hyd y gwyddom.

Ond yn 1854 penderfynodd fod yn fardd, ac i ryw fesur ochr yn ochr â hyn, i fod yn bregethwr, ac fe ddechreuwyd gweld canlyniadau torri'r argae mewn nifer o gerddi yn y cyfnodolion. Cyn edrych ar y rheini, fodd bynnag, priodol fydd ceisio awgrymu natur y cawl yn y crochan, yr holl syniadau, damcaniaethau, breuddwydion, ffrwythau darllen a thrafod, gyda thân eirias siom yn codi'r berw. 'Tristwch a fu agos a'i lethu i'r bedd,' fe gofir, oedd disgrifiad ei chwaer o'i gyflwr, ac y mae'r Parchedig D. Thorne Evans yn defnyddio ymadrodd tebyg wrth gyfeirio at y newid ynddo. Cyn marw Ann,

pelydrai nwyfiant yn ei lygad, ac eisteddai llonder ar ei wedd', [ac yna] 'bu yr ergyd trwm . . . agos a suddo y bardd ieuanc gan hiraeth a thristwch i'r bedd. Pruddhaodd ei oslef ac aeth ei wynebpryd siriol i wisgo ymddangosiad trwmfrydig; a phan gyfarfuasom âg ef nesaf yr oedd ei galon yn rhy lawn i'w dafod lefaru.[1]

Ym mis Mehefin 1854 y mae llythyr Islwyn at James Rosser yn taro'r un nodyn:

I have been on the brink of eternity since then, but am now, thank Heaven, recovered, and enjoy tolerable health.

Yn yr un llythyr y mae'n ychwanegu efallai y bydd yn ymweld eto ag

Abertawe tua diwedd Gorffennaf ac fe ategir hyn gan lythyr, yn
Gymraeg, at Joseph Rosser, cyhoeddwr ac argraffydd Y *Cylchgrawn*, ar
17 Gorffennaf (Dydd Llun y Bara ar ben y llythyr – diwrnod pobi yng
Ngwent, tybed?): 'caf eich gweled nos Fercher os yr Arglwydd ai myn.'
Llythyr yw hwn yn dychwelyd proflenni 'Y Groes':[2] 'Cysodi rhagorol yn
wir! Nid oes ond tri neu 4 o fân feiau – please to correct them.' Y mae,
meddai ymhellach: 'yn myned i fyny yn awr i Benycae i ddodi marwol
weddillion Glan Ebbwy yn y bedd! I ddodi "y pwrcas i lawr" – mae wedi
ei brynu rwy'n credu. Fe'i rhyddheir fore "Prynedigaeth y corff." Hapus
fore! fe rhyddeir llawer pwrcas y bore hwnw!' Thomas Nicholas oedd
Glan Ebbwy, cyfaill a oedd yn cyd-ddechrau pregethu ag Islwyn ond a
laddwyd yn ifanc drwy ddamwain yn y gwaith. Y mae dwy alargan, y
naill yn Y *Cylchgrawn* ym mis Tachwedd ('Marwolaeth Glan Ebbwy',
(Atod. vi) a'r llall 'Glan Ebbwy' (GBI 657) yn y casgliad *Barddoniaeth* yr
un mis. Eithaf confensiynol yw'r ddwy ond, o'r gyntaf, gellir nodi efallai
arwydd teg o feddylfryd Islwyn erbyn ail hanner y flwyddyn:

> Frawd! cymeraf lwybr newydd,
>   Yn lle wylo, canu wnaf,
> Canu am y bore dedwydd,
>   Bore y tragwyddol haf,
> Ar y fynwent drom gymylog,
>   Wawria o wybrennau gwell,
> Gan oleuo'r beddau niwlog,
>   A dilennu'r wynfa bell.

Ac y mae nodau cyfarwydd yn y llall:

> Mae addewidion ar dy fedd fel gwlith y wawr yn drwch;
> Ac fel y sêr, o'r nef sy'n gwylio'th gell,
> Yn oleu, er yn uchel, – yn sicr, er ymhell.

Ond, fel y gwelsom, yr oedd hefyd wedi dechrau pregethu. Sylwer eto ar
dystiolaeth Mary Jenkyns: 'o'r diwedd, llwyddwyd i gael ganddo . . .
ufuddhau. Cymerodd hyny le yn agos i ddiwedd y flwyddyn 1853.' Heb
ailadrodd yn ormodol, nodwn i'r Cyfarfod Misol ar 3 a 4 Ionawr 1854
dderbyn cenadwri ei fod yn ymgeisydd am ganiatâd i bregethu, ac y
rhoddwyd y cyfryw ganiatâd yng Nghyfarfod Misol 16 Awst.

Gan nad oes ond un disgrifiad uniongyrchol ohono yn y cyfnod hwn,
fe fydd gofyn camu 'mlaen ychydig flynyddoedd am fwy o fanylion. Y

disgrifiad clasurol o'i wedd allanol yw'r un gan Daniel Davies, Ton, a ddaeth i'w adnabod yn dda yn y 1860au:

Bychan hytrach ydoedd o gorffolaeth ac ysgafn, tua phum troedfedd a chwech modfedd o daldra; yr oedd o bryd tywyll, a'i ymddanghosiad yn llednais a gwylaidd; yr oedd y pen yn fawr, gryn lawer yn fwy yn ol cyfartaledd cyffredin na'r corff, ond nid oedd y gwahaniaeth gymaint fel ag i dynnu sylw ac i wneyd y peth yn hynod. Yr oedd y wyneb yn hir ac yn hardd, a'r trwyn yn lluniaidd, heb fod yn fawr, a'r gwefusau hytrach yn drwchus, a thoriad y genau yn brydferth; yr oedd y talcen yn fawr iawn, yn cyfuno uchder a lled, ac anaml y gwelwyd talcen o'r fath uchder mor llydan a gwastad hefyd; yr oedd y llygaid, y rhai oeddynt yn llechu o dan aeliau trymion, yn llawn, yn fawrion, a disglair, a'u trem ymhell. (GBI, vi)

Ceir yr un neges, mewn ymadroddion mwy barddonllyd, gan Dewi Wyn o Essyllt:

Ychydig uwchlaw ysgwyddau y corff bychan [eiddil] hwnw yr ym-ddyrchafai pen llawn, yn ymledu fel yr ymestynau tuagat y coryn; ac yn rhagfurio pa un y caid talcen llyfn, llydan, ac urddasol, yn dynodi fod yno ddealltwriaeth lawer yn aros o fewn i'w gyffiniau yn rhywle. Tua godreuon y talcen urddasol hwnw yr ymdorchai dwy ael lwyd-dywell a thew-daen, yn cysgodi dau lygad wedi eu gwneuthur o'r pren *ebony* goraf – dau lygad gloewach na gwlith y wawrddydd – rhai dyfnddwys fel cysgodau'r goedwig, a myfyriol fel y mynydd o'r pellder, pan edrychir arno ar brydnawnddydd tesog haf. Gwisgai ei wynebpryd fath o hawddgarwch sobr, seiriander dwys, neu arddunedd mwyn a thawel, yn arwyddocaol o un a fyddai yn mynych ddal cymundeb â'r mawr, y pur, y pell, a'r ysbrydol.[3]

Cawn yr un math o bwyslais yn rhagymadrodd J. M. Edwards i'w ddetholiad *Perlau Awen Islwyn* (1909):

Yr oedd ei wyneb yn hir ac yn hardd, a'r trwyn yn lluniaidd, heb fod yn fawr, a'r gwefusau braidd yn drwchus, a thoriad y genau yn brydferth. Yr oedd y talcen yn fawr iawn, yn cyfuno uchder a lled, ac anaml y gwelwyd talcen o'r fath uchder mor llydan a gwastad hefyd. Yr oedd y llygaid, y rhai oedd yn llechu dan aeliau trymion, yn llawn, yn fawrion a disglair, a'u trem ymhell.

Y talcen a'r llygad sy'n nodweddu disgrifiad Cynddylan hefyd, fel y gwelodd ef gyntaf yn 1867:

Ei gorff oedd fyr, a'i gymalau heb eu gwau yn nghyd yn neillduol o gryfion; ond meddau ben mawr ac helaethlawn. Y canlyniad oedd fod y pen yn gwneyd cais rhy fawr ar y corff – yr ymenydd yn gofyn mwy o luniaeth nag a allai y cylla yn dda ddiwallu: ac yn yr ymgyrch rhwng y pen a'r corff am yr adnoddau angenrheidiol, gorchfygai y pen, a'r corff a ddioddefai . . . Eithr yr oedd neillduolrwydd pellach yn ffurfiad y pen: yr oedd y rhanau blaenaf ac uchaf lawer yn fwy na'r rhanau ol. Ei ben a gyfodai yn anarferol uchel o'r talcen i'r coryn – arwydd sicr o barchedigaeth . . . Y peth mwyaf nodweddiadol yn ei wynebpryd oedd ei lygad – llygad mawr defnynog, fel llygad colomen wedi cael ei olchi mewn llaeth; llygad carwr a breuddwydiwr ydoedd.

Yna y mae Cynddylan yn ceisio dadlau mai amlygrwydd y talcen, lleoliad y deall, sy'n nodweddu gweinidogion Anghydffurfiol, tra mai uchder o'r talcen i'r coryn, lleoliad parchedigaeth, sydd i'w ganfod mewn offeiriaid Eglwys Rufain. Gyda magwraeth wahanol fe fyddai Islwyn wedi cymryd ei le ymhlith yr offeiriaid – nodyn profoclyd nodweddiadol gan yr awdur. Yna y mae'n troi at y llygad, a gwerth ei ddyfynnu yn y Saesneg gwreiddiol:

The most characteristic feature in his countenance was his eye. Large, liquid, soft like a dove's eye washed in milk. It was the eye of a lover and a dreamer.[4]

Disgrifiad gwahanol braidd sydd gan Thomas Levi, a oedd yn ei adnabod pan gollodd Ann: 'Dyn bach eiddil ydoedd, penddu, llygad-ddu, a threm felancolaidd ar ei ddwyrudd llydain.'[5]

Y mae Edward Matthews, yn ôl ei arfer, yn fwy miniog:

Nid oedd corff Islwyn yn nemawr o beth: pe cymerasech ei ben ymaith un bychan iawn fuasai: traed bychain, dwylaw bychain, ïe, pob peth bychan – ond ei ben! O'r tu arall, pe buasech yn gweld pen Islwyn heb ei gorff, buasoch yn meddwl mai cawr o gorff, a gwr llydain ei ysgwyddau, oedd yn cario y pen hwnw; fod y dyn ag oedd yn cario y pen hwnw yn ail i Goliath o Gath.[6]

Yr oedd hanesyn hefyd am faintioli'r pen:

Ar y ffordd i Gymanfa Sulgwyn Lerpwl, collodd y bardd ei het. 'Wela'i byth mwy mohoni,' ebe mewn penbleth. 'Peidiwch â gwylltu,' anogai Matthews, 'fe ddaw'n ôl yn ddiffael, achos ffitith hi neb arall.' Erbyn cyrraedd Lerpwl daeth yr het i'r golwg, ond nid oedd y bardd ar y trên. 'Yr ydym yma i gyd ond Islwyn,' meddai Matthews yn ystafell y te croesawu, 'ond dyma'r cwbwl sydd gennym o Islwyn,' a dal bocs yr het sidan i fyny.[7]

Drwy gymhariaeth y daw braslun Iolo Caernarfon:

Cyhoeddir hefyd drwy y ddaear, yn y blynyddoedd hyn, ein bod yn hannu o lwyth enwog . . . – yr Iberiaid. Pobl fychain, bendduon, ddwysion, synedig, brudd, lawnion o ryw ddyhead a hiraeth anrhaethadwy, meddir, oeddynt hwy. Ac onid ydynt yn trigo yn ein mysg hyd y dydd hwn? Gwelir yn wasgaredig drwy Gymru, drwy y Deheudir i raddau helaethach feallai na thrwy y Gogledd, rifedi mawr o ddynion yn dwyn y nodweddion uchod. Yn ol fy nychymyg i am yr Iberiad, y cynrychiolydd perffeithiaf a gafodd y patriarch hwnnw yn y ganrif bresennol oedd Islwyn. Adwaenwn ef yn dda, ac yr oedd o ran corff a meddwl yn ddarlun byw o hono.[8]

Y mae'r darlun pen ac ysgwyddau ohono yn 1859, yn 27 oed (GBI v) (gweler llun 1), ac un arall tua'r un pryd, yn ategu'r disgrifiadau ond hefyd yn awgrymu hogyn ifanc digon golygus. Y tro cyntaf i D. Thorne Evans ei weld oedd ym mis Ebrill 1853 yn gwisgo clamp o fantell ('wedi ei hatru mewn hugan fawr flewog') yn cerdded yn ham-ddenol ('chwarion') a meddylgar ar un o heolydd Abertawe.[9] Gwir bod y tywydd yn gallu bod yn ansicr iawn ym mis Ebrill, wrth reswm, ond y mae'r fantell flewog yn dwyn i gof lythyr at Daniel Davies, Ton, flyn-yddoedd wedi hyn, yn ymddiheuro am iddo fethu â chadw ei gyhoeddiad (digwyddiad pur gyffredin yn ei hanes, fel y cawn weld):

Mawrth 11, 1877 . . . Cychwynais yn foreu iawn heddyw, ond pan filldir o gartref gwelais fy mod wedi gadael fy nghot fawr ar ol. Gyrais y bachgen oedd gyda mi yn ol am dani ond er iddo redeg yr holl ffordd bron, methodd cyrhaedd yr orsaf mewn pryd. Buasai yn berygl bywyd i mi fyned i'r gerbydres yn chwys mawr heb overcoat – Gall y peth ymddangos yn fychan i eraill, ond y mae yn bob peth i mi.[10]

Roedd elfen nesh yn Islwyn ar hyd ei oes, yn rhannol efallai mewn canlyniad i or-ofal ei rieni amdano'n blentyn (ac fe all yn wir bod hyn wedi parhau hyd nes marw ei fam yn 1866), ond hefyd gan fod ei iechyd yn wirioneddol fregus. Dioddefai'n aml o froncitis, ac ar ben hynny roedd ar brydiau yn dioddef yn enbyd o glwy'r marchogion, neu'r peils mewn geiriau cyfoes. At yr ail anhwylder, mae'n debyg, y bwriadwyd 'Lamplough's Effervescing Pyretic Saline' a 'Davies's Effervescing Chalybeate Saline' ('Nid wyf wedi cael prawf o hwn, ond diameu ei fod er lles').[11] Anodd gwybod yn iawn beth oedd achos problem arall, sef bod y gwaed yn 'llif[o]'n fynych i'w esgidiau'.[12]

Ychydig dros chwe mis cyn iddo farw ysgrifennodd at Davies, Ton, yn disgrifio ei gyflwr mewn geiriau sy'n dangos iddo fod yn ddifrifol wael, ond sydd ar yr un pryd yn bradychu elfen o nerfusrwydd yn ymylu ar hypocondria:

> Yr wyf yn fy ystafell – bron yn fy ngwely – ers pythefnos. Nid wyf wedi gallu pregethu ond un Sul er's naw neu ddeg wythnos, a'r Sul hwnnw cefais anwyd enbyd, a daethum adref i orwedd. Cefais ymosodiad o *bronchitis* a *pneumonia* ynghyd, ac yna, y *piles* yn ofnadwy o lym. Yr wyf yn well yn awr, os na chaf anwyd newydd. Diau fy mod wedi sangu traed y Mynyddoedd Tywyll y tro hwn . . . Eich brawd cystuddiol, Islwyn.[13]

Y mae'r mynych gyfeiriadau at lesgedd ac afiechyd yn llythyrau y 1870au yn gymysg ag iselder ysbryd hefyd; cawn enghraifft nodwedd-iadol yng Ngorffennaf 1874:

> Ymollyngdra a ymaflodd ynof prydnawn Sadwrn a bore Sul diweddaf. Aethum y bore (wedi codi'n fore iawn wrth gwrs) dros filldir o dre, ond yn fy ol y daethum. Prin y gallaf roi yr achos, ond yr effaith sydd eglur. Ryw lesgrwydd yspryd, ryw feddyliol gystuddiolrwydd. Gan nad wyf yn dysgwyl cyd-deimlad nis gallaf ofyn am dano.[14]

Y mae bron pob atgof cofiannol yn cyfeirio at bruddglwyf neu ddwyster, at deimladrwydd, addfwynder, tynerwch, diniweidrwydd, diymhongarwch – â un meddyg mor bell ag awgrymu, o'r disgrifiadau o'i dalcen a'i lygaid, y gallai fod yn dioddef o 'radd o Hydroceffalws'.[15] Dyna un ffordd o edrych ar bethau, ond y mae tu chwith i'r geiniog hefyd. Wrth gyfeirio at ei linellau pruddaidd am ei chwiorydd, y tair wedi marw cyn ei eni, dywed Meurig Walters yn hallt ond yn graff:

> Nid cael ei yrru i bruddglwyf oherwydd ei hiraeth amdanynt yr oedd. Yn hytrach, ei bruddglwyf a chwiliai fel fwltur yn niffeithwch ei atgofion am rywbeth i ysglyfaethu arno . . .

ac ymhellach ymlaen ar yr un tudalen: 'Gŵr heb fan canol oedd.'[16] Y mae'n f'atgoffa, fel un o feibion mabwysiedig Sir Drefaldwyn, o'r sylw annheg mai un trosiad o'r ymadrodd 'mwynder Maldwyn' yw 'diffyg asgwrn cefn'. Yn wyneb hyn i gyd, eironig braidd yw ei weld yn ei golofn yn *Y Gwladgarwr*, 31 Mawrth 1876, yn dweud y drefn wrth y beirdd: 'Y cryd, yr allor, neu y bedd, fyth a hefyd! Da chwi, feirdd calonbrudd, siriolwch gyda'r Gwanwyn.'

Gwell dweud gair yn y fan yma am Athan Fardd, y cafwyd achlysur i gyfeirio ato eisoes a bydd cryn dipyn o ddyfynnu o'i dystiolaeth o hyn allan. Y mae W. J. Gruffydd yn cyfeirio yn ei ddarlith ar Islwyn yn 1942 at 'lawysgrif hynod' yn Llyfrgell Rydd Caerdydd, 'yn cynnwys atgofion Athan Fardd am Islwyn wedi ei hysgrifennu gan ryw "Jenkins, pregethwr cynorthwyol gyda'r Bedyddwyr," pwy bynnag oedd hwnnw'. Nid yw'r llyfr, medd Gruffydd,

> yn taflu dim golau ar farddoniaeth Islwyn, ond llawer o olau ar y math o beth a dderbynnid fel llenyddiaeth yn y ganrif o'r blaen, ac ar yr hyn a ddisgwylid fel bywyd ac ymarweddiad gan y llenorion. Mewn gair, darlun o Islwyn a geir yma fel un 'ohonom ni'r beirdd,' yn nyddu cynganeddion di-fyfyr i foddhau gwenieithwyr a chocosiaid, ac yn cweryla'n chwerw â Glasynys ar bynciau politicaidd.

Datganiad di-flewyn-ar-dafod gan Gruffydd, fel arfer, sydd yma ac yn cynnwys llawer o wirionedd, er y gellid dadlau nad yw pob cyfeiriad llenyddol ynddo yn ddiwerth. Mewn troednodyn y mae Gruffydd yn diolch i'w ddisgybl Meurig Walters am gopïo'r llawysgrif iddo. Y copi hwn sydd yn awr yn y Llyfrgell Genedlaethol (LlGC W. J. Gruffydd, I, 27). Yn y copi gwreiddiol o'r llyfr nodiadau bychan (Llyfrgell Rydd Caerdydd, MS 1,607) y mae 'Jenkins baptist local preacher' wedi ysgrifennu ar draws dau dudalen: 'Hoff iawn oedd Athan a Islwyn a Dyfed am ei gilydd dreuliasant filoedd o oriau difyr yn gymdeithas eu gilydd.' Yna y mae'n annog darllen 'llythyrau adgofiannol a ysgrifennodd . . . Athan Fardd o bryd i bryd yn yr amser gynt yn y "Gwaethwr Cymraeg" Papur wythnosol gyhoeddwyd gan y diweddar a anfarwol Mr Jenkin Howells y Printer Victoria Sq. Aberdare'.

Ond yr hyn nad oedd Gruffydd na Meurig Walters wedi ei sylweddoli ar y pryd oedd mai'r pedair erthygl gyntaf yn unig a geir yn y llyfryn o'r un ar ddeg a ymddangosodd yn *Y Gweithiwr Cymreig*, ac nad yw'r copïo gan Jenkins yn ddibynadwy sut bynnag. Fel y mae'n digwydd, y mae nifer o'r hanesion mwyaf diddorol yn yr erthyglau diweddaraf.[17]

Ganwyd Athan yn John Jones yn Llangyfelach ar 5 Tachwedd 1840, ond fe symudodd ei rieni i Gastell-nedd pan oedd yn bur ieuanc, ac yno y dechreuodd brydyddu, gan gyhoeddi yn 1863 gerddi anaeddfed ddigon o dan y teitl *Aeron Nedd*. Ymsefydlodd yng Nghasnewydd rywbryd tua 1860 a phriododd Miss Rogerson, merch 'mewn amgylchiadau masnachol da', arlunydd, o bosibl, yn ôl Watcyn Wyn.[18] Y mae gan Islwyn englynion priodasol iddynt (Atod, t.xxx). Bu ganddo fusnes eithaf llewyrchus fel ffotograffydd yn Dock Street ac fe ddaeth i gysylltiad â nifer o'r beirdd lleol: Dewi Wyn o Essyllt, Nefydd, Aneurin Fardd, Ioan Emlyn ac Islwyn. Awgrym Watcyn Wyn yw bod y rhain wedi cymryd mantais ohono: 'Daeth ei gyfeillion i wybod fod ei galon, a'i law, a'i dŷ, yn rhydd ac yn agored i feirdd; a gwnaethant ddefnydd o'r trindod o garedigrwydd; a gwnaeth rhai feallai ormod o ddefnydd, mwy nag y gallai y bardd ieuanc haelionus ddal dano.' Bu helynt deuluol, chwalwyd y busnes, ac aeth Athan yn alltud unig i Loegr, i wneud 'rhywbeth a phorthladdoedd a llongau'. Fel y gwelwn, bu ef â'i wraig tan gronglwyd Islwyn yng ngwanwyn 1868, ac nid oes awgrym nad oedd yn dal yng Nghasnewydd yn y nodyn arno yn *Gardd y Beirdd: gan Ugain o Feirdd Cymru* (Casnewydd-ar-Wysg, 1869), sy'n cynnwys tair cerdd o'i eiddo. Felly mae'n debyg mai o gwmpas 1870 y bu'r chwalfa; y mae llythyr Islwyn ato ym mis Hydref 1874, y byddwn yn ei atgynhyrchu ymhellach ymlaen (tt.262–3), yn swnio fel petai Athan wedi gadael yr ardal ers peth amser. Ar ôl buddugoliaeth Islwyn gyda'i awdl 'Y Nos' yn Eisteddfod y Rhyl yn 1870, fe gyfarchodd Athan ef mewn englyn go ddryslyd (*Y Gwladgarwr*, 7 Ionawr 1871):

> Drwy y nos, ei daran aeth – nes synu
>   Senedd gwyll ddrychiolaeth;
> Anhuddiodd Islwynyddiaeth – goel-wylliaid,
> A sobr diwelai dân ysbrydoliaeth.

Ond fe ddaeth rhywbeth rhyngddynt rai blynddoedd wedi hyn – cythraul y cystadlu, y mae'n amlwg. Yn *Tarian y Gweithiwr* (5 Ionawr 1877) o dan y pennawd 'Lerpwl' y mae Athan yn cythruddo oherwydd atal y wobr ar yr awdl yn Eisteddfod y Gordofigion, gan gyhuddo 'beirniadon ein heisteddfod eleni o ddangos haerllugrwydd gwaradwyddus . . . hunanfrydedd trawsarglwydd-iaethol y beirniadon ydyw ysbeilio yr awenyddion o'n hetifeddiaeth cyfreithlawn'. Gwyddai am ddau fardd a gystadlodd, un yn fardd cadeiriol,

ac yr ydym yn sicr nad oes achos i un o'r ddau wrido ochr yn ochr ag

Islwyn ac Elis Wyn o Wyrfai yn llys Ceridwen, am ba herwydd yr ydym yn ymhyfhau i ddywedyd mai dreleiddiwch bwhwmanllyd a lygad dynodd y ddau i ymdrochi mewn anghyfiawnder.

Y mae ymadroddion dethol yn dilyn: 'rhyfyg . . . cabledd . . . direidwaith gwallgof . . . pydredd marwol . . . mympwy, myfiaeth, gwagymffrost, bradwriaeth, gwendid, anwybodaeth, a bydoedd o'r haerllygrwydd mwyaf syrffedus.' Yna, ychwanegir: 'Pwy yw Islwyn ac Elis Wyn fel yr ymostyngwn i'w dyfarniadau? [Rhaid] dangos iddynt nas goddefir hwynt i ddirmygu gorchestion gwyr mor ragorol eu cyneddfau a hwythau.'

Yr wythnos ganlynol y mae 'Siaspar' yn ateb yn *Y Gwladgarwr* (12 Ionawr 1877):

Yr oeddwn yn ofni er's talm, bellach, fod Athan Fardd yn ymylu ar ryw gyfnod doniol yn hanes ei fywyd. Ond yr wythnos ddiweddaf y mae yn eglur ei fod wedi rhoi llam anferth tua chyfeiriad drws y gwallgofdy . . . Addefa Athan ei hun nad ydyw wedi darllen yr un o'r awdlau; ond cymer yn ganiataol fod y beirniaid yn euog o gamwri am fod dau fardd a adwaena yn y gystadleuaeth! Ai tybed na wyr Athan am neb ond efe ei hun a all gyfansoddi pethau gwaelion? . . . Gofyna Athan yn wawdus, 'Pwy yw Islwyn ac Elis Wyn?' Ateber ef, mai dynion ag y mae gan y wlad ymddiried ynddynt ydynt; dynion geirwir; dynion sefydlog, ac nid rhai anwadal fel ceiliogod y gwynt yn troi gyda phob awel; dynion y byddai yn well genyf fentro fy mywyd ar air noeth o'u heiddo nac ar lw Athan Fardd.

Ffrae fechan ddigon teidi, hyd yn oed wrth safonau eisteddfodol y cyfnod, ac awgrymai nad oedd llawer o Gymraeg rhwng Islwyn ac Athan erbyn hynny.

Tua diwedd y 1880au fe ddaeth Athan yn ei ôl i Abertawe (17 Hanover Street), 'fel aderyn yn dyfod gartref i farw';[19] ond yn cynganeddu

mor afaelus ag erioed. Yr oedd yn siarad Cymraeg mor glir, a glan a gloew, a chroew, a neb a glywsom erioed . . . Gwaith mawr ei fywyd oedd lladd pob *cant*, a ffug, ac esgus, a rhagrith, y'nghyd a noddi ac amddiffyn Cymraeg a Chymru, a phobl a phethau yn perthyn iddynt. (t.129)

Un nodwedd arbennig oedd ei hoffter o eiriau anghyfarwydd, nid yn anfynych wedi eu benthyca oddi ar Islwyn. Y mae un englyn beddargraff iddo ar ôl ei farw yn Ebrill 1892 yn crisialu hyn:

Arwr y geiriau hirion – aeth yn fud, –
Athan Fardd dwymgalon
Sydd yn y llawr, yr awr hon,
Heb air o eiriau byrion![20]

Wedi hynny o ragymadrodd, dyma dystiolaeth Athan i ddagreuoldeb Islwyn, ar achlysur cyfarfyddiad wedi marwolaeth mam y bardd yn 1866:

Y tro nesaf ei gwelais oedd ar fore dydd Sadwrn ar ei ffordd i Gaerdydd, ac yr oedd – druan anwyl, druan anwyl – yn wylo fel baban! Dywedai bethau ryfedd am ei fam, ei dad, ei chwiorydd, marw, y bedd a'r 'Tragwyddol Mawr!' ac yn ngwyddfod y fath 'raiadrau o bruddglwyfedd ac ocheneidiau', toddai fy nghalon 'anystywallt' fel cwyr ger y tân, a theimlwn fy mod fel yn cymdeithasu â rhyw fod o fyd arall! . . . Ar ôl iddo fwynhau ei '*damaid*' hebryngais ef i orsaf y G.W.R., ac yn wir, yr oedd yn dda genyf gael ei wared! Yr oedd ei wyneb prudd ei leferydd cwynfanus, a'i ddefosiwn dyeithriol, yn rhy bur ac annaearol i mi ddygymod â'u hysbrydolrwydd.[21]

O dderbyn mai dyma ei dueddfryd cynhenid, naturiol yw gofyn sut yr oedd yn treulio ei ddyddiau yn ystod y misoedd hyn, gan gofio gosodiad Davies, Ton: 'bu ei deulu mewn trallod a phryder dirfawr yn ei gylch am fisoedd, ac yn ofni mai dihoeni a marw a wnelai ar ol ei ddyweddi.'[22] Yn y frwydr rhwng y tad a Daniel Jenkyns ynglŷn â dyfodol Islwyn – tirfesurydd neu weinidog – y brawd-yng-nghyfraith oedd wedi cario'r dydd. Yn yr ysgrif ar 'Y Wawr', y byddwn yn cyfeirio ati maes o law (t.76), ceir sôn am freuddwydion a chynlluniau ieuenctid, a dyweder 'yn eofn wrth ein rhiant pa fodd y bwriadem hwylio llong amgylchiadau, pa fath hwyliau a ddefnyddiem, ac o ba natur y byddai ein masnach'. Yna y mae cyfeiriad at y tad sydd ag adlais personol:

Difyr i'n tad, hen forwr profedig ar donau rhagluniaeth, a welsai lawer ystorm na ddaethai i'n breuddwydion ni eto . . . difyr iddo ef oedd ein clywed yn herio croeswyntoedd helbul, ac yn trefnu holl ysgogiadau y fordaith, a ni eto ar dir heb ledu un hwyl, ac heb rwyfo allan o borthladd hafaidd ieuenctyd.

Ond menter a dychymyg a orfu. Un canlyniad sychlyd oedd darllen gweithiau diwinyddol: 'pan ddisgwyliai ef [y tad] gael Islwyn gyda'r mapiau a'r planiau', medd Davies, Ton, 'yn *study* Mr Jenkyns y byddai ef yn darllen cyfrolau trwchus Caryl on Job [y cyfrolau ffolio anferth y bu Mrs Thomas Charles yn eu darllen yn ei salwch], Dr Owen, neu John Howe.'[23] Annibynnwr oedd Joseph Caryl, 1602–73; John Owen, 1616–83, yn Galfinydd a droes yn Annibynnwr; a John Howe, 1630–1705, yn Bresbyteriad. Roedd y tri Phiwritan hyn ymhlith y rhai a ddiswyddwyd yn 1662 am wrthod ufuddhau i'r Ddeddf Unffurfiaeth. Y mae cyfrolau cynnar *Y Traethodydd* yn frith o gyfeiriadau atynt, yn enwedig at Owen a Howe; ac anodd credu y gallai gweinidog ifanc blaengar fel Daniel Jenkyns beidio â derbyn y chwarterolyn.[24] John Owen a gafodd fwyaf o ddylanwad ar y gyfundrefn Anghydffurfiol ac ar athrawiaeth yn gyffredinol ond, yng nghyswllt Islwyn, fe dâl yn well inni edrych ar rai o ddaliadau Howe. Yn y drydedd gyfres o'i lyfr *Bunyan's Characters*, 1895, y mae Alexander Whyte yn gwahaniaethu rhyngddynt fel hyn: 'John Bunyan cannot set forth divine truth in an orderly method and in a built-up body like John Owen. He cannot Platonize divine truth like his Puritan contemporary, John Howe.'

Un o brif nodweddion dysgeidiaeth Howe oedd yr awydd i ryddhau'r enaid o'i gyfyngiadau corfforol. Nid yw bywyd, medd, ond cysgod tywyll o'r gwir hanfod, dim ond rhith, neu gelwydd yn wir. Rhywbeth ansefydlog, cyfnewidiol yw'r materol. Ceir erthygl ar Plato yn ail gyfrol *Y Traethodydd*, 1846, gan John Parry, 1812–74, athro yng ngholeg y Bala a golygydd cyntaf *Y Gwyddoniadur*, ac fe ddaw Howe i mewn yn glir ddigon.

> Byddaf yn dychymygu fy mod yn gweled llûn a lliw meddwl Plato ar ambell bregeth Gymreig, a hyny am fod rhai o'r ysgrifenwyr Puritanaidd mor gydnabyddus âg ef. Yr oedd y meddylwyr mwyaf, uchelaf, hyawdlaf, mewn llëenyddiaeth Seisonig – Milton, Jeremy Taylor, Howe, Robert Hall, ac eraill, yn arfer ymheulo ym mhelydr ei athrylith. (t.436)

Y mae'r erthygl ar ffurf ymddiddan Blatonaidd rhwng Llywelyn ac Ioan, ac fe ddechreuir drwy sôn am wychder golygfeydd gogledd Cymru, Llyn Tegid, y Berwyn a'r Aran, a Chader Idris, a rhyfeddu at allu celfyddyd 'yn medru rhoi cymaint o bellder, hyd a lled, uchder a dyfnder, mewn darlun ychydig fodfeddi a faint, ac ar yr un wyneb o bapyr'. Yna, y mae Llywelyn yn holi Ioan ynglŷn â'i ymweliad â Llundain: 'Pa beth oedd yn peri ichwi synu fwyaf yno?' ac yn cael yr ateb:

> Yn *Westminster Abbey* a'r *National Gallery* yr oeddwn yn synu fwyaf . . .

Yr oeddwn yn teimlo weithiau fel pe buaswn mewn petrusder, pa un ai byd o sylweddau ai byd o gysgodau yr oeddwn ynddo – pa un ai gwirionedd ai ffûg yr oeddwn yn ei weled. Pe buasai y darluniedydd a'r *sculptor* wedi myned ychydig ymhellach, meddwl yr wyf na buasai fy synwyrau a fy rheswm ddim yn credu eu gilydd – y buasai tystiolaeth y naill yn anwiredd gan y lleill.[25]

Mewn paragraff sy'n dwyn Ivan y *Byd-gonglau* i'n cof y mae Llywelyn yn ceisio esbonio'r ddeuoliaeth drwy gychwyn o wahanol fathau o ddrych.

Edrychwch ar eich gwyneb yn y gwahanol ddrychau hyn, a chwi a welwch ei fod yn newid ei lun gyda chyfnewidiad y drych. Gwisgwch y drych â phriodoliaethau meddwl – hyny yw, at y gallu adlewyrchiadol sydd ganddo eisoes, prïodolwch iddo ansoddau . . . ymwybyddiad; ac [fe fydd] y drych sydd yn medru dyweyd . . . *myfi* bïau y darlun a welir gan arall ar fy wyneb, rhan o fy ymwybyddiaeth i ydyw. Nid yn unig y mae genyf allu i ffurfio darlun i lygad edrychwr, ond y mae genyf lygad fy hun; yr ydwyf yn wrthddrych ac yn edrychwr fy hun – yr ydwyf yn ddau mewn un – yn ddyoddefydd ac yn weithredydd. (t.435)

Â ymlaen at elfennau athrawiaeth Plato, ond nid heb grybwyll Howe ar y ffordd:

Llywelyn: . . . O'r holl awduron sydd yn gyffredinol adnabyddus, nid yw y naws Blatonaidd i'w gweled yn amlycach yn neb nag yn John Howe . . . y mae yn ysgrifenu fel un wedi ei drywanu drachefn a thrachefn â'r teimlad nad yw ymddangosiadau gwychaf, dysgleiriaf, y byd hwn ond fel y *mirage* yn anial-dir poeth Arabia.

Ioan: Ai nid crefydd a ffydd Howe oedd yn ei godi gymaint uwchlaw pethau gweledig ac amserol, ac yn rhoddi adenydd i'w enaid 'to wander through eternity?' Pagan o ran crefydd oedd Plato, onidê?

Llywelyn: Ond yn athroniaeth Plato, ac nid yn ei grefydd, yr oedd y fath ucheledd a phrydferthwch; y fath bellder oddiwrth y 'ddaear yn ddaearol,'[26] y fath syched yn ei enaid am gymdeithas â gwironeddau tragywyddol ac anghenrheidiol, yn eu purdeb a'u goleuni cyntefig; y fath awydd i fedru gwahaniaethu rhwng gwisg gyfnewidiol, grëedig, gwirionedd, a'r enaid anghyfnewidiol, digrëedig; y fath sugndyniad yn ei reswm at y 'gwir', yn ei serchiadau at y 'da', yn ei ddychymyg at y 'prydferth', mewn gair, y fath hiraeth, hiraeth brodor am ei wlad enedigol, i redeg yn ol fel Uriel, 'gliding on a sunbeam', at ffynnonell gwirionedd, daioni, a phrydferthwch, ar hyd pob pelydr a ddisgynai i'w enaid o'r ffynnonell hono, fel yr unig lwybr i groesi y gagendor o ddirgelwch a thywyllwch sydd rhwng y meidrol a'r anfeidrol, yr amserol a'r tragywyddol. (tt.436–7)

Anodd meddwl am ragarweiniad gwell i'r *Storm*, heblaw efallai am eiriau uniongyrchol Howe ei hun wrth iddo sôn am 'instability and fluidity' y bod corfforol, y dyhead am ryddhau'r enaid o derfynau meidrol. Canlyniad ysbrydoleiddio'r allanol ('spiritualiz[ing] all outward objects and ordinances') yw adfer gwir fywyd a phrydferthwch i'r byd naturiol. A Duw ym mhopeth:

To eye Him in all his Creatures, and observe the various prints of the Creators glory instampt upon them. With how lively a lustre would it cloath the world, and make every thing look with a pleasant face! What an heaven were it to look upon God, as filling all in all.[27]

Mewn erthygl ar *Y Storm* yn 1980 fe sylwodd E. G. Millward yn graff fod enw'r mynydd Chimborazo, sy'n digwydd yn y gerdd, yn debyg o ddeillio o ddefnydd Emerson o'r enw yn ei ddarlith 'The Poet', ac y mae hefyd yn cyflwyno tystiolaeth bod Islwyn 'yn un o edmygwyr pennaf barddoniaeth Emerson', er na allai dderbyn Natur fel offeiriad, fel y gwnâi'r Americanwr.[28]

Yn anffodus fe aeth llyfrau Islwyn rhwng y cŵn a'r brain ar ôl ei farw. Honodd un gohebydd iddo fod yn bresennol pan werthwyd ei lyfrau, ond nid yw'n manylu. Mewn llythyr at O. M. Edwards o Gwmfelinfach ar 17 Chwefror 1918, y mae R. E. Roberts, swyddog iechyd, yn dweud bod ei wraig wedi gweld yn siop Kyrle Fletcher (llyfrwerthwr adnabyddus yng Nghasnewydd) 'books of the great English poets and of lesser poets annotated in Islwyn's own handwriting thus e.g. "da iawn", "gweddol", "dyna well" &'. Ar 22 Chwefror y mae Kyrle Fletcher ei hun yn ysgrifennu at O.M. yn dweud iddo ddewis ychydig eitemau o 'Cwm Shingne below Mynyddislwyn Church' (sef Cwm-cae-singrig?), un ohonynt yn llawysgrif fer a roddodd i gyfaill oedd â diddordeb mawr yn Islwyn. Yna y mae'n cyfeirio at Alexander Smith, ac at *Coffad Y Parch Daniel Rowlands* [gan John Owen, Thrussington] (Caerlleon, 1839), gyda naw llofnod gwahanol gan Elizabeth Thomas, Ynys-ddu, Machine, wedi ei dyddio o 1841 i 1849 (diddorol sylwi, yn wyneb yr hyn a ddywedir am iaith y teulu, bod ei chwaer Elizabeth yn 14 oed yn berchen ar lyfr Cymraeg), a dau lofnod gan William Thomas, Ynys-ddu. Hefyd roedd copi o *Y Bardd Crist'nogol* gan Robert Jones (R. J. Derfel), Aberystwyth 1856, wedi ei arwyddo 'R. J. Derfel i'w gyfaill Islwyn, Gorphenaf 26, 66', ynghyd â nifer o lyfrau eraill heb lofnod.[29]

Y mae yn Llyfrgell Prifysgol Cymru Abertawe ychydig dros gant o lyfrau a gyflwynwyd i'r llyfrgell fel rhai o lyfrgell Islwyn; fe gyfeirir at y rhestr yn llyfr Gwenallt ar Islwyn. Yn anffodus nid oes manylion pendant am y tarddiad ac y mae rhai o gyfnod wedi marw Islwyn wedi llithro i mewn. Ni ddigwyddais i weld yr un yn dwyn llofnod Islwyn, ond y mae o leiaf un felly yn y casgliad, fel y cyfeiriwyd eisoes (C. J. Kennedy, *Nature and Revelation Harmonious*, 1846).[30] Y mae ambell un â llofnod rhywun arall yn y blynyddoedd pryd y gellid disgwyl mai Islwyn oedd y perchennog, fel yn achos *Fy Awenydd; sef Cyfansoddiadau Barddonol Nathaniel Jones (Cynhafal)*, (Treffynon, 1857), sydd â'r cofnod 'John Williams his Book 1864' ar y ddalen glawr. Ond, wedi nodi eithriadau, y mae'r casgliad yn eithaf credadwy ac y mae iddo elfennau diddorol. Sylwer yn gyntaf ar yr esbonwyr, y rhan fwyaf ohonynt yn Biwritaniaid: William Beveridge, esgob Llanelwy, Bunyan, Calfin ei hun (*Sermons on Epistles to Timothy*), Caryl (gan gynnwys yr esboniad ar Job), John Gill (yr esboniad enwog ar Ganiad Solomon), Matthew Henry, William Jenkyn, Matthew Poole, Thomas Taylor (*Christ Revealed: or the Types and Shadows of our Saviour in the Old Testament*). Yna y mae trosiadau i'r Gymraeg o weithiau diwinyddol, llyfrau Cymraeg gwreiddiol ar ddiwinyddiaeth (Simon Lloyd ar Lyfr Datguddiad, John Jenkins, Hengoed, *Gwelediad y Palas Arian*, *Hyfforddwr* Thomas Charles), Beiblau a Thestamentau (Bibl Peter Williams yn un ohonynt, ac fe geir hefyd ei *Mynegeir Ysgrythurol*), nifer o gasgliadau o bregethau (gan gynnwys Morgan Howells), cofiannau (*Eliasia*, 1844, Evan Morgan; *Boanerges: neu Hanes Bywyd Morgan Howells*, 1853;[31] Mathews Ewenni ar Thomas Richard, 1863; Owen Jones ar Dafydd Rolant, y Bala, 1863). Noder ymhellach drosiad o *Hanes y Ddaear* Goldsmith, rhai cyfrolau o'r *Gwyddoniadur*, Geiriadur Thomas Edwards (Caerfallwch, 1850), *Ieithiadur neu Ramadeg Cymraeg* Robert Davies (Bardd Nantglyn), nofel Llew Llwyfo, *Llewelyn Parri* (1853), ail gyfrol y *Spectator* a thrydedd gyfrol *Pamela*, nofel Samuel Richardson, argraffiad newydd o *Meditations and Contemplations* James Hervey (sy'n cynnwys 'Meditations among the Tombs' a 'Contemplations on the Night, and the Starry Heavens'), a nifer o weithiau Pantycelyn.

Daw ambell lygedyn ansicr o gyfeiriadau eraill: 'credwn ei fod yn ddarllenwr mawr, os nad yn astudiwr mawr hefyd, o weithiau y beirdd Seisonig, megys Kirke White, Shelley, Crabbe, Young, a Wordsworth, ac ereill o gyffelyb feddyliau,' medd Dewi Wyn. Ond yr ydym ar dir diogelach wrth olrhain y dyfyniadau ac arysgrifau yn ei weithiau ef ei hun yn ystod y flwyddyn 1854. Fe geir dwy erthygl o'i eiddo yn *Y Cylchgrawn*: ym mis Ebrill un hynod flodeuog ar 'Y Wawr', ac ym Mai un bwyllog ar 'Yr Ysgol Sabbathol'.

Y mae 'Y Wawr' yn dilyn llwybr cyfarwydd erbyn hyn: gwawr gobeithion a chynlluniau ieuenctid yn cilio:

> Mae blodau ein gobaith wedi rhewi er ys misoedd ar feddau ein hanwyliaid, ac y mae gauaf y fonwent yn rhy lym, yn rhy oer i un blodyn ymadfywio o fewn cylch ei hinsawdd wenwynllyd. Mae adeiladau uchelwychion yr aelwyd oll wedi eu chwythu i fynu gan bylor siomedigaethau; ac yr ydym wedi gweled bellach mai oferedd i ni adeiladu lle nid yw Duw wedi sylfaenu, mai gwagedd i ni obeithio peth nad yw Duw wedi rhagosod. (t.112)

Ond yna try at wawr anfarwoldeb,

> Pwy a ddarlunia ddysgleirder ei chyfodiad! Pwy draetha ogoniant y dydd tanbaid, y dydd nad edwyn fachludiad, a fydd yn ei chanlyn ac yn coroni ei haddewidion â goleuni a llawenydd tragywyddol! Hapusaf gyfnod! pan y bydd yr hir-golledig bererin, dyn, ar ol crwydro am flynyddoedd hir-feithion dros anialdiroedd pechod a thrueni, heb nemawr seren i dori y tywyllwch, i addaw bore o orphwysdra i'w fynwes flinedig; ac ar ol ym-balfalu yn hir am y llwybr sydd yn arwain i'r bywyd, yn terfynu ym mharadwys . . .

Yng nghorff yr ysgrif y mae nifer o ddyfyniadau: y mae un Cymraeg yn tystio iddo ddarllen 'Gwledd Belsassar' Ieuan Glan Geirionydd, a rhai Saesneg yn dod o *A Life-Drama* Alexander Smith ac o 'Seasons' James Thomson, prif fardd disgrifiadol y ddeunawfed ganrif a oedd hefyd yn hoff iawn o bersonoli'r haniaethol. Diddorol gweld Islwyn yn dewis llinellau yn clodfori oes aur diniweidrwydd dyn:

> The first fresh dawn then waked the gladden'd race
> Of uncorrupted man, nor blushed to see
> The sluggard sleep beneath its sacred beam,
> For their light slumbers gently fumed away:
> And up they rose as vigorous as the sun.[32]

Ond y mae un dyfyniad yn yr ysgrif yn dod o'i gerdd ef ei hun, 'Y Bardd' (GBI 643–51). Hawdd canfod tebygrwydd rhwng y golygfeydd a rhai Beattie yn 'The Minstrel'; ond, wedi dweud hynny, ystrydebau'r ddeunawfed ganrif yw llawer ohonynt.

Pregeth sydd ganddo ym mis Medi, yn agos i bum mil o eiriau ar 'Rhaid iddo deyrnasu'. Y mae'r strwythur a'r ymresymiad yn dda, o fewn terfynau uniongrededd – hynny yw, gosodiadau yw'r ymresymiad mewn gwirionedd. Cloir pob adran yn effeithiol ddigon drwy ailadrodd 'rhaid iddo deyrnasu', ond ychydig iawn o'r bardd sydd yn y bregeth, ar wahân i ambell gyffyrddiad, megis: 'Boreu ar Gristionogaeth ydyw eto . . . Nid ydym eto wedi gweled ond amrantau gwawr y dydd o lwyddiant efengyl-aidd' (t.266). Daw nodyn personol i'r wyneb wrth drin y gelyn angau:

> Mae y bedd yn garchar . . . hagr, dwfn erchyll, lle y cloa y gelyn hwn gyrph ffyddloniaid Brenin Sïon, lle y cloa hwynt i fynu am oesoedd dan gadwyni marwoldeb, ar ol eu hysgar oddiwrth eu heneidiau trwy yr arteithiau creulonaf. (t.261)

Ac, wrth gwrs, atgyfodiad sy'n

> [d]odi y perl olaf a dysgleiriaf yn nghoron gyfryngol Emanuel. Mae y 'pwrcas' wedi ei roddi i orwedd yn y bedd; rhaid ei ryddhau, ei ollwng ymaith, a'i wisgo ag anfarwoldeb, fel y bo cymeriad y Prynwr yn berffaith. (t.266)

Ym mis Awst 1854, eto yn *Y Cylchgrawn*, fe gyhoeddodd y bryddest 'Y Groes' (GBI 609). Cerdd gydwybodol, ddi-fflach, â chymaint o waed ynddi nes bron peri i rywun feddwl ei fod wedi bod yng nghwmni'r Morafiaid. Cawn hefyd awgrym o'r hoffter o enwau lleoedd tramor a welir o Bantycelyn ymlaen, gydag odlau sydd ar brydiau yn ymylu ar y chwerthinllyd:

> Eu llanw orchuddio â chyfoeth ne
> Ar lethrau beilchion Himaleh.

Nid yw O. M. Edwards yn cynnwys yr arysgrif, er ei bod yn dynodi un o brif ddiddordebau Islwyn yn y blynyddoedd hyn:

> There hangs all human hope; that nail supports
> the falling universe.

The sun beheld it – No, the shocking scene
Drove back his chariot. Midnight veiled his face.

Dyfyniadau ydynt o *Night Thoughts*, Edward Young, un o weithiau mwyaf dylanwadol y ddeunawfed ganrif. Yn *Yr Haul* ym mis Mehefin fe gyhoeddodd cyfaill i Islwyn, W. O. John (Eryr Glan Taf), ysgrif ar Young yn dilyn cyfieithiad o ryw gant a hanner o linellau o'r *Night Thoughts* gan y clerigwr Carn Ingli (Joseph Hughes, 1803–63). Cawn ymhelaethu ar Eryr Glan Taf yn nes ymlaen (tt.309–11), ond fe all ychydig ddyfyniadau o'i erthygl gyfleu rhywbeth o'r hyn a olygai Young i Islwyn:

A thrwy yr oll o'i adfyfyrdodau gellir deall fod prudd-der y nos yn gydfynedol â thyniad ei feddwl ef. Rhyw arddull galarus etto yn llawn o ardduniad goruchel ac addoliadol, ac yn cynnwys addysgiadau o'r puraf a'r mwyaf trylwyr sydd yn ei gyfansoddiadau drwyddynt, o'r llinell gyntaf hyd y diwedd . . . Difera ei Ddarfelydd liaws aneirif, braidd, o eurflodion amlywiog harddwych o bob lliw ac o bob arogl! . . . Amser, Bywyd, Marwolaeth, Anfarwoldeb yr Enaid, a'u holl fawrwychedd hanfodol . . . sydd i'w feddwl ef yn destunau priodawl.[33]

Y mae llawer o allanolion yn cyd-redeg â themâu Islwyn, er nad yw O.M. fel petai am gydnabod cymaint â hynny, hyd yn oed:

Nis gallaf weled un tebygrwydd rhwng Nosfeddyliau Young ac Ystorm Islwyn, heblaw fod profiad bywyd y ddau fardd yn eu caneuon. Saer o fardd oedd Young, o'i gymharu âg Islwyn; y mae'r gwahaniaeth fel y gwahaniaeth rhwng cert newydd, wedi ei gwneud yn gadarn a'i phaentio'n goch danlli gan saer gwlad, a cherflun pren o waith arlunydd, sydd megis yn siarad â chwi.[34]

Yr ymadrodd dadlennol yn hyn yw 'fod profiad y ddau fardd yn eu caneuon', a neilltuolrwydd y profiad yn achos Islwyn yw ei fod megis yn camu'n ôl i darddiad y personol yn y ddeunawfed ganrif yn hytrach na, neu o leiaf yn ychwanegol at, ddatblygiadau'r beirdd mawr Rhamantaidd. Pwysigrwydd Young oedd ei fod wedi deall barddoniaeth fel rhywbeth oedd yn darganfod ac yn mynegi personoliaeth unigryw, ac yn gwneud hynny drwy'r teimladau.

Yn ei astudiaeth arloesol, yn enwedig yn ei ddarlith *Y Storm: Dwy Gerdd gan Islwyn*, tudalennau 14 i 32, y mae Gwenallt yn mynnu mai'r bardd Saesneg a ddylanwadodd fwyaf ar Islwyn oedd Young, ac y mae'n dyfynnu Dyfed yn sôn am hoffter Islwyn o'r 'bardd godidog hwnw' a'i fod wedi yfed 'yn helaeth o'i bruddglwyfni'.[35] Y mae Gwenallt yn gwrth-ddweud yr ail osodiad: 'nid o gerdd Young y cafodd Islwyn ei bruddglwyfni, ond ynddi y gwelodd ei bruddglwyfni ef ei hun' (t.20). Y *mae* llond trol o bruddglwyfni tristfelys yng ngherdd Young gyda myfyrio teimladaidd ar angau ac oferedd y byd, ond hefyd gyda'r bedd yn llwybr i anfarwoldeb, ac y mae'n chwilio am brofiadau o anfarwoldeb ym myd natur ac ym mywyd moesol ac enaid dyn, gan grynhoi'r profion i argyhoeddi anffyddwyr. Defnyddia hefyd brofion cosmologaidd yn olyniaeth seryddiaeth Newton. I grynhoi Gwenallt: Yn y nos a'r sêr gwelodd Dduw fel Pensaer, Artist a Mathemategydd, ac ynddynt hefyd dystiolaeth i'w anfeidroldeb, hollbresenoldeb, hollalluogrwydd, ei ddaioni, ei drugaredd a'i Ragluniaeth. Wrth edrych ar y lloer a'r sêr cyfyd mewn dyn hiraeth am dragwyddoldeb, ac y mae'r hiraeth hwn yn braw o'i anfarwoldeb.

Nid drwy reswm ond drwy ffydd yn unig y daw'r Datguddiad Dwyfol, ffydd yn Atgyfodiad Crist:

> *Faith* builds a Bridge across the Gulph of Death,
> To break the Shock blind *Nature* cannot shun,
> And lands Thought smoothly on the farther Shore.
> Death's Terror is the Mountain *Faith* removes;
> That Mountain Barrier between Man and Peace. (Night IV, 721–5)

Dweud da am fwriad Young, ond nid dweud digonol. Gwir mai pruddglwyf ac 'arucheledd' oedd y nodau a ddaeth â Young i boblogrwydd ysgubol yn yr Almaen a Ffrainc yn nhrydydd chwarter y ddeunawfed ganrif; ond y mae rhywbeth go ryfedd yn y modd y trawsnewidiwyd cerdd ddogmatig gydnabyddedig Gristionogol yn destun ffasiwn seciwlar. Llwyddiant y gerdd ym Mhrydain, rhwng 1750 a 1850, oedd ei bod yn lladmerydd crefydd efengylaidd mewn cyfnod pan oedd dëistiaeth ar dwf. Nid cerdd Fethodistaidd mohoni, ond y mae'n cynrychioli'r un agweddau â'r mudiad hwnnw tuag at Laodiceaeth eglwysig, ac fe ddaeth yn destun defosiynol safonol i gredinwyr efengylaidd am ganrif. Y mae Charles Wesley, er enghraifft, yn nodi yn ei ddyddlyfr ar 30 Gorffennaf 1754 ei fod wedi dechrau copïo *Night Thoughts*: 'no writings but the inspired are more useful to me'; ac, os rhywbeth, roedd gan John fwy fyth i'w ddweud wrth y gerdd. Cymaint felly, yn wir, nes ei ddwyn i helynt, gan ei fod wedi cynnwys rhannau gor-helaeth yn ei flodeugerdd, *Moral and Sacred Poems*, a bu raid iddo dalu £50 i'r cyhoeddwr, Dodsley, i'w ddigolledu. Roedd Young hefyd yn ysbryd-oliaeth i Bantycelyn; y mae Gomer Roberts wedi dangos yn glir fel y mae'r emyn 'Pwy ddyry im' falm o Gilead?' yn ddyledus iawn i linellau yn y bedwaredd Nos, 'The Christian Triumph'.[36] Ond erbyn y 1850au yr oedd adwaith yn Lloegr yn cyrraedd ei uchafbwynt gyda George Eliot, mewn ysgrif yn *Blackwood's Magazine* yn 1857, yn llawn llymder un oedd wedi syrthio allan o gariad cynnar at y bardd. 'Egoism curved heavenward' oedd ei disgrifiad hi o naws y gerdd, ac y mae ei llach hefyd yn disgyn ar

> that impiety towards the present and the visible, which flies for its motives, its sanctities, and its religion, to the remote, the vague, and the unknown . . . His religion knows no medium between the ecstatic and the sententious.

Er i boblogrwydd Young adfywio yn y 1850au (y mae Gwenallt yn tynnu sylw at wyth argraffiad o'i weithiau rhwng 1852 a 1857, gan gynnwys argraffiad o'i holl waith yn 1854, y gellir cymryd yn ganiataol ei fod ym meddiant Islwyn), erbyn 1879 roedd y brwdfrydedd wedi gwanhau yng Nghymru hefyd, fel y dengys yr erthygl ar Young yn *Y Gwyddoniadur*:

> Cyfres o bryddestau ymresymiadol ydyw y 'Night Thoughts' yn y mesur diodl, yn profi anfarwoldeb yr enaid a gwirionedd Cristionogaeth; ac, o ganlyniad, yr angenrheidrwydd am ymarweddiad moesol a chrefyddol . . . Er fod y gwaith hwn yn gyffredinol o'r braidd yn bruddaidd, ac yn eithafol yn ei ddarluniadau, y mae yn arwain meddwl y darllenydd at wirioneddau pwysig.

Gwneir hefyd y sylw, 'nid ymddengys ei fod yn ddyn pruddaidd' – canfyddiad a osodwyd yn fwy miniog gan James Beattie. Wrth ddarllen Young am y tro cyntaf torrai ei galon o feddwl am drallodion y gŵr druan:

> Afterwards, I took it in my head, that where there was so much lamentation there could not be excessive suffering . . . On talking with some of Dr Young's particular friends in England, I have since found that my conjecture was right; for that, while he was composing the 'Night Thoughts', he was really as cheerful as any other man.[37]

Ond, yn amlwg, nid oedd sibrydion o'r fath wedi cyrraedd yr Ynys-ddu, ac y mae'n debygol iawn fod Islwyn yn derbyn yn ddiamheus y gred mai profiad personol (colli ei wraig, ei lysferch a'i gŵr) oedd achos y gerdd. Y mae'n ffaith fod y cyfan yn cylchu o gwmpas y bardd ei hun; er mai'r dodrefniad yw ymson â rhyw anffyddiwr a elwir Lorenzo, yr hyn a geir mewn gwirionedd yw monolog o 10,000 llinell. Amddiffyniad o Gristionogaeth ydyw, nid amlygiad o ing colled. Nid prudd-der yw'r nodwedd amlycaf i fod ond gobaith; pregeth ar anfarwoldeb, y gred anhepgor i'r Cristion, yw hanfod y gerdd: 'Own the Soul Immortal, or Blaspheme' (Night VII, 289). Y bwriad yw dangos sut y mae ffydd yn dod i'r afael â breuder bywyd a llif amser, ac fe wna hyn drwy geisio rhoddi profion o anfarwoldeb: dyhead cynhenid y ddynoliaeth, cwrs natur, cadwyn bod, dychweliad y tymhorau, y cyfan yn tystio i greu nad yw'n gyflawn ond yn y tragwyddol. Roedd canu am y bedd yn ystrydeb bron, gyda 'Beirdd y Fynwent' megis Thomas Parnell ('A Night-Piece on Death', 1721) a Robert Blair ('The Grave', 1743) yn ymhelaethu'n forbid ar ddychryn a phydredd; ond yma, agoriad i dragwyddoldeb yw'r bedd: 'Death is the Crown of Life. Death gives us more than was in Eden lost' (Night III, 526, 533).[38]

Er bod *Night Thoughts* yn amlwg hunanganolog, y mae'r unigol-yddiaeth oedd mor wrthun gan George Eliot yn cyd-fynd â'r pwyslais ar brofiad sy'n nodweddu mudiad efengylaidd y cyfnod, y cyfuniad o amgyffrediad y synhwyrau a phrosesau'r rheswm sydd â'i wreiddiau yn athrawiaeth Locke. Fe geir enghraifft drawiadol o'r cyfuniad natur (ffurfafen), synhwyrau, canolbwynt yr hunan a theimlad yn y nawfed Nos:

> O what a Confluence of ethereal Fires,
> From Urns un-number'd, down the Steep of Heav'n,
> Streams to a Point, and centers in my Sight?
> Nor tarries *there*; I feel it at my *Heart*. (751–4)

Neu, 'Our *Senses*, as our *Reason*, are divine' (Night VI, 428).

Nid yw'r disgrifiadau o'r byd allanol yn fanwl na diriaethol, ond y mae'r awgrymiadau a chyffyrddiadau annelwig yn ceisio cysylltu dyn, natur a Duwdod.

> Read Nature; Nature is a Friend to Truth;
> Nature is Christian; preaches to Mankind . . . (Night IV, 703–4)

Y mae golwg ar y nefoedd fin nos yn ei arwain at hen athrawiaeth o Natur fel llawysgrif Duw:

> This Prospect vast, what is it? – Weigh'd aright,
> 'Tis Nature's System of Divinity,
> And ev'ry Student of the *Night* inspires:
> 'Tis *elder* Scripture, writ by GOD's own Hand;
> Scripture authentic! uncorrupt by man. (Night IX, 643–7)

Ac y mae y fath olygfeydd yn dylanwadu'n ddwfn ar ddyn:

> . . . Vast Surveys, and the Sublime of Things,
> The Soul assimilate, and make her Great:
> . . . Heav'n her Glories, as a Fund
> Of Inspiration, thus spreads out to Man. (Night IX,1012–4)

Roedd Young fel petai'n rhoddi caniatâd i ymateb yn ddychmygus ac yn greadigol i brofiadau 'aruchel' (*sublime*), bron y tu hwnt i'n gafael, ac fe ddaeth arucheledd yn rhyw fath o arwyddair ail hanner y ddeunawfed ganrif.[39] Yn 'Tintern Abbey' mewn llinellau adnabyddus, y mae Wordsworth yn teimlo

> A presence that disturbs me with the joy
> Of elevated thoughts; a sense sublime
> Of something far more deeply interfused,
> Whose dwelling is the light of setting suns,
> And the round ocean, and the living air,
> And the blue sky, and in the mind of man:
> A motion and a spirit that impels
> All thinking things, all objects of all thought,
> And rolls through all things.

Yna ceir y cyfeiriad, sy'n ddyledus i Night VI, 427 ('And half create the wonderous World they see'), at

> all the mighty world
> Of eye and ear, – both what they half create,
> And what perceive . . .

Yn ôl Young, y mae arucheledd yn ein hamgyffrediad o'r byd naturiol yn dwysáu nid yn unig y profiad llenyddol ond hefyd y diwinyddol, a gwerth nodi mai drwy gymariaethau ysgrythurol y cyfryngir yr aruchel yn aml; yn yr enghraifft o ddarluniad Dydd y Farn, gwelwn synhwyrau

('I see'), ymenydd ('his Thought') a theimlad ('I feel it') yn cytseinio:[40]

> SHALL Man alone, whose Fate, whose *final* Fate,
> Hangs on That Hour, exclude it from his Thought?
> I think of nothing else; I see! I feel it!
> All *Nature*, like an Earthquake, trembling round!
> (Night IX, 262–5)

Ffrwydriadau 'aruchel' yma a thraw yng nghwrs mynegiant llyfn a rhyddieithol a geir yn *Night Thoughts*, ond nid ydynt heb eu heffaith chwaith:

> AMAZING Period! when each Mountain-Height
> Out-burns *Vesuvius*; Rocks eternal pour
> Their melted Mass, as Rivers once they pour'd;
> Stars rush; and final *Ruin* fiercely drives
> Her Ploughshare o'er Creation! (Night IX,164–8)

Yn wir, apêl *Night Thoughts* at lawer o gyfoeswyr Young oedd ei hysbeidioldeb, ei diffyg ffurf, ei rhyddid. Ysbrydoliaeth oedd y nod, ac felly ymaith â hualau odl, gorbatrymu a darostyngiad i gaethder neoglasurol.

Ymhelaethwyd ar y profiad o ddarllen Edward Young, oherwydd er gwaethaf barn O.M., y mae *Y Storm* yn frith o adleisiau o *Night Thoughts*.[41] Trueni, efallai, i Islwyn ymserchu cymaint mewn bardd eilradd, ond mwy anffodus fyth oedd ei frwdfrydedd dros y Beirdd Ysbeidiol (y 'Spasmodics'). Etifeddion, neu lurgunwyr, Rhamantiaeth oedd y grŵp llac hwn o feirdd a ddaeth i amlygrwydd byrhoedlog yn y 1840au: prif aelodau'r garfan oedd Philip James Bailey (1816–1902), Sydney Dobell (1824–74), Alexander Smith (1830–67) a'r beirniad George Gilfillan (1813–78). Hanfod eu cred esthetig oedd ystyried emosiynau digymell y bardd yn adlewyrchiad o ysbrydoliaeth ddwyfol. Felly, nid oedd confensiynau barddoniaeth yn ddim iddynt o'u cymharu â thywalltiad helaeth o brofiadau personol mewn iaith chwyddedig. Oherwydd diffyg disgyblaeth y mae eu cerddi a'u dramâu yn aml yn hercian rhwng y coeg-aruchel a'r bathetig, rhwng yr angerddol a'r afluniaidd ('like a ginger beer bottle burst', yn ôl un o'u cyfoeswyr). Y ffrwydriadau hyn (llai ohonynt gan Smith) oedd efallai'n cyfiawnhau'r enw gwawdlyd 'Spasmodics' a roddwyd iddynt gan Charles Kingsley mewn adolygiad yn 1853.[42]

Y cyfeiriad cyntaf a welais atynt yn Gymraeg, a hwnnw'n anuniongyrchol, yw gan Lewis Edwards mewn adolygiad yn *Y Traethodydd* 1850 o 'Coll Gwynfa', trosiad William Owen Pughe. Wedi beirniadu Byron, Young, Dewi Wyn ac eraill am 'ymdrech annaturiol' i greu effaith, y mae'n dweud am Miltwn, 'Nid oes ynddo ef ddim annaturiol, dim o'r hyn a eilw y Saeson yn *spasmodic*' (t.6). Y mae'n amlwg i Islwyn ddod dan gyfaredd y grŵp, yn enwedig Alexander Smith a Bailey, yn 1854. Roedd y ddau yn eu hanterth erbyn hynny, gyda *Festus*, cerdd ddramatig Bailey, yn ymddangos yn ei ffurf gyntaf yn 1839, a *Poems* Alexander Smith, yn cynnwys *A Life-Drama*, yn 1853. (Sylwer mai pymtheg mis yn hŷn nag Islwyn oedd Smith, ac fe fyddai llwyddiant ysgubol bardd o gyffelyb oed yn debyg o apelio ynddo'i hun.) Wrth i R. J. Derfel (1824–1905) ysgrifennu at Eben Fardd ym mis Tachwedd 1853 i geisio ei gydymdeimlad yn wyneb yr hyn a dybiai yn afresymoldeb ac annhegwch beirniad Eisteddfod y Fenni yn condemnio ei bryddest fel 'fancy – good for nothin', y mae'n gofyn 'Beth ddwedai ef tybed am Homer Iliad, Virgil Aeneid, Bailey Festus?';[43] ac, am Smith, dywedai'r athronydd Herbert Spencer ei fod yn 'strongly inclined to rank him as the greatest poet since Shakespeare'. Y mae'r cwmni yn awgrymu bri go anghyffredin, er mai byr iawn fu. Ym mis Gorffennaf 1854, fe gyhoeddodd William Edmonstoune Ayton, dan y ffug-enw T. Percy Jones, *Firmilian; or, The Student of Badajoz. A Spasmodic Tragedy*, parodi hynod effeithiol, yn gwawdio'r delweddu blodeuog, y teimladrwydd eithafol, y troelli digyswllt – yr hyn y byddai Smith ei hun, ychydig flynyddoedd yn ddiweddarach, yn ei alw'n 'a certain unstrictness and vagrancy'. Ac fe laddwyd y mudiad dros nos.

Roedd Islwyn eisoes yn dyfynnu o *A Life-Drama* Smith yn yr erthygl ar 'Y Wawr' ym mis Ebrill 1854, fel y gwelsom, ac yna uwchben 'Ceisio Gloewach Nen' yn *Seren Gomer* ym Mai 1854:

> I am fain
> To feed upon the beauty of the moon!
> Sorrowful moon! seeming so drowned in woe.

Ac yr oedd yn parhau'n ddigon teyrngar i ddefnyddio dyfyniad arall o'r un gerdd ar wynebddalen *Caniadau* yn 1867: 'Poetry is / The grandest chariot wherein king-thoughts ride' – llinellau sydd ynddynt eu hunain yn awgrymu natur chwyddedig barddoniaeth yr Ysgol Ysbeidiol. Yn yr ysgrif 'Alexander Smith' fe gawn dystiolaeth gadarnach fyth o werthfawrogiad Islwyn:

Y mae Smith yn fardd o radd uchel iawn, ac yn seren ddisglaer ar lenyddiaeth farddonol yr oes. Fe allai na chymerodd unrhyw fardd erioed safle mor uchel ym meddyliau ei gydoeswyr ar ymddanghosiad ei waith cyntaf. Croesawyd ef bron yn ddieithriad gan yr holl feirniaid. Mae ei ddychymyg cyfoethog yn esgor yn ddiball ar ffigyrau a delwau (*images*) barddonol; y mae y ffigyrau hyn mor fres a'r gwlith, ac mor ysblenydd a lliwiau y wawr, ac mae ganddo feistrolaeth ryfeddol ar iaith. (Atod. tt.334–5)

Yr hyn sy'n berthnasol i ni, wrth gwrs, yw nid ein hagwedd bresennol at Smith ond beth a welai Islwyn ynddo. Wedi nodi ac enghreifftio ei hoffter o'r sêr a'r lloer ('y mae yr anianawd farddonol wedi darganfod rhywbeth ar wynepryd y lleuad sydd wedi ei gwneyd hi yn ddelw o brudd-der. Onid yw y ddynoliaeth yn ymlonyddu i ryw bêr brudd-der wrth gymdeithasu â'r lloer?'), fe â ymlaen i ganmol y 'cyd-darawiadau anweledig sydd rhwng defnydd ac ysbryd, y rhai sydd yn gwneyd ffurfiau y cyntaf yn ddrychau cyfaddas i deimladau yr olaf' ac yn peri 'i deimladau yr ysbryd anfarwol ddyfod allan o'r anweledig a gwisgo enaid'. Yna fe geir rhyw bymtheg o ddyfyniadau, gyda gair o ganmoliaeth – 'tra barddonol', 'beth all fod yn dlysach', 'tra phrydferth'.[44] Noder dau ohonynt:

> But our chief joy
> Was to draw images from everything;
> And images lay thick upon our talk
> As shells on ocean sands.

> With God and silence!
> When the great universe subsides in God,
> Ev'n as a moment's foam subsides again
> Upon the wave that bears it. (Atod. t.37)

Bron na allai rhywun feddwl am 'lithro i'r llonyddwch mawr yn ôl.'

Arwr *A Life-Drama* yw'r bardd Walter, yn argyhoeddedig o uchel swydd barddoniaeth a'i genhadaeth ef ei hun i lefaru ar ran ei oes, i fynegi'r weledigaeth ddwyfol a roddwyd iddo yn rhinwedd ei ym-gysegriad. (Dylid dweud, wrth fynd heibio, mai gŵr diymhongar oedd Smith ei hun.) Yn gymysg â hyn y mae goddrychiaeth aflonydd ac eithafol, ac unigedd sy'n ceisio cysur mewn natur. Ond y mae hefyd edafedd pruddaidd a charwriaethol. Diau fod llinellau fel hyn wedi apelio at Islwyn:

> Oh, that my heart were quiet as a grave
> Asleep in moonlight!

neu

> Night the solemn, night the starry,
> 'Mong the oak-trees old and gnarry;
> By the sea shore and the ships,
> 'Neath the stars I sat with Clari;
> Her silken bodice was unlaced,
> My arm was trembling round her waist . . .[45]

Y mae Smith yn efelychu Bailey mewn llawer nodwedd: y tywalltiadau emosiynol helaeth, yr iaith ddyrchafedig, y cyfnewid teimladau rhwng yr unigolyn a byd natur. Ond y mae Bailey, os rhywbeth, yn fwy haniaethol ac yn fwy athronyddol ddamcaniaethol. Mewn llythyr at ei dad ar 26 Ebrill 1836, y mae'n disgrifio ei ddrama fydryddol arfaethedig, *Festus*, fel hyn:

> The body of the poem is occupied with meditations, arguments, and reflections upon all sorts of subjects and sentiments, principally on hereafter, a future state, rewards and punishments for sin, and happiness to come.

Cerdd 8,000 llinell a gyhoeddwyd yn ddienw yn 1839 oedd *Festus*; yna, mewn saith o fersiynau a llu o adargraffiadau swyddogol ac fel arall, yn enwedig yn America, fe dyfodd y gwaith yn 40,000, ac y mae popeth yn chwyddo – iaith a delweddau, doethinebu, teimladrwydd afrosgo, rhwysg, baldordd, myfyrdodau diwinyddol cysurlon. Y mae E. G. Millward wedi dangos bod Iorwerth Glan Aled yn edrych ar *Festus* fel patrwm posibl i'w ddilyn (fe anfonodd at Bailey am gopi) gan ddyfynnu ei lythyr at Eben Fardd, 2 Awst 1855:

> Y mae arnom angen am Wordsworthiaid, Coleridgiaid, a Miltwniaid. Paham na chawn ryddid i wneyd hyny? . . . Paham na cha ein bechgyn eu symbylu i fod yn Baileys ac yn Smiths, &c, yn hytrach na chael eu dirmygu am ymgeisio at yr hyn sydd fawreddig?[46]

Gan fod Islwyn yn gosod dyfyniad o *Festus* uwchben ei gerdd 'Ceisio gloewach nen' yn Y *Drysorfa*, Chwefror 1854, y mae'n amlwg ei fod yn darllen Bailey yn union wedi colli Ann, ac fe welwn linellau a fyddai'n siarad ag ef yn ei gyflwr, er enghraifft yr ymddiddan rhwng Festus ac Angela, hen gariad a dwyllwyd ganddo, wrth iddynt gyfarfod mewn rhyw wlad well (y blaned Fenws, fe ymddengys) – llinellau eithaf nodweddiadol hefyd yn y ffaith na ellir cael unrhyw syniad clir iawn allan o rai ohonynt:

FESTUS: When I forget that the stars shine in air –
            When I forget that beauty is in stars –
            When I forget that love with beauty is –
            Will I forget thee: till then, all things else.
            Thy love to me was perfect from the first,
            Even as the rainbow in its native skies:
            It did not grow: let meaner things mature.

ANGELA: The rainbow dies in heaven and not on earth;
            But love can never die; from world to world,
            Up the high wheel of heaven, it lives for aye.
            Remember that I wait thee, hoping, here.
            Life is the brief disunion of that nature
            Which hath been one and same in Heaven ere now,
            And shall be yet again, renewed by Death.[47]

Dwyfol ysbrydoliaeth y bardd yw un o'r themâu cyson, fel yn y llinellau anffortunus:

            He knew himself a bard ordained,
            More than inspired, of God, inspirited: –
            Making himself like an electric rod
            A lure for lightning feelings . . . (t.261)

Y teitl a'r fframwaith yn unig sy'n adleisio *Faust* Goethe, ac nid yw Islwyn yn bradychu unrhyw ddiddordeb yn hyn. Ond efallai y byddai un o'r themâu eraill yn cosi tipyn ar uniongrededd y llanc. Cawsai Bailey beth hyfforddiant mewn diwinyddiaeth ym Mhrifysgol Glasgow, ac fe ystyrid *Festus*, ar y cyntaf o leiaf, fel ymgais fawreddog i esbonio cynllun Duw a thynged dyn drwy athrawiaeth Cyffredinoldeb (athrawiaeth a goleddwyd hefyd, gyda llaw, gan Lavater). Tyfu allan o Galfiniaeth wnaeth y mudiad (er enghraifft fe gyhoeddodd Joseph Huntington ei *Calvinism Improved* yn New London, Connecticut, yn 1796) ac fe fu'n bur ffyniannus yn America; dyna, mae'n debyg, oedd yn rhannol gyfrifol

am boblogrwydd *Festus* yno. Gwrthwynebiad i'r athrawiaeth o gosb-
edigaeth dragwyddol yr annuwiol yw cnewyllyn cred y Cyffredinolwyr;
fe fydd pawb yn y diwedd, yn rhinwedd aberth Crist, yn cael eu dwyn
i ddedwyddwch, er y bydd cyfnod – amhenodol ond roedd rhai yn
awgrymu hanner can mil o flynyddoedd – o druenusrwydd yn aros
pechaduriad calon-galed, gyda'r bwriad o'u hargyhoeddi o'u ffolineb,
cyn iddynt hwythau hefyd gael eu perffeithio mewn dedwyddwch
tragwyddol. Roedd dadleuon mewnol ymhlith Cyffredinolwyr[48] ynglŷn
â bodolaeth hyd yn oed yr uffern dros dro hon, ond cysur y grefydd oedd
bod posibilrywdd damnedigaeth yn colli llawer o'i rym. Yn 1853, o
gefndir pur wahanol, fe gollodd yr Eglwyswr a Sosialydd Cristionogol
F. D. Maurice ei gadair yng Ngholeg y Brenin, Llundain, am ymosod ar
y syniad o gollfarn dragwyddol (un o'i ddadleuon oedd mai ymwneud ag
ansawdd oedd y gair 'eternal', ac felly nid oedd yn gyfystyr â'r gair
amserol 'everlasting'). Ac, yn gyffredinol yn ystod y ganrif, fe ddaeth
poenau uffern yn llai bygythiol, a'r syniad am y nefoedd fel rhyw
estyniad o'r gorau yn y bywyd presennol yn gyfarwydd mewn llen-
yddiaeth gysurol oedd yn darlunio'r nefoedd yn nhermau aduniadau
teuluol a dedwyddwch bywyd cartref y dosbarth canol. Cawn weld yn y
man a oedd Islwyn yn gogwyddo i'r un cyfeiriad, ond teg meddwl y gallai
Festus eistedd ychydig yn anghysurus ag uniongrededd Calfinaidd Cymru
ar ganol y bedwaredd ganrif ar bymtheg.

I grynhoi effaith fyrhoedlog y beirdd Ysbeidiol ar ddarllenwyr, gellir
rhestru: apêl yr angerddol, nwydau mewn gwisg grefyddol, ymgyrraedd
at arucheledd a synwyrusrwydd, llifeiriant geiriol, cyfoeth delweddol,
rhyddid aflywodraethus. Ac, am ychydig amser, roedd eu bwriadau yn ei
gwneud yn bosibl edrych heibio i ddiffygion y mynegiant.

Nid darllen oedd y cyfan a wnaeth Islwyn, 22 oed, yn 1854, wrth
reswm; roedd hefyd wrthi'n prydyddu. Erbyn diwedd y flwyddyn roedd
ganddo ddigon o gerddi i gyhoeddi llyfryn bychan 16-tudalen,
Barddoniaeth – ar gost ei rieni tybed? Wrth ailgyhoeddi 'Yr Iesu a
Wylodd' (GBI 653–5) o'r llyfryn 'gyda diwygiadau', yn ei golofn yn y
Cardiff Times, 22 Mehefin 1878, dywed: 'Y mae y llyfryn a gynwysai y
gan ganlynol allan o argraff ers blynyddoedd . . . Cafodd y llyfryn
gyflymach gwerthiad na thal.'[49]

Yn y Llyfrgell Genedlaethol y mae dogfen 'Account of Pamphlet Nov.
6 1854' sy'n rhoddi manylion dosbarthiad y gyfrol. Nodir 300 ar gyfer
Caerdydd, sef, y mae'n debyg, yr argraffydd yn gweithredu fel dos-
barthwr; yna, 120 i Eryr Glan Taf, 48 i William Joseph, Brynmawr (un
arall o feirdd *Y Cylchgrawn*, y mae cerdd goffa 'Deigryn' ganddo

yn rhifyn Chwefror 1853 – ai hwn oedd y Parch. W. Bronfryn Joseph
(Y Myfyr), awdur *Awdl y Meddwl*, Conwy, 1880, a fu'n fuddugol yn
Eisteddfod Genedlaethol Conwy, 1879?), 36 i Margaret Morgan, 12 i
Miss Jones, Foundry, 12 i Mr David Richards, 2 i Miss Jenkyns (chwaer
Daniel?), 1 i Jones Mill (tad Aneurin?), 3 i Mr L. Davies (Miss Gr's Shop
– paid), 1 i Mr Davies, Cardiff, a 2 i John Morgan, Owen (ei gyfaill yng
Nghaerdydd a rhywun arall? – y mae nodyn wrth ymyl y rhain yn dweud
'pr Thomas Davies').

Mwy diddorol, o bosibl, yw'r rhestr arall ar y ddalen – o gopïau
cyfarch yn ôl pob ymddangosiad. Fe gynnwys 18 enw, neu dalfyriadau
o enwau, ac fe ellir adnabod nifer go dda ohonynt: rhoddir yr enwau
fel y maent yn y gwreiddiol, ond wedi eu hitaleiddio, yn Atodiad 1
(tt.309).

Cyfanswm y dosbarthiad yw 556, a rhesymol yw credu mai 600 a
argraffwyd. Os felly, ac os o Gaerdydd yr oedd y rhai ar y rhestr i gael eu
dosbarthu, fe fyddai Islwyn wedi cadw 44 i'w rhannu'n fwy uniong-
yrchol, i'r teulu ac i'w hanfon at eraill gyda nodyn efallai (at rieni Ann,
er enghraifft). Dyfalu yw hyn, wrth gwrs, ond fe all ein harbed rhag
gosod gormod o bwys ar absenoldeb rhai enwau (megis Gwilym Ilid a
Dewi Wyn).

Ni chafodd *Barddoniaeth* ryw lawer o sylw, ond flwyddyn ynghynt, yn
Rhagfyr 1853, roedd ei gyfaill Eryr Glan Taf, wedi ysgrifennu'n ganmol-
iaethus ar ei gerddi yn y cylchgrawn eglwysig *Yr Haul*, a olygid gan
David Owen (Brutus). Cychwyn drwy ddweud ei fod wedi gweld Islwyn
yn ennill yn eisteddfod 'Cymrodorion Dirwestol Merthyr Tydfil' ychydig
ddyddiau yn ôl:

> Gwelsom ef hefyd yn cael ei wobrwyo am gyfansoddiad gorchestol a
> phenigamp ar farwolaeth y Parch. D. R. Stephen. Ac yn ddiweddaf oll,
> gwelwyd ef gan fwy na phum can brodyr ar unwaith yn cael ei goroni âg
> anrhydedd yn Eisteddfod Fawr y Fenni, am gyfansoddiad a bery cyhyd â
> bodolaeth yr Iaith Gymraeg, sef ei Alar-gân ar farwolaeth yr anfarwol
> Garnhuanawc.

Yna, heb ei henwi, fe â ymlaen i sôn am Ann Bowen:

> dynes o deithi tra rhagorol, yn teimlo dros yr helbulus, yn gallu wylo dros
> ddeiliad yr alaeth, ei geiriau fel mêl . . . Er na chlywsom fyned i'w gweled
> foneddigesau goruchel, darfu iddi hi, pan yn tynnu yr anadliad olaf,
> sicrhau mai 'angylion gwasanaethgar ydynt hwy'. Nid oedd tywysogion

na thywysogaethau yn gwênu arni; ond pelydrai Dwyfoldeb arni, nes peri iddi waeddi, 'Duw yw fy rhan a'm nerth yn dragywydd.'

Anodd, wrth gwrs, yw penderfynu ai padio defosiynol gan yr Eryr, neu gofnod gwirioneddol o'i geiriau olaf sydd yn yr hanes. Wedi sôn amdano'i hun yn wylo'n chwerw yn yr angladd, y mae'n dyfynnu o gerdd ar farwolaeth Ann ac y mae'n amlwg ei fod wedi ei derbyn yn uniongyrchol o law Islwyn, er bod peth dirgelwch ynglŷn â chamsillafu enw Ann; cofier mai ar 24 Hydref y bu hi farw ac y mae'r erthygl yn ymddangos yn rhifyn Rhagfyr. Hyd y gallaf weld, ni chyhoeddwyd y gerdd yn unman arall.

> Yr oedd yr haul ar fachlud pan
>   Dan farwol len y dodwyd hi,
> A theimlais innau yn y fan
>   Fod Haul fy ngobaith i
> Yn cyd-fachludo. Fory i'r làn
>   Ymddyrcha'r Huan fry,
>   Ond f'Huan *i*
>   Fydd dywyll dan
>   Orllewin galar dû.
>   Dwyrain ni wela mwy.
>   Na llewyrch cu!

> . . .

> Atolwg, Fonwent brudd,
> Bydd dyner wrth ei phridd!
> Atolwg bydd!
> O! cofia di,
> Fy Anne, fy unig Anne oedd hi!

Wedi canmol cymeriad moesol uchel Islwyn y mae'r ysgrif yn cyfeirio at Gwilym Teilo a Llawdden ond,

> wedi dwys ac iawn ystyried, dymunem araf-grybwyll, nad ydym yn gallu cael ein cydwybod yn rhydd, i ddywedyd fod un Bardd yn fyw yn y Deheudir yn awr gwedi cyrhaedd pinacl mor uchel ag sydd dan draed Mr Thomas . . . Mae ei Awen mal rhyw elfod mawreddawg ac annaearol, yn treiddio trwy holl gonglau tywyll anian. [A gafodd olwg, tybed ar *Bydgonglau*?] . . . [Y mae] cysylltiad rhyfeddol . . . rhwng y teimlad a'r

ymadroddion cynghaneddol . . . Er fod ei gyfansoddiadau yn gynghan-
eddol, ymddangosant i'r anhyrwydd yn anghysson; etto odlant yn rheol-
aidd, a chywrain, ac yn gelfyddgar dros ben.

Yna fe geir cymariaethau y gellid meddwl eu bod wedi codi o drafod y
beirdd hyn gydag Islwyn:

> Yn hyn saif ein Bardd yn unigol, ïe, mor unigol yn yr Iaith Gymraeg ac
> ydyw *Christobel* [*sic*] neu *Ancient Mariner* Coleridge yn y Saesoneg. Nid
> annhebyg ydyw weithiau i Young a'i fesur digynghanedd, a thebyga yn
> fwy o lawer mewn ystyr arall, sef ei ffordd o daflu drychfeddyliau
> mawrion a gornymp [ffansïol?] ar eu gilydd.

Y mae rhywun yn cael y syniad, waeth beth oedd Aneurin Fardd yn ei
draethu am gynghanedd, mai sgyrsiau rhwng Islwyn a'r Eryr oedd yn
ffurfio'i chwaeth.

4 ☙ Yn Nannedd y Storm

Rhyfedd meddwl mai mewn cylchgrawn a fwriadwyd yn bennaf ar gyfer plant y cyhoeddwyd 'Gwêl uwchlaw cymylau amser'. Gwelir y cysylltiadau, nid lleiaf Rossers Abertawe, wrth gyfeirio at Thomas Levi yn y rhestr o gopïau cyfarch yn Atodiad 1 (t.309), a'r canlyniad fu cyhoeddi'r emyn yng nghyfrol gyntaf *Yr Oenig* yn 1854. Y dyddiad ar y llawysgrif yw Mai 1854. Yna fe ddetholodd Islwyn chwe phennill o'r wyth ar gyfer *Caniadau* 1867.[1]

Y mae elfen o glirio'r byrddau ar gyfer *Y Storm* yn y gerdd. Fe'i galwyd yn emyn yn y llawysgrif ac fel emyn fe hawliodd ei le yn llyfrau emynau bron pob enwad o *Emynau o Fawl a Gweddi* yr Undodiaid yn 1878 ymlaen. Ond fe'i gadawyd allan o'r *Caneuon Ffydd* cydenwadol yn 2001 oherwydd nad oes neb yn ei ganu bellach. (Un ystyriaeth efallai yw na fachwyd tôn arbennig wrtho.[2]) Gwell rheswm fyddai amheuaeth ai emyn yw'r gerdd o gwbl. Tybed ai fel emyn y cynhwyswyd y gerdd yn *The Oxford Book of Welsh Verse* Thomas Parry, *Blodeugerdd Gymraeg* W. J. Gruffydd, *Blodeugerdd o'r Bedwaredd Ganrif ar Bymtheg* Bedwyr Lewis Jones, *Blodeugerdd Barddas o'r Bedwaredd Ganrif ar Bymtheg* R. M. Jones? Hawdd iawn deall fel y byddai Islwyn am weu ei ingoedd personol i mewn i'r gyfundrefn gapelaidd: darpar bregethwr, cofier, yn ogystal â darpar fardd. Ond dodrefn llwyfan yw'r gynulleidfa, yr 'hapus dyrfa', tresbaswyr megis ar ddolydd goddrychiaeth. Ar y gorau, troedio'r ffin rhwng emyn a thelyneg hollol bersonol y mae'r gerdd, fel, o ran hynny, 'Rwy'n edrych dros y bryniau pell' neu 'Rwy'n sefyll ar dymhestlog lan'.

Y mae crybwyll emynau Pantycelyn ac Ieuan Glan Geirionydd yn tanlinellu dyled yr ieithwedd i bob math o atgof emynyddol ac ysgrythurol. Y mae delweddu nefoedd yn elfen mor bwysig mewn llenyddiaeth, ac yn enwedig mewn llenyddiaeth Gristionogol, fel mai afraid braidd yw dyfynnu enghreifftiau; fe fyddai Tennyson ymhen pum mlynedd yn cyfoethogi'r stôr yn ei ddisgrifiad o Afallon 'where falls not hail nor rain nor any snow, / Nor ever wind blows loudly'. Ond y mae'n briodol dwyn i gof rai o'r ymadroddion ysgrythurol ac emynyddol fyddai'n sicr o fod yng nghefn meddwl y bardd ifanc. Eto nid awgrymu llenladrad o fath yn y byd y byddwn ond ceisio ail-greu awyrgylch meddwl. Edrychwn i ddechrau yn weddol fanwl ar y pennill cyntaf:

1	Gwêl uwchlaw cymylau amser,
2	O! fy enaid, gwêl y tir!
3	Lle mae'r awel fyth yn dyner,
4	Lle mae'r wybren fyth yn glir.
5	Hapus dyrfa,
6	Sydd yn nofio yn ei hedd.

1. 'Gwêl': yr enaid a gyferchir yn y fan hyn, ond y mae'r fath orchymyn cyffredinol i'r bardd yn nodweddiadol nid yn unig o ganu'r ddeunawfed ganrif ond hefyd o emynyddiaeth:

> Gwêl Grist yn dyfod ar y cwmwl draw
>> (Benjamin Francis, 1774)

> Gwêl ar y croesbren acw
>> (gan Williams Pantycelyn yn *Theomemphus*)

> Gwêl tu hwnt i fyrdd o oesoedd,
> Gwêl *hapus*rwydd maith y nef
> (Pantycelyn, *Ffarwel Weledig*, rhan 1, 1763; fy mhwyslais i)

> O! fy enaid, cod dy olwg,
>> Gwêl yn amlwg ben y bryn
>> (Dafydd William, 1777)

Cwmwl, medd *Geiriadur Charles*, 'yn gyffelybiaethol, arwydda cystuddiau, trallod a galar'. Cawn weld wrth drafod *Y Storm* mor bwysig oedd gorchfygu amser yng ngolwg Islwyn.[3]

> Dringaf yn uwch na'r cymylau
>> (Eseia 14.4)

> Daw, fe ddaw y wawr wen, olau
> Nes bo'r cwmwl du yn ffoi
>> (Pantycelyn, *Gloria in Excelsis*, rhan 1, 1771)

2.   Doed i'r golwg tros y bryniau
             Ran o'r nefol hyfryd dir
                                        (Pantycelyn, ibid.)

3.   Awelon peraidd, balmaidd, byw
             Sy'n treiddio'r ardal trwy
                      (Ieuan Glan Geirionydd, *c*.1829)

             Dan awelon
             Peraidd, hyfryd, tir fy ngwlad
                  (Pantycelyn, *Gloria in Excelsis*, rhan 1, 1771)[4]

             Yr awel sy'n gwasgaru
             Y tew gymylau mawr
                                        (Dafydd William, 1778)

5.   O gwyn eu byd y dyrfa fawr
             Yn iach ehedodd uwch y llawr
                      (Morgan Rhys, *Golwg o Ben Nebo*, 1764)

6.   Ar fyr daw'r dydd caf nofio
             I mewn i'w dawel hedd
                      (John Thomas, Rhaeadr, 1730–?1804)

             Môr didrai, heb waelod iddo, . . .
             Nofia miloedd ynddo'n hyfryd
             Draw i'r bywyd yn y man.
                  (Daniel Jones, Tredegar (1788–1848), ac wedi ei
                              gladdu ym mynwent Sirhywi)

             Yn nofio mewn cariad a hedd
                  (David Charles yn y pennill 'O fryniau Caersalem',
                                                            1808)

             I nofio mewn diddanwch . . .
             Tua'r wlad
                                        (Morgan Rhys)[5]

A derbyn mai'r rhain yw'r defnyddiau crai, y mae adeiladwaith y gân
yn hynod grefftus. Wedi'r anogaeth 'Gwêl' deirgwaith yn y ddau bennill

cyntaf, cedwir y personol yn yr esgyll tan y pennill olaf, 'fy nghalon brudd'. Fe wneir rhywbeth yn debyg gyda thrigolion y wlad nefol: yr 'hapus dyrfa' yn y pennill cyntaf wedi cyrraedd ac 'yn nofio yn ei hedd'; erbyn y chweched pennill 'a'u trigfa yno mwy'; ond, erbyn y llinellau olaf, yng nghylchrod bod y mae'r bardd a'r gynulleidfa o hyd ar eu ffordd, 'sydd â'u hwyneb tua'r wlad'. Pennill trawiadol iawn,wrth gwrs, yw'r chweched:

> Nid oes yno neb yn wylo,
>> Yno nid yw neb yn brudd,
> Troir yn fêl y bustl yno,
>> Yno rhoir y caeth yn rhydd!
>>> Hapus dyrfa!
> Sydd â'u trigfa yno mwy.

Y mae'r 'yno' lleoliadol i'w gael gan Bantycelyn hefyd, cyn dod at 'y delyn aur':

> Nid oes yno ddiwedd canu,
>> Nid oes yno ddiwedd clod,
> Nid oes yno ddiwedd cofio
>> Pob cystyddiau ag fu'n bod.
>>>> (*Ffarwel Weledig*, rhan 1, 1763)

Ond, yng ngherdd Islwyn, y mae'r ymddangos mewn mannau amrywiol yn y llinellau yn creu argraff gynhwysfawr, yn ychwanegu math ar bendantrwydd a sicrwydd, neu o leiaf ymgais at y naill a'r llall.

Heb lethu'r darllenydd yn ormodol, dichon fod y cyfatebiaethau'n dangos yn weddol eglur nad oedd Islwyn yn ysgrifennu ar lechen wag. Ond fe ellir mynd ymhellach hefyd gyda naws gyffredinol y gân. Roedd diwinyddion y cyfnod wrthi'n trafod natur nefoedd: ai gorffwys neu gynnydd o ryw fath fyddai yno. Ar ddechrau'r ddeunawfed ganrif gorffwys a mawl oedd piau hi yn emynau Watts:

> There is a Land of pure Delight
>> Where Saints Immortal reign;
> Infinite Day excludes the Night,
>> And Pleasures banish Pain.
>>>> (*Hymns and Spiritual Songs* II, 1709, lxvi)

> Mae Gwlad o Wynfyd pur heb Haint
> Byth, yno y teyrnasa'r Saint;
> Lle nid oes tywyll Nos, ond Dydd,
> A Phleser heb ddim Blinder fydd.
> (trosiad Dafydd Jones o Gaeo, 3ydd arg., 1794, t.136)

Ceir hefyd yn yr un casgliadau:

> There where my blessed *Jesus* reigns
> In Heavens unmeasur'd Space,
> I'll spend a long Eternity
> In Pleasure and in Praise. (t.lxxv)

> I'r lle teyrnasa'r Iesu cu,
> Ym maith Eithafoedd Nefoedd fry,
> Caf dreulio trag'wyddoldeb hir
> Mewn Pleser a Chlodforedd Pur. (t.142)

Ond, erbyn canol y ganrif, roedd Ann Steele (y Fedyddwraig hynod boblogaidd, yn enwedig yn America, yng nghanol y ganrif nesaf) yn gweld pethau'n wahanol:

> No darkness there shall cloud the eyes,
> No languor seize the frame;
> But ever active vigour rise
> To feed the vital flame.[6]

Safbwynt Spurgeon yn 1857 oedd: 'the idea of heaven as a place of rest will just suit some indolent professors'; yn hytrach, cyfle i wasanaethu yr Arglwydd ddydd a nos yn ei deml fyddai yno. Ond, yn emynyddiaeth Saesneg a Chymraeg cyfnod oes Fictoria, gorffwys, hapusrwydd a chysur yw'r cyweirnod o hyd.[7] Meddylier am Henry Francis Lyte yn 1834:

> Pleasant are Thy courts above,
> In the land of light and love . . .
> Happier souls that find a rest
> In a Heavenly Father's breast!

neu Andrew Young yn 1843:

There is a happy land,
    Far, far away,
Where saints in glory stand,
    Bright, bright as day.

Yn y Gymraeg y mae David Charles, cyn dod yn ei emyn at y pennill 'O fryniau Caersalem', pennill, yn ôl John Thickens yn *Emynau a'u Hawduriaid*, y bu mwy o ganu arni 'nag ar unrhyw bennill arall, ond odid, yn angladdau Cymru', wedi canu;

Cawn esgyn o'r dyrys anialwch
    I'r beraidd Baradwys i fyw;
Ein henaid lluddedig gaiff orffwys
    Yn dawel ar fynwes ein Duw.

Ond efallai mai prif ladmerydd ystrydeb nefolaidd oes Fictoria oedd Ieuan Glan Geirionydd: 'y dyrfa ddysglaer draw, / Yn nghanol nefoedd wen'; 'I ganu gyda'r saint, / Sydd fawr eu braint a'u bri'; 'O ardal hyfryd! lle ni ddaw / Na gofid byth nac âeth, / Lle ffrydia perffaith wynfyd pur, / Fel llif o fêl a llaeth'; 'Ar ol ein holl flinderau dwys / Cawn orphwys yn y ne"; 'Wedi dianc uwch gelynion, / Croesau a gofiadiau fyrdd, / Maent hwy'n awr yn gwisgo'r goron'; 'I mewn i'r porthladd tawel, clyd, / O swn y 'storm a'i chlyw'; 'Dof yn dy law i'r ochr draw, / Heb friw na braw, ryw ddydd a ddaw, / Uwchlaw pob loes a chlwy'; a'i bwyslais cyson ar y cyfarfod yr ochr draw: 'Er colli ein cyfeillion hoff / Yn yr Iorddonen gref, / Mae'n felus meddwl! – etto 'nghyd / Cawn gwrddyd yn y nef.' Roedd y syniad o gyd-gyfarfyddiad, o 'gartref' yn y nefoedd, hefyd yn un a apeliai'n fawr mewn emynau plant, ac nid rhyfedd hynny o sylweddoli pa mor aml y bylchwyd teuluoedd yr adeg honno. 'A hymn', meddai'r milwr Syr Garnet Wolseley, 'should have plenty of consolation and not too much theology.'

Er mai ychydig fyddai'n derbyn sgaffaldwaith delweddol y fath ganu bellach, eto y mae'r cerddi neu emynau, o dan rai amodau, yn dal i allu rhwygo'r galon. Felly gyda 'Gwêl uwchlaw', yr ebychiad llawnaf yn Gymraeg o hiraeth ar ffurf emynyddol, penllanw'r amgyffrediad o nefoedd fel Eden ddaearol estynedig, y baradwys statig, crynhoad o obeithion Islwyn a'i gyfoeswyr crediniol. Nid oes, mae'n rhaid cyfaddef, fawr o arwyddion amheuaeth yn y gerdd, heblaw o bosibl am rithyn o ansicrwydd yn yr anogaeth 'Gwêl a chred'. Ond, yn amlwg ddigon, y mae cymhlethdod personol yn y ffaith fod Islwyn ar yr un pryd yn ceisio'i gysuro a'i ddarbwyllo ei hun. Teg yw cofio, er hynny, gryfder ei ddaliadau am anfarwoldeb cyn colli Ann, sef yn y bregeth yn *Y Cylchgrawn* ym mis Mawrth 1853. Wedi nodi fel y mae'r Testament Newydd yn cyhoeddi 'yr athrawiaeth gyffrous a mawreddog hon . . . gyda sicrwydd, eondra ac awdurdod', y mae'n mynd ymlaen i ddadlau y bydd corff y credadun, sydd wedi ei gadw'n bur, yn blaguro 'mewn ieuenctyd anfarwol, egni a bywiawgrwydd tragwyddol'; noder fel y mae Islwyn, yn debyg i Watts, yn gweld y nefoedd yn llawn digwydd a chynnwrf yn ei ryddiaith (yn ei bregeth ar 'Wybodaeth yn y Nef', er enghraifft, y mae'n dadlau mai gorffwys oddi wrth ofid fydd yno, nid oddi wrth waith a meddwl a myfyrio, *Pregethau*, t.260) ond yn llonydd orffwyslon yn y canu, fel yn y cerddi sy'n dilyn. A'r hyn sydd yn 'bywiocâu y peiriant cnawdol' yw'r 'wreichionen ddwyfawl, sydd . . . i fodoli byth' sef yr enaid anfarwol. Ac yn rhifyn Ebrill, yn y gerdd 'Angau', y mae'r Efengyl yn

> dangos angau prydd
> fel bore wawr rhagorach dydd,
> Gan ysgrifenu ar y bedd,
> *Mynedfa i dragwyddol hedd.*

Ac yn 'Adgyfodiad' ceir:

> Yr udgorn dwyfol gân –
>   Nid amser mwy!
> Y sêr yn deilchion mân
>   Ymddrylliant hwy;
> Yr udgorn gân, a'i adsain fydd,
> Tragwyddol fywyd, bythol ddydd.

Felly, os chwilio am gefndir dirfodol, profiadol i'r *Storm* y byddwn, fe fydd angen cofio'r seicoleg a'r ddiwinyddiaeth flaenorol yn ei hanes. Ann yw'r achos, ond nid hi yw'r ystyr.

Y mae hanes cyfansoddi a chyhoeddi'r *Storm* Gymraeg yn eithaf hysbys erbyn hyn, ond y mae gofyn am beth eglurhad cyn cychwyn ar unrhyw ddadansoddiad. Mewn llythyr at R. J. Derfel, tua diwedd 1855 neu ddechrau 1856, cawn Islwyn yn cyfeirio at

bryddest bur faith ar y *Storm*. Yr ydych hwyrach wedi gweled darnau o honi ar hyd wyneb y cyhoeddiadau o bryd i bryd. Mae hi wedi ymlydanu gryn lawer o fewn cylch tua blwyddyn. Byddaf yn ei gadael weithiau am fis neu ddau ac yn ymaflyd ynddi drachefn. Carwn pe baech yn agos i'w gweled. Nid oes genyf fawr bwriad i'w chyhoeddi yn fuan.[8]

Sylwer ar y ddau air olaf. O wybod am yr ail *Storm*, hawdd deall nad oedd Islwyn yn fodlon ar y gyntaf, a'i fod felly'n amharod i ystyried cyhoeddi. Nid mater i beri rhyw lawer o syndod yw'r amharodrwydd i ollwng gwaith i'r cyhoedd; meddylier am Wordsworth yn dechrau ysgrifennu'r *Prelude* yn 1799, yn gorffen drafft 13 adran yn 1805, ond yn dal i ddiwygio (fe ddywedir bod 17 fersiwn i gyd) fel na chafodd y gerdd ei chyhoeddi tan 1850, dri mis wedi iddo farw.[9]

Yn ei erthygl yn 1896 y mae D. Thorne Evans yn sôn am Islwyn yn gadael:

y fath doraeth o farddoniaeth ar ei ôl. Teimlai llaweroedd yn ofidus fod trysorau mor werthfawr yn glöedig ac yn methu cael mynediad allan o'r Ynys-ddu. Ond erbyn hyn y maent wedi dyfod o dŷ y caethiwed, a châ y cyhoedd darllengar yn fuan bellach eu mwynhau. Maent yn awr yn llaw y llenor llednais-goeth o'r Ton, gŵr ag y mae y genedl yn ddyledus iddo am ddwyn i'r golwg lawer o drysorau cuddiedig. Fel hyn yr ysgrifenai ef yn gyfrinachol at gyfaill: 'Yr wyf dros fy mhen y dyddiau hyn yn ysgrifeniadau Islwyn. Aethum âg ugeiniau lawer o'i bregethau gyda mi o'r Ynys-ddu, y Sadwrn cyn y diweddaf, a daethum â baich trwm, rhy drwm imi ei gario, o'r tŷ i *station* Ynys-ddu o'i farddoniaeth y Sadwrn diweddaf. Mae y pregethau, mor gynted ag y gallaf wneuthur rhyw fath o ddosbarthiad arnynt, i fyned i Mr J. Jones, Treherbert, a'r farddoniaeth i Mr O. M. Edwards, M.A., Rhydychain.'

Yna fe grybwyllir bwriad O.M. i gyhoeddi cyfrol ddarluniadol, brydferth, o werth tua hanner gini. Ac felly, yn wir, y bu.[10]

Roedd yn amlwg fod Davies, Ton, wedi ennill ymddiriedaeth Mary Jenkyns; fe fyddai, wrth gwrs, yn gwybod am gyfeillgarwch Davies â'i brawd. Ymddengys iddo fod droeon yn yr Ynys-ddu, gan ei fod yn ysgrifennu at O.M. ar 6 Gorffennaf 1897 (LlGC 5878B) yn dweud: 'Y tro o'r blaen y bûm yno, daethum o hyd i ail Ran yr Ystorm yn mhlith llyfrau a phapurau Mr Jenkyns' (sef LlGC 6861B). Gŵr pur arbennig oedd Daniel Davies, Ton (sef Tonpentre, Cwm Rhondda), neu'r 'Cashier' fel y gelwid ef yn fynych ar bwys ei swydd yn y lofa. Fe fu ganddo ran glodwiw mewn ymdrech i achub rhai o lyfrau Pantycelyn, gan brynu llawer i'w trosglwyddo i Drefeca mewn arwerthiant yn 1887 rai blynyddoedd wedi marw W. H. Powell a etifeddodd y cyfrolau Saesneg o lyfrgell Williams. Daw'r cyfle i ddweud mwy amdano wrth drafod ei ohebiaeth ag Islwyn. Diolchir iddo, ymhlith eraill, yn rhag-ymadrodd O.M. i'r gyfrol, *Gwaith Barddonol Islwyn*, a gyhoeddwyd yn gynnar yn 1897, wedi i'r golygydd dalu £50, swm eithaf anrhydeddus y dyddiau hynny, i Mary Jenkyns am yr hawlfraint.

Yn ôl O.M., 'codwyd cynnwys y gyfrol hon bron i gyd o lawysgrifau Islwyn, cydmarwyd y gwahanol lawysgrifau â'u gilydd ac â rhannau oedd wedi eu cyhoeddi . . . Trefn damwain yw'r drefn. Ond rhoddir rhestr o'r gweithiau y gwyddis eu hamseriad i sicrwydd.' (Dylid ychwanegu nad yw'r rhestr dyddiadau yn gwbl gywir, er enghraifft fe osodir 12 Hydref 1853 ar gyfer 'Adgofion Serch' yn hytrach na dyddiad ar ôl marw Ann.) Ar unrhyw gyfrif y mae camp O.M. – i fesur, mae'n debyg yn dilyn dos-barthiad Davies, Ton – yn un hynod ganmoladwy, ond nid yw heb ddiffygion amlwg. Roedd creu testun cyflawn a darllenadwy yn fwy pwysig i O.M. na thestun dibynadwy, ac fe'i hystyriai ei hun yn gymwys i addasu a darnio fel y gwelai'r angen. Nid oedd y canlyniadau bob amser yn hapus, yn enwedig felly yn achos *Y Storm*. Ond, wedi dweud hynny, cofier iddo werthu pum mil o gopïau o'r gyfrol swmpus a dod ag Islwyn, er mewn ffurf amherffaith, o fewn cyrraedd y Cymry am y tro cyntaf.

Wrth geisio sefydlu testun y gerdd hir roedd gan y golygydd ddwy lawysgrif o'i flaen: LlGC 5860B, 'Wm. Thomas Islwyn 19th May 1856 Green Meadow' ar y clawr ac 'Y Storm 1st Book 1856' ar gefn y clawr; a LlGC 5861B, 'William Thomas Islwyn July 1856 Y Storm 2nd Book. (Continued from the other book uniform with this.)' ar gefn y clawr. Gan nad oedd y cyfan yn ymddangos yn gyflawn, fe ychwanegodd O.M. ddarnau a gyhoeddodd Islwyn yn *Caniadau* ac mewn cylchgronau; y mae yn agos i 10 y cant o'r testun yn *Gwaith Barddonol Islwyn* wedi ei fewnforio felly. Y mae Gwenallt a Meurig Walters yn rhoddi dad-ansoddiad manwl o'r ychwanegiadau; ar un wedd nid ydynt bellach o gymaint â hynny o bwys, gan fod testunau dilys i'w cael yn awr, ond ar y llaw arall fe seiliwyd y feirniadaeth ar Islwyn am rai degawdau ar gam-syniadau'r golygydd. O.M. oedd yn gyfrifol am rifo'r adrannau ac am y paragraffu o'r tu mewn iddynt (fe gedwir y paragraffau gan Meurig Walters). Nid yw O.M. bob amser yn cadw at y testun a geir yn y llawysgrifau; yn weddol aml y mae'n dewis y fersiwn a gyhoeddwyd gan Islwyn yn *Caniadau*, neu yn y cylchgronau. Y camgymeriad mwyaf anffodus oedd iddo gamddeall chwe thudalen o'r llawysgrif gyda'r teitl 'Diwedd y Storm' a'u gosod yn ddiweddglo i'r gerdd. Gan mor bitw'r pedair llinell olaf (a geir hefyd ar ddiwedd 'Rhaglith' yn *Caniadau*) –

Fe'm ganwyd i ym mlwyddyn y *Reform Bill*,
A dyna pam yr wyf yn dwyn ystormbil
Mor hyf i mewn i'r Senedd Awenyddol,
Er dychryn i Doriaid mân-brydyddol

– fe'u defnyddiwyd i gryfhau'r cyhuddiad o ddiffyg chwaeth yn erbyn
Islwyn, a hynny o ymddangosiad y gyfrol hyd at y 1940au, pan eglurodd
Gwenallt mai O.M. ac nid Islwyn oedd yn gyfrifol. Yn wir, yr oedd
O.M. ei hun eisoes wedi ymesgusodi'n rhannol: 'Dodwyd ef ar ol yr
"Ystorm" yn y *Gwaith*, oherwydd ei fod yn yr un lle yn yr ysgrif-
lyfr. [Ond camsyniad yw hyn.] Ond pe dychmygaswn fod neb yn ddigon
twp . . . i feddwl ei fod yn rhan hanfodol o'r "Ystorm", cymeraswn fy
rhyddid i'w roddi yn rhywle arall.'[11] Cyfaddefiad anfwriadol ei fod wedi
trefnu y cyfan braidd yn fympwyol.

Yna fe'i taflwyd oddi ar ei echel gan ddarganfyddiad arall o eiddo
Davies, Ton. Mewn llythyr at O.M., 6 Gorffennaf 1897, sef rai misoedd
ar ôl cyhoeddi'r *Gwaith*, eglurodd iddo fynd unwaith eto i'r Ynys-ddu a
chael

mewn cwpwrdd ar y llofft, yn un o ystafelloedd Mr Jenkyns eto . . . lyfr
gwyn mawr – *folio* – wedi ei ysgrifenu, ganoedd o dudalenau, wyneb a
chefn. Yr wyf yn methu canfod ynddo nemawr o gyfansoddiadau nad
oeddynt yn wybyddus o'r blaen. Nid yw eich cyfrol chwi o hyd llaw i mi
yn awr, er mwyn cydmaru yr 'Ystorm' yno ag 'Ystorm' y llyfr hwn.
Amcanai Islwyn i'r 'Ystorm' gynwys llawer o ddarnau sydd yn rhyddion a
gwasgaredig yn y gyfrol, megis 'y dymestl', &, ac hefyd, 'Nis gall y fflam
eu difa hwy.' Yr oedd ystormydd natur, ystormydd bywyd, ac ystorm y
Farn, i gael eu cynwys yn ystyr i'r holl gyfansoddiad, pe cawsai yr awdwr
fyw i'w orphen . . . Yr wyf fi yn methu a rhoddi i fyny obeithio fod yr
'Ystorm' i ddyfod i'r golwg eto yn gyflawn a gorphenedig. (LlGC 5878B).

Yn amlwg, nid oedd yn sylweddoli mai fersiwn cyntaf y gerdd oedd yn y
llyfr ffolio. (Gresyn na fyddai wedi cael y wefr honno a daniodd yr Athro
Karl Breul pan ruthrodd i mewn i ddarlith yng Nghaergrawnt yn chwifio
telegram yn cyhoeddi darganfyddiad ffurf gyntaf *Faust* Goethe.[12]) Y
mae'r llyfr hwnnw (LlGC 5854F, a 'William Thomas Islwyn Green
Meadow 1854–6' ar ei glawr) yn cynnwys dros 80 o dudalennau o
gerddi, yn eu plith 'Gwêl uwchlaw cymylau amser' a 'Ceisio gloewach
nen'. Yna fe geir y gerdd a adwaenwn yn awr fel *Y Storm* gyntaf, ond nid
heb bum neu chwe cherdd ynghyd â'r *Storm* Saesneg yn torri ar draws, a

chywiriad diddorol mewn un man lle mae'r teitl 'Y Nos – parhad' wedi ei gywiro i 'Storm'. Y mae Meurig Walters yn dangos ymhellach fel y bu i Islwyn ysbeilio'r *Storm* gyntaf i fwydo casgliadau eraill; nid rhyw hwb creadigol a ddigwyddodd adeg cyhoeddi *Caniadau* yn 1867,[13] ond benthyca pymtheg o gerddi ar gyfer y casgliad. Ar ben hyn, nid darnau ar ei hyd yw llawer ohonynt ond llinellau o wahanol dudalennau wedi eu gosod wrth ei gilydd: detholiad o fewn detholiad megis. Yna fe allforiodd ychydig dros 250 o linellau i'r ail *Storm*.

Wedi darganfyddiad Davies fe gafodd O.M. ei hun mewn cyfyng gyngor. Penderfynodd ddefnyddio rhifyn o'i gylchgrawn *Y Llenor* i gyhoeddi 'Atodiad' i'r *Gwaith*, a hefyd 'Pigion o Ryddiaith', ac mewn rhagymadrodd y mae'n pwysleisio ei awydd i roi'r holl waith barddonol gerbron, yn egluro'r ailadrodd sydd, ac yn cydnabod diffygion y *Gwaith* heb ymhelaethu arnynt. Ond, wrth gwrs, gyda'r llawysgrif newydd roedd llawer eto i'w gyhoeddi, ac fe wnaeth hynny hyd at gyfyngiadau gofod yn y gyfrol arfaethedig yng Nghyfres y Fil, 1903. Cynhwysodd dros 60 o ddarnau o *Storm* y llawysgrif, gan eu gosod fel petaent yn delynegion. Ymhen blynyddoedd daeth i sylweddoli ei gamgymeriad, ac mewn erthygl 'Islwyn a'i feirniaid' yn 1919 (yn *Er Mwyn Cymru*, Wrecsam, 1922) y mae'n syrthio ar ei fai:

> Yn anffodus iawn argraffwyd y gyfrol fawr heb wybod fod ysgriflyfr arall yn llechu o'r golwg. Cyhoeddwyd honno yn gyfrol yng Nghyfres y Fil. [Wel, do a naddo.] Er edifeirwch dwys iddo, trodd y golygydd yn rhyw fath o esboniwr, – gwnaeth y darnau'n ddigyswllt, a rhoddodd benawdau iddynt, er nad oedd y rhain ond geiriau Islwyn ei hun. Ac yn awr temtir y beirniad arwynebol i weled un Islwyn yn y gyfrol fawr ac Islwyn arall yn y gyfrol fach, er fod cynnwys y ddwy wedi ei ysgrifennu ar yr un adegau, ac fel rhan o'r un cyfanwaith.

Dyma beth yw hanner ymddiheuro, gan drosglwyddo rhan helaeth o'r bai o'r golygydd i'r beirniaid, os nad yn wir i Islwyn ei hun am wneud rhywbeth digon tebyg. Ac, yn y pen draw, y *mae* Islwyn yn gyfrifol, fel y cydnabu ef ei hun:

> Cymhellwyd fi i ddethol darnau byrion,
> Ac felly aeth f'arwrgerdd yn ysgyrion.
> Ac os oes beiau cofied yr holl graffwyr
> Fod peth o'r bai yn perthyn i'r argraffwyr. (GBI 848)

Y mae Gwenallt yn ei gyfrol *Bywyd a Gwaith Islwyn* (t.53) yn defnyddio cellweirio'r ddwy linell olaf i ategu ei ddamcaniaeth mai'r rheswm symlaf dros fethiant Islwyn i gyhoeddi'r naill fersiwn na'r llall o'r arwrgerdd oedd mai anodd fuasai cael argraffydd i argraffu cerdd faith o'r fath ar ei gost ei hun. Y mae'n wir y gallai methiant ariannol *Barddoniaeth* fod yn elfen yn yr oedi; ond onid symlach fyth yw tybio nad oedd Islwyn yn barod? Ymddengys i mi ei fod wedi sylweddoli nad oedd *Y Storm* gyntaf ond megis drafft (fel yn wir *Prelude* 1799 a 1805), ac nad oedd mewn gwirionedd wedi llwyddo i orffen yr ail *Storm* – er y dywedwyd wedi ei farw (ni wn ar ba sail) ei fod yn wybodaeth gyffredinol fod y bardd yn paratoi ei waith at gael ei gyhoeddi.[14] Nid dibwys wrth drafod cwestiwn cyhoeddi yw nodi bod testun yr ail *Storm* yn daclus iawn, heb ryw lawer o gywiriadau nac ailfeddwl; gwahanol iawn yw testun *Y Storm* gyntaf, testun na ddaeth i afael y cyhoedd nes i Meurig Walters gyhoeddi ei argraffiad yn 1980. Erbyn hyn, hefyd, y mae fersiwn cywirach o'r ail *Storm* gennym, eto wedi ei olygu ganddo, a'i gyhoeddi yn 1990, ar ôl marwolaeth Walters.

Agoriad *Y Storm* gyntaf (gweler argraffiad Meurig Walters, S1, t.1) yw anogaeth neu gyfarchiad:

> Fel utgorn dyrchafa ei llais ar y bryn
> A gwrendy y glyn
> Dan grynu fel colfen ar raeadr bryd hyn!
> A wyt tithau yn crynu? Tyrd, gwrando yn hy,
> Llais natur sy fry,
> A Natur sy'n canu ei hanthem i mi.

'Dec. [sef 1854]', sydd ar yr ymyl yng ngwaelod y tudalen (sef 90) yn y llawysgrif. Yna fe geir y darn sy'n dwyn y teitl 'Y Nos (parhad)' gyda'r cywiriad i 'Storm', ond gyda chysylltiad felly i'r gerdd 'Nos', sy'n blaenori *Y Storm* ar dudalennau 88 ac 89; dyddiad 'Nos' yw '1854 Oct 26th'. Ond ar yr hanner o dudalen 102 sydd ar gael, ac ar 106, 108 a 109 (torrwyd tt.100–5 allan, ac y mae 107 yn wag) fe geir cerdd Saesneg o 92 llinell, yn dwyn y teitl 'The Storm' ar dudalen 106, a bron yn gyfan gwbl mewn cwpledau arwrol, y llinellau iambig pumban a welsom yn 'The Traveller', Goldsmith, ond a oedd yn gyffredinol y mesur mwyaf poblogaidd rhwng y 1630au a'r 1780au. Erbyn hanner cyntaf y bedwaredd ganrif ar bymtheg ychydig iawn o feirdd oedd yn defnyddio'r ffurf; Crabbe yw'r unig eithriad o bwys. Edrych yn ôl ganrif y mae Islwyn felly, gan droi at gynllun sy'n awgrymu deddf a threfnusrwydd, yn hytrach na mynegiant personol.

Y mae'n arwyddocaol fod Wordsworth wedi chwarae â'r ffurf mewn rhai cerddi cynnar iawn, ond yna wedi ei gadael.[15]

Yn wahanol i Young a'r *Storm* Gymraeg gyntaf y mae'n agor heb ddim personol; cyferchir Duw y creawdwr mewn modd confensiynol:

> It is the voice of God! oblivion hears
> And in her gloom a universe appears,
> And thundering worlds dance o'er her folded pale
> Then soar aloft, responsive to the call.
> Rich streams of stars along the heavens pour
> Exuberant, the efflux of His power.
>
> Surrounded by a throng of angels crown'd
> Angels all fair and countless like the newborn stars around
> High in the heavens promulgating the hours
> Of Time, He rides, and chaos overawes.

Fe ellid dadlau'n eithaf teg mai darn yn unig yw hwn, ac nad oes sicrwydd mai dyna sut roedd yr agoriad i fod. Ond yr ydym ar dir ychydig yn gadarnach gyda'r dyfyniad nesaf sy'n dilyn yn union ar ôl y teitl 'The Storm', ac yn neidio'n syth i mewn i ddisgrifiad lliwgar o ffenomenau naturiol:

> Hark, mighty is the roar! and loud the blast
> High mid the clouds, frail bubbles, wasting fast
> Though water'd from the ocean morn and een
> Light floating magazines, air-buoyant stores of heaven!
> On wings of zephyrs borne, or wild through ether driven
> Chased by the storm. Lo! emptied of their store
> Flung on the winds, they drench the heavens no more.

Y mae'n wir y daw rhyw 'thee' i mewn ymhellach ymlaen, ac fe'i cawn mewn cwch yng nghanol y tonnau, ond nid yw'n glir ar y dechrau beth fydd ei dynged, rhwng 'alas' a 'hope':

> Alas for thee!
> For around wild billows throng in mighty glee
> Shouting the triumph of the rising sea.
> The heavens frown and move their stars away,
> And o'er the mountain-clouds there comes the hope of day.

Fel rhywbeth naill ochr, yn llythrennol felly, fe geir dau bennill mewn mesur gwahanol, y cyntaf ohonynt yn rhedeg:

> Methinks I see a hand divine
> Triumphant mid the crash
> Of stormed heavens! A power benign
> Curbing the wide-spread flash!

Yn ôl at y morwr:

> Alas for thee, far from thy native shore,
> Saluted only by the wave, the wild, triumphant roar
> Of air and ocean mingling in the storm!
> Pale is thy cheek, faded thy stalworth form.
> And thinkest thou of home amid the waves
> That yawn around thee like ten thousand graves?
> Love the eternal star illumes the way
> Clear through the storm, back to thy native bay,
> And thou art home again.

Wedyn, fe geir disgrifiadau sy'n hollol yn null Thomson:

> And still it raves! and still the mountains bend
> Beneath its load: the skies in showers descend.
> And many a lowly vale, of ruddy bloom
> Turns pale, and shudders mid the general gloom!
> Her flowers withering leave her bosom bare,
> The treasures of her fields are tossed in air.

Y mae'r darn yn diweddu drwy gyfarchiad i rywun (y bardd?) i gadw at ei nod aruchel, 'the bold and grand design', 'the visions of eternal fame', cyn iddo ddiflannu 'in the deep of years'. Felly:

> O then, aspire!
> High be thy aim! and lift the mark yet higher,
> For thou art young, ardent, and full of fire.

Eisoes yn 1852, mewn erthygl 'Uchelfryd' yn *Y Cylchgrawn*, roedd Islwyn wedi dyfynnu Young, 'Man must soar', fel arysgrif,[16] ac wedi mawrygu ymdrechion y bardd:

Edrychwch ar y bardd tlawd yna yn ei astudfa – druan wr! Nid rhyfedd ei fod yn edrych mor wael; mae wedi dewis testun i gyfansoddi arwrgerdd arno. Mae ei galon yn y testun, mae ei destun yn ei galon . . . Fe abertha ei gysur, ei amgylchiadau, ïe, ei iechyd, yn yr ornest awenol. Atolwg, pa egwyddor gawraidd sydd yn cynhyrfu ei enaid, ac yn gorchymyn allan ei holl fyddinoedd meddyliol fel hyn? Uchelfryd.

Yna: 'Pan gyferfydd yr egwyddor hon â meddwl didwyll, yn nghyda chynneddfau mawrion, gwna wasanaeth annhraethol werthfawr i'r byd . . . Mae yn fath o anfarwoldeb i'r meddwl.' Ond collfarnu uchelfryd y mae erbyn diwedd yr ysgrif: 'Uchelfryd ddiorseddodd yr angelion, uchelfryd ddifreiniodd dyn . . . Uchelfryd sydd yn trylenwi y byd ag elfenau dinystr; uchelfryd sydd yn hyrddio cenhedloedd cyfain i warth oesol a cholledigaeth dragywyddol, ar draws mur o gleddyfau, ac o dan gawodydd o saethau . . .' Diweddglo uniongred, ond y mae apêl uchelfryd, yn ogystal â'i beryglon wedi bod yn amlwg yn yr ysgrif.

Yng nghefndir y gerdd Saesneg y mae'r syniad am uchel-alwedigaeth y bardd, fel y gwelwyd yn Beattie, *The Minstrel*:

> Know thine own worth, and reverence the lyre.
> Wilt thou debase the heart which God refin'd?
> No; let thy heaven-taught soul to heaven aspire,
> To fancy, freedom, harmony, resign'd

Naws ddëistaidd yn hytrach na Christionogol sydd wrth wraidd y syniad o'r bardd-greawdwr, yr athrylith, gorau oll os athrylith ifanc. Anodd meddwl nad oedd Islwyn newydd ddarllen *Adonais* (1821), marwnad Shelley ar ôl Keats:

> He has outsoared the shadow of our night
> . . .
> He is a presence to be felt and known
> In darkness and in light, from herb and stone,
> Spreading itself where'er that Power may move
> Which has withdrawn his being to its own;
> Which wields the world with never-wearied love;

yna, wedi crybwyll beirdd eraill oedd wedi marw'n ifanc: 'Oblivion as they rose shrank like a thing reproved.' Ac o edrych ymlaen at *Y Storm*, fe ganfyddwn nifer o themâu eraill sy'n gyffredin i'r ddwy gerdd: 'But

I am chained to Time, and cannot thence depart!'; / 'the pure spirit shall flow / Back to the burning fountain whence it came, / A portion of the Eternal':

> Peace, peace! he is not dead, he doth not sleep –
> He hath awakened from the dream of life –
> 'Tis we, who lost in stormy visions, keep
> With phantoms an unprofitable strife.
>
> . . .
>
> The breath whose might I have invoked in song
> Descends on me; my spirit's bark is driven,
> Far from the shore, far from the trembling throng
> Whose sails were never to the tempest given;
> The massy earth and spherèd skies are riven!
> I am borne darkly, fearfully, afar;
> Whilst, burning through the inmost veil of Heaven,
> The soul of Adonais, like a star,
> Beacons from the abode where the Eternal are.

Nodwedd arall yng ngherdd Saesneg Islwyn yw'r eiriadaeth stoc o'r ddeunawfed ganrif: 'wings of zephyrs'; 'een'; 'foaming billows' (ddwywaith); 'solitary ray'; 'trophies'; 'watery plain'; 'ruddy bloom'; 'flowers withering'; 'rosy garlands'; 'rude winds'. Ar y llaw arall, er bod ansoddeiriau cyfansawdd yn boblogaidd iawn gan nifer o feirdd y ddeunawfed ganrif (Pope, Thomson, Gray, Beattie) a bod Islwyn yn eu dilyn yn hyn hefyd, bathiadau ac nid benthyciadau yw ei rai o: 'air-buoyant'; 'air-throned'; 'cloud-born' (oni bai i'r olaf fod yn adlais o emyn John Keble (1827): 'O may no earth-born cloud arise / To hide Thee from Thy servant's eyes.'

Prin y gellir ei gyhuddo o arferion eraill y ganrif: geiriau hynafol, Lladinebau (hynod effeithiol weithiau, er enghraifft gan Charles Wesley), na phersonoli eithafol – ar wahân i'r arferiad anthropomorffig cyffredin: y mynydd â'i 'huge limbs . . . mighty shoulders'; 'the heavens frown'; 'torn from her breast'; 'deeply she sighs to see her old oaks bare' – lle mae'r 'her' yn cyfeirio at y 'lowly vale'. (Efallai y ceir mwy yn *Y Storm* gyntaf; y mae copi Euros Bowen o argraffiad Meurig Walters yn fy meddiant a'r sylw sydd ganddo amlaf ar yr ymyl yw 'personoli'.)

Yr argraff y mae rhywun yn ei gael, felly, yw o fardd wedi ei drwytho ym marddoniaeth y ddeunawfed ganrif ond yn brwydro i sefydlu ei iaith a'i arddull ei hun. Ymarferiad eithaf dibatrwm yw'r llinellau, yn ôl pob golwg, ac er nad yw'r cynnyrch fawr gwaeth na degau o gerddi cyhoeddedig y ganrif, hawdd yw ymfalchïo yn y ffaith ei fod wedi rhoi'r gorau i'r ymgais. Ond ymarferiad ai peidio, y mae un ffaith syfrdanol ynglŷn â'r darn; yn ôl y dyddiad sydd wrtho aeth 13 mis heibio er marwolaeth Ann, ond nid oes fawr ddim ynddo i gyfleu'r hiraeth a welir yn y cerddi Cymraeg unigol. Y mae'r un peth yn wir am yr agoriad yn y Gymraeg. Beth felly a symbylodd dewis y storm fel testun? Go brin mai ystyriaethau meteorolegol a oedd wrth wraidd y dewis. Nid oes hanes am stormydd arbennig yn y blynyddoedd 1853–4; ond y mae un pwynt diddorol yn codi o ddau nodyn ar ymyl dau dudalen o lawysgrif y *Storm* gyntaf (LlGC 5854F). Fe'u rhoddaf fel y maent:

[t.]112–13 Pwy, pwy^{all} ~~sy'n~~ gwrando y taranau hyn.   [S1, 11]
    Yn rholio eu hanthemau hyd ael y ~~glyn~~ bryn,
    Gan siglo pyrth y fonwent yn y glyn,   [The Great Storm of
    Ofnadwy dwrf! heb gofio'r Dymhestl fawr   the 8th Dec. 1703]
    A droes _pbob bl_a^cidd-wynt allan ar y nefoedd yr un awr
    A tharan yn mhob awel, ac _{angau}^{dychryn} yn mhob gwawr!

        Clywch
[t.]116   ~~Mae~~ Neifion yn galw ei foroedd yn ngyd   [S1, 12]
. . .
                deyrnas
    Gwae'r adail sy'n sangu ar randir y tonau   [Eddystone Lighthouse]
    A llusern ei llofft yn lle huan i'r llongau!

Bu'r gwynt yn chwythu'n galed am bythefnos ym mis Tachwedd 1703, gan achosi difrod mawr yn neheudir Lloegr a Chymru. Ar 20 Tachwedd ysgubwyd tŵr goleudy Eddystone i ffwrdd, gan ladd pawb a oedd ynddo ar y pryd, yn eu plith yr adeiladydd Winstanley. Ar y môr fe gollwyd 8,000 o forwyr ac fe ddrylliwyd adeiladau lawer ar y tir; fe laddwyd esgob wedi i gorn simnai syrthio arno. Yna, yn sgil y storm, daeth llifog-ydd dinistriol ym Mryste a Dyffryn Hafren. Ceir hanes y storm gan Daniel Defoe ym mis Gorffennaf 1704 mewn yn agos i 300 tudalen: *The Storm, Or, a Collection of the Most Remarkable Casualties and Disasters, Which Happened in the Late Dreadful Tempest, Both by Sea and Land*. Piwritan oedd Defoe ac y mae'r stormydd yn *Robinson Crusoe* yn gysylltiedig â chyflwr ysbrydol Crusoe ei hun. Ond yma y mae'n cyflwyno'r storm yn arwydd o allu Duw 'to preserve the Remem-brance of Divine Vengeance', hynny yw, beirniadaeth ar bechodau'r deyrnas. Yn hyn y mae'n dilyn traddodiad a grynhoir gan awdur ar ddiwedd yr ail ganrif ar bymtheg: 'To Record Providences seems to be one of the best Methods that can be pursued, against the abounding *Atheism* of this age.'[17] Ac fe bregethwyd llawer ar y storm fawr, o leiaf i fyny at 1734. Yn awr, tybed a oedd Islwyn wedi digwydd darllen Defoe, neu'n fwy tebyg efallai, wedi gweld cyfeiriad mewn cylchgrawn neu bapur newydd yn 1853, 150 o flynyddoedd wedi'r achlysur? Ond rhyw grafu gwaelod y fasged dybiaeth yw hyn.

Fe'm temtiwyd un adeg i gredu mai ymateb emosiynol i ganu geiriau Ieuan Glan Geirionydd a allasai fod yn gyfrifol am y dewisiad:

> I mewn i'r porthladd tawel, clyd,
> O swn y 'storm a'i chlyw,
> Y caf fynediad llòn ryw ddydd –
> Fy Nhad sydd wrth y llyw.

> Ar lan Iorddonen ddofn
> 'Rwy 'n oedi'n nychlyd,
> Mewn blys myn'd trwy, ac ofn
> Ei stormydd enbyd.

Ond y mae hi'n anodd darllen hyn i mewn i'r llinellau Saesneg. Nid oes prinder stormydd yn emynau a barddoniaeth yn yr iaith honno:

> His chariots of wrath
> The deep thunder-clouds form,
> And dark is His path
> On the wings of the storm.
> (Robert Grant 1833, 'O worship the King')

neu

> Hide me, O my Saviour, hide,
> Till the Storm of Life is past;
> Safe into the Haven guide;
> O receive my Soul at last.
> (Charles Wesley, 1740, 'Jesu, Lover of my Soul')

Y stormydd garwaf yw'r rhai yn William Falconer, *The Shipwreck* (1762, 1764 a 1769), ond nid oes dim i awgrymu bod Islwyn yn gyfarwydd â'r gyfrol; y mae Gwenallt yn cyfeirio at *On the Loss of the Royal George* gan Cowper, ond ychydig iawn o storm sydd yn y gerdd fer honno, a hefyd *The Wreck of the Hesperus* gan Longfellow a droswyd i'r Gymraeg gan Iorwerth Glan Aled, a'r disgrifiad o'r llong-ddrylliad yn *Don Juan*, Byron. Mater arall yw disgrifiadau James Thomson, yn *Autumn* 311–41, gyda thebygrwydd i rai o linellau 'The Storm' (ymgais Saesneg Islwyn), *Winter* 66–105, neu *Summer*, 1116–68, yr olaf yn cynnwys:

> Amid Caernarvon's mountains rages loud
> The repercussive roar: with mighty crush,
> Into the flashing deep, from the rude rocks
> Of Penmaenmawr heap'd hideous to the sky,
> Tumble the smitten cliffs; and Snowden's peak,
> Dissolving, instant yields his wint'ry load.

Ond yr enghraifft o flaen ei lygaid oedd awdl Caledfryn ar 'Ddrylliad yr Agerlong Rothsay Castle', buddugol yn Eisteddfod Beaumaris, 1832, gyda Gwallter Mechain yn ei feirniadaeth yn frwd dros y disgrifiadau: 'But oh! the storm – the storm – its violence – the horrors of it terrifically described – steam ineffectual – the sun, moon and stars hide themselves in thick darkness from observing the woeful sight . . . the cries of the passengers . . . far less audible than the roar of the tempest,' ac yn y blaen. Yn ei ragymadrodd i *Tafol y Beirdd*, Cynddelw, yn 1852 cafodd Aneurin Fardd gryn hwyl wrth gymharu pigion o'r awdl â phenillion rhydd o gerdd *Llongddrylliad* yn *Y Cylchgrawn* pan oedd dan olygydd-iaeth Alun (1833–4), er mawr fantais wrth gwrs i'r mesurau caeth. Ymhen blynyddoedd fe fyddai Islwyn yn talu teyrnged uniongyrchol i awdl Caledfryn yn ei golofn yn *Y Gwladgarwr* (17 Ebrill 1869): 'Ei awdl ar Ddrylliad y Rothsay Castle, yw yr awdl fwyaf cyffrous yn yr iaith: ac os oes awen gan y neb sy'n ysgrifenu y llinellau hyn, y mae ei dihuniad boreuol i'w briodoli i ddylanwad cynhyrfiol yr awdl odidog hono.' Ai'r hyn a ddigwyddodd felly oedd bod dylanwad awdl Caledfryn wedi disodli'r bwriad cyntaf i ddewis y nos yn limpin canolog, fel wrth gwrs yn *Night Thoughts* Young neu, os gwyddai am eu bodolaeth, *Hymnen an die Nacht* Novalis?

Ychydig o debygrwydd geiriol sydd rhwng y llinellau Saesneg a'r agoriad Cymraeg; yn naturiol y mae'r un delweddau yn y naill a'r llall: mynyddoedd, gwyntoedd, mellt a tharanau, cymylau, glaw, creigiau, morwr yng nghanol y tonnau, y sêr. Ond yr hyn sy'n taro ar unwaith yw

nad arddull fenthyg sydd yn y Gymraeg, er y gall rhai geiriau fod felly.
Neu, os benthyg, benthyg o'r Beibl. Cymharer 'A'r trydydd dydd, ar y
boreuddydd, yr oedd taranau, a mellt, a chwmwl tew ar y mynydd, a
llais yr utgorn ydoedd gryf iawn; fel y dychrynodd yr holl bobl oedd yn y
gwersyll' (Moses yn disgyn o Fynydd Sinai, Ecs. 19:16) â'r agoriad i'r
gerdd: 'Fel utgorn dyrchafa ei llais ar y bryn / A gwrendy y glyn dan
grynu . . . A wyt tithau yn crynu?' Y mae'r Saesneg yn gorfod agor drwy
ddweud 'It is the voice of God'; ond yn y Gymraeg gellir rhagdybio y
bydd y darllenydd yn gallu cysylltu 'Llais natur sy fry, / A Natur sy'n
canu ei hanthem i mi' â Duw yn y byd naturiol. Ar dudalen cyntaf
argraffiad S1 gellir yn hawdd restru dwsin o gyfatebiaethau beiblaidd
eraill, yn bennaf o lyfrau Ecsodus, Eseia a'r Salmau. Bodloner ar un
ohonynt: 'A chenglau y graig yn y dyfnder ymlaesant. / Tarana fel cawr
ar glogwyni'r mynyddoedd' ac 'I fyned i agennau y creigiau, ac i gopâu y
clogwyni, rhag ofn yr Arglwydd, a rhag gogoniant ei fawredd ef, pan
gyfodo efe i gynhyrfu y ddaear' (Eseia 2:21). Ar ben hyn, y mae'r bardd
yn tynnu'r darllenydd i mewn ar unwaith: 'A wyt tithau yn crynu?';
sefydlir llinell Duw – Natur – bardd – darllenydd o'r cychwyn.

Cerdd anwastad iawn yw'r *Storm* gyntaf, gyda darnau ysblennydd
ochr yn ochr â chyffredinoli llethol. Y mae nifer o feirniaid craff iawn
wedi bod uwchben y gerdd yn dilyn argraffiad 1980, ac fe geir ganddynt
ddeongliadau gwerthfawr, diddorol a chroes i'w gilydd. Yr ymgais lawn-
af i ganfod patrwm yw eiddo Meredydd Evans, er ei fod yntau'n cyd-
nabod y gall elfennau yn y patrymu fod yn anfwriadol. Ei fan cychwyn,
yn anochel, yw'r dystiolaeth anuniongyrchol, yn bennaf drwy'r rhai
oedd yn adnabod Islwyn. Cyfeiriodd y bardd ei hun at y gwaith fel
'arwrgerdd'; ac yn ôl ei gyfaill, Dyfed, yr enaid oedd yr arwr.[18] Yna y mae
Davies, Ton, yn honni bod y bardd yn bwriadu cyfeirio at dair storm:
'ystormydd natur, ystormydd bywyd, ac ystorm y Farn . . . ac, hyd yr wyf
yn cofio, yr olaf oedd i roddi ystyr i'r holl gyfansoddiad.'[19]

Yn dilyn hyn, awgrym Meredydd Evans yw y gellir canfod dwy brif
adran, gyda'r gyntaf yn ymdrin â stormydd natur, bywyd a'r Farn, a'r
ail yn cyflwyno'r enaid fel arwr y gerdd. Fe ellir rhannu'r adran gyntaf yn
bedwar caniad, a'r ail yn dri. Yn ddi-os y mae'r cynllun yn hwyluso
darllen ac esbonio'r gerdd, ac y mae'r beirniad yn pwysleisio'n deg iawn
nad oes dim haearnaidd ynglŷn â'i ddosbarthiad. Fe fyddwn yn cymryd
mantais o nifer o'r sylwadau sy'n codi o'r dadansoddiad, tra ar yr un
pryd yn cadw mewn cof mai haenau o brofiad llosgol wedi eu himpio
ar ddarllen gweddol ddi-drefn sydd o'n blaenau, y cyfan ymhell o fod yn
'emotion recollected in tranquillity'. Y cefnfor sydd yma, nid y siart.

Gwelodd Gwenallt *Y Storm* gyntaf mewn llawysgrif, ac fe ymdrinnir â hi mewn rhyw dri thudalen. Anodd, meddai, yw rhoi crynodeb o'i chynnwys am ei bod mor ddigynllun.

> Bardd ifanc yn ysgrifennu ar frys, ffwrdd-â-hi, ydoedd, mewn gwewyr enaid, ac yn ceisio cael gwared ar y gwasgfeuon. (t.59)

Tebyg yw barn E. G. Millward yn ei ysgrif argyhoeddiadol:

> Y mae cynllun (os haeddai'r fath ddisgrifiad) y 'Storm' gyntaf yn llac ddigon . . . Cruglwyth o ddylanwadau Rhamantaidd yw'r 'Storm' gyntaf. Po fwyaf yr astudir y gerdd, amlycaf oll yw dyled Islwyn i Ramantwyr Lloegr, Yr Almaen a'i wlad ei hun. (t.37)

> Pryddest gynhwysfawr ar destun y storm yw'r gerdd hon, gyda'r bardd yn neidio o'r naill bwnc i'r llall . . . I'm chwaeth i, y mae'r nodwedd herciog hon yn nam ar y gerdd. (t.44)

Wedi dweud mai 'storm o gerdd' yw 'Storm' gyntaf Islwyn, 'yn chwyddo ac yn gostwng, yn llanw ac yn treio, yn ôl y foment, yn ôl nerth yr awen', ac yn rhoi argraff o anhrefn, y mae R. M. Jones er hynny yn gweld cynllun triphlyg eithaf eglur a phendant yn y gerdd, sef:

1. Storm gwae marwolaeth (1–brig 86)
2. Atgyfodiad Crist yn flaenffrwyth atgyfodiad y saint (86–brig 115)
3. Pob enaid a ddaeth i wir berthynas â Christ yn llawenhau ac yn cyrraedd tragwyddoldeb yn sgil hynny (115–58).

Fe all fod diwinyddiaeth yn achub y blaen ar farddoniaeth yn y drefn hon; ond da o beth hefyd yw dwyn sylw at oblygiadau profiad ac uniongrededd, goleuni mewn profedigaeth, fel y gwna R. M. Jones.

Un nodwedd ddiflas gyda llawer o awdlau a phryddestau'r bedwaredd ganrif ar bymtheg yw'r crynodeb maith a geir o'u blaen, mynegbyst i'r beirniaid eisteddfodol ac yn rhy aml yn rhagfynegi rhyddieithrwydd y gerdd ei hun. Nid yw Islwyn yn euog ond, pe byddai wedi dymuno amlinellu *Y Storm* gyntaf fel hyn, fe fyddai wedi colli berw'r creu i ennill ychydig o eglurder ansicr. Ceisais mewn man arall gerdded yn hamddenol drwy'r gerdd;[20] gwneir rhywbeth yn debyg yma ond, hwyrach, yn fwy cydnaws â'i natur, wedi rhestru a sylwi ar y prif adrannau, fe ganolbwyntir ar themâu a delweddau'r gerdd pan ddeuwn at yr ail *Storm*.

Gwelsom mai gyda storm ar y mynydd y mae'r gerdd yn agor, yna'n
gwyro i fynyddoedd tonnau'r môr, llongddrylliad, morwr yn boddi a'i
wraig hithau'n boddi wedi i'r dyfroedd ruthro drwy'r tŷ a'i chipio hi a'i
baban, a'r rhan olaf ar fesur *Theomemphus* –

> Hi glywodd lais yr awel
>   Fu'n dawel fwyn y dydd,
> Yn rhuo o'r mynyddau,
>   A'r storm o'i rhwymau'n rhydd   (S1, 5)

– mesur eithaf anaddas ar gyfer yr emosiwn a ddymunir, ond tybed ai
bwriadol yr atgof am hynt ysbrydol Theomemphus?

> Fe glywai awel beraidd cyn i'r addewid ddod
> Yn ysgog ar y goedwig, yn chware brig y co'd,
>   . . .
> I'r nef fe godai ei lygaid, sef hen drigfannau llid,
> Ond moroedd mawr o gariad oedd yno'n awr i gyd.

Yna fe geir disgrifiadau, mewn iaith mor wyllt a delweddau mor egr
â'r ddrycin ei hun, o'r Dymestl fawr (y priflythrennu yn atgof amlwg o
storm 1703 y cyfeiriwyd ati eisoes) yn goddiweddyd y tir hefyd, gyda
Thafwys, Hafren a Mynwy yn croesi eu glannau (S1, 11, 12). Ceir adlais
pellach o drychineb goleudy Eddystone:

> Gwae'r adail sy'n sangu ar randir y tonnau
> A llusern ei llofft yn lle huan i'r llongau!   (S1, 12)

a hyn o fewn adran sy'n awgrymu bod dyn nid yn unig yn ceisio
meistroli'r byd naturiol ('Gwae, ddyn, dy feiddgarwch yn agor y
moroedd') ond hefyd yn creu ei dduwiau ei hun ('Mae Neifion yn galw
ei foroedd ynghyd'). Ac y mae elfen o haerllugrwydd y ddynoliaeth, yn y
llinellau (a gyhoeddwyd ar wahân yn *Y Gwerinwr*, Medi 1855):

> Anfarwol ddyn! pwy fedr dy orchfygu!
> Ymgryma'r môr o'th flaen a gwnei i'r fellten blygu   (S1, 13)

gyda'r adleisiau beiblaidd (Gen. 37:9, Deut. 17:3, Salm. 147:4) a rhyfyg
Job. Y mae'r bardd yn cyfarch yr awen: y mae pwysicach swydd na

'wylofain yng nghanol y beddau' (S1, 13), sef canfod y storm a'r dilyw
fel rhagargoelion Dydd y Farn:

> Mae'r Dymestl Farnol yn dechrau taranu,
> A gwregys o dân yn amgylchu y byd,
> A gwreiddiau'r mynyddoedd tragwyddol yn llaesu,
> A'u bannau fel Etna anfeidrol ei hyd.
>
> (S1, 15; hefyd yn *Caniadau* 72–3, gydag amrywiadau)

Fe fydd y nef yn ysgwyd 'sêr filiwn i'r dyfnder fel ffigys o'r nen', darlun a
awgrymir yn Eseia 34:4, ond a roddir yn fwy manwl gan Bantycelyn:
'Pan syrthio'r sêr fel ffigys îr, / Pan berwo'r môr, pan losgo'r tir'
(*Aleluia, Y Pumed Ran*). Mewn delweddau grymus fe ddygir i mewn
fynyddoedd y cyfandiroedd:

> Ymdoddodd yr Alpau i lawr hyd y ddaear,
> Diflanodd yr Altai fel mintai o adar;
> A thynnwyd coch aradr llidiowgrwydd Jehofa
> Dros wreiddiau Plynlimon a sail Himalaya.   (S1, 17)[21]

ac, ymhen ychydig, ei afon bersonol 'fy Hywi' (19). Ond, yng nghanol
y stormydd, cawn gipolwg ar 'y Salem dragwyddol', a'r dyfyniad o Lyfr
Datguddiad, 'A nos ni bydd yno' (18). Yna siglo, am rai tudalennau,
rhwng canmol y Creawdwr yn ei fyd ('Pan nad oedd Amser eto wythnos
oed', 22) a dilyn hynt dyn o ddiniweidrwydd Eden mewn rhannau sydd
gyda'r llinellau prydferthaf yn y gerdd:

> Pan rodiai'r Wawr rhwng arianlwyni Eden,
> A'i throed yn gwynnu yn y gwlith, a'r blodau
> Yn agor i'w chroesawu . . . (S1, 23)
>   . . .
> Yr oedd pob pren yn flodau hyd y ddaear!
> A'r awel am y cangau yn ymdroi,
> Yn nofio mewn aroglau'n araf, araf,
> Fel pe'n dymuno aros rhyngddynt mwy . . . (S1, 25)

yna'n arwain drwy fedd Ann i storm yn Eden ac alltudio Efa:

> Gwelaf hi,
> Arglwyddes Eden gynt, o dan y gawod,
> A'i hwyneb tua'r anial! Araf ddringa
> I ael y mynydd stormus draw, a thry
> Ei golwg tuag Eden unwaith mwy.   (S1, 31)

Wrth ddarllen y rhannau hyn, nid chwilio'n drafferthus am ystyr sy'n gweddu, ond ymollwng, fel y gwna Islwyn, i lesmair synhwyrus o ddelweddau sy'n gymysg o'r Beibl (gwraig Lot), *Coll Gwynfa* ('where Proserpin gathering flowers / Herself a fairer flower'), a'r disgrifiad o Oes Aur yng nghaniad 'Spring' yn *Seasons* Thomson ('The first fresh dawn then wak'd the gladden'd race / Of uncorrupted man' – llinellau, fel y gwelsom, a ddyfynnwyd gan Islwyn yn ei ysgrif ar 'Y Wawr' ym mis Ebrill 1854). Gwerth nodi hefyd, wrth fynd heibio, anallu bardd ifanc i ddethol; gwelwn Efa eto, o fewn ychydig linellau, a'r ailadrodd yn dda (yn well na fawr neb arall o'i gyfnod), ond heb fod lawn cystal â'r cyffyrddiad cyntaf:

> Ar fore oer a glawog crwydra hi,
> Efa, yn athrist tua'r fangre gu;
> A dringai ael y bryn mewn dyfnaf daw
> I syllu rhwng y broydd teg islaw.
> Taer syllu am y fan a'r dorau hwy!   (S1, 32)

Hyd yn oed yn yr achos hwn gellid dadlau nad ailadrodd syml sydd yma, ond trawsgyweiriad mewn cywair lleddf yn ôl i'r storm, storm sydd erbyn hyn yn 'llawn o Dduw', Duw hollalluog Llyfr Job, ac fe geir cyfeiriadau uniongyrchol at y llyfr hwnnw (S1, 35–6). 'Nid erchylltra oll yw'r dymestl fry' (fersiwn yn *Caniadau* gyda'r teitl 'Mae Calon gan y Storom Hy') ac fe'n harweinir, yn 'hapus luddedig' drwy'r Salmau at y Duwdod, at lais y Tad:

> Po uchaf y dringom
>   Mwy clir yw'r olygfa.
> Nes gwawriom yn Nuw
> A chael ynddo'r wynfa.   (S1, 40)

Dagrau personol iawn sy'n llifo, ac yn rhoddi mynediad i Dduw yn y nefoedd ('Pan nofio y galon / I fyny mewn dagrau', S1, 42); y mae'r siglo rhwng bedd a gwynfyd, nos a goleuni, cwmwl a gogoniant yn llenwi ugain tudalen, ac yn arwain drwy adfyd heibio i fflamau uffern at nef ac anfarwoldeb, er nid heb ofyn:

> Paham na châi dy bererinion di,
> O Seion, wawr a llonydd ar y daith?   (S1, 54)

Ond

> Ni all y fflam eu difa hwy
> A brynwyd ar y pren,
> A thros y rhai gogwyddodd Iôr
> Ar fron o waed ei ben.
> . . .
> O, ni all tân eu cyffwrdd hwy
> Fo'n rhodio llwybrau Duw.
> (S1, 58: *Caniadau* 24, 'Nis gall y fflam')

Wedi adleisio'r Efengylwyr yn disgrifio ymateb y byd naturiol i'r croeshoeliad (ac, yn sicr, y mae am inni gofio Mathew 27:52, 'A'r beddau a agorwyd; a llawer o gyrff y saint a hunasent a gyfodasant'), y mae'n datblygu'r berthynas rhwng Crist a'r elfennau, Duw a'r byd – fe fyddwn yn dod yn ôl at hyn:

> Ymagor Fedd! a rhua, Dymestl arw!
> . . .
> Mae Duw'n gwregysu'r bedd ag addewidion.   (S1, 64)

Yna'n ddisymwth a digyswllt y mae'r gerdd yn newid cyfeiriad ac yn troi at Gymru, ei thirlun a'i hanes:

> Ar ben y mynyddoedd y crwydraf yn awr
> Oddi ar olygfaoedd aneirif y wawr.
> Fy Nghymru! hawddgared dy froydd i mi!
> A'th fryniau yn duo y nef bellaf fry;
> O, gallwn ailenwi yng nghyfoeth fy ngho'
> Dy Wyddfa, Olympw! Hesperia dy fro.
> (S1, 67: *Caniadau* 16, 'Cymru')

Y storm yn methu â goresgyn Cymru yw'r nodyn, ond gyda'r math ymffrost gwladgarol ystrydebol a gwaedlyd oedd yn gyffredin yr adeg honno:

> A mathru byddinoedd fel glaswellt tan draed,
> A'u claddu ar unwaith mewn beddau o waed   (S1, 68)

a chyda'r celwydd arferol:

> Mor llawen y gwaedent ar allor eu gwlad!   (S1, 68)[22]

Gelwir ar Arthur, Llywelyn ('Bugail annibyniaeth', S1, 76), cyn gweld Cymru yn cymryd ei lle ymhlith y gwledydd, gyda'i 'ehangaf awyr rhyddid', a uniaethir rywfodd ag 'annibyniaeth natur'. Yna fe ymleda'r darlun i'r milflwyddiant (S1, 78–9; *Caniadau* 38–9, 'Y Milflwyddiant'):

> Henffych awr!
> Y daw'r Cenhedloedd yn eu rhwysg i fyny
> O dŷ ei hir gaethiwed, fel y daeth
> Eu Duw i'r lan o'r bedd, ac angau erch
> Yn gwelwi gan ddisgleirdeb ei gyfodiad.
> O dan fanerau iachawdwriaeth daw
> Holl Israel mawr dynolryw eto i'r lan
> Trwy fôr o waed i addawedig wlad,
> A Chanaan ei hiawnderau, fel y daeth
> Eu cysgod gynt o'r Aifft
>   ['cysgod' yn ystyr technegol teipoleg, ond odid]

Disgrifir cyfnod y Mil Blynyddoedd yn nhermau Llyfr Datguddiad, er braidd yn ddiafael; fe fydd Duw a Natur mewn cytgord: 'ail-wneir y greadigaeth dêr', 'a Chariad gasgla 'nghyd / Y bydoedd am ei fraich' (S1, 83); hyn oll fel paratoad at Ddydd y Farn. Cyn dangos anocheledd yr Ymgnawdoliad y mae angen pwysleisio pechadurusrwydd dyn; os yw'r archangylion yn 'gruglwyth o aflendid', 'pa faint mwy ffiaidd a drewedig, dyn!' (S1, 92) Gan nad oedd 'trugaredd a gwirionedd' eto yn cusanu (cywasgiad o Salm 85.10; roedd Thomas Jones o Ddinbych a Roger Edwards eisoes wedi defnyddio 'trugaredd a gwirionedd' mewn emynau) cyhoeddodd y farn 'alltudiad oesol o'r baradwys wiw':

> Y mae eu Ceidwad â'i alluog law,
> Llaw eto a ledir ar y barnol bren,
> Yn tynnu bolltau'r wynfa dros y ddôr . . . (S1, 94)

– delwedd drawiadol i gysylltu Eden a'r Groes. Ond y mae'n rhaid i
ddyn anghofio Eden a gorffwys ar ras; ac fe eglurir hyn, yn eithaf diflas
a dweud y gwir, dros dudalennau lawer o ddiwinyddiaeth ac aralleiriad
ysgrythurol ar gân, yn aml yn straenio'n rhethregol am effaith. Dilynir
adran ar seiliau Ffydd yn nhystiolaeth profiad Israel gan linellau sy'n
disgrifio'r sefyllfa yn hanes mwy diweddar y ddynoliaeth:

> Fath dymestl-fôr o athrawiaethau sydd
> Hyd niwlog draeth datguddiad yn ymdroi
> Fel llanw yn erbyn llanw ewyllys dyn
> Ar gyfer uchel ragosodiad Duw!   (S1, 106)

Ond y mae'r Atgyfodiad yn 'cyfiawnhau disgwyliad ffydd' (S1, 107),
mewn modd na all gwrthrychau natur ei wneud; y mae'r bedd 'yn gofyn
sail rhagor / Rhesymeg a'i phrawiaeth' (S1, 108). Diddorol cyferbynnu'r
rhannau hyn â 'Dover Beach' Matthew Arnold, a ysgrifennwyd mae'n
debyg yn 1851, er na chyhoeddwyd y gerdd tan 1867:

> The sea of faith
> Was once, too, at the full, and round earth's shore
> Lay like the folds of a bright girdle furl'd;
> But now I only hear
> Its melancholy, long, withdrawing roar.

Yn ôl Meredydd Evans y mae'r caniad hwn yn dangos bod 'ffydd Islwyn
yn yr Ymgnawdoliad a'r Atgyfodiad yn ddi-sigl a chadarn. Yn sicr, ni
wanychwyd ei ffydd mewn bywyd tragwyddol gan farwolaeth ei gariad
ifanc.' Ar yr un pryd y mae'n werth gwneud y pwynt mai effaith *len-
yddol* yr ailadrodd diddiwedd a'r pwyslais didostur yw codi amheuon a
pheri i'r darllenydd ofyn tybed ai ceisio ei ddarbwyllo ei hun y mae'r
bardd. (Sylwn mai ym misoedd Hydref a Thachwedd 1855 y bu uwchben
yr adrannau hyn, yn ôl nodiadau ar ymyl y llawysgrif.)

Heb ymdroi'n ormodol yn nhir cymariaethau y mae un enghraifft yn
sefyll allan. Yn y rhan 'Ti aethost ti yn gynnar, O fy Mrawd' (S1, 110;
cyhoeddwyd hefyd yn *Y Dysgedydd*, 1856) fe gawn y llinellau:

> Dy wyneb troaist
> Ac ymaith ffoaist
> I mewn i'th annherfynol rod o gylch y dwyfol Haul . . .

sy'n dwyn i gof y llinell 'A Slumber did my Spirit Seal' gan William Wordsworth:

> No motion has she now, no force;
>> She neither hears nor sees;
> Rolled round in earth's diurnal course,
>> With rocks, and stones and trees.

Atgof, petai'n fwriadol, a fyddai'n arwain yn deg, heibio i fyfyrdodau beichus ar y bedd, drwy'r 'nos o gnawd a daear / A elwir Amser' (S1, 115), i ystyriaethau am yr enaid, y meddwl, y byd naturiol a'r anfeidrol.

> Pa beth yw'r greadigaeth hon?
>> Rhyw feddwl beiddgar mawr
> Yn fflamio trwy'r dragwyddol nos
>> Yn fydoedd fyrdd o fynwes Iôr i lawr.   (S1, 118)

Camsyniad, mae'n bur debyg, fyddai ceisio darganfod rhyw ystyr athronyddol clir yn y fath rethreg (y mae'r llinellau yn dilyn llinell sy'n cyfeirio at 'feddyliau mawrion Homer' – ymadrodd go ryfedd). Yr hyn a gawn yw cais i gloi'r atgof am Ann i mewn i gyfanwaith Duw/meddwl:

> Atgofion lu!
>> Ohonynt hwy
> Un atgof sy
>> I'm henaid mwy.
> Un meddwl mawr
>> Fel echel bywyd
> Yn troi, un hanner
>> Mewn bytholfyd.   (S1, 119)

Defnyddir y nos i gyfleu awyrgylch undod rhwng natur, enaid a'r anfeidrol:

> O Natur! Natur! aros mwy fel hyn!
> Y mae y byd yn santaidd yn y nos
> A'r ysbrydolfyd fel yn un ag ef;
> A'r enaid ar ei holl feddyliau'n teimlo

Rhithiau angylion yn ymorffwys ennyd
Fel brodyr a gollasid lawer oes!
Y mae yr enaid ar bob tu'n agored
I'r bythol a'r ysbrydol lifo i mewn . . .   (S1, 130)

Yr hyn sy'n nodweddu'r rhannau hyn o'r gerdd yw math ar arabésg yn chwarae â'r delweddau nos, bedd, sêr, mynyddoedd, moroedd, 'amlygiadau' gallu Duw (S1, 132):

Yr oll o hyn cynhwysa'r enaid mawr.
Wrth gychwyn ar ei bererindod trwy
Y meidrol i'r Anfeidrol, yn sychedig
Am Dduw a phob cyfiawnder, rhodia ar hyd
Sêr-fanciau'r greadigaeth . . .   (S1, 133)

neu

Natur fawr . . . yn symud yn fawreddus gyda'th blant
Trwy fforest ddofn y nos . . .
A'r sêr yn disgyn i'r cysgodion prudd   (S1, 128)

Gofynnir 'ble y troi di am dystion anfarwoldeb?':

Ai tua'r haul ar ganol dydd, y sêr
Ar hanner nos? Mae yn dy enaid di
Lydanach nefoedd na'r rhai hyn. Y pell
Feddyliau anhraethadwy, ar dy enaid
Yn disgyn o'r anfeidrol, dyma sêr
Yr anfarwolfyd mawr . . .
Y bedd yw'r nos ddiatsain, lle y cwyd
Sêr tragwyddoldeb.   (S1, 137)

O bryd i'w gilydd, a ninnau'n awr, yn ôl y nodiadau ar yr ymyl, ym misoedd Ionawr a Mawrth 1856, y mae'r bardd yn cofio am ei destun, 'y storm', ond ymdroi, braidd yn ei unfan gellid mentro, dan gyfaredd y delweddau disgwyliedig y mae am dudalennau lawer, yn canu i Natur, yn enwedig y bryniau: 'Ddedwydd ddyn, / A gadd ei hunan gyntaf rhwng y bryniau!' (S1, 148), neu 'Ddedwydd ddyn / Sy'n sefyll fel y bryniau, rhwng y byd / A'r annherfynol' (S1, 151–2). Fe geisir rhoddi esboniad ar hyn:

Tyrd, tyrd i fyny i'r bryniau. Yno mae
Llif ysbrydoliaeth Natur yn dyfnhau
Ac yn llydanu tua'r moroedd sêr
Sy'n tonni fyth o dan anadliad Nêr.   (S1, 145)

Am reswm nad yw'n gwbl amlwg fe ddaw'r Andes a Chimborazo i mewn
(S1, 146), ac fe sylwodd E. G. Millward mai ffoadur o ddarlith Emerson
'The Poet' yw'r mynydd yn Ecwador. Yn y rhannau mynyddig y mae
adleisiau o Beattie a Wordsworth yn anodd eu hosgoi; fe ddaw'r 'Ode:
Intimations of Immortality from Recollections of Early Childhood' i'r
meddwl wrth ddarllen:

Ynom mae y sêr,
A phob barddoniaeth, ond atgof yw
O rywbeth mwy a fu, neu ragwelediad
O rywbeth mwy i ddyfod?   (S1, 151)

(Y mae Meredydd Evans yn manylu ar hen gefndir y ddamcaniaeth.) Fe
ellid hefyd gyfeirio at Akenside a Coleridge yn y llinellau ar 'ddedwydd
ddyn' arall

A rodiodd trwy foreddydd bywyd gan
Glustfeinio a dysgu y dragwyddol iaith.   (S1, 152)

Erbyn hyn y mae'r gerdd megis yn cyrraedd perorasiwn a'r weledigaeth
yn ysgubo drwy Israel, 'y wlad y plethwyd ei holewydd â breuddwydion
/ Boreaf, ardderchocaf ffydd' (S1, 153):

lle caed
Meddyliau yr Anfeidrol yn ymddangos
Yn ddwys, mawreddog, annherfynol, fel
Barddoniaeth tragwyddoldeb.   (S1, 152)

Ceir rhai tudalennau pur effeithiol, er fel petaent yn perthyn i bryddest
arall, ar 'y nefol wlad / Y bu angylion yn ei garddu' (S1, 153), 'rhyw /
ddarnwedd o dragwyddoldeb' (S1, 153), a'r 'brenhinfardd' yn canu:

Gan dywallt dwyfol wawl barddoniaeth ar
Holl bererindod Israel a gwneud
Yr anial llwm yn brif o erddi'r byd,
Yn Eden i athrylith . . .   (S1, 157)

Er popeth a ddywedsom am ffurf anorffenedig a bratiog y gerdd, y mae'n amlwg bod Islwyn yn chwilio am ddiweddglo ac yn ei gael, drwy gyfrwng naid eithaf digyswllt, mewn addasiad o Salm 137:5: 'Os anghofiaf di, Jerwsalem, anghofied fy neheulaw ganu':

> . . . boed yr oll
> O fywyd sydd yn werth ei godi uwchlaw
> Y bedd, a'i blannu ar uchelion cof,
> Dan nos diderfyn, os anghofiaf di
> Fy Ngwlad, fy Nghymru!   (S1, 158)

Fe ddeellir yn weddol gyffredinol mai agwedd ansoffistigedig tuag at opera yw dewis yr ariâu yn unig; ar yr un pryd y mae'n wir mai drwy un neu ddwy o ganeuon y mae rhai operâu yn byw ymlaen o gwbl. Nid annhebyg y sefyllfa gyda'r *Storm* gyntaf. Yn aml y mae fersiwn gwreiddiol cerdd yn ferw o naturioldeb ac afiaith a gollir o bosibl yn y diwygiadau, ac y mae elfen o hynny yn ddiamau yn wir yma. Ond, fel y gwelodd Islwyn ei hun, casgliad o gerddi yw'r fersiwn cyntaf nid cyfan-waith, hyd yn oed os oes rhyw fras gynllun y tu ôl iddi. Yn ddelfrydol fe fyddai'r delweddau yn clymu'r detholion wrth ei gilydd, ond y maent yn disgyn fel cenllysg, heb fawr o amrywiaeth ac mor fympwyol nes colli eu harwyddocâd. Y prif bechaduriaid yw 'bedd' a 'sêr' (fel arfer yn odli â 'têr' neu 'Nêr'), er nad yw 'nos' a 'Natur' yn bell ar eu hôl; nodais, heb amcanu o gwbl at gyfrif cyflawn, 55 ymddangosiad o'r gair 'bedd' a 60 o'r gair 'sêr' ac, yn sicr, o gyfrif manwl, fe fyddai'r ddau ffigwr lawer uwch. Yn awr, y mae ystyron symbolaidd i'r naill a'r llall ac fe ddeuwn at hynny wrth drin yr ail *Storm*; ond yma y mae'r gormodedd yn agos iawn at eu gwacáu o ystyr. Yn rhy aml nid ydynt ond celfi llwyfan, wedi eu mewnforio o Young ac Alexander Smith a dylanwadau eraill ieuenctid.

Er mor anturus yr eirfa (anodd meddwl amdano yn tyfu i fyny ar aelwyd Saesneg ei hiaith), er mor afaelgar ambell olygfa, er mor fywus ehediadau'r dychymyg ar brydiau, gweddol anaml y mae'r barddoni yn osgoi'r rhethregol neu'r rhyddieithol. Er yr ymdrechion clodfawr a llafurus i esbonio rhediadau ei feddwl, nid yw ei 'athroniaeth', hyd y gallaf weld, yn fawr mwy nag amrywiadau ar ystrydebau crefyddol ei ddydd. Nid yw eto wedi deall yn glir sut i greu gweledigaeth allan o'i brofiad, sut mewn gwirionedd i farddoni ei golled a'i ffydd, sut i ddelweddu ei Galfiniaeth.

Beth ddigwyddodd yn gynnar yn 1856? Tybed ai'r hyn a awgrymwyd gan Cynhafal, wrth edrych yn ôl yn 1896?[23]

Buom yn aros am ychydig ddyddiau gyda'n cyfaill athrylithfawr Islwyn yn ei gartref, – yn y flwyddyn 1856, os ydym yn cofio yn iawn . . . Yr oedd gan Islwyn yr adeg honno waith barddonol mawr – cyfansoddiad ag y rhodd-asai lawer o amser a llafur arno – a alwai 'Yr Ystorm.' Darllenodd amryw ranau o hono. Yn un o'r rhai hyny y clywsom gyntaf y llinellau hyn – (testun yr adran hono oedd, yr ydym yn meddwl 'Diwedd Amser'): –

> Yr haul yn elorgerbyd du,
> A'r dydd o'i fewn yn farw.[24]

Tybiwn fod yn y rhanau a glywsom rai darnau na chynnyrchwyd eu rhagorach hyd yn nod ganddo ef. Gwyddem nad oedd y gwaith hwnw wedi ei argraffu, a deallasom nad oedd yn bwriadu ei argraffu, o leiaf yr holl gyfansoddiad fel cyfanwaith. Y rheswm a gawsom ganddo am hyny oedd, ei fod yn darllen rhyw awduron Germanaidd pan yn ei gyfansoddi, a bod y rhai hyny wedi cael cymaint dylanwad arno, nes peri iddo goledd eu syniadau a chyfranogi o'i hysbryd; ond ei fod ar ol hyny wedi ei ar-gyhoeddi nad oedd syniadau yr ysgrifenwyr hyny yn gywir, na'u hysbryd yn uniawn; ac am hyny nas gallasai eu cyhoeddi.

Cawn geisio dyfalu yn y bennod nesaf beth oedd arwyddocâd hyn.

5 ✑ Ym Môn y Gwynt

Ym Mai 1856, rhyw dri mis wedi iddo ddod i ben â'r *Storm* gyntaf, y mae Islwyn dan hwyliau gyda'r ail. Cofier mai fersiwn O.M. oedd o flaen y beirniaid nes cyhoeddi argraffiad Meurig Walters yn 1990, ac felly mae nifer o gamsyniadau O.M. ar brydiau yn eu harwain ar gyfeiliorn. Gwerth sylwi hefyd yn y fan yma bod Meurig Walters wedi 'troi'r cyfan i orgraff heddiw' – penderfyniad y gellid dadlau o'i blaid ac yn ei erbyn.

Fe fu rai o hoelion wyth beirniadaeth lenyddol yn trafod *Storm* O.M., yn eu plith W. J. Gruffydd a Saunders Lewis. Nid oedd gan John Morris-Jones fawr o ddiddordeb yn Islwyn am nad oedd yn cydymffurfio â gofynion mecanyddol Syr John ynglŷn â ffurf ac arddull; a sylwadau braidd wrth fynd heibio sydd gan T. Gwynn Jones. Ond fe drafodwyd y gerdd yn fwy manwl gan W. J. Gruffydd mewn erthygl yn *Y Llenor* yn 1923 ac yna yn ei ddarlith goffa yn 1942, a chan Saunders Lewis yn *Llên Cymru* yn 1957. Yn 1923 y mae gan Gruffydd rai sylwadau treiddgar, cystal â dim a ysgrifennwyd ar y bardd a'i waith, er enghraifft: 'Am un funud fer, cafodd Islwyn gipolwg ar ddyn rhyngddo â'r gorwel, yn *silhouette* clir ar lesni diderfyn yr wybren; ond pan edrychodd wedyn, yr oedd y dyn wedi myned a'r wybren yn llwyd gan isel a thrymion gymylau' (t.68).

Y mae'n tynnu sylw at y ffaith mai Islwyn oedd y bardd cyntaf ar ôl *Cywydd y Drindod*, Dafydd Ionawr, i ganu cân hir ar destun o'i ddewisiad ef ei hunan. Wedi dyfalu mai o waith Cowper, *The Task*, y cafodd Islwyn y syniad am gynllun ei waith 'os cywir galw y fath dryblith yn gynllun', y mae'n mynd ymlaen i resynu am y golled a gafwyd oherwydd i Islwyn fod 'mor bechadurus o ddiog' ag esgeuluso'r caledwaith o ddisgyblu ei awen.[1] Felly, fel y mae hi,

> cyfres o ddarnau bychain gorchestol yw'r *Storm* fel ffynhonnau yn yr anialwch, a rhyngddynt grastir adwythig diobaith. Ac yn ben ar y cwbl, y

mae'r llwybrau rhwng y ffynhonnau mor aneglur fel mai prin y gall neb teithiwr eu canfod; ei unig gyfarwyddyd fydd esgyrn yr asynnod a gwympodd ar y ffordd. (t.71)

Erbyn y ddarlith goffa, ac yntau wedi dod i ganfod diffygion golygyddol O.M. yn gliriach, y mae ychydig yn llai collfarnol:

Mae un peth yn sicr, nid eistedd i lawr i ysgrifennu pryddest ar y *Storm* fel testun a wnaeth Islwyn: yn hytrach casgliad yw'r *Storm* o wahanol ddarnau myfyriol, yn null *Night Thoughts* Young, ar amryw destunau, a'r cwbl wedi eu rhwymo ynghyd yn llac dan y teitl *Y Storm*, gydag ychydig adrannau'n disgrifio storm naturiol yn ei holl agweddau er mwyn rhoi cyfiawnhad i'r teitl. (t.17)

Y mae peth gwir yn hyn, yn sicr, ond fel y gwelsom eisoes y mae mwy na hyn i'w ddweud am ddewisiad y testun, yn Saesneg yn ogystal ag yn Gymraeg.

Yna fe â Gruffydd ymlaen i rannu'r myfyrdodau dan wahanol destunau yn hytrach nag yn olynol yn ôl rhediad y gerdd: 1. Myfyrdod ar y Nos – gan ddilyn Young; 2. Y Storm; 3. Myfyrdodau ar y Dylanwad cyfriniol,[2] y Weledigaeth, a'r Realiti; 4. Ychwanegiadau pryddestol a phregethwrol i uno'r rhannau wrth ei gilydd.

Arall yw barn Saunders Lewis. Y mae ef 'yn dal i'r gwrthwyneb fod i'r bryddest neu'r arwrgerdd fframwaith sicr a phendant', ac y mae am 'ddangos ei hundod a'i chyfanrwydd', er yn cydnabod ei bod hi ddwywaith ormod o hyd. Wedi dyfynnu Dyfed yn rhannu'r gerdd yn *Atgof, Adfyd* a *Gobaith*, sef cyn y storm, yn ei chanol, a thu draw iddi, y mae'n honni mai dyna fframwaith clasurol yr awdl arwrol Gymraeg. Y mae Islwyn yn trosglwyddo'r trychineb oedd yn ddeunydd iddynt i fywyd yr enaid, 'enaid dyn, y ddynoliaeth Gristnogol, a'i enaid ef ei hunan, y bardd. Ac yn hytrach nag adrodd hanes a disgrifio gwrthrychol, fe gawn ganddo fyfyrdod ar y profiad ac ymson telynegol . . . Cerdd Gristnogol uniongred yw hi . . . arwrgerdd o Ffydd a gobaith.' Er mwyn nodweddu dull cerddorol Islwyn o gyfansoddi, y mae'n cyfeirio at eglureb yn un o'i bregethau sy'n addef y mwynhad a geir wrth sefyll mewn gorsaf fawr a gweld *train* ar ôl *train* yn dylifo i mewn ac allan, cyn dyfalu: 'Fe fydd y meddwl dynol, ar ôl cyrhaedd y nefoedd fel rhyw orsaf oleu . . . a *trains of thought, train* ar ôl *train* yn dyfod i mewn byth bythoedd!' 'Onid yw'r dyfyniad', medd Lewis, 'yn ddisgrifiad awgrymog o symudiadau a rhuthmau cyfansoddi penodau'r *Storm*, trên ar ôl trên . . .

yn dylifo i mewn, thema'n ymwáu, ail thema'n codi, datblygiad, amrywiad, cyferbyniad, dychwelyd at y thema gyntaf, dychwelyd at yr ail, newid cywair, coda, cloi.'

Y mae'r ddau feirniad yn dehongli wrth fynd ymlaen i drafod cynnwys y gerdd, ond y bwriad yma, gan amlaf, fydd disgrifio'n syml a chrynhoi'r dehongli ar y diwedd. Y mae'r gerdd yn agor yn null confensiynol yr arwrgerdd glasurol, ac yn wir y gerdd hir yn gyffredinol, sef cyfarchiad, neu ddeisyfiad, neu 'ymoralwad â'r awen', fel y geilw Eben Fardd linellau cyntaf ei bryddest ar *Yr Adgyfodiad* (1850):

> O Awen, adfywia! ymarfer egnïon,
> Uwchlaw ymdrechiadau cyffredin marwolion . . .

Nid yr awen piau hi bob tro; fel hyn y cychwyn William Mason ei *English Garden* (ond sylwer hefyd mai at bersonoliad benywaidd y cyfeirir, dirprwy'r chwaer-dduwies megis):

> To thee, divine SIMPLICITY! to thee,
> Best arbitress of what is good and fair,
> This verse belongs.

Natur a gyferchir gan Islwyn; cenedl yr enw sy'n dwyn y benywaidd i mewn y tro hwn:

> Pa bryd, O Natur deg, y'th ddysgwyd di
> Fythbythoedd i weddnewid . . . (S2, 1)

Cyfarchiad claear, ceryddol braidd, gellid meddwl, yn gweld fel y mae natur yn gallu arwain i ddinistr ac, yn wir, ymhen llai na phymtheg llinell fe gawn yr Eddystone eto:

> A gweled draw ystormus ael y graig
> Ac adfail y goleudy ar ei brig. (S2, 1)

Yn wahanol i'r *Storm* gyntaf, ychydig o ddisgrifiad darluniaethol o'r dymestl a gawn ond, yn hytrach, cyfres o fyfyrdodau sy'n cysylltu'r unigolyn ac amlygiadau natur, fel nad yw'r morwr ('Pererin blin y don') yn sylwi fawr ar beryglon y tonnau gan ei fod ar goll yn ei atgofion am 'yr annedd unig dan y bryniau pell' (S2, 3). Ond fe ddaw'r storm i darfu ar ei freuddwydion: ni ddaw bore mwyach nes y daw

O wyneb Duw ei hunan, pan y ffy
Cymylau amser oll a'r bedd o'i flaen. (S2, 3)

Y mae'r awyrgylch yn trymhau, daw natur yn gynrychiolydd digofaint
Duw:

> Mae ysbryd barn a distryw ar y byd!
> A moroedd godant ar ei alwad erch,
> A dychryn ddeil weithredoedd pennaf Duw,
> A rhua'r ddaear, rhua'r nefoedd oll,
> Fel pe bai'r bryniau yn ymgasglu i farn,
> Fel pe bai cyfrif natur wedi dod
> A barn-wŷs y Tragwyddol ar y byd. (S2, 3)

Yna, braidd yn annisgwyl, fe gawn un o uchafbwyntiau ei holl farddoni,
sef y rhan a gyhoeddwyd yn *Caniadau* fel 'Mae'r oll yn gysegredig'. Nid
mewn un man yn unig y mae chwilio am yr awen:

> Paham yr atolygem o un nef,
> Un bryn tragwyddoledig, rym y gerdd? (S2, 4)

Y cyfeiriad, bid siwr, yw at fynydd Parnasws, fel y gwelwn yn fuan
(efallai hefyd gydag adlais o eiriau Crist i'r wraig o Samaria), ond fe
allai'r syniad am fwy nag un nef fod wedi taro'n od i rai darllenwyr
gor-uniongred. Y mae'r bardd yn ofalus glir mai Duw sydd wedi plannu
ei genadwri yn y byd naturiol, ac mai swydd ysbrydoliaeth yr awen yw
ei ddatgloi; ond hawdd gweld y gallai llinellau fel 'Mae meddwl dirfawr
yn dy ymyl, clyw / Mae'n griddfan yn dy ymyl am ryddhad' arwain i
amheuon ai pantheistiaeth oedd hyn. Cawn ddychwelyd at hynny'n nes
ymlaen, gan ryfeddu ar y funud at gwmpas y rhyferthwy o brofiad
personol, o dras a chenedl, daearyddiaeth a thirlun, Ysgrythur a'r byd
clasurol.

> Parnasws? Dacw ef, y mynydd garw
> Y'th anwyd dan ei gysgod. Ni fu neb
> O glod Homeraidd ar ei frig erioed.
> Ond fe fu'r awel yno, a'r ystorm
> . . .

> A bu y cefnfor yno, gadael wnaeth
> Y Dilyw awen nerthol ar ei frig,
> Atgofion byd colledig . . . (S2, 5)

Wedi atgof am lawer 'brawd a chyndad hoff' (cydymdeithwyr 'mute, inglorious Miltons' Gray, ond odid) yn crwydro'r bannau, y mae'n ei uniaethu ei hun â hwy (ond ar yr un pryd yn ceisio codi'r personol i'r awenyddol drwy ddefnyddio'r rhagenw lluosog):

> Ninnau gyda hwynt
> Adawn gymynrodd o atgofion pêr,
> Rhyw anadliadau a myfyrion syn . . . (S2, 6)

Yna, daw hanes y wraig o Samaria yn fyw yn awr:

> Pa beth yw Ffynnon Jacob? Y mae delw
> Un mwy na Jacob ym mhob ffrwd trwy'r byd.
> Fe aeth fy nhadau dros yr afon hon,
> A'r holl awelon nefol lawer gwaith,
> A'r lloer, a llawer seren ddwyfol wawr,
> A'r haul, a'r daran hefyd. Mae y byd
> I gyd yn gysegredig, a phob ban
> Yn dwyn ei gerub a'i dragwyddol gainc. (S2, 6)

Ac wrth ddychmygu Homer yn canu am yr Wyddfa[4] y mae hefyd yn dyheu am 'y Bardd ddehongla eich rhyfeddol iaith', chwi 'Dragwyddol archoffeiriaid yn y nef', yn offrymu 'ystormydd fyrdd i Dduw'. Yna y mae'n galw eilwaith ar fardd all gerfio ar bob enaid 'rai o'ch breuddwydion aruthr . . . griddfannau aruthr natur' (6, 7).

Ailadroddir yn awr (8–11) y weledigaeth Edenaidd o'r *Storm* gyntaf, arwydd nid yn unig o lwyddiant y llinellau ond hefyd o afael breuddwyd yr Oes Aur arno. Y mae Meurig Walters, ar bwys ffurf y llawysgrif, yn gofyn yn betrus iawn: 'Onid yw'n bosibl i'r rhain gael eu trosglwyddo o S2 i S1, ac nid fel y tybir o S1 i S2?'; ond nid yw'n hawdd gweld beth fyddai'r pwynt. Sut bynnag am hynny, nid gormodiaith yw dweud am y rhannau hyn nad cywilydd eu cymharu â Miltwn ei hun.

Colli ffydd sydd wedi torri'r cysylltiad gwreiddiol rhwng Duw, natur a dyn, fel bod 'aruthr bethau o ryw farnol fyd / Yn rhodio trwy yr enaid ganol nos / Anffyddiaeth, dychryn, ofn' (14),[5] ac fe gawn anogaeth i gredu, gyda dyfyniadau o'r Salmau wedi eu gweu i mewn bron

er mwyn eu prydferthwch eu hunain (17, 18). Ffydd yn unig all adfer yr
hen gyflwr:

> Mae ffydd yn atgysylltu dyn â Duw
> Gan wneud yr oll yn ddwyfol; haul a lloer
> A sêr a gwae a beddau . . . (S2, 17)

Yn Nydd y Farn, meddai yn S1, 23, fe fydd Duw yn dwyn i mewn:

> Y wedd sylweddol o fodolaeth, ryw
> Ail dragwyddoldeb, lle na bydd un byd
> Na therfyn, amser, ffurf gweledig mwy
> Ond Duwdod annherfynol – oll yn oll.

Yn ôl wedyn i'r Oes Aur:

> O ddedwydd adeg, pan y rhodiai dyn
> A'i Grëwr law yn llaw, drwy Eden wiw,
> Fel plentyn gyda'i dad. (S2, 19)

Un cystadleuydd sydd gan ffydd, sef atgof, ac y mae'r elfennau athraw-
iaethol yn awr yn ymdoddi yn ei sefyllfa bersonol:

> Ac eto hyfryd meddwl am y wedd
> Fuasai ar fodolaeth, galw yn ôl
> Y pethau a gollasid, peri i sêr
> Y bore hwnnw daro'r gân o newydd
> O oriel bellaf atgof . . .
> A nef-funudau bywyd ydynt hwy
> Pan fo yr enaid allan o'r presennol
> Yn chwilio y tragwyddol leoedd am
> Y pêr anwylion fu . . . (S2, 24–5)

Fe gysylltir atgof, Ysgrythur, profiad personol a'r ddynoliaeth yn
gyffredinol unwaith yn rhagor – efallai y gellid ychwanegu'r byd clasurol
hefyd: ai Prometheus sy'n rhwymedig ar y graig? Y mae'n fwy tebygol
nag Andromeda:[6]

> Ti [atgof] feddi di y nerth i gadw draw
> Aderyn gwae sy'n nythu dan y fron,

Ac anfon y golomen yn ei le
A deilen olewydden yn ei phig,
Addewid yn y man o werddach bro
Nes cano y rhwymedig ar y graig.
Mae gan bob enaid fel y cyntaf un
Ei Eden rywle tua dwyrain bod . . . (S2, 27)

Mewn adran ar swydd barddoniaeth y byddwn yn sôn amdani ymhellach ymlaen (t.180) fe geir dau bennill sydd, ar yr olwg gyntaf o leiaf, yn cadarnhau'r feirniadaeth nad oedd chwaeth Islwyn yn hollol ddiogel. Yn sydyn iawn y mae'n gofyn 'Pa beth yw testun?', ac yna 'Pa le yr aeth y testun?' Yr ateb i'r cwestiwn cyntaf yw mai 'ton ar fôr tragwyddol' yw, cyfrwng chwilio,

Ac nid oes gwybod ble dibenna'r daith,
Na pha ryw bell ynysau nef-arwyddol.
Pa benrhyn welir, pa anfarwol draeth,
Pa seiniau glywir o'r dragwyddol iaith!
Beth yw y draethell hon ond rhan o fyd
Sydd anfesurol yn ei led a'i hyd? (S2, 34)

Am yr ail gwestiwn fe etyb fod y don yn dal yr un ar ei thaith, er iddi amrywio yn ei ffurf; yna

Pe meiddiem mewn ystorom fod yn ffraeth
Fe ddylai testun weithiau golli ei hun
Yn annifeiriant pethau, rhag Babeleiddio un. (S2, 34)

Hynny yw, y mae barddoniaeth, prif bwnc yr adran, yn cael rhydd hynt i grwydro yn y gobaith y bydd yn dangos 'y don', 'blaen y penrhyn', a 'beth yw hyd / A lled a dyfnder amser'. Y geiriau nesaf yw 'Yn y fan / Rhydd ei holl feirw i fyny, a thi, O fwynaf – [Ann]'; felly cyfrwng yn yr ymchwil amdani yw'r fordaith destunol. Ond efallai nad yw'r crwydrad yn y gerdd i'w esgusodi mor rhwydd, chwaith; ac, yn anffodus ddigon, fe ddilynir hyn gan adran rigymllyd i'w ryfeddu, gyda'r odl yn mynnu sylw cwbl anghymesur:

Gyrrwch, Wyntoedd,
Ar eich hyntoedd,
Dros y llyn,

Dros y glyn,
Dros y bryn,
A thros lawer Alpfor gwyn! (S2, 35)

Anodd distyllu un ystyr arbennig o'r myfyrdodau ar enaid, tragwydd-
oldeb, pechod a phrynedigaeth sy'n dilyn, y cyfan yn cylchu o gwmpas y
delweddau arferol: sêr, bedd, nos, mynydd a bryn. Ar brydiau y mae hyn
yn arwain i fynegiant athrawiaethol ddiwinyddol bur afaelgar, yn sicr o'i
gymharu ag awdlau a phryddestau Beiblaidd y cyfnod:

Ei waed sydd yn pereiddio gwae ei hun,
Gan wneud yr enw euog bron yn fraint,
A'n daear wael y flaenaf o'r holl sêr,
Ac un o'i bryniau'n uwch [Calfaria, wrth gwrs] na nef y nefoedd.
Lle y gydgasglodd y Goruchaf Fod
Ei ddirfawr hunan o bob byd a nef
I farw dros ei fydoedd, ac i droi
Llifeiriaint tragwyddoldeb yn eu hôl. (S2, 47)

Wedyn, nid heb gryn dipyn o ailadrodd, fe geir molawd i fanteision
moesol adfyd a thlodi a gwae. Y fath dynged

Ddatblyga bell ddyfnderoedd dy gyneddfau,
Gan godi'r caos sydd o'th fewn i gylch bywydol ddeddfau,
A gwneud i'th holl fodolaeth droi o amgylch dy nef-reddfau. (S2, 54)

Datgysylltir yr enaid oddi wrth wrthrychau'r byd (a defnyddio term
Morgan Rhys, Pantycelyn ac Ann Griffiths):

Beth yw y byd a'i swynion iddo ef?
Pob mawredd ynddo, a phob gorsedd gref?
Y perthi aml-liw sy'n ymylu'i daith,
Fe'u gwelodd, ond eu pasio fu ei waith.
Os tynnodd un o'r mil-liwiedig gangau,
Trodd yn ei afael, wraidd a brig, yn angau . . . (S2, 56)

Y mae'r darlun a'r mynegiant yn dwyn Wordsworth i gof, ond y mae'r
cynnwys yn bur wahanol. Gwêl Saunders Lewis drobwynt yr arwrgerdd
yn 'y delyneg sy'n cynnig iddo'r unig gymdeithas a fedro'i addasu ar
gyfer y tragwyddoldeb di-siom, di-storm, sy'n ei aros:

Pryd hyn fe gyfarchai y bryniau,
A'r lloer, a'r planedau, a'r sêr,
Fel tystion tragwyddol eu rhiniau,
Fel meibion anwylaf ei Nêr.   (S2, 61)

a galwant hwythau:

Mae'th gader yn barod a'th fawredd heb ri
Gyda ni, gyda ni,
Ein brawd.   (S2, 62)

Teg dyfynnu'r gosodiad gan fod y beirniad yn gosod cymaint pwys arno, a gellir cyfaddef bod yr adran yn arwain i mewn yn hwylus i fyfyrdod ar y greadigaeth fel 'Teml yr Anfeidrol' (S2, 62). Mae'n debyg, hefyd, mai bwriad y bardd oedd defnyddio rhythmau sioncach i symud o nos adfyd i oleuni ac ysblander y byd naturiol. Ond tybed a yw tlysni'r llinellau yn ddigon cadarn i ddal cyfrifoldeb trobwynt? Sut bynnag am hynny, y mae'r gerdd yn symud ymlaen i ddangos fel y bu i ddyn golli ei adnabyddiaeth o'r byd creedig, ond y mae rhai yn dal i arwain 'ymdrech Natur i egluro Duw' (S2, 66), yn bennaf yn eu plith Newton:

O, fel y gallodd meddwl un – un dyn –
Ddileu holl freuddwyd amser, a rhoi'r byd
A'r haul a'r sêr i gychwyn fel o newydd
. . .
Fe syrthiodd creadigaeth Duw i'w law
Fel afal [croeswyd allan 'mewn afal'], a gwahoddai'r byd i weld
Dirgelwch ei threfniadaeth ar ei fys,
A sylfaen ymerodraeth fawr yr haul,
Ac uwch ymerodraethau sêr y nef,
. . .
Seryddwr amser oll, O Newton fawr! (S2, 64–5)

Y mae'n bur debyg bod cerdd Thomson, 'A Poem Sacred to the Memory of Sir Isaac Newton' yng nghefn ei feddwl –

The noiseless tide of time, all bearing down
To vast eternity's unbounded sea,
Where the green islands of the happy shine,
He stemmed alone . . .

– cerdd a oedd hithau'n ysbrydoliaeth i ddisgrifiad Wordsworth, 'Voyaging through strange seas of Thought, alone' (*Prelude*, arg. 1850, III, 63).

Am dudalennau lawer y mae'n araf ymdroi o amgylch y themâu cyfarwydd, gyda llinellau gafaelgar os niwlog:

> Y Freuddwyd, sydd yn tynnu heuliau uwch
> O'r enaid i oleuo bryniau pell
> Rhamantus fyd dychymyg, ganol nos. (S2, 67)

Wrth fyfyrio ar y bedd, daw i'r casgliad,

> Fod ei gerddediad ardderchocach fyth
> Ar hyd uchderau addewidion Duw
> Ac nid ar hyd y ddaear ond mewn rhith;
> Nad oedd yn disgyn ar y ddaear hon,
> Yn gorffwys, ac yn huno, ac yn troi
> O gylch y graig ddaearol hon a'r bryn
> Yn unig ond ei gysgod ef, ei rith,
> Y corff, y marwol . . . (S2, 76)

ac, ymhellach ymlaen:

> Y marwol, cysgod yr anfarwol yw,
> A'r greadigaeth erfawr – cysgod Duw . . . (S2, 93)
>   [Codir rhannau i'r gerdd 'Cysgodau' yn *Caniadau*, 52–3]

Y mae'r tymhorol yn cyfyngu'r enaid fel 'nad oes arsyllfa'

> O awyr-orseddedig Alp a chwmwl
> Lle rhed y bryn i'r nef, a'r nef i'r bryn,
> Rhyw gymysg o'r daearol a'r ysbrydol.
> Rhyw ymbriodiad ar allorau'r gwawl
> O ddaear ac o nef fel corff ac enaid . . . (S2, 78–9)

ac y mae dyn yn gwahaniaethu rhwng yr ysbrydol a'r corfforol 'Lle nad oes mewn gwirionedd onid un, / Un araul annherfynol, môr di-lan' (S2, 79), ac yn gondemniedig 'I edrych allan trwy ffenestri'r cnawd, / A darllen Duwdod mewn ffigurau gwael' (S2, 86). (Mewn blynyddoedd i ddod fe fyddai wedi lliniaru peth ar ei ddarlun o ddyn: 'Mae yr angel a'r llwch wedi ymbriodi a'u gilydd mewn dynoliaeth. Mae y nefol a'r daearol, yr ysbrydol a'r materol, yr amserol a'r tragywyddol, terfynoldeb ac annherfynoldeb, wedi cwrdd mewn dyn . . . Ni ellwch gysylltu ysbryd â defnydd yn unman arall' (*Pregethau*, t.414).

Ceir amrywiadau cywrain ar y thema:

> Beth yw y ddaear bridd-luniedig hon,
> Ei nos a'i dydd, ei bryniau oll o'i chylch,
> Ond delwedd o'r anfarwol fyd y mae
> Yr enaid pererinfawr fyth yn gael
> O amgylch ei feddyliau pellaf oll
> Yn lledu'n dragwyddoldeb? (S2, 91)

Yna, er mewn gwisg newydd, ailadroddir hanes torri'r undod gwreiddiol gan ddyn:

> Fe gollodd ddelw yr Anfeidrol, fel
> Y ffurfiau'r greadigaeth unol hi
> Lle'r oedd pob gwrid yn fore led y byd,
> Pob gwên yn hanner dydd . . . (S2, 98)

Adnewyddir y berthynas yng Nghrist:

> Fe hoffai rodio ar hyd lan y môr
> A rhifo'r tonnau fel y deuent hwy
> I'w gyfarch o'r dyfnderoedd eithaf, oll
> Yn wynion gan awyddfryd at ei draed. (S2, 99)

Cyferchir y môr ('Y Môr! Y Môr!', 102, sef cri'r milwyr Groegaidd wrth ddod i olwg y Môr Du ar ôl eu hirdaith, yn ôl Xenophon, 'Anabasis' IV, 7; fe'i dyfynnir gan Heine yn ei gerdd 'Die Nordsee'[7]) a'i ddirgelion: ef sy'n gyfrifol am dorri'r byd yn gyfandiroedd, a thrwy hynny y cafwyd Babel a rhaniad y cenhedloedd a'r ieithoedd, a chyfrannu at 'ddatblygiad y ddynoliaeth', pryd

> Y gwelir mawredd a gogoniant dyn,
> Ac amrywiaethau yr awenol nwyf
> Sy'n nefoleiddio ei fodolaeth ef. (S2, 106–7)

Y mae'r storm ar y môr yn dwyn y meirw i ffwrdd ac fe ddaw cysylltiadau ei golled ef i mewn, yn gynnil i ddechrau, gan gyfeirio at

drai'r dyfroedd 'megis hi / Un bore oddi wrth ei holl obeithion' (111),
ond yna'n fwy uniongyrchol:

> Dy bryd hawddgaraf, haelaf un,
> A'th lais o hollbereiddiol rin.
> Glan môr yn unig a all ddwyn
> Yn ôl i mi y rhiniau mwyn.
> O Gilfach dawel! Cronni di
> Bereiddion fy modolaeth i.
>
> . . .
>
> Fe rodiodd dau anwylion dros dy draeth
> Brynhawn tawelaf . . .
>
> . . .
>
> Tawelaf nawn oedd hwnnw! Addas awr
> I'r ymdaith olaf cyn y rhaniad mawr. (S2, 114–15)

Rhwng barddoniaeth a natur, y môr, y mae peth cysur:

> Yr ydwyt ti yn ffyddlon, Awen gain,
> Tydi a'r Môr. A hyfryd ydyw troi
> Ennyd o ŵydd gweddnewidiadau'r byd,
> Ac eistedd dan eich ysbrydoliaeth chwi,
> A gwrando ar eich gweinidogaeth hedd. (S2, 117)

> Llefarwch, Donnau! O na fedrwn i
> Eich iaith fawreddog ddysgwyd gennych gynt
> O enau geirwon Caos . . .
>
> . . .
>
> Na fedrwn godi oddi ar y traeth
> Eich geiriau amhrisiadwy, mwy eu gwerth
> Na mwnau glain Golconda a Pheru! (S2, 118)

Efallai mai Keats neu Thomson oedd yn benthyg Golconda, gyda Pheru
yn adlais o emyn Morgan Dafydd, 'Yr Iesu'n ddi-lai' – 'Mwy gwerthfawr
im yw / Na chyfoeth Periw'.[8]

Yn ei 'gwir fawreddogrwydd' (S2, 119) y mae natur yn 'atsain o
leferydd Iôr ei hun', ond ynddi hefyd y mae stormydd amser yn dryllio'r
stad baradwysaidd a ddisgrifir, braidd yn llipa, mae'n rhaid cyfaddef:

Cyflawn oedd
Bodolaeth bêr
Gyda Natur,
Iôr, a'r sêr. (S2, 123)

Y mae'r odli anffodus, a'r newid mesurau, yn parhau ac yn tueddu i wanychu'r darlun o Lyfr Natur, gyda'i gefndir yn y Cyfrinwyr:

Y mae dy froydd yn ymagor draw
Fel tudalennau cyfrol o waith y Ddwyfol Law,
Y sêr a Duw ei hardeitl, ac uwchben
Pob dalen deg o fynydd, môr a nen,
Ryw seren bell fel enw o'r tragwyddol
Fel peniad uchel draw ac uwcharwyddol (S2, 127)

Y mae holl ynni a thensiwn y gerdd yn llacio mewn rhyw bytiau lleddelynegol, nes iddo gasglu ei nerth, megis, yn yr adran fer 'Saf ar y lan!', sy'n tynnu'r delweddau cyfarwydd at ei gilydd: sêr, nos, bedd, cysgod, cwmwl, storm, ac yn diweddu:

Pa raid i ti addoli'r prudd a'r pell,
A chwilio beunydd fel am lannau gwell?
 Pa raid ond am ein bod yn teimlo i gyd
Ryw ddiffyg, absenoldeb rhywbeth drud? (S2, 131–2)

Ai dyna oedd diwedd y gerdd i fod? Nid oes arwydd o hynny yn y llawysgrif, ac eto y mae sawr diweddglo ar y llinell olaf.

Aildroedio'r un llwybrau â'r *Storm* gyntaf y mae yr ail *Storm*, ond bod y cerddediad efallai yn fwy pwyllog, yr awyrgylch yn llai nwydwyllt. Hanfod y ddwy gerdd yw'r frwydr rhwng amser ac anfarwoldeb, rhwng atgof a'r presennol, rhwng sylwedd ac ymddangosiad. Maes y gad yw'r byd naturiol, ond ar wedd gosmig yn hytrach na thirluniadol. Gweddol anaml yw'r cyfeiriadau at fannau na golygfeydd penodig, er ei fod yn agored iawn i brydferthwch rhai ardaloedd yng Nghymru mewn llythyrau a thelynegion. Priodol sylwi hefyd mai prin yw'r sôn am bersonau ac nid oes, hyd y gallaf gofio, unrhyw anifail yn y naill gerdd na'r llall. Yr hyn a gawn yw ymgais i gyffredinoli, i ddelweddu, i arucheleiddio, i daflu'r lluniau oesol ar sgrin enfawr dragwyddol yn y cymylau.

Beth felly oedd y 'darllen rhyw awduron Germanaidd' a gafodd 'cymaint dylanwad arno, nes peri iddo goledd eu syniadau a chyfranogi

o'i hysbryd' am gyfnod, cyn iddo gael 'ei argyhoeddi nad oedd syniadau
yr ysgrifenwyr hyny yn gywir, na'u hysbryd yn uniawn'? Awgrymwyd
mai erthyglau ar Goethe a Kant gan Lewis Edwards yn *Y Traethodydd*
ydoedd, ond nid yw'n hawdd gweld ffynonellau dylanwad arbennig yn y
rhain, heblaw efallai am amgyffrediad Kant o amser a lle.[9] Y mae Lewis
Edwards yn crynhoi daliadau Kant ar y pwnc:

> Y mae'n profi i eglurder nad ydynt yn bethau, nac yn briodolaethau
> pethau. Nid ydynt ychwaith, fel y tybiodd rhai, yn briodolaethau y
> Duwdod, oblegid nid ydyw Duw yn bod mewn amser a lle. Gan hynny,
> nis gallant fod yn ddim ond ffurfiau angenrheidiol ein gallu synhwyrol.
> Os gofynir drachefn beth yw yr angenrheidrwydd hwn, nis gwyddom pa
> fodd i ateb yn well na thrwy ddyweyd ei fod yn tarddu o derfynoldeb
> creadur, a'i anallu, o ganlyniad, i sylwi ar bob peth ar unwaith . . . [Nis]
> gallwn ddifodi cymaint ag un llwchyn yn weithredol; ond gallwn feddwl
> i'r holl greadigaeth beidio bod. Er hynny nis gallwn ddifodi amser a lle
> hyd yn nod yn y meddwl.

Hawdd gweld sut y gallai syniadau o'r fath gynhyrfu Islwyn, ac yntau
yng nghanol ceisio ymgodymu â grym dinistriol amser.

Roedd Evan Davies, prifathro'r academi yn Abertawe, yn un o'r deg o
dan arweiniad Thomas Rees (1815–85), gweinidog dylanwadol gyda'r
Annibynwyr, a ffurfiodd gwmni yn 1850 i gyhoeddi cylchgrawn *Yr
Adolygydd*, gydag Evan Jones (Ieuan Gwynedd) yn olygydd hyd at ei farw
yn 1852; fe'i holynwyd gan Caledfryn.[10] Rhesymol felly yw credu y byddai
Islwyn yn gyfarwydd â'r cyfnodolyn, drwy gymhelliad y prifathro mae'n
debyg, a hwnnw'n awyddus i'r bachgen fynd yn ei flaen i Brifysgol
Glasgow. Yn y gyfrol gyntaf fe geir ysgrif ddienw dra beirniadol (gan
Thomas Rees ei hun, ond odid) ar 'Holl-dduwiaeth yr Almaen'.[11] Y mae'r
awdur yn torchi ei lewys gan synnu 'bod y math gyfeiliornad yn bod . . .
gallesid meddwl fod . . . cariad dynion at eu personolrwydd eu hunain
mor gryf, na buasent, ar un cyfrif, yn foddlon iddo gael ei lyncu i fyny
mewn rhyw dduwiaeth amhersonol, yn rhedeg fel llifnodd anweledig
drwy yr holl greadigaeth.' Rhydd ddiffiniad eithaf cryno o Bantheistiaeth:

> Cyfundraeth yw hon sydd yn gwneud pob peth yn Dduw, a Duw yn bob
> peth: nad oes ond un hanfod yn y bydysawd; nad yw y cwbl a welir ond
> gwahanol ffurfiau neu amlygiadau yr un hanfod hwnw; nad yw enaid dyn
> yn sylwedd personol, ond yn ddarn o'r hanfod cyffredinol – ton fechan, i
> gael ei lyncu i fyny yn y man yn eigion mawr y Bôd hwn.

Cofier yma am ddyfyniad canmoliaethus Islwyn o linellau Alexander
Smith:

> With God and silence!
> When the great universe subsides in God,
> Ev'n as a moment's foam subsides again
> Upon the wave that bears it.

Yna y mae'r ysgrif yn mynd ymlaen i drin Schelling a'i gyfundraeth,
sy'n 'gyfansoddedig o ddwy ran, athroniaeth natur, ac athroniaeth
ysbryd . . . Yn yr olaf . . . y mae yr ysbryd yn myfyrio arno ei hun. Yn
athroniaeth natur y mae'n myfyrio ar wrthrych tu allan iddo ei hun.'
Ond 'yr un deddfau sydd yn llywodraethu y ddau . . . Barna Schelling
fod un cyfnod, yn mha un y mae y gwrthrych a'r deiliad (*object and
subject*), sef natur ac ysbryd, yn peidio bod yn bethau gwahanol.'

Rhoddir ergydion wrth fynd heibio i Fichte, Bertholdt (Kuno Fischer)
a David Friedrich Strauss; fe fyddai Islwyn hefyd wedi darllen ysgrif
Owen Thomas yn Y *Traethodydd* 1849 ar 'Anffyddiaeth Germani' gyda'i
ddisgrifiad o 'ddyfais' David Friedrich Strauss 'i ddyosg yr efengylau o'u
gwirionedd hanesiol, i chwalu seiliau ein ffydd, ac i ddwyn ymaith obaith
ein bywyd tragwyddol'.[12] Yna y mae awdur ysgrif Yr *Adolygydd* yn troi
at Schleiermacher.

Ychydig wythnosau yn ôl canmolwyd golygiadau Schleiermacher mewn
papyr newydd, sydd mewn cysulltiad ag Ymneilltuaeth yn y wlad hon, – yr
un gorau sydd yn cael ei gyhoeddi [Yr *Amserau* o bosib?]. Ni ynganwyd
gair yn nghylch unrhyw gyfeiliornad yn ngolygiadau yr athronydd uchod.
Ond nid oes amheuaeth ei fod ef yn dal egwyddor Holl-dduwiaeth.
Crefydd, yn ol ei farn ef, yw 'teimlad o undeb rhwng dyn a'r bydysawd, a
natur, neu (yn ol iaith y blaid) a'r *Un a'r Oll. Teimlad* yw. Nid oes ganddo
ddim i'w wneud â ffydd nac â gweithred, â moesoldeb nac â *duw personol*.
Y mae y drychfeddwl o *Dduw personol* yn perthyn i gudd-chwedleg
[*mythology*]. Ac *anghrefyddol* yw y dymuniad am *anfarwoldeb*, gan ei fod
yn erbyn amcan crefydd, sef diddymiad personolrwydd dyn ei hun, i fyw
yn yr *Un a'r Oll;* a dyfod yn un â'r bydysawd, mor bell ag y mae hyn yn
ddichonadwy.'

Nid yw hyn yn gwbl deg â naws dadleuon Schleiermacher a'i bwyslais
ar brofiad yn hytrach nag ar resymeg neu foesoleg fel hanfod crefydd. Ei
amcan oedd deffro rhesymolwyr a chrefyddwyr ffurfiolaidd y cyfnod

drwy chwalu'r syniad o Dduw fel rhyw Fod metaffisegol yn gwbl ar wahân i'r ddynoliaeth, a gosod o'u blaenau bresenoldeb byw yr Anfeidrol. Ei ddiffiniad o grefydd yw 'ymdeimlad o ddibyniaeth hollol ar Dduw', ac y mae hynny'n digwydd ar lefel ddyfnach o fodolaeth ddynol na deall na gwneud. Perthynas ddeinamig, fewnol, ddigymell â'r Duw sydd i'w ganfod fel sylwedd, fel yr Anfeidrol sy'n cynnwys popeth meidrol, yn hytrach nag mewn termau personolrwydd. Ei feirniadaeth ar y math anfarwoldeb y mae llawer yn ei ddymuno, ac yn honni credu ynddo, yw eu bod yn esgeuluso'r anfarwoldeb sydd yn ein gafael yn y byd o amser. Y brawddegau creiddiol yn ei *Ar Grefydd: Areithiau i'w Dirmygwyr Diwylliedig* (1799), diwedd yr ail araith, yw'r rhain:

Ceisiwch felly, o gariad at y Cyfan (*Universum*), ymwadu â'ch bywyd. Yna ymdrechwch eisoes yn y byd hwn i ddifodi eich hunaniaeth, ac i fyw yn yr Un a'r Oll; ymdrechwch fod yn fwy na chi eich hunain, fel mai ychydig a gollwch pan gollwch eich hunan . . . Bod yn un â'r Anfeidrol yng nghanol meidroldeb, a bod ym mhob munud yn dragwyddol, dyna anfarwoldeb crefydd.[13]

Yn ei *Ffydd Gristionogol*, 1821 gydag ail argraffiad yn 1830, fe ddatblygodd yn fwy uniongred yr amlygiad ar grefydd a'r Duwdod a geir yng Nghrist, safon pob gwirionedd, a chymuned ffydd; ond yr *Areithiau* a greodd y chwyldro diwinyddol ac a daniodd Ramantwyr cynnar yr Almaen, yn eu plith ei gyfeillion a'i gydnabod – y brodyr Schlegel, Tieck, Novalis a Schelling. Yn sicr y mae'r iaith yn troedio ffin niwlog â phantheistiaeth Spinoza, er bod Schleiermacher ei hun yn cael y cyhuddiad yn ddiystyr. Ar yr un pryd, hefyd, fe'i cawn yn ymarferol yn pwysleisio'r unigolyn; yr ydym i gyd yn fersiynau gwahanol a neilltuol o'r anfeidrol.

Y mae llawer, medd awdur ysgrif *Yr Adolygydd*, yn darllen Emerson, gydag adolygiad ffafriol yn yr un papur – heb un rhybudd i ochel ei Holl-dduwiaeth ef, ac y mae awdur yr ysgrif yn dyfynnu:

Y mae y byd yn deillio oddiwrth yr un ysbryd a chorph dyn. Y mae yn ymgorphoriad is-raddol i Dduw. Os yw dyn yn ei galon yn gyfiawn, yna, mor belled a hyny, Duw yw ef. Y mae ffrwd bodolaeth gyffredinol yn cylchredeg trwof fi. Darn o Dduw ydwyf. Mewn dyn y mae enaid yr Oll; yr Un tragwyddol.

Tystiolaeth Islwyn ei hun, fel y cyfeiriwyd eisoes, oedd mai 'Natur ydyw unig gyfrwng Emerson at Dduw; ond yr wyf fi yn credu mewn *Cyfryngwr gwell.*'

Nid cywirdeb y diffiniadau yw'r pwynt, ond yr ysgogiad posibl i Islwyn. Mynedfa arall i feddylfyd yr Almaen sy'n ei gynnig ei hun yw Coleridge. Yn 1846 cafwyd adolygiad helaeth o'i *Aids to Reflection* gan Lewis Edwards yn *Y Traethodydd*.[14] Yn gyffredin nid yw beirniaid wedi rhoddi yr un math o sylw i'r gyfrol hon ag i weithiau cynnar Coleridge, ond fe gafodd gryn ddylanwad yn ei ddydd ar bobl fel Tennyson, Thomas Arnold a F. D. Maurice, gan weithredu fel pont i gyflwyno syniadau Kant i Emerson a'r Trosgynolwyr yn Lloegr Newydd. Bu ei ddarllen yn agoriad llygad i Lewis Edwards, hefyd, ac wedi rhybuddio'r darllenydd mor anodd yw dod i'r afael â'r syniadau, y mae'n dweud yn groyw mai dyma 'un o'r meddylwyr mwyaf a ymddangosodd er ys rhai oesoedd' (t.335); ac, ar ben hyn, 'Y mae rhai o'r cyfansoddiadau barddonol â redasant o'i feddwl tanbaid yn dangos ei fod yn alluog, pe buasai yn dewis, i ennill gradd mor uchel fel bardd â'i gyfaill Wordsworth, sef yr un radd â Schiller a Goethe, a'r nesaf at Shakspeare a Milton' (t.335). Yna y mae'n crybwyll *Biographia Literaria*, *The Friend* a'r *Literary Remains*. Wedi rhoddi enghreifftiau o'r dywediadau arweiniol, y mae'r adolygydd yn mynd ymlaen i drosi rhannau sy'n ymwneud â deall, rheswm a'r synhwyrau, â challineb a rhinwedd, â'r 'undod rhagflaenol' (t.338) neu ddeddf sy'n uno gwahanol ymddangosiadau'r cread, gan gynnwys y byd moesol; ac â'r 'un presennoldeb cyffredinol [sy'n] bresennol i'r cwbl ac yn y cwbl' (t.339).

Efallai mai brwdfrydedd Lewis Edwards, ei ganiatâd megis i gymryd Coleridge o ddifrif, yw prif bwysigrwydd yr ysgrif. Petai Islwyn wedi troi at y gwreiddiol, mae'n debyg y byddai brawddegau fel 'God manifested in the Flesh = Eternity in the form of Time. But Eternity to Time = the absolute to the conditional, or the Real to the Apparent,' wedi ei daro. Mwy dylanwadol o bosibl, yw adolygiad arall yn *Y Traethodydd* yn 1854, gan Daniel Rowlands, ym Mhrifysgol Edinburgh ar y pryd, ar fywgraffiad John Foster.[15] Cyfieithir rhan helaeth o un o ysgrifau Foster ac y mae'n werth dyfynnu ychydig frawddegau:

> Yr ydym yn edrych ar fynydd uchel, a welwyd gan lygaid cynnifer o fugeiliaid, gweithwyr, a phlant awen, na welant mo hono byth mwy. Tra yr edrychwn ar fawrhydi dyrchafedig, a sefydlogrwydd digyfnewid ei glogwyni a'i ochrau, a thywyllwch parchedig deugain canrif yn gorphwys ar ei ael, gan daflu sobrddwysedd dyfnach ar y ffurfafen, yr hon sydd weithiau yn tywyllu ei grib â'i cymylau a'i tharanau, llais ein teimladau

ydyw – mor arddunol! Yr ydym wedi bod yn cymeryd ein safle yn ymyl rhaiadr mawr – y disgyniad taranllyd, y gwrthneidiad nerthol, y cyffro dychrynllyd, a'r tarth tew – O y fath olygfa! Rai gweithiau, tra y syllem, byddai y cynhwrf a'r pentwr dwfr fel yn cynnyddu bob eiliad, gan fwgwth ein tynu i mewn a'n dinystrio. Gallem ddychymygu fel pe buasai rhyw rwyg ofnadwy wedi cymeryd lle ar weithrediad rheolaidd y gyfundrefn . . . (tt.453–4)

Wedyn fe ddisgrifir y 'teimlad goruchel' o wylio tymestl ar y môr gyda'r 'llu o fynyddoedd', pryd y 'gallem ddychymygu braidd fod y byd mawr wedi ei lenwi âg enaid, ac fod y cynhyrfiadau hyn yn dangos cyffroad ei nwydau' (t. 454).

Yna, ac yn ddadlennol iawn yng nghyswllt delweddau Islwyn, trosiad o baragraff ar y sêr:

Pan ddaw y nos, gallem edrych i fyny at dawelwch arddunol y nefoedd, lle y gwelir y ser, fel tânau nosawl cynnifer gosgordd o ysbrydion, yn erlyn eu hymchwiliadau trwy y bydoedd fry. Nis gwyddom pa mor bell y cyrhaedda llywodraeth annhrefn, ond ymddengys fod y ser uwchlaw ei therfynau; a chan lewyrchu o'u gorsafoedd pell, hysbysant i ni fod y bydysawd yn ddigon llydan i ni ddilyn y prawf o fodolaeth, trwy filoedd o raddau, efallai mewn broydd llawer dedwyddach na hon. Y mae gwyddiant yma yn cydymgais â chrebwyll, a thrwy ddysgu fod y ser yma yn heuliau, y mae wedi rhoddi dyddordeb newydd yn y rhagddysgwyliad am dragwyddoldeb, yr hwn a all ein cyflenwi â'r fath ddefnyddiau dihyspydd o ddeall-dwriaeth a synfod. Eto mae y ser yma fel yn cyffesu y rhaid fod yna ryw ardaloedd uwch eto i dderbyn ysbrydion wedi eu puro, y tu hwnt i ymgyfathrach â phob goleuni materaidd; ïe, gadawant ni i ddychymygu nad ydyw yr holl fydysawd materaidd ei hunan yn ddim ond lle y penodwyd i fodau ddechreu ynddo, ac i gael eu haddysgu trwy olygfeydd olynol, nes y maent – wedi myned heibio i'w derfynau eithaf, i'r anfeidroledd y tu draw, yn eu canfod eu hunain o'r diwedd yn mhresennoldeb uniongyrchol y Duwdod. (t.455)

Cymhariaeth rhwng Foster a Coleridge gan yr adolygydd sy'n agor drysau i natur delweddiad:

Y mae sylw Coleridge am 'lyfr mawr Natur,' mai 'Barddoniaeth yr holl natur ddynol' ydyw, i'w ddarllen mewn ystyr ffugyrol, ac i ganfod ynddo gyfatebion ac arwyddluniau o'r byd ysbrydol, yn briodol mewn modd arbenig gyda golwg ar Foster . . . Yr oedd [ef] hefyd yn mwynhau natur yn gymaint, fel y mae ei ysgrifeniadau yn llawn o honi, ac yn ein dwyn i weled mwy o'i gogoniant . . . Y mae newydd-deb y gwlith ar ei ffugyrau . . . Ac heblaw fod natur ganddo yn ymddangos yn decach i ni ynddi ei hun, y mae hefyd yn dyfod yn fwy pwysig ac yn fwy cysegredig fyth, fel y dangosir hi allan fel dammeg fawr, fel *hieroglyphic*, yn llawn 'cyfatebion ac arwyddluniau' o ryfeddodau y byd ysbrydol. (tt.464–5)

Gwelsom eisoes fod Eryr Glan Taf, yn ei erthygl yn Rhagfyr 1853, wedi awgrymu bod unigrywiaeth Islwyn i'w chymharu â *Christabel* a'r *Ancient Mariner*, ac nid gor-fentrus efallai yw credu y byddent ill dau wedi trafod Coleridge yn nghwrs eu sgyrsiau. A bwrw y byddai'r gwahanol ysgogiadau wedi arwain Islwyn i ddarllen *Biographia Literaria*, fe fyddai'r drws yn agored led y pen i syniadau o'r Almaen, yn enwedig felly'r datblygiad – a oedd ar yr un pryd yn wrthbrawf – o idealaeth feirniadol Kant drwy Fichte a Schelling.[16] Nid dyma'r lle i geisio manylu ar systemau'r ddau ond dweud yn arwynebol ddigon fod Fichte wedi trawsnewid y berthynas wrthgyferbyniol rhwng yr hunan a'r byd naturiol drwy wneud yr olaf yn ddarostyngedig i'r cyntaf. Natur, fe ellid dweud, fel y 'nid-hunan', yw'r ffin y mae'r hunan yn ei greu iddo'i hun.(Yn ddiweddarach fe ddaeth Fichte i geisio goresgyn y ddau drwy undod yn yr absoliwt, y Duwdod.) Y mae Coleridge yn cael ei hudo gan syniadau Fichte, ond hefyd mewn nodyn yn parodïo'r athrawiaeth mewn rhigwm:

> Here on this market-cross aloud I cry:
> I, I, I! I itself I!
> The form and the substance, the what and the why,
> The when and the where, and the low and the high,
> The inside and outside, the earth and the sky,
> I, you, and he, and he, you and I.
> All souls and all bodies are I itself I!

(Y mae'r defnydd o'r rhigwm, a rhai o'r syniadau, yn dwyn *Byd-gonglau* i gof.) Sylwer hefyd ar folawd Fichte i'r anfarwoldeb sydd ar gael yn awr:

Nid yw'r hyn a elwir Nefoedd yn gorwedd tu draw i'r bedd; y mae eisoes o gwmpas ein natur yma, ac y mae ei oleuni yn gwawrio ym mhob calon lân . . . Nid rhywbeth yn y dyfodol yw'r byd goruwchsynhwyraidd; y mae'n bresennol. Nid yw'n fwy presennol ar un pwynt yn y bywyd meidrol yn hytrach nag un arall; wedi myrdd o oesoedd dyn nid yw'n fwy presennol nag yn y funud hon.

Er bod Coleridge yn cydnabod cyfraniad Fichte, y mae'n priodoli'r chwyldro mewn athroniaeth, perffeithiad system Kant, yn bennaf i Schelling, 'a great and original genius . . . the *founder* of the PHILOSOPHY OF NATURE'.[17] Yr agwedd o'i athrawiaeth gynnar a apeliai'n arbennig i Coleridge oedd ei ymgais i gynnwys natur oddi mewn i'r meddwl absoliwt. Y mae creadigaethau'r byd naturiol a'r hunan yn agweddau o'r un meddwl mawr, enaid y byd *(die Weltseele)*, sy'n ymdrechu'n barhaus i ddatblygu o fodolaeth anymwybodol i fywyd ymwybodol. Neu, a derbyn un o'i osodiadau mwyaf trawiadol: 'Y mae natur yn cysgu yn y planhigyn, yn breuddwydio yn yr anifail, ac yn deffro i ymwybyddiaeth mewn dyn.' Cyfundrefn bantheistaidd yw un Schelling heb unrhyw amheuaeth ac, er i Coleridge gael ei swyno gan y syniadau, ei safbwynt parhaol oedd na ellid cysoni hyn ag athrawiaeth uniongred Cristionogaeth o Dduw trosgynnol, personol.[18]

Teg dweud mai tystiolaeth amgylchiadol i ddylanwad idealaeth Almaeneg yw hyn i gyd, ac y mae effeithiau darllen *Night Thoughts* Young a gwaith Alexander Smith i'w gweld yn fwy uniongyrchol, fel y crybwyllwyd eisoes. Anodd dweud gydag unrhyw bendantrwydd o ba ffrwd athronyddol y bu Islwyn yn yfed, na beth oedd ymddoleniad yr afonig feddyliol, ond y mae'n amlwg ei fod yn ystod y blynyddoedd 1854 i 1856 wedi cael ei daflu yma ac acw gan syniadau ar anfarwoldeb, dwyfoldeb natur, yr hunan a'r oll, deuoliaeth ac unoliaeth. Darllenodd hefyd ddadleuon athronyddol, er yn aml anghyson â'i gilydd, oedd yn estyn swyddogaeth y celfyddydau, a barddoniaeth yn bennaf, fel y gallu cyfosodol, i gysoni rhaniadau, i ddatrys problemau perthynas gwybod a theimlo, i uno byd y corff a byd yr ysbryd. Yn achos y Rhamantwyr, yn enwedig yn yr Almaen, fe ddatblygwyd swydd barddoniaeth i greu myth-oleg newydd; ond roedd gan Islwyn fytholeg eisoes, un ysgrythurol. Felly nid creu system newydd y mae, ond datblygu ac anwesu delweddau. Nid ei fod yn diraddio barddoniaeth ond rywfodd yn ei niwlo; dyma'i sylw yn *Y Gwladgarwr*, 19 Awst 1871: 'Barddoniaeth yw y ffon uchaf oll ar [ysgol fawr llenoriaeth] – yn yr uchelfan cerubiaidd, lle y mae y meddwl yn canu yn iach i'r sicr, y daearol, a'r gweledig, ac yn ym-ddyrchafu i gymundeb a'r pell, yr ansicr, y dwyfol, a'r tragwyddol.'

Yn 1850 fe gyhoeddodd Tennyson ei *In Memoriam*, er yn ddienw yn y lle cyntaf. Cyfres o benillion, a ysgrifennwyd dros gyfnod o flynyddoedd yn dilyn marwolaeth Arthur Hallam yn 1833, yw'r gerdd, a'r thema ganolog yw colled a'r gobaith am aduniad, am groesi'r ffin rhwng dau fyd, rhwng mater ac ysbryd. Fe geir awgrym o lwyddiant mewn cyflwr llesmeiriol, ond y mae'r bardd yn gwybod yn iawn mai dihangfa ddigon

eiddil yw hon. Yn wir, cerdd orlawn o amwyseddau ac amheuon yw
hon; amdani y dywedodd T. S. Eliot: '[It] is not religious because of the
quality of its faith, but because of the quality of its doubt. Its faith is a
poor thing, but its doubt is a very intense experience.' Ystrydeb yw
dweud mai darganfyddiadau daearegol a siglodd ffydd llawer un,
Tennyson yn eu plith, ond yn sgil y feirniadaeth Feiblaidd newydd
gwelwyd twf amheuon hefyd ynglŷn â'r gwyrthiau, cosbedigaeth dra-
gwyddol, moesoldeb athrawiaeth yr iawn, tiriondeb y greadigaeth
naturiol (meddylier am 'nature red in tooth and claw' Tennyson) i
gymryd ond ychydig enghreifftiau; hyn i gyd cyn ffrwydrad tanseiliol
Origin of Species yn 1859.[19] O'r dadleuon ac amheuon i gyd, yr agosaf
at galon a phrofiad pobl yn gyffredinol oedd syniadau am anfarwoldeb
a thragwyddoldeb. Os nad oedd awdurdod ysgrythurol, chwaethach
gorchymyn eglwys, yn ddigon o warant dros ddaliadau traddodiadol,
beth bellach oedd i gysuro'r ddynoliaeth?

Gan mor gryf oedd Ymneilltuaeth yng Nghymru erbyn hyn, a thân
profiad y Diwygiad Methodistaidd heb ddiffodd yn hollol, efallai nad
oedd amheuon deallusol mor amlwg yma – fe ddeuai'r rhain ymhellach
ymlaen yn y ganrif – a, sut bynnag, bach o groeso oedd i anuniongrededd
o du'r blaenoriaid a'r diaconiaid. Gwelsom eisoes natur draddodiadol
datganiad Islwyn ar dragwyddoldeb, 'yr athrawiaeth gyffrous a mawr-
eddog hon', yn y bregeth yn *Y Cylchgrawn* ym mis Mawrth 1853.
Datguddiad yn unig sy'n rhoddi'r allwedd: 'Yn absenoldeb goleuni dad-
guddiad, ni fuasai haul rheswm y digyffelyb Newton yn ddigon dysglaer
i oleuo glyn cysgod angau' (t.65). Ac yna: 'Mae ein ffydd yn yr erthygl
sylfaenol hon yn gorphwys nid ar resymau, ond ar awdurdod. Y sail ar ba
un y credwn sefyllfa ddyfodol yr enaid, yw tystiolaeth ein Hiachawdwr'
(t.67). Gwahaniaethir rhwng adnewyddiad ein cyrff, a gânt 'eu hadlunio
gyda diwygiadau mawrion, a'u hadgyfodi i fodolaeth anfarwol' (t.68) yn
Nydd y Farn, ac anfarwoldeb yr enaid, '[p]riodoledd mor ardderchog, fel
y cyfranna math o anfeidroldeb i bob peth cysylltiedig â hi (t.70)'. A
dywed:

Pan ymosoda angau ar y babell bridd, ac y tyna i lawr ei chleilyd furiau,
dianga yr enaid o gaethiwed llygredigaeth, a ffoa yn fuddugoliaethus ar
aden gynefin anfarwoldeb i hinsawdd gyfnaws bydoedd eraill. Mae ein
bodolaeth i redeg yn mlaen o funud ei ddechreuad, mewn llinellau
cyfochrog a bodolaeth Duw ei hun!

Erbyn heddiw y mae diwinyddiaeth yn tueddu i ystyried y syniad

Groegaidd, Platonaidd o ddeuoliaeth corff ac ysbryd fel rhywbeth wedi ei fewnforio i Gristionogaeth, ac yn gosod mwy o bwys ar atgyfodiad, sut bynnag y dychmygir hynny, nag ar anfarwoldeb tybiedig yr enaid.[20] Ond roedd awdur dienw 'Anfarwoldeb yr Enaid' yn *Yr Adolygydd* (Medi 1850, 223–39) yn gartrefol glir ar y mater:

> Perthynas Crëwr a chreadur sydd rhwng Duw a defnydd, ond y mae perthynas tad a phlentyn rhwng Duw ag ysbryd dyn . . . Yn angau, mae corph ac enaid y Cristion, yn debyg iawn i ddau gyfaill wedi cyd-weithio drwy gydol y dydd, y rhai, pan ddaw yr hwyr, a ganant yn iach i'w gilydd, gan fyned bob un at ei dylwyth, hyd forau dranoeth.

Efallai hefyd ei fod yn o agos i'w le wrth honni: 'Teimlwn yn llawen nad oes nemawr o Gymry yn amheu gwirionedd yr athrawiaeth sydd dan sylw'; o leiaf, os oedd rhai felly fel yn Lloegr, nid oeddynt am gydnabod hynny – hyd yn oed iddynt eu hunain.

Beth oedd safle Islwyn, a'r cyfan wedi dod yn fater o bwys ingol iddo ar ôl colli Ann? Nid amheuon a gawn ond ymbalfalu, chwilio am ddiffiniad, ceisio cymhwyso'r damcaniaethau i'r profiad personol, chwiban yn y gwynt o bosibl. Yn y ddwy *Storm* fel ei gilydd y bedd yw canolbwynt ei fyfyrdodau a man cychwyn breuddwydion:

> Yn y bedd
> Y plyg y corff ei fantell gnawd ynghyd
> I wywo mwy, a thawel yno trig
> I ddisgwyl am y plygain teg, y wawr,
> Estynna Anfarwoldeb ei law wen
> Dan gaeadlenni'r pridd, i'w ddwyn i'r lan
> A rhoi amdano y dragwyddol wisg.
> Ni faidd y corff ehedeg tua'r nef
> I heuldir anfarwoldeb oddi ar
> Fynyddoedd tywyll angau, gyda rhwysg
> A beiddgar gyrch yr enaid pan ymdeifl
> Ar awyr ddiawelog tragwyddoldeb! (S1, 54)

A, phetai angen, fe bwysleisir droeon y ddeuoliaeth corff ac enaid:

> . . . yn tynnu ei ddaearwisg
> Ymaith oddi am ei enaid,
> . . .

Nes y byddo'r enaid santaidd
Ar wahân yn hollol mwyach. (S1, 115)

Fe fydd Duw, yn achos y cyfiawn, yn ail-lunio 'y marwol ddrylliau eto o'r pridd / Yn enaid-annedd draw' (S1, 120). Nid yw Uffern wedi diflannu o feddylfyd Islwyn:

Plyg annwfn engyrth frig ei fflamiau erch,
A noetha hi ei bronnau llawn o waed,
Llawn tân ac ysgorpionau, tua phwynt
A rhedfa tragwyddoldeb! (S1, 55)

. . .

O! nid yw neb yn clywed engyrth waedd
Y truan pan yn deffro a chael ei hun
Mewn fflamiau hyd ei wddf! (S1, 58)

Ond:

Ni all y fflam eu difa hwy
    A brynwyd ar y pren,
A thros y rhai gogwyddodd Iôr
    Ar fron o waed ei ben. (S1, 58)

(Go brin, gyda llaw, bod y dyfyniadau hyn yn ategu'r ddamcaniaeth am natur erotig y cyfeiriadau, gweddol brin mewn gwirionedd yn *Y Storm* gyntaf, at 'fronnau'. Teg ychwanegu bod rhai llinellau o'r ail *Storm* yn well tystiolaeth i'r ddadl: '[m]eddyliau Duw fel bronnau', S2, 124; 'yn glynu am ei bronnau gwlybion hi' (sef y môr), S2, 125; 'fel bron / O fynwes hwnt i'r bedd, S2, 128.)

Hyd yma, felly, y mae popeth yn uniongred Galfinaidd, heb arlliw o amheuon o'r Cyfandir. Y mae peth amwysedd efallai ynglŷn â'r termau:

. . . r[h]yfeddodau Duwdod sydd o'i amgylch
O dan yr enwau tragwyddoldeb, barn,
Holl amrywiaethau bywyd annherfynol.
Duw, Duw yw'r cwbl! yr hollgynhwysol Fyd,
A'i Anfeidroldeb o berffeithiau ynddo
Ei Hunan yn cydbwyso . . . (S1, 134)

Ac erbyn yr ail *Storm* y mae'r athrawiaethol wedi rhoi lle gan amlaf i'r breuddwydiol:

A nef-funudau bywyd ydynt hwy
Pan fo yr enaid allan o'r presennol
Yn chwilio y tragwyddol leoedd am
Y pêr anwylion fu . . .
. . . Beth yw heddiw? Mae yr enaid
Yn hawlu tragwyddoldeb fel ei heddiw. (S2, 25)

A hoff breswylfa ei ddychymyg mwy
Yw'r wlad tu draw i'r bedd, lle nad oes môr
Ond anfarwoldeb, afon, bryn, na bro,
Ond bywyd glân ac ysbrydoldeb pur . . . (S2, 86)

Y mae'r unigolyn yn cael cyfle i gario'r dydd, drwy 'y mewnol ad-
gyfodiad mawr / Ar bethau bywyd, pethau amser oll' (S2, 44); adlais
Schleiermacher, o bosibl. Ond adgyfodiad Crist sy'n cysylltu tynged yr
unigolyn â'r holl fyd:

A minnau gofwyd, godwyd gydag ef
I nefoedd purdeb a sancteiddrwydd derch,

. . .

. . . cododd
Gan ddwyn y byd i fyny gydag ef
Trwy rym ei atgyfodiad mawr ei hun. (S2, 48)

Yma yn yr ail *Storm* hefyd y ceir y mynegiad cliriaf o'r athrawiaeth
Blatonaidd am y cysgodion:[21]

Y marwol, cysgod yr anfarwol yw,
A'r greadigaeth erfawr – cysgod Duw

. . .

Ac Amser, onid cysgod egwan yw
O'r annherfynol, oesoedd mawrion Duw?

. . .

A Thragwyddoldeb, Archoffeiriad mawr
Bodolaeth, ddaw i mewn pan dery'r awr,
A syrth y byd fel gwahan-len i lawr;
Holl ddorau'r enaid gydagorir mwy,
Ac ni ddaw cysgod bythoedd rhyngddynt hwy. (S2, 93–4)

Gan fod pob yn ail dudalen o'r ddwy *Storm* yn sôn am fedd, bedd
Ann yn benodol ar brydiau (S1, 109–10, er enghraifft), fe ellid amlhau'r
dyfyniadau ar farwolaeth, atgyfodiad a thragwyddoldeb, a chystal cyf-
addef y gall yr aralleirio diarbed droi'n fwrn pan nad yw'r delweddu'n
argyhoeddi, oblegid y ddelweddaeth syniadol sy'n cymryd lle'r digwydd-
iadau y gellid eu disgwyl mewn cerdd arwrol, ac yn rhoddi blas unigryw
i'r canu. Onid felly y mae Duw ei hun yn gweithredu?

> . . . ei dragwyddol feddwl Ef
> Sy'n rhagddelweddu yn ei feddwl fyth
> Gyflawnder a pherffeithrwydd pob rhyw beth.   (S2, 78)

Y mae rhai motiffau annelwig megis: Amser, Natur, Nos (weithiau
gyda'u priflythrennau, weithiau hebddynt) ac ochr yn ochr neu o'r tu
mewn i'r rheini fe geir delweddau sy'n perthyn yn agosach i'r byd
synhwyraidd, er yn aml yn gorfod dwyn baich symbolaidd: sêr, cwmwl,
mynydd, môr, penrhyn, fforest.
    Nid gwendid yw amwysedd a diffyg pendantrwydd delweddol bob
amser. Yn achos Islwyn, motiffau agored iawn sydd ganddo gan amlaf,
ac y maent yn dod â'u cargo arbennig i'w canlyn, naill ai o gefndiroedd
ysgrythurol, athronyddol a llenyddol, neu o fannau eraill yn y cerddi eu
hunain. Y mae'n deg dweud bod elfen o bentyrru yn hyn, ond y mae
ymgais hefyd at batrymu a chyd-weu, a chyfoethogi'r motiff.
    Un motiff hollbresennol yn y ddwy *Storm* yw Amser, bron yn ddi-
eithriaid fel gelyn: 'Time, like an ever-rolling stream, / Bears all its sons
away', yng ngeiriau cyfarwydd Watts. Y mae llinellau fel 'Y nos o gnawd
a daear / A elwir Amser' (S1, 115) yn ein cysylltu â motiff arall 'Nos',
a hynny yng nghyswllt yr enaid, nad yw 'o'r nos'. (Fe fydd italeiddio'r
motiffau a delweddau mewnfor efallai'n gymorth.)

> Mae'r enaid weithiau fel pe'n teimlo'i hun
> Yn fwy nag amser . . . (S2, 35)

ac yn wir

> Y mae y corff a'r enaid fel dau *fryn*
> Ac Amser fel *daeargryn* rhyngddynt hwy . . . (S2, 83)

neu fe ddywedir am yr enaid

> Saif oddi ar gyfandir amser fry
> Fel Alp o eilfyd. (S1, 116)

Mewn darn sy'n troi o amgylch athrawiaeth Blatonaidd y cysgodau fe ddisgrifir amser fel 'cysgod egwan o'r annherfynol' (S2, 93), ond fe eir ymhellach drwy 'ddangos amser oll / Yn llwch ac yn aflendid hyd y *bedd*' (S1, 136). Y bedd yw'r ddihangfa o grafangau amser, a thrwyddo y mae'r enaid

> Yn cychwyn ar ei stad,
> Gan adael ysgol amser mwy
> I ddychwel at ei Dad. (S1, 114)

ac yn 'anturio dros ymylon oergrud amser' (S1, 116), delwedd sy'n cysylltu â'r disgrifiad o Grist yn cymryd iddo'i hun agwedd gwas: 'ar derfynau oerion amser, saif / Yn unig ac yn ddieithr ac yn dlawd!' (S1, 96). Dydd y Farn yw 'olaf allor amser' (S1, 90), pryd y bydd 'llyfr Amser wedi cau' (S1, 91) ac 'olwynion amser yn llesgâu' (S1, 85). Cyferchir y dydd mewn termau mynyddig:

> Mae *Mynydd* Amser . . .
> Yn crynu ei fannau o flaen dyfodiad Iôr.
>
> . . .
>
> Tyrd, araul Fore! pan y bydd
> Tymhestlog *fryniau* amser prudd
> Oll yn gydwastad â'r anfeidrol fyd! (S1, 120)

Gwerth atgoffa ein hunain am yr argraff a wnaeth mynyddoedd gogledd Cymru arno ryw ddeuddeng mlynedd yn ddiweddarach. Ar 'wibdaith newyddiadurol a phregethwrol i Wynedd' gan letya gyda Iolo Caernarfon, danfonodd nodyn at Athan Fardd:

Gofalwch am y Deheubarth hyd oni dychwelyf! Ni synwyf ddim bod cynnifer o feirdd da yn y Gogledd, mae natur yma yn gwisgo gwisgoedd ei gogoniant! Mae fy awen wrth ei bodd yn mwynhau'r golygfeydd ar y gwastadeddau, y llynoedd, y creigiau mawr caerogwyrth, a'r mynydd-oedd nef-gopäog! Mae'r aruthredd, yr arddunnedd, a'r uchelderau o'm deutu yn debycach i'r Anfeidrol na dim a welais i o'r blaen. Carwn yn fawr gyfarch copa'r Wyddfa, ond ofnwyf, weithiau, fod yno ormod o anfeidroledd yn teyrnasu, yn ymyl y sêr, i mi ddal yn ngwyddfod y fath fôr o arucheledd![22]

Nodwn, heb fanylu, ddylanwad y Milflwyddwyr (er nad yw'n cyfeirio o gwbl at Morgan Llwyd) a Llyfr Datguddiad ar ei syniadau ynglŷn â'r saib rhwng marwolaeth a barn; y rheswm dros ymatal rhag manylu yw mai annelwig iawn yw syniadau Islwyn ar y pwnc. Y mae'n rhoddi llawer mwy o bwyslais ar ofnadwyaeth Dydd Barn nag ar unrhyw baradwys fil-blynyddoedd.[23] Wrth edrych yn ôl y mae'n darganfod ei baradwys: 'Mae gan bob enaid fel y cyntaf un / Ei Eden rywle tua dwyrain bod' (S2, 27).

Eden, ar wedd Feiblaidd, Filtonaidd (ond heb fanylion synhwyrus *Coll Gwynfa*), sy'n gyfrifol am rai o'r llinellau prydferthaf a mwyaf trawiadol yn y ddwy gerdd ond, ar ben hynny, y mae'r Cwymp fel petai'n cychwyn peiriant andwyol amser. Gwelsom rediad y rhannau hyn o'r gerdd yn y bennod flaenorol, ond fe dâl ailadrodd un dyfyniad. Wedi'r disgrifiad o ddyn 'yng ngwynion freichiau diniweidrwydd pur' fe gyflwynir goleuni'r wawr, fel gwrthbwys i'r tywyllwch a nos a fydd yn llywodraethu cymaint o weddill y gerdd, a'r un modd y mae'r llinellau o amgylch yn cynnwys aroglau a 'moroedd o beroriaeth', gwahanol iawn i fwg y ddaeargryn a rhu'r daran sydd i ddod ('Daeth y nos, / Ac nid oedd Eden braidd weladwy mwy / Ond yng ngoleuni y cleddyfau llathr / A fflamient ar y mur,' S1, 30–1):

> Pan rodiai'r Wawr rhwng arianlwyni Eden,
> A'i throed yn gwynnu yn y gwlith, a'r blodau
> Yn agor i'w chroesawu (S1, 23)

ac yna

> Coedwigoedd eurwawr Eden lennid gan
> Aneirif godiad, annherfynol daen
> O gorau'r wawrddydd, lond yr awel fawr
> Dderbynia'r bore ar ei haden bell.
> Holl annherfynol Jiwbili y wawr (S1, 26; S2, 28)

Dygir profiad Ann i mewn i'r ddelwedd: 'Agorai Eden llai ei maint, nid llai / Ei mwyniant na hon yma, yn ein gŵydd' (S1, 27; S2, 29). Ond fe halogwyd amser yn y Cwymp:

> O ddedwydd adeg, pan y rhodiai dyn
> A'i Grëwr law yn llaw, drwy Eden wiw,

Fel plentyn gyda'i dad. Felltigaid awr
A daflodd ar y rhwym a'u hunent hwy
Fflam pechod, a enynnodd amser oll
Yn oddaith o ddigofaint rhyngddynt mwy.

. . .

O Bechod! O Erchylltra! Gwae y dydd
Y damniwyd Amser â dy sangiad erch. (S2, 19)

Ac fe fesurir amser 'O gaead Eden hyd gaead y byd' (S2, 91).[24]
Cyfunir nifer o ddelweddau â'r term cwmpasog 'amser': dinas
(S1, 135), cyfyngforoedd (S1, 138), afon (S1, 139), bryniau (S1, 140), porth-
laddoedd (S1, 142), nos-fynyddoedd (S2, 24), bedd-lanedig foroedd (S2,
68), cul ddyffryn (S2, 70), penrhyn (S2, 75), bedd-weddog froydd (S2,
84), ymyl modrwy amser (S2, 75: modrwy Sadwrn), pererin blin (S2, 96),
dilyw (S2, 100), dyfroedd (S2, 104), ystormydd (S2, 122). Cawn weld
arwyddocâd nifer o'r rhain yn nes ymlaen.

Y mae cysylltiadau nos ag angau mor gyffredinol, a dylanwad *Night
Thoughts* Young mor amlwg, nad oes angen ymhelaethu ryw lawer ar y
motiff. Cystal sylwi, er hynny, bod oblygiadau epistemegol i nos a
thywyllwch yng ngolwg Young:

> Darkness has more divinity for me;
> It strikes thought inward; it drives back the soul
> To settle on herself, our point supreme. (V, 128–9)

Safbwynt gwrth-empiraidd, felly, a hefyd gwyriad oddi wrth safbwynt
traddodiadol Cristionogaeth, a bwysai gymaint ar ddelwedd goleuni nes
gweld tywyllwch fel teyrnas galluoedd y Fall. Yn wir, roedd tywyllwch
yn gyfystyr ag egwyddor drygioni ei hun i'r Cyfrinwyr a'r Pietistiaid.
Ond y mae'r Rhamantwyr yn ysbrydoleiddio'r nos fel y cyfrwng i lacio
gafael ar bethau materol y ddaear – na ellid eu gweld mwyach yn glir – a
chanolbwyntio ar y nefoedd. Y mae'r syniad yn ymddangos, er
enghraifft, yn niweddglo Coleridge i *Biographia Literaria*:

> Religion passes out of the ken of Reason only where the eye of Reason
> has reached its own Horizon; and . . . Faith is then but its continuation:
> even as the Day softens away into the sweet Twilight, and Twilight,
> hushed and breathless, steals into the Darkness. It is Night, sacred Night!
> [cymharer 'sancteiddiaf awel canol nos', S1, 129; 'awyr sancteiddiedig

canol nos', S1, 135; 'mae y byd yn santaidd yn y nos', S1, 130] the upraised Eye views only the starry Heaven which manifests itself alone: and the outward Beholding is fixed on the sparks twinkling in the aweful depth, though Suns of other Worlds, only to preserve the Soul steady and collected in its pure *Act* of inward adoration to the great I AM.

Beth am y delweddau cysylltiol? Cymysglyd ddigon yw'r agweddau a grybwyllir. Y mae R. M. Jones yn dadlau'n ddiddorol bod Islwyn wedi canfod 'fod y nos ddu . . . pan ddaw oddi wrth Dduw, yn debyg iawn, yn wir yn union yr un fath â goleuni', gan ddyfynnu 'Mae'r nos ar ei bannau i gyd yn oleuni, / Môr bywyd tua'r bedd yn prysur ymloywi' (S1, 39).[25] Nid yw byth yn hawdd gwybod at beth yn hollol y mae Islwyn yn cyfeirio, ond gobaith am y wawr a welaf i yma, a sut bynnag, y mae llawer o wrth-ddweud mewn mannau eraill. Ochr yn ochr ag ystrydebau ansoddeiriol a chymariaethol (dyfnderau'r nos, S1, 25, 93, 128; tragwyddol nos, S1, 25, 118, 139, 140, S2, 20; mantell ddu'r nos, S1, 59; prudd feddyliau'r nos, S1, 112, S2, 131; dieithr nos, S1, 133; urddunol nos, S2, 102; hedd y nos, S2, 116; ac yn y blaen) fe geir cyfeiriadau eraill nid annisgwyl at nos y bedd, S1, 23, 121; nos fawr marwoldeb, S1, 101; nos ar hyd yr enaid oll [wedi'r cwymp], S2, 19. Cysylltir y motiffau hefyd: y nos o gnawd a daear a elwir Amser, S1, 115 (fel y gwelwyd eisoes); nos amser a'i gymylau, S1, 118; nos ddiwethaf amser, S1, 135; nos-fynyddoedd amser, S2, 24; fforest ddofn y nos, S1, 128 (anodd credu nad oes adlais o gerdd Blake: 'Tyger, Tyger, burning bright, / In the forests of the night' – coedwigoedd oedd i Blake yn arwyddo anwybodaeth ac ofergoel). Y mae canol nos yn cael lle amlwg: dyna 'gysegredig awr' Crist, S2, 99; ac y mae 'dorau'r byd ysbrydol, ganol nos, / Yn agor tuag atom' a'r 'enaid / A'i goedwig o feddyliau' yn troi 'tua thragwyddoldeb / Y byd a ddaw! yr Anweledig! Duw!', S1, 129.
    Y mae perthynas dyn â'r nos yn troi o amgylch llygredigaeth:

> Yn rhoi y byd i fyny am y nos
> I ddwylo Natur, ac yn cau ynghyd
> Ei dabernacl bridd [II Pedr 1.13–14] o'i gylch fel bedd (S1, 128)

> . . . nes daw nos
> I guddio ei weithredoedd, rhag i'r nefoedd
> Ymlygru yn yr olwg ar ei waith (S1, 92)

Ond yn y nos y gwelir gliriaf arwyddion ailgysylltu â'r nefol; fe ddeuwn at y sêr toc.

Y trydydd prif fotiff yw Natur – natur fel cyfangorff, nid yn ei neilltuolion. Ar un adeg roedd hi bron yn ofynnol i unrhyw fywgraffiad llenyddol gynnwys pennod 'Ei hoffder o Natur'; gan amlaf yr hyn a olygid oedd bod yng ngwaith y llenor dan sylw nifer o gyfeiriadau, eithaf amhenodol, at redyn a grug ac adar yn pyncio yn y llwyni. Estyniad go sylweddol ar hyn, wrth gwrs, oedd cerdd dopograffig y ddeunawfed ganrif, neu'r disgrifiadau synhwyrus, os cyffredinol, a welsom eisoes gan Beattie a Thomson. Ond mater arall yw 'bardd natur' yn achos, dyweder, Wordsworth, pryd y mae disgrifiad a theimladrwydd yn ymdoddi mewn athroniaeth a diwinyddiaeth.

Yn y 1920au a'r 1930au fe nododd yr hanesydd syniadau, A. O. Lovejoy, 66 o wahanol ystyron i'r gair 'natur' mewn estheteg.[26] Go brin y byddem ar ein hennill o geisio olrhain y rhain i gyd yn achos Islwyn, ond fe dâl efallai i weld beth oedd gan Thomas Charles i'w ddweud yn y *Geiriadur*, gan gofio, wrth gwrs, mai geiriadur Beiblaidd ydyw: 'hanfod peth, a'i briodolaethau; cyflëad unrhyw gorph neillduol: y byd, y bydysawd. 1. Sylwedd, neu ranau sylweddol, a phriodolaethau. – 2. Trefn pethau a bodau, yn ol gosodiad Duw yn y byd hwn; neu helynt, neu rodfa pethau yn ol y gosodiad hwn; syniadau naturiaeth.'

Ym mhumed a chweched linell y *Storm* gyntaf fe led-awgrymir dosbarthiad arall. Wedi'r gwahoddiad i wrando ar lais natur yn y storm 'fel utgorn ar y bryn', fe ddilynir y cyfeiriad personoledig, tirluniol gan osodiad priflythrennog cosmig ond wedi ei gysylltu â hunan y bardd: 'A Natur sy'n canu ei hanthem i mi' (S1,1).

Cyfarch a phersonoli yn null y ddeunawfed ganrif sydd yn llinell gyntaf yr ail *Storm* hefyd, ac erbyn hyn y mae'r cyfarchedig yn hawlio priflythyren: 'Pa bryd, O Natur deg, y'th ddysgwyd di / Fythbythoedd i weddnewid' (S2, 1). Nid 'teg' yn unig chwaith ond hefyd fygythiol – 'ystormus ael y graig / Ac adfail y goleudy ar ei brig' (Eddystone, fel y gwelwyd eisoes, sef canlyniadau alaethus pwerau'r byd allanol). A disgrifiadau mwyaf pwerus y cerddi yw'r rhai o'r byd naturiol yn ei agweddau ffyrnicaf, fel yn wir y mae'r teitl yn ei awgrymu. Ond fe ddofir y rhain pan ddoethinebir arnynt: 'O Natur! caf dy wersi uchaf di / Yng ngenau'r gwyntoedd pell a'r dymestl hy' (S1, 145). Gyda phriodoleddau dynol y cyfeirir at natur fynychaf: 'natur dwym ei chalon', S1, 28; 'Natur fawr yn arllwys / Ei henaid oll i'r gerdd', S1, 33; 'natur fawr yn crynu' a'i 'holl leisiau' yn ymegnïo 'i siffrwd llythyrennau' nerth Duw, S1, 36; 'y fam dragwyddol, Natur', S2, 35; 'yr haul / Mab hynaf Natur', S2, 85;

'magu ar liniau Natur', S2, 102; 'heb geisio gair o fawl, O Natur deg', S2, 120; 'O Natur ardderchog! Na faem fel tydi, / Yn ffyddlon trwy filoedd o oesoedd i'n Rhi', S2, 126. (Cymharer hefyd y cri gan Fab y Dyn: '"Ai nid oes gennyt, Natur, le i mi?"', S1, 103.) Ac fe ellid amlhau enghreifftiau o'r personoli hyn.

Ond y mae elfennau mwy cymhleth yn y farddoniaeth. Rywfodd y mae natur, er ei bod o'r byd, yn sefyll ochr yn ochr ag amser: 'Pan anwyd Natur fawr wrth droed / Mynyddoedd geirwon tragwyddoldeb' (S1, 124). Y mae dynion yn llygru natur yn ogystal ag amser. Nid yw hyn yn gyfyngedig i'r Cwymp, fel yn *Paradise Lost*:

> Forth reaching to the Fruit, she pluck'd, she eat:
> Earth felt the wound, and Nature from her seat
> Sighing through all her Works gave signs of woe,
> That all was lost. (IX, 780–4)

Y mae awgrym cryf o gyntefigiaeth yn y disgrifiad o'r cyflwr cyn i ddyn fentro i chwilio'r cyfandiroedd a'r cefnfor:

> Urddunol egwyl, cyn i orfryd dyn
> Ddwyn natur oll fel troedfainc dan ei draed
> . . .
> . . . cyn i'r nodwydd fer [sef y cwmpawd]
> Fradychu'r môr a'i olaf lan i'w law. (S2, 120)

Yn wir, y mae'r ddynoliaeth yn gyffredinol euog:

> Mae Natur trwy ei holl elfennau'n un,
> . . . Marwol ddyn
> . . .
> Yw'r unig anghysonder dan y nefoedd.
> Efe yn unig sy'n ysgaru ei hun
> Oddi wrth y greadigaeth, ac yn dwyn
> Ei hun i'r lan yn erbyn Duw a'i fyd
> A threfn hanfodol pethau. (S2, 111)

Y mae arwyddion yma a thraw o gydnabod damcaniaethau am fydoedd eraill:

> Rhyw gyngerdd gogonawl
>   Yw Natur, ryw gôr
> O fydoedd cysonawl
>   Yn moli eu Hiôr. (S1, 108)

'Y Duwdod mawr', wrth gwrs, yw eu gwneuthurwr:

> Yn hau ei fydoedd hyd ymylau anian,
> Ac yn dadrolio'r greadigaeth gain
> Fel o feddyliau'i fynwes ddwyfol allan,
> Nef ar ôl nef ar annherfynol daen. (S1, 124)

Efallai mai darllen yr athronwyr Almaenaidd sy'n gyfrifol am yr amwysedd wrth drafod perthynas Duw, Natur a'r enaid. Ar brydiau y mae'n gweld yr enaid fel rhywbeth mwy na natur:

> Y byd? Mae'r byd yn fawr! yn llanw cylch
> Ehangfawr yn y gwagle: ynot ti,
> O Enaid mawr! drychfeddwl syml yw. (S1, 137)

>   Medri di [enaid]
> Linynnu'r bydoedd ar ddrychfeddwl derch,
> A chwarae ar y tant. Mae rhywbeth ynot
> Sy'n fwy na'r bydoedd . . . Rhywbeth sydd
> Yn troi elfennau natur oll fel afon
> Ar olwyn dy ddibenion. (S1, 138)

>   Mae yn dy enaid di
> Lydanach nefoedd na'r rhai hyn [haul a sêr] . . . (S1, 137)

Yr un ansoddair wedi troi'n ferf a ddefnyddir ymhellach ymlaen i osod y cyfan o dan reolaeth Duw:

> Tyrd, tyrd i fyny i'r bryniau. Yno mae
> Llif ysbrydoliaeth Natur yn dyfnhau
> Ac yn llydanu tua'r moroedd sêr
> Sy'n tonni fyth o dan anadliad Nêr. (S1, 145)

Ond yn yr ail *Storm* y mae'r meddwl yn perthyn i natur:

> Mae meddwl dirfawr yn dy ymyl, clyw
> Mae'n griddfan yn dy ymyl am ryddhad.
> Fe all ei fod yn gorwedd yn y bryn
> Er awr y greadigaeth . . .
>
>   . . .
>
> Boed i dy enaid godi arno mwy
> A'i ddwyn i leufer y tragwyddol ddydd. (S2, 4)

Gwelsom eisoes fel y dangosodd E. G. Millward yn dra argyhoedd-iadol effeithiau darllen Emerson ar Islwyn, ac fe ellid awgrymu dyfyn-iadau ychwanegol, y tro hwn o'i ysgrif *Nature*, yn union gyswllt yr enaid a'r meddwl:

> Philosophically considered, the universe is composed of Nature and the Soul. Strictly speaking, therefore, all that is separate from us, all which philosophy [Fichte, ond odid[27]] distinguishes as the NOT ME . . . must be ranked under this name, NATURE.

Ac yna: 'behind nature, throughout nature, spirit is present . . . the whole of nature is a metaphor of the human mind'; 'whether nature enjoys a substantial existence without, or is only in the apocalypse of the mind, it is alike useful and alike venerable to me.' (Yn ei ddyddlyfr roedd gan Emerson gofnod efallai fwy dadlennol o'r berthynas: 'Man stands on the point betwixt the inward spirit & the outward matter. He sees that the one explains, translates the other: that the world is the mirror of the soul. He is the priest and interpreter of nature thereby' (*Journals and Miscellaneous Notebooks*, V, 103).) Anodd osgoi atgof o Schelling a Coleridge.

Y mae swydd gyfryngol i natur yn ôl Emerson ac, er bod Islwyn am ymbellhau o'r athrawiaeth mai dyna'r unig gyfrwng at Dduw, eto y mae i natur briodoleddau sy'n awgrymu rhyw dasgau arbennig i gynrychioli'r anfeidrol a'r meidrol –

> Efryda wedd Natur –
>   Mawr yw yr elw!
> Mae Natur yn troi
>   Ei hefrydwyr i'w delw. (S1, 71)

– er y gellid synhwyro bod y rhigymwaith yn bradychu elfen o ansicrwydd ynglŷn â'r gosodiad. Felly hefyd y cais ar i natur droi'n dyst, yn elfen gysylltiol rhwng y meidrol a'r anfeidrol:

> Rho, Natur! ryw brawiaeth,
> > Ryw niwlog gysgodiad
> O fawrwych athrawiaeth
> > Y pell atgyfodiad. (S1, 107)

Mwy argyhoeddiadol yw swyddogaeth natur yn y milflwyddiant:

> Bydd natur fel ei Duw, ei Duw mewn cnawd,
> Yn dyner ac yn addfwyn flwyddi fil,
> A thawel wawl tangnefedd ar ei gwedd,
> A chariad at ddynolryw yn ei mynwes. (S1, 80)

Weithiau y mae'n gwahanu Duw a natur:

> Cyflawn oedd
> > Bodolaeth bêr
> Gyda Natur,
> > Iôr, a'r sêr . . . (S2, 123)

ond, gan amlaf, y mae'r Duwdod yn treiddio drwy'r cyfan:

> > Beth bynnag sydd
> Ar ddelw Duw, yn ôl y graddau ['graddau' Schelling?], mae
> Duw yn bresennol yno . . . (S2, 14)

Cawn hefyd yr hen ddelwedd o Lyfr Natur fel arwydd y Duwdod:

> Y mae dy froydd yn ymagor draw
> Fel tudalennau cyfrol o waith y Ddwyfol Law,
> Y sêr a Duw ei hardeitl, ac uwchben
> Pob dalen deg o fynydd, môr a nen. (S2, 127)

> Agoraist neithiwr
> Ddorau'r sêr
> A throaist eu
> Cyfrolau têr. (S1, 113)

Ac yn y bryddest *Cymru* ceir y llinellau hyn a osododd O.M. ar gam yn *Y Storm* (GBI, 35; gweler hefyd GBI, 380):

> Yng ngoleu claer y mellt darllenna ef [y bardd]
> Lythrennau enw'r Ior ar len y nef.
> Ei gyfrol ar y bwrdd a ddyd i lawr,
> Agorodd natur ei chyfrolau 'nawr!

Y mae'r ddelwedd yn hen gyfarwydd, o Athanasius, drwy Awstin, Ramon Lull, Paracelsus, Jacob Böhme a llu o awduron eraill, ac fe'i hadferwyd yn y ddeunawfed ganrif, heb y paraffernalia hieroglyffaidd ac emblematig, gan feirdd fel Thomson ac Akenside, neu mewn emynau:

> I solitary court
> The inspiring breeze, and meditate the book
> Of Nature, ever open, aiming thence
> Warm from the heart to learn the moral song.
> > (Thomson, *Autumn*, llau. 669–72)

> To these the sire omnipotent unfolds
>   The world's harmonious volume, there to read
> The transcript of Himself . . . The Mind Supreme.
> > (Akenside, *Pleasures of Imagination* I
> > (fersiwn cyntaf), llau. 99–101, 107)

> The book of nature open lies,
> With much instruction stored:
> But till the Lord anoints our eyes
> We cannot read a word.   (John Newton, *Olney Hymns* (1779))

Yn Gymraeg y mae i'w weld gan Williams Pantycelyn yn *Theo-memphus*: 'Rhyw lyfyr yw'r greadigaeth, aneirif faint ei ddail, / Yn dodi 'maes ogoniant diderfyn Adda'r ail'; ac, yn 'Ar Hyd y Dolydd Eang' o'i *Odlau'r Bore*, y mae Ceiriog ar yr un trywydd:

> Ar hyd y dolydd eang,
> Ac ar lechweddau serth:
> Fry ar ysgwyddau 'r mynydd ban
> Ac ar y creigiau certh –

Fe welir enw 'r Arglwydd,
Mewn llythyrenau byw!
Pa beth yw'r greadigaeth oll
Ond Beibl arall Duw?

Yn y llinellau sy'n disgrifio croesi Bwlch Simplon (*Prelude* 1805 a 1850,
VI) y mae Wordsworth yn canfod ym manylion natur o'i gwmpas:

Characters of the great apocalypse,
The types and symbols of eternity,
Of first, and last, and midst, and without end.

Hapus ddyn, medd Islwyn, 'All ddodi'r bydoedd mawrion at ei gilydd /
Fel llythyrennau enw Duw' (S1, 129). Tebyg yw diffiniad Coleridge yn
1816. Wedi sôn am y Beibl fel canolbwynt darllen a myfyrdod, fe â
ymlaen: 'I digress for a few moments to another book, likewise a revela-
tion of God – the great book of his servant Nature . . . It is the poetry of
all human nature, to read it . . . in a figurative sense, and to find therein
correspondencies and symbols of the spiritual world.'[28]
    Amrywiad arbennig Islwyn ar y motiff yw gwrthgyferbynnu Natur
ac Amser:

A phan yr ysgrifenna Duw
Feddargraff olaf amser . . . (S1, 81)

[Yn Nydd y Farn] Mae Llyfr Amser mwy lle bu yr oesoedd
        Â llaw grynedig wrth brysuro 'mlaen
    Ar faith olynol drefn, ingol frys,
    Yn ysgrifennu arfaeth-gyngor Duw
    Â chymhleth lythyrennau o ddigofaint,
    Barn a thrugaredd (S1, 91)

            dy Dduw
Sy'n ysgrifennu, ar ddalennau gwag
Y gofod, greadigaeth fel drychfeddwl,
Ac fel drychfeddwl yn ei galw yn ôl
I fod mewn llawnach purdeb ynddo ei hun.
                                    (S2, 68)

Y mae natur:

Fel llythyr o hollalluogrwydd Duw,
A phob rhyw fôr a mynydd yn ei le
Fel arlinellau o amrywiol wedd,
Sêl Duwdod ar ei nef amlennol hi. (S2, 113)

ac:

I lawr trwy'r oesoedd
Dyma yw
Llais Natur fawr –
Duw! ddim ond Duw! (S1, 127)

'Duw yw y cwbl', meddai mewn un man yn yr ail *Storm* (S2, 79), ac efallai mai ymadrodd fel hyn a arweiniodd at sibrydion ei fod yn gogwyddo tuag at bantheistiaeth. Ond y mae hyd yn oed yr ymadrodd a ddyfynnwyd mewn cyswllt sy'n cyfleu gwedd wahanol: 'Mae'r oll a fu, yn bod; yr holl a fydd / Yn gorwedd yn ei hanfod ef fel llyn' (S2, 79). Rhethreg, yn hytrach na chyfundrefn athronyddol ddatblygedig yn llinach Spinoza neu Schelling, yw llawer o'r hyn a elwir yn bantheistiaeth yn y bedwaredd ganrif ar bymtheg. O gymryd diffiniad manwl ohono fel yr athrawiaeth bod popeth yn undod, a'r undod amhersonol hwnnw'n unwedd â Duw, fe ellid dweud yn weddol ddibetrus nad pantheist mo Islwyn. Y mae'n canlyn y pantheistiaid beth o'r ffordd, yn sicr, ond y mae megis yn dal yn ôl briodoleddau sy'n perthyn yn unig i'r Duw sy'n fwy na'i greadigaeth – y trosgynnol, mewn gair. Y mae Duw yn bresennol ym mhopeth 'sydd ar ddelw Duw', ond nid yw hynny'n ei ddihysbyddu. Term a fathwyd yn 1828 gan Karl C. F. Krause (1781–1832) i gyfleu'r syniad o'r bydysawd fel ffurf ymddangosiad Duw ond gyda'i anfeidroldeb 'personol' uwchlaw'r cyfan, oedd 'panentheistiaeth' (*pan-en-theos*, popeth yn Nuw, yn hytrach na *pan-theos*, popeth yw Duw), ac efallai y gellid dosbarthu Islwyn yn 'banentheist', petai unrhyw bwynt i'r fath labelu. Ond yr hyn sydd o wir ddiddordeb iddo, fel i'r Rhamantwyr cynnar, yw sut i weu ei amgyffrediad o'r byd naturiol o'i gwmpas i'r patrwm ehangach sy'n cynnwys anfeidroldeb, ac yn ei achos arbennig ef, sut i lunio amser a gofod mewn modd a arweiniai'n ddi-ffael at anfarwoldeb – sut i lenwi natur â phersonoliaeth. Fe gafodd Coleridge brofiad tebyg: 'For a long time, indeed, I could not reconcile personality with infinity; and my head was with Spinoza [*prif ladmerydd pantheistiaeth*], though my whole heart remained with Paul and John.'[29]
Fe fyddai Islwyn yn ddigon cyfarwydd â'r uniongrededd a welwyd yn yr erthygl 'Holl-dduwiaeth yr Almaen' i wybod mai chwarae â thân, ac

ennyn gwg Daniel Jenkyns yn fwy na thebyg, fyddai ymhél yn union-
gyrchol â phantheistiaeth ('atheistiaeth gwrtais' yn ôl Schopenhauer),
ond ar yr un pryd roedd ei agwedd tuag at natur yn ymdebygu i awydd
cyffredinol y Rhamantwyr (ac yn arbennig Wordsworth a Coleridge) i
dorri drwy amgyffrediad synhwyrus o'r byd, er mwyn cyrraedd at
hanfod pethau, at y realiti diamodol, at y dwyfol mewn natur, at yr
undod rhwng yr ysbrydol a'r materol a ddynodir yn gofiadwy gan
Wordsworth yn 'Lines composed above Tintern Abbey':

> And I have felt
> A presence that disturbs me with the joy
> Of elevated thoughts; a sense sublime
> Of something far more deeply interfused,
> Whose dwelling is the light of setting suns,
> And the round ocean and the living air,
> And the blue sky, and in the mind of man:
> A motion and a spirit, that impels
> All thinking things, all objects of all thought,
> And rolls through all things. (llau. 93–102)

Un o brif gynrychiolwyr y 'Beirdd Newydd', y bu dylanwad Islwyn mor
drwm arnynt, oedd Rhys J. Huws, ac y mae ganddo ymgais diddorol i
wahaniaethu rhwng Islwyn a Wordsworth:

> Honnir fod cryn debygrwydd rhwng Islwyn a Wordsworth mewn rhai
> cyfeiriadau; ond gymaint yn fanylach a chywirach yw desgrifiadaeth
> Wordsworth nag un Islwyn, tra y credwn yn ddibetrus na farddonodd
> Wordsworth ei hun mo'r ysbrydiaeth ogoneddus o ryddid a gwylltni
> draidd drwy anian yn hafal i Islwyn. Gan y Sais yr oedd y llygad goreu,
> ond gan y Cymro yr oedd y galon fwyaf teimladwy; ac er mor feddylgar
> yw barddoniaeth ardderchog Islwyn, calon i deimlo anian a bywyd yw ei
> brif ragoriaeth.[30]

Ond efallai mai'r hyn sy'n cysylltu'r ddau, mewn gwirionedd, yw
swydd y dychymyg. Yn y ddeunawfed ganrif fe wahaniaethwyd rhwng
'imagination' a 'fancy' – y cyntaf yn rym, a'r llall yn addurniad; ond fe
ddatblygwyd cryn lawer ar y gwahaniaeth gan Wordsworth a Coleridge.
Nid yw Wordsworth yn gyson yn ei ddiffiniadau, ond y mae agwedd
grefyddol y dychymyg fel arfer yn amlwg. Yn ei ragair i *Poems* (1805)
y mae'n disgrifio 'fancy' fel rhyw allu cysylltiadol chwimwth a

chyfnewidiol, ond 'imagination' fel rhywbeth 'to incite and to support the eternal'. Fynychaf, yn wir, y mae'r dychymyg yn arwyddo math ar welediad deallusol, a rhyw gydweithio gyda natur sy'n galluogi cymundeb â'r byd anweledig; roedd Akenside yn *The Pleasures of Imagination* wedi gwisgo dychymyg â'r gallu i dreiddio i mewn i gyfrinachau creadigol y bydysawd. Y portread clasurol o hyn gan Wordsworth yw dringo'r Wyddfa yng nghwmni Robert Jones, Llangynhafal, a chael, wrth edrych i agendor islaw,

> in that breach
> Through which the homeless voice of waters rose,
> That dark deep thoroughfare, had Nature lodged
> The soul, the imagination of the whole.
>
> *(Prelude* (1805) XIII, 62–5)

(Yn ôl pob golwg, ail-law oedd disgrifiad Islwyn o ddringo'r Wyddfa, a phwyslais pietistaidd sydd ganddo ar y cyfan: 'ymgyfyd tua'r nefoedd', 'anghofiodd yr oll ond ei Grewr goruchel', ac y mae'r dyn yn 'ymestyn / O hyd am fwynhau y di-dranc a'r diderfyn'. O edrych i lawr fel Wordsworth, yr hyn a wêl yw 'agenau yn y creig, fel beddau bydoedd'; o'i bryddest *Cymru*, GBI, 377–8.)

Dawn arbennig y bardd, yn ôl Coleridge, yw bod ganddo ddychymyg, sef y gallu i gyfuno pethau, i gydbwyso a chysoni cyferbyniadau ('the balance or reconciliation of opposite or discordant qualities', *Biographia Literaria*, XIV, II, 12), syniad a godwyd, mae'n debyg, o Schelling. Nid dyma'r lle i geisio mynd i'r afael â holl gymhlethdodau athrawiaeth y dychymyg yn Coleridge, ond fe ellid cyfeirio, yn or-syml efallai, at y dychymyg cynradd ('primary imagination') sy'n ein galluogi i drefnu'r argraffiadau a dderbynnir drwy'r synhwyrau, a'r dychymyg eilaidd ('secondary imagination') sy'n ymdreiddio i ysbryd natur, ac felly i ffynhonnell pob creu, sef y Duwdod, ac yng nghyswllt yr ail fath o ddychymyg y mae Coleridge yn dyfynnu llinell Wordsworth: 'the vision and the faculty divine.'

Yn ei ysgrif ar Alexander Smith y mae Islwyn hefyd yn arwain at y llinell wrth holi am weithgarwch 'dychymyg cyfoethog' Smith:

Pwy all esbonio y cyd-darawiadau anweledig sydd rhwng defnydd ac ysbryd, y rhai sydd yn gwneud ffurfiau y cyntaf yn ddrychau cyfaddas i deimladau yr olaf! Ond os na ellir eu hesbonio, fe all 'the vision and the faculty divine' eu darganfod a'u defnyddio, fel ag i beri i deimladau yr ysbryd anfarwol ddyfod allan o'r anweledig a gwisgo cnawd. (Atod., t.35)

Ond yn yr un erthygl fe ddaw yn amlwg hefyd bod Islwyn yn gweld y dychymyg yn nhermau 'fancy' yn ogystal. 'Mae ei ddychymyg cyfoethog yn esgor yn ddi-ball ar ffigyrau a delwau (*images*) barddonol; y mae y ffigyrau hyn mor ffres a'r gwlith, ac mor ysblenydd a lliwiau y wawr' (ibid.).

Yn y bregeth y cyfeiriwyd ati eisoes sy'n cynnwys y darlun enwog o'r 'trains of thought' ('Gwybodaeth yn y Nef', *Pregethau*, t.258), y mae Islwyn yn ceisio disgrifio cyflwr a gweithgaredd y meddwl dynol puredig yn y byd a ddaw. Hyd yn oed yno, ni fydd yn bosibl i'r meddwl amgyffred popeth ar unwaith; graddol fydd y broses, '*train* ar ôl *train*'. 'Nid *un* gadwen o feddyliau sydd mewn bod, y mae miliynau o honynt. Y mae yn gofyn cymeryd i mewn amrywiaeth anfeidrol o amgyffredion cyn y gellir byth ddeall y cwbl sydd' – sef dychymyg cynradd Coleridge. Ond 'fe fydd y dychymyg yn parhau i ehedeg yn dragywyddol dros feusydd diderfyn gwybodaeth, i gasglu yn nghyd ddefnyddiau – defnyddiau at gymhlethiadau (*combinations*) newydd o brydferthwch' (t.257): y swydd gyfunol, gysonol a welsom yn hanfod dychymyg y bardd gan Coleridge.

Yn eithafion y byd naturiol y mae'r dychymyg yn fwyaf amlwg yn *Y Storm*:

> I fyny ar y bryniau . . . yn y nen
> Lle mae rhyw anfeidroldeb o ororau
> O'n blaen yn agor ei ardderchog ddorau,
> Gan ddangos uchder na all dim o ddyn
> Ei feiddio, ond dychymyg, a'r gallu hwnnw ei hun
> Heb ludd daearol wrth ei aden gain. (S1, 145)

Wedi dyheu am y bardd a ddehongla ryfeddol iaith Eryri, fe â ymlaen:

> Dychymyg yw yr awen: chwi y creig,
> A'ch brodyr o aruthrol deulu'r byd,
> Sy'n meddu dwyfol wirioneddau'r bardd;
> A chwi sy'n cynnal gyda'r nennau hyn
> Arnefoedd uwch barddoniaeth a'i holl sêr. (S2, 7)

Y mae dychymyg hefyd yn gysylltiedig â'r oes Edenaidd, pan oedd y ddynoliaeth 'fel unedig deulu . . . gyda'r lloer a'r sêr' (S2, 122). Yn 'ehangaf orwel Eden':

Disglair oedd
Gwelediad ardderchocaf enaid dyn
Hyd orgylch ei ddychymyg faith, a thros
Bell oleuadau ei farddoniaeth fawr. (S2, 11)

'Bod alltudiedig' yw dyn erbyn hyn, ond yng nghanol ei drybini

Ceir ambell bigwrn o'r anfarwol fyd
Yn torri dyfroedd Amser yma a thraw,
Rhyw feddwl pell-ehedol ambell bryd,
Ban o ryw fryn tragwyddol yn y dwfn,
Dychymyg ennyd-godol byr-weladwy,
A rhywbeth fel goleudy ar ei brig. (S2, 104)

Ac wedi i

. . . ystormydd amser ddod i mewn,
A'i hollysgarol ddylanwadau ef,
I'w parthu oddi wrth ei gilydd fyth
A thaflu rhyngddynt trwy y gwagle maith
Ehangder uwch ehangder, nos ar nos,
Nad oes a'u beiddia ond dychymyg mwy –
Anorchfygadwy allu'r enaid. (S2, 122)

Grym adferol, felly, yw dychymyg – modd i rwymo rhwyg y byd.

Nid mewn datganiadau uniongyrchol, er hynny, y canfyddwn ddychymyg Islwyn ar waith, ond yn y delweddau sy'n byrlymu i'r gerdd. 'An IDEA, in the *highest* sense of that word, cannot be conveyed but by a *symbol*; and, except in geometry, all symbols of necessity involve an apparent contradiction,' medd Coleridge (*Biographia Literaria*, I, 156). Y groeseb yw'r un rhwng y cyffredinol a'r neilltuol: gosodiad sy'n adlewyrchu ei ddiffiniad enwog o'r symbol fel 'a translucence of the Special in the Individual or of the General in the Especial or of the Universal in the General. Above all by the translucence of the Eternal through and in the Temporal' (*Lay Sermons*, t.30). Cymharer hyn â, dyweder, syniadau Caledfryn, nad yw'n gweld fawr o ddim mewn cyffelybiaethau ond moddion i ychwanegu at 'brydferthwch' cerdd.

Y mae'r *Storm* yn orlawn o ddelweddau symbolaidd, ond teg sylwi bod Islwyn yntau yn cymeradwyo pleser (i'r bardd yn ogystal â'r darllenydd) o lunio delweddau, fel y gwelwyd yn ei ganmoliaeth o linellau Alexander Smith:

> But our chief joy
> Was to draw images from everything;
> And images lay thick upon our talk
> As shells on ocean sands.

Elfen bwysig yn nelweddu Islwyn yw'r modd y mae'n cydio darluniau yn ei gilydd. Gellid disgwyl, oddi wrth y teitl, mai tymestl fyddai prif symbol y gerdd, ac y mae'r bwriad i uniaethu â storm yn yr enaid, neu â stormydd bywyd, ac yna â Dydd y Farn, yn amlwg ddigon:

> Mynwent ystormus tebyg i fywyd ydyw hon [sef y môr] (S1, 3)

> Mae'r Dymestl Farnol yn dechrau taranu (S1, 15)

> Mae'r dymestl wedi ei ddal! Nid hon yw'r gyntaf.
> Bore ystormus gadd, a chodai gwawr
> Ein bywyd dan gymylau fel y rhai
> Sy'n awr yn nennu'r gwagle. (S1, 10)

> Pa beth yw storom? Awel yn ei grym:
> A siom? Daearol obaith wedi cael
> Ei lawn helaethrwydd, ac yn chwythu mwy
> Y peth ofnadwy ydyw. (S2, 1–2)

Fe ellid, wrth gwrs, amlhau enghreifftiau. Ond cyswllt amlygiadau'r dymestl sydd, gan amlaf, yn creu'r ddelwedd symbolaidd. Diddorol, er enghraifft, yw gweld storm 1703 yn arwyddlunio stormydd yn gyffredinol, ond ar yr un pryd yn gadwyn o elfennau personoledig, dynweddol: y taranau 'yn rholio eu hanthemau hyd ael y bryn', y dymestl ei hun yn troi 'pob bleiddwynt allan ar y nefoedd', y môr yn codi o'i wely, y 'pell feudwyol fryn / Yn chwysu dros y cwmwl afonydd ar y glyn', y Tafwys yn 'chwydd[o] ei mynwes fel y môr', 'Mynwy yn brysio i agor y ddôr', y dymestl yn gyrru 'ei cherbydau dros fwa y cwmwl', y 'broydd yn ymbil yn welw eu gruddiau / Tu cefn fel hawddgar forynion mewn dagrau, / A'r mynydd ar orsedd dragwyddol o greigiau / Yn syllu'n ddi-grŷn i lawr o'r cymylau', ac fe eir ymlaen gyda 'Neifion yn galw ei foroedd ynghyd', ac yn y blaen (S1, 11–12).

Eir â'r cymariaethau i eithafion ar brydiau, fel yr anifeileiddio yn y llinellau hyn:

> O ben y bryniau clywaf ru y bleiddiad
> Ynghymysg â'r ystorm, a llewod diriaid
> Yn curo'u hochrau â'u cynffonnau enbyd
> Nes atsain trwy orielau'r holl awyrfyd (S1, 14)

Tybed a oes atsain yma hefyd o Bantycelyn: 'Maes o sŵn ruadau'r llewod, / Maes o gyrraedd tonnau'r môr'?

Y môr a'r mynydd yw cymheiriaid cyson y dymestl, ond y mae iddynt gymhlethdod o gyfeiriadaeth i lawer cyfeiriad. Yn ei ddarlith loyw *Dychymyg Islwyn*, y mae Hugh Bevan yn sylwi fel y mae'r bardd mor fynych yn aros gyda stadau ymylol: 'O'r braidd y dotia unrhyw fardd ar ymylon pethau fel y gwna Islwyn. Y mae arwahanrwydd yn gymaint bwgan iddo, ac fe'i denir lwyred gan berthynas, fel na fedr oedi gydag unrhyw beth ar ei ben ei hun. Prysura i archwilio'r cysylltiadau . . . Llunia fyd barddonol allan o gyffiniau, gororau, a phob math o fannau cyfarfod' (23). Y mae'n mynd ymlaen i restru'r prif ddelweddau sy'n cyfleu hyn yn *Y Storm*, sef y rhaeadr, y traeth, yr ynys, y bryn, a'r sêr, gan ymhelaethu'n dra arwyddocaol arnynt. Y peth call i ni yw cymell darllen ei ddadansoddiad, yn hytrach na cheisio ei grynhoi; ond efallai y gellir awgrymu un ychwanegiad at ei bwyslais ar yr ymylol.

Ym 'mhennill' cyntaf yr ail *Storm* fe adroddir fel y gall ansicrwydd natur ddenu dyn

> oni wywo'r lan
> Fel ymyl breuddwyd i'r ehangder pell,
> A beddu'r penrhyn yn y berwol fŷr.
> A gweled draw ystormus ael y graig
> Ac adfail y goleudy ar ei brig. (S2, 1)

Dyma'n sicr enghraifft o'r ymylol, o'r toddi i'w gilydd, ond y mae 'penrhyn' hefyd yn cysylltu, yma ac mewn mannau eraill, farddoniaeth, hanes y ddynoliaeth a'i freuddwydion ac atgofion (Jungaidd cyn eu hamser, o bosibl), bedd, daearyddiaeth anfeidroldeb ('intimations of immortality'), cefndir personol, goleudy (sef gobaith gwreiddiol ond yna ddinistr)[31] ac, yn y dyfyniadau canlynol, atgof:

> Pwy nad yw
> Yn teimlo weithiau fel pe byddai byd
> Hir-anghofiedig, trwy ryw ongl bell
> O'i dynged yn rhedeg? neu yn taro
> Rhyw benrhyn o atgofion? Dychmygion,

Pwy ddywed nad gweddillion uwch
Mil ardderchocach ŷnt, yn nyfnaf fôr
Yr enaid mawr yn gorwedd, nes y dêl
Hollchwiliol anadl barddoniaeth heibio? (S1, 151)

Yna, yn dilyn 'Pa beth yw ffynnon Jacob', ceir penrhyn hanes a thwf barddoniaeth (fe gofir i'r Pryddestwr yn *Byd-gonglau* sôn am 'y baradwys ddewisedig . . . lle y bydd byd rhamantol barddoniaeth na welit yn awr ond ei gonglau haner-amlygedig, ambell penrhyn pell a báu, ambell aber hedd . . . fel delweddiad breuddwyd draw'):

Ac nid yw glannau yr Aegean bell, –
Penrhynion tragwyddolwawr Groeg, y sydd
Yn codi gyda moroedd amser fyth,
Ac ar bob craig oleuni llawer oes, –
Ond rhannau bychain o farddonol fyd. (S2, 6)

Y mae penrhyn hefyd yn cysylltu ag anfarwoldeb:

Pa beth yw testun? Ton ar fôr tragwyddol!
    Ac nid oes gwybod ble dibenna'r daith,
Na pha ryw bell ynysau nef-arwyddol,
    Pa benrhyn welir, pa anfarwol draeth. (S2, 34)

Pan darfo'th ddychymygion heibio heibio
Penrhynion olaf amser, môr y dydd
Huanol, i gyduno yn y nef
A chydaddoli â holl engyl Duw. (S2, 75)

Y mae enghreifftiau tebyg yn S2, 66 a 68, ac yn ei gerdd Saesneg 'A Moonlit Sea' sy'n agor 'The night is calm!' (cofier am 'Dover Beach' Arnold, 'The sea is calm tonight') ac yn diweddu gydag enaid yn hwylio ar y bae:

From her topmast clear,
The God-lit peaks of Heaven appear.
To-morrow, she her course shall shape
To double Death – Time's Farewell Cape. (IEP, 5)

Wedyn, wrth gysylltu'r Creu, y Dilyw a Babel, fe wêl Duw yn

> . . . gwahanoli a nodweddu fyth
> Tirolwedd pob cyfandir ynddo'i hun,
> A gwneud pob penrhyn bron yn arwydd gwlad.   (S2, 105)

Wrth ganu i'r môr a'r awen, y mae awgrym o gysylltu'r tonau a'r Oes Aur, ond hefyd a'i brofiad ef ac Ann ar y traeth:

> Sanctaidd yw eu sŵn,
> Fel pan ddisgynnent ar ein holaf nawn.
> . . .
> Pan hunai cysgod angel ar bob peth,
> Pan welem benrhyn ar ôl penrhyn pell
> Yn codi yn fawreddus gyda'r llif,
> Fel blaenau y Dyfodol athrist . . .   (S2, 117)

Efallai y gellid lleoli genedigaeth y ddelwedd ym mhrofiad Bae Langland, neu yn yr holl ymateb emosiynol i'r syniad o Benrhyn Gŵyr, ond y mae profiad yn cael ei osod mewn rhyw ffrâm gymhwysol, ac yn ymestyn allan i ansicrwydd a gobaith y môr. Y clymiadau sy'n cryfhau'r ddelwedd ym mhob un o'r dyfyniadau; dro ar ôl tro fe osodir y penrhyn yng nghyswllt delweddau eraill sy'n rhedeg yn rheolaidd drwy'r gerdd: cysgod, angel, llif, cyfandir, traeth, ynys. Ond, gan amlaf, fe amgaeir y sylweddol mewn delweddu pellach, hytrach ansylweddol: dyfnaf fôr yr enaid, moroedd amser, môr tragwyddol, ac yn y blaen. Y mae hefyd awgrym o'r duedd gan y Rhamantwyr i uniaethu'r môr â'r caos gwreiddiol (ymadrodd a ddefnyddir yn aml gan Blake i ddynodi'r byd syrthiedig yw 'wat'ry chaos') mewn llinell sy'n ymylu ar ddileu byd a phob gwahaniaeth: 'chwydda y môr tua ffordd y cymylau' (S1, 5). Fe â'r gerdd ymlaen:

> A chyfyd y tonnau ail gwlad o fynyddoedd,
> A rhyngddynt eigionau o wyrddion ddyffrynnoedd,
> Fel gwlad o fynyddoedd ystormus a gwynion
> Ar lef y ddaeargryn yn llamu o'r eigion
> Gan symud ymlaen gyda mil o gymylau
> Yng nghanol ardderchog gôr y taranau.

Cyffredinol iawn yw llawer o'r cyfeiriadau daearyddol, ar dir a môr; ond y mae nifer helaeth o enwau lleoedd, yn fynyddoedd – Altai, Alpau,

Andes, Chimborazo, Etna, Vesuvius, Atlas, Himalaya, Eryri a'r Wyddfa, Pumlumon, ynghyd â'r bryniau a mynyddoedd Beiblaidd, Sinai, Carmel, Horeb, Tabor, Seion; yn afonydd – Tafwys, Hafren, Hywi, Cedron, Iorddonen, Euphrades, Gihon; yn gyfandiroedd a gwledydd – yr Aifft, Arabia, America, Affrig, Asia, Cymru, a rhestr o fannau Beiblaidd eto. Sylw Hugh Bevan ar y mynyddoedd, afonydd, ac yn y blaen yw mai 'dau brif ddefnydd y byd newydd a greodd Islwyn yw Daearyddiaeth ac Atgof, dau ddefnydd sydd gyda'i gilydd yn cyfuno'r materol a'r anfaterol'.[32] Dweud awgrymog iawn, ond fe ddylid efallai holi'n fanylach beth yw natur daearyddiaeth Islwyn. Er enwi cynifer o leoedd, prin iawn yw'r disgrifiad o unrhyw un ohonynt. Wrth geisio ei amddiffyn ei hun rhag beirniadaeth Wordsworth ar ei gerdd 'Hymn Before Sun-Rise, In the Vale of Chamouni', y mae Coleridge yn maentumio (ai yn ddilys sydd fater arall, gan nad oedd wedi bod ar gyfyl y dyffryn yn Safwy) bod ei ddull yn gwahaniaethu oddi wrth ddull Miltwn, Thomson a'r Salmydd: 'in the Author's addressing himself to *individual* Objects actually present to his Senses, while his great Predecessors apostrophize *Classes* of things, presented by the Memory and generalized by the understanding'.[33] Y mae'r datganiad, yn null arferol Coleridge, yn gymysgedd o'r hunan-fychanol a'r amddiffynnol, ond nid oes raid i ni gyfrif y naill dueddiad, neu ddewisiad, yn well na'r llall. Yr hyn sy'n eglur yw mai perthyn i'r rhai sy'n gweithio gyda'r dosbarthiadau, yn hytrach na chyda'r unigol, y mae Islwyn. Nid yw, er enghraifft, yn cyfeirio at fathau arbennig o goed a blodau, nid yw'n enwi rhywogaethau'r adar nac anifeiliaid (fel y sylwyd eisoes, un o nodweddion *Y Storm* yw absenoldeb anifeiliaid, heblaw am lewod a bleiddiaid).[34] Nid yw'n cymryd sylw o natur a ffurf cwmwl – cwmwl yw cwmwl, i'w ddefnyddio bron yn ddieithriad i greu awyrgylch, nid i gyfleu darlun. Yn wir, nid yw dychymyg Islwyn yn un darluniadol o gwbl. Nid yw'r enwau lleoedd yn fawr mwy nag arwyddion, labeli, tocynnau moesol neu deimladol. Yn y *Storm* gyntaf fe geir rhyw bedwar cyfeiriad at yr Wyddfa, neu Eryri. Dyma nhw:

> Diflannodd y mynyddoedd mwy,
> Yr Wyddfa fan, a'r Andes hwy . . . (S1, 15)

> A marmor rhyw seren gyffyrddant â'r Wyddfa
> A llysg trwy ei chreigiau i'w sylfaen yn lân . . . (S1, 17)

> O, gallwn ailenwi yng nghyfoeth fy ngho'
> Dy Wyddfa, Olympw! Hesperia dy fro. (S1, 67)

Ymgoda ein Heryri aml ei bannau,
A mawrion lythyrennau Rhyddid têr
Argreffid dros y nefoedd yn eu tanau. (S1, 76)

Mewn cyswllt arall fe geisiwyd uchod dynnu cymhariaeth rhwng disgrifiadau Islwyn a Wordsworth o ddringo'r Wyddfa ac fe ellid amlhau dyfyniadau. Y pwynt yw bod darlun Wordsworth yn frith o sylwadau sy'n deillio o'r gwahanol synhwyrau:

It was a summer's night, a close warm night,
Wan, dull, and glaring, with a dripping mist
Low-hung and thick that covered all the sky . . .
The shepherd's cur did to his own great joy
Unearth a hedgehog in the mountain crags,
Round which he made a barking turbulent.
          . . . a light upon the turf
Fell like a flash, I looked about, and lo,
The moon stood naked in the heavens at height
Immense above my head
                              (*Prelude* (1805) XIII, 10–12, 23–5, 39–42)

Cyferbynner hyn â llinellau Islwyn yn ceisio cyfleu, yn nhermau niwl ar y mynydd, yr arwyddion o dragwyddoldeb sydd o amgylch y bedd:

Pan y clywaf sŵn y beddau
Yn y glyn yn araf agor,
Fel pererin ar ei yrfa
Pan y cenfydd o'r mynyddoedd
Flaenau gwlad ei enedigaeth
Ar y niwl o bell yn nofio. (S1, 115)

Y mae angen pwysleisio nad dyfarniad gwerth sydd mewn golwg yn y gymhariaeth, ond gwahaniaeth agwedd a chyfansoddiad barddonol. Yn achos Islwyn y mae'r gweledol yn gyffredin yn aneglur, amhenodol, niwlog; y mae'r daearyddol yn dod yn ansylweddol, y tirlun yn anniffiniol, y peth yn ansawdd. Y mae'r byd ei hun yn troi'n rhagddodiad, yn hytrach na daear gadarn, yn yr holl gyfansoddeiriau: byd-gylchol (S1, 93), byd-ddarn (S1, 98), byd-genhedlaeth (S1, 118), byd-feddyliau (S1, 132), byd-borthladdoedd (S1, 133), byd-balas (S1, 145), byd-feddau (S1, 146), byd- weladwy (S1, 147), byd-ddyrchafol (S1, 147), byd-glawr (S1,

147), byd-ddyfnder (S1, 147), byd-foddol (S1, 149), byd-orhongiol (S1, 155), byd-noddfa (S2, 9), byd-sylfaeniadau (S2, 11), byd-lanwol (S2, 68), byd-oleuol (S2, 68), byd-fendithiol (S2, 68), byd-gwmwl (S2, 69), byd-faluriol (S2, 74), byd-welediad (S2, 79), byd-golofn (S2, 108), byd-newidiol (S2, 110), byd-gyhuddol (S2, 112), byd-fforestydd (S2, 120). Diau y gellid rhestru llawer mwy o enghreifftiau ond sylwer fel y mae clwstwr ohonynt yn digwydd yn agos iawn i'w gilydd, fel ag i beri i rywun amau a yw'r bwriad gwreiddiol wedi troi'n dric arddull. Dichon mai ymgais oedd y ddyfais yn y lle cyntaf i gwmpasu popeth, i gofleidio'r holl ddaear neu, a bod yn llai haelfrydig ein barn, i bwmpio gwynt i enwau ac ansoddeiriau cyffredin at wasanaeth syniad o aruchedd.

Y mae llu o gyfeiriadau, cyfnewidiol ac amhendant yn aml, at fynydd a bryn. Ar un adeg maent yn 'Fynyddoedd tywyll angau' (S1, 54); dro arall fe hiraethir amdanynt: 'Ddedwydd ddyn, / A gadd ei hunan gyntaf rhwng y bryniau' (S1, 148). Weithiau y mae'r pwyslais ar eu cadernid, a thrychineb yn tanseilio hynny ('dinoethir sylfeini'r mynyddau', S1, 18; 'a'i gerydd draw yn ysgwyd y mynyddau', S1, 38); weithiau ar ddirgelion daearegol ('Pan anwyd Natur fawr wrth droed / Mynyddoedd geirwon tragwyddoldeb', S1, 124), daeargrynfaoedd, y Dilyw, a thebyg. Weithiau fe'u gwelir fel dolennau cyswllt rhwng daear a nef: 'A'r sêr yn disgyn i'r cysgodion prudd, / Draw oddi ar fynyddau'r nef' (S1, 128); 'Wyf yn dy weled yn dragwyddol iach / Ymhell i fyny ar fynyddau'r nef' (S1, 139); 'Lle rhed y bryniau a'r cymylau llwydion / i'w gilydd mwy, fel arfyd o freuddwydion' (S1, 146); 'saif y bryniau tua'r nefoedd' (S1, 146); 'y greadigaeth, onid dringfa yw / Hyd orsedd yr Anfeidrol? Mae y bryniau / Yn cydio yn y ddaear, a'r nefolion / Awyrol eangderau ynddynt hwy' (S1, 150); a'r enghraifft amlycaf o'r undod, a'r uniaethu byd a chorff, nef ag ysbryd:

> O awyr-orseddedig Alp a chwmwl
> Lle rhed y bryn i'r nef, a'r nef i'r bryn,
> Rhyw gymysg o'r daearol a'r ysbrydol,
> Rhyw ymbriodiad ar allorau'r gwawl
> O ddaear ac o nef fel corff ac enaid. (S2, 78–9)

Ond weithiau y mae adleisiau o'r hen syniadau cyn-Ramantaidd am fynyddoedd fel mannau peryglus, anghroesawgar, rhwystrol i drafnidiaeth:

> A'r bryniau geirwon hyn, beth ydynt hwy
> Ond delwau o'r ysbrydol rwystrau sydd

Ym mydoedd uwch yr enaid, ar hyd ffordd
Y bywyd annherfynol; help i ddyn
Trwy ddaearolion bethau weld ei hun,
A chael delweddiad o'r profiadau sy
Â'u gorddieithrwch yn arswydo'r fron,
Fel aruthr bethau o ryw farnol fyd
Yn rhodio trwy yr enaid ganol nos?
Anffyddiaeth, dychryn, ofn, y bryniau uwch
Sy'n hongian dros yr enaid ac yn dal
Tragwyddol aeaf ar eu bannau erch. (S2, 14)

Y mae'r llinellau yn hynod arwyddocaol, nid yn unig oherwydd y modd
y delweddir y berthynas rhwng enaid a natur, ond yn yr ias o anobaith a
thruenusrwydd sy'n cadw'r bardd ar ddi-hun. Ond fe eir ymlaen ar
unwaith, a bron fel petai'n ceisio ei ddarbwyllo ei hun, i sôn am y swydd
gyfryngol, wrth ddisgrifio ffydd

              yn tynnu i lawr
Gadwyni rhagdrefnedig-undeb bod,
Un ar ôl un, i afael dyn, nes cael
Yr olaf, nesaf i'r Anfeidrol, ar
Y pell fynyddoedd sy'n cyffinio'r byd. (S2, 15)

A dyn ei hun yw'r gadwyn: 'Ddedwydd ddyn / Sy'n sefyll fel y bryniau,
rhwng y byd / A'r annherfynol' (S1, 151–2).

Yn ddiamau, y mae Islwyn yn dilyn Thomson a Wordsworth, ymhlith
eraill, yn ei ddefnydd o'r mynydd fel un o brif arwyddion aruchedd.
Ond y dynfa i'r uchelder yw'r nodyn amlycaf:

Tyrd, tyrd i fyny i'r bryniau. Yno mae
Llif ysbrydoliaeth Natur yn dyfnhau
Ac yn llydanu tua'r moroedd sêr
Sy'n tonni fyth o dan anadliad Nêr.

. . .

Ar ben y bryniau, orfoleddus uchder,
Teyrnasa Natur yn ei garwaf wychder.

. . .

Y bryniau yn cydgodi fel duw-ddringion
I fyny i'r anfeidrol a thua'r sêr-orsingion. (S1, 145)

Beth bynnag ddywed cosmoleg a diwinyddiaeth, y mae ei welediad gofodol yn lleoli'r Duwdod yn y nefolion leoedd. Nid anwybodaeth, wrth reswm, sy'n cyfrif am hyn ond dychymyg prydyddol sy'n cyfreithloni'r entrychion fel cyrchfan yr enaid; y mae'r corff ynghlwm wrth natur, hyd yn oed yn ei 'garwaf wychder' yn y mynyddoedd. Mewn pregeth ar 'Yr Esgyniad' y mae'n cyfeirio at 'Fab y dyn' fel hoff enw Crist ar y ddaear, 'i ddangos ei berthynas a'r natur'; ond 'Iesu yw ei hoff enw yn y nefoedd, i adgoffa yr eglwys o'r . . . sicrwydd y caiff hithau fyned ato yn y man.' Ac yna,

Yr ydym yn canfod yn yr esgyniad wir dynged y ddynoliaeth. Y mae dyn wedi ei wneyd i edrych i fyny; nid yw yn ymddangos mor naturiol un amser, ar un wedd, a phan yn edrych tua'r nefoedd. Y mae y sêr, fel lampau, wedi eu goleuo fry, er mwyn dangos uchel ffordd y natur ddynol. Y mae teimladau goreu ein natur yn ein tueddu at benau y mynyddoedd. Y mae rhinwedd a phurdeb yn hoffi pen y mynydd fel y pwynt agosaf i'r nefoedd. Y mae barddoniaeth bur a duwiolfrydedd dwfn yn eu hoffi yn fwy. 'I fyny, i fyny', yw arwyddair dyn trwy yr oesoedd. (*Pregethau* t.193)

Bron na ellid dechrau adrodd 'Excelsior' Longfellow. Ac y mae gan Islwyn ei hun gerdd Saesneg 'Aspire!' (1855), sy'n diweddu:

> Gasping, they climb
> The heights of immortality to fame's far shining dome.
> Thou mayest follow these if thou desire.
> Only aspire! (IEP, 20)

Y mae mynydd yn elfen bwysig yn ei ddelweddaeth felly, ond 'y sêr, fel lampau wedi eu goleuo fry, er mwyn dangos uchel ffordd y natur ddynol', yw gwir arwyr y ddwy *Storm*. Un o ddywediadau mwyaf cofiadwy Kant yn *Beirniadaeth y Rheswm Ymarferol* (*Kritik der praktischen Vernunft*) yw hyn: 'Y mae dau beth yn llenwi'r meddwl ag edmygedd a pharchedigaeth fythol-newydd a chynyddol, amlaf a dwysaf y myfyrir arnynt: y nefoedd serennog uwchben, a'r ddeddf foesol o'm mewn.' Yn sicr, roedd y sêr yn rhan o gosmos moesol Islwyn. Fe ddywed Basil Willey am Miltwn, 'he lived in a moral rather than a physical world',[35] a champ arbennig Wordsworth oedd iddo lwyddo i briodi'r ddau, mewn modd na lwyddodd Islwyn yn y pen draw.

Y mae yr un mor wir y byddai Islwyn wedi ei swyno gan allanolion delweddau'r sêr yng ngherddi Alexander Smith. Yn *A Life-Drama*, y mae'r sêr yn ymddangos tua 50 o weithiau mewn 200 tudalen, a chyfartaledd tebyg yng ngherddi eraill y gyfrol. Nid oes ystyr arbennig i'r rhan fwyaf ohonynt: 'mysterious voids, / Throbbing with stars like pulses' (mae 'throbbing ' a 'panting' i'w cael yn Keats a Shelley hefyd), 'a star is trembling on the horizon's verge', 'the night . . . like a sea, / Breaketh for ever on a strand of stars', 'night's panting wealth of stars', 'shining stars', 'melancholy stars', 'reeling stars', 'the soft star in the azure east', ac yn y blaen. Weithiau y mae cysylltiad, nid hapus bob amser, rhyngddynt a'r bywyd neu'r enaid mawr, cynrychiolwyr y crëwr, megis 'One great life in my myriad veins, in leaves, in flowers . . . beating, overhead, in stars!', neu:

> Unrest! unrest! The passion-panting sea
>   Watches the unveiled beauty of the stars
>   Like a great hungry soul.

> I love the stars too much! . . .
> I'd grow an atheist in these towns of trade
> Were't not for stars.

Ambell dro ceir cyffyrddiad blodeuog:

> Your showers of stars, each hanging luminous,
> Like golden dewdrops in the Indian air.

Dro arall, ceir ymgais i ddynweddu'r sêr: 'With what passion pants yon eager star', 'Starry tears were trembling on the mighty midnight's face', 'the shouting of the morning stars', 'songs heard in heaven by the breathless stars', 'silent as a synod of the stars', yr olaf yn enghraifft o sain yn gorchfygu synnwyr. Fe gawn gipolwg yn hyn i gyd ar Islwyn dan gyfaredd y sêr ond, er mai confensiynol yw ei gyfeiriadau ef hefyd yn bur aml, eto'i gyd y mae'r Kantaidd yn gryfach na'r Alexandraidd yn *Y Storm*. Cofier, gyda llaw, beth bynnag am gynseiliau a dylanwadau, mai bywyd gwledig di-oleuadau oedd bywyd Islwyn; roedd o'n *gweld* y sêr.

Uchafbwynt ysgrifennu blodeuog am ryfeddod y sêr fel arwyddion o haelioni ac anfeidroldeb Duw, ynghyd ag aberth Crist, yw adran helaeth 'Contemplations on the Starry Heavens' yn *Meditations and Contemplations* James Hervey (1746–7):

If those stars are so many great and inexhaustible magazines of fire and immense reservoirs of light; there is no reason to doubt but that they have some very grand uses, suitable to the magnificence of their nature ... Vast are the bodies which roll in the expanse of heaven; vaster far are those fields of ether, through which they run their endless round; but the excellence of Jesus, and the happiness laid up for his servants, are greater than either, than both, than all!

Ond, er yr 'happiness laid up for his servants', ac er bod yr adran yn dilyn 'Meditations among the Tombs', nid yw Hervey yn cysylltu'r sêr ag anfarwoldeb nac yn eu symboleiddio; y maent yn dal yn elfen yn y Ddadl ar Sail Cynllun fel prawf o allu'r Creawdwr. Y mae ugain pennill i'r un perwyl gan Robin Ddu Eryri,' Myfyrdod ar y sêr, gwaith rhyfedd Nêr fy Nuw' (*Yr Eurgrawn*, xvi, 1824, 234–5), gydag un cwpled eithaf trawiadol:

> Mae gallu braich tragwyddol gref
> I'w gael yng ngoleuadau'r nef,
> Maent megis cysgod dyn bob awr,
> Yn dadgan bod rhyw Sylwedd mawr.

Un o lyfrau mwyaf poblogaidd hanner cyntaf y bedwaredd ganrif ar bymtheg oedd ffrwyth cyfres o ddarlithoedd, a draddodwyd yn 1816 gan y diwinydd o'r Alban, Thomas Chalmers (1780–1847) ar seryddiaeth a datguddiad; fe'u troswyd i'r Gymraeg gan Griffith Parry, Caernarfon, yn 1846 dan y teitl *Pregethau Seryddol*.[36] Y mae'r ddarlith gyntaf yn disgrifio Cyfundrefn yr Haul, ac yna'n rhoi braslun o ehangder enfawr y gofod serol y tu hwnt. Wedi myfyrio ar fychander dyn wyneb yn wyneb â hyn, y mae'n troi gyda'r Salmydd at ryfeddod gofal y Duw sy'n 'rhifo rhifedi'r sêr' ac yn eu galw 'hwynt oll wrth eu henwau'; 'Pan edrychwyf ar y nefoedd, gwaith dy fysedd; y lloer a'r sêr, y rhai a ordeiniaist; pa beth yw dyn, i ti i'w gofio?' Prif bwrpas Chalmers, ys dywed y cofnod helaeth yn *Y Gwyddoniadur*, oedd cyfarfod dadl anffyddwyr, 'sef yr annhebygolrwydd y buasai ein byd bach ni yn cael cymaint o sylw yr Anfeidrol yn nghanol creadigaeth mor ddiderfyn'. Ond, atolwg, meddai Chalmers, pa sail sydd gan amheuwyr i dybio nad yw cynllun achub-iaeth yn ymestyn i fydoedd eraill hefyd: 'For all they know, many a visit has been paid to each of [the other worlds] on the subject of our common Christianity, by commissioned messengers from the throne of the Eternal'; yna, y mae'n mynd ymlaen i ganmol Newton am iddo

wrthod damcaniaeth ynghylch materion fel hyn, a oedd y tu allan i am-
gyffred profiad dynol. Sonia Islwyn hefyd am

> y cylchiad hwn
> Fore ar gyfer nawn, a'r lloer a'r sêr
> A'r holl blanedau'n cynorthwyo'i gilydd,
> Fel unol ymdrech creadigaeth Duw,
> Cydymegnïad ei holl fydoedd hi . . . (S2, 66)

ac, wrth feddwl am lywodraeth yr haul: 'O na chawn wrando ar dy
fydoedd di, / Ac eistedd oddi arnynt oll fel cerub' (S2, 67). Fe ddaw'r
dyfyniadau hyn yn union wedi'r llinellau ar Newton, 'seryddwr amser
oll' (S2, 65) a'i ddarganfyddiadau yn egluro dirgelwch trefniadaeth y
greadigaeth: 'A sylfaen ymerodraeth fawr yr haul, / Ac uwch ymerod-
raethau sêr y nef' (S2, 64). Nid pwrpas crybwyll Chalmers yw ceisio
profi dylanwad (er, o ystyried cylch ei ddarllen, y mae'n bur debygol bod
Islwyn yn gyfarwydd â'r gwaith) ond dangos fel yr oedd i'r gyfundrefn
serol ei rhan bwysig yn niwinyddiaeth y cyfnod. Roedd wedi bod yn
elfen amlwg mewn llenyddiaeth o'r Salmydd, Job a Llyfr Datguddiad
ymlaen. O'r gyfundrefn Ptolemaidd drwy'r Copernicaidd, y sêr oedd
gwarant trefn sicr y bydysawd (ac i Miltwn, er enghraifft, yn batrwm o
ufudd-dod i ddyn i'w ddilyn). Yn y nos y mae eu golau yn cynnig
gobaith (Keats, 'Bright Star'), neu heddwch a chariad (Thomas
Campbell, 'Song to the Evening Star', 1822).[37] Y mae adran o *Hiawatha*
Longfellow yn adrodd hanes 'The Son of the Evening Star'. Awgrymwyd
cyn hyn fod Longfellow wedi dylanwadu ar Islwyn, ac y mae'n bosibl y
gallai fod wedi darllen y gerdd tua diwedd cyfnod ysgrifennu'r ail
Storm; fe gyhoeddwyd cyfrol Longfellow yn Boston a Llundain ym mis
Tachwedd 1855, ac fe ddaeth yn hynod o boblogaidd ar unwaith. Sut
bynnag, y mae rhai llinellau o'r adran 'The Son of the Evening Star' yn
werth eu dyfynnu:

> Over it the Star of Evening
> Melts and trembles through the purple,
> Hangs suspended in the twilight.
> No, it is a bead of wampum
> On the robes of the Great Spirit
> As he passes through the twilight,
> Walks in silence through the heavens.

Ychwaneger mai goroesiad o ffurf eithaf cyfarwydd yn y ddeunawfed ganrif yw cerdd i'r seren hwyrol. Gan amlaf rhyw ddirprwy-leuad ydyw, golau nos yn arwain llanc at ei gariad, er yn 'Ode to the Evening Star' Akenside (1740au) y mae'n arwain at yr eos ac atgof am golled. Ond y mae hefyd yn gallu cydymddwyn â theimladau'r unigolyn, yn enwedig pruddglwyf; amlygir hyn yn arbennig gan James Macpherson yng ngherddi Ossian, ac fe gyfieithiwyd rhan o'r 'Songs of Selma' i'r Almaeneg gan Goethe yn ei *Werther*, prif ffynhonnell teimladrwydd yn Ewrop am hanner canrif ar ôl ei gyhoeddi yn 1774:

STAR of descending night! fair is thy light in the west! thou that liftest thy unshorn head from thy cloud: thy steps are stately on the hill. What dost thou behold in the plain? The stormy winds are laid. The murmur of the torrent comes from afar. Roaring waves climb the distant rock . . .
   Rise, moon! from behind thy clouds. Stars of the night, arise! Lead me, some light, to the place where my love rests from the chase alone! his bow near him, unstrung: his dogs panting around him. But here I must sit alone, by the rock of the mossy stream. The stream and the wind roar aloud. I hear not the voice of my love!

Fe ddaeth disgrifiadau o'r nefoedd serennog yn fwy darluniadol gan Thomson, i fesur gan Cowper yn *The Task*, ac yn fanylach a mwy gwyddonol gan Lamartine yn *Jocelyn* (1836), yn tynnu ar ddosbarth o gerddi seryddol yn Ffrainc ar ddiwedd y ddeunawfed ganrif a dechrau'r bedwaredd ar bymtheg. Yna fe'u ceir yn llwythog o awyrgylch in *Night Thoughts* Young, lle mae'r awdur yn gwahodd Lorenzo i godi ei olygon tua'r sêr, er mwyn canfod enw'r Creawdwr ynddynt: 'Stars teach as well as shine' (IX, 636), 'lift thine eye . . . to yonder stars . . . From yon arch, that infinite of space, / With infinite of lucid orbs replete . . . Rushes Omnipotence' (IX, 677, 679, 682–3, 687). A'i sylw epigrammaidd: 'Devotion! daughter of Astronomy! / An undevout astronomer is mad' (IX, 772–3).
   Yn awr, y mae'r agweddau hyn i gyd i'w cael yn y ddwy *Storm*, ond ar lefel agos iawn at yr obsesiynol. Nid wyf yn gwybod am unrhyw waith llenyddol arall lle mae'r sêr yn hawlio'r fath ran; yn wir, anodd meddwl am unrhyw fotiff sy'n rhedeg mor gyson drwy gerdd. Nodais 87 enghraifft yn S1 a 75 yn S2, ac nid yw'r rheini ond y rhai y credwn y gallent fod yn werth eu dyfynnu. Waeth beth a ddywedwyd gan feirniaid am ddosraniad gwahanol adrannau'r ddwy gerdd, y mae'r darllenydd yn rhwym o deimlo absenoldeb strwythur, chwaethach strwythur storïol,

fel yn y *Prelude*. Beth felly sy'n cydio'r gwahanol rannau wrth ei gilydd? – os gall rhywbeth wneud hynny. Gellid meddwl mai'r storm fyddai'r ateb, ond i fesur yn unig y mae hynny'n wir. Y dolennau cyswllt mewn gwirionedd yw'r sêr.

Confensiynol, wrth reswm, yw llawer cyfeiriad, ac nid oes angen enghreifftio. Fe'u ceir hefyd yn elfen gyntaf o'r geiriau cyfansawdd yr oedd Islwyn mor dueddol i'w ffurfio: sêr-olau, sêr-demlau, sêr-ffaith, sêr-orsaf, sêr-anfeidrolerau, sêr-ysgogol, sêr-fydoedd, sêr-wenau, mewn deg tudalen yn unig (S2, 61–70). Y mae cyfeiriadau eraill yn uniongyrchol Feiblaidd: 'goleuadau teml Jehofa' (S2, 8), 'seren dawel Bethlehem' (S2, 82), 'seren lon Ephrata' (S2, 99). Eraill wedyn yn ffurfio cysylltiadau â'r Duwdod, nid, ar y cyfan, fel profion o ogoniant y Creawdwr, ond yn fwy fel rhyw hanner ffordd rhwng y materol a'r ysbrydol:

> offeiriadaeth uwch
> Y sêr tragwyddol sydd yn uno'r byd
> Ag uchel addoliadau nef ei hun . . . (S2, 101)

neu

> A'i enaid mewn caethiwed gan y sêr
>
> . . .
>
> Gyhoeddwyr anfarwoldeb, luoedd Duw,
> A rodient allan fel ohono'i Hun
> I ganu am eu Tad, gan ddwyn eu bore
> Ar lawer pennarth o'r tragwyddol fyd. (S2, 10)

Tragwyddoldeb, anfarwoldeb, paradwys, yw nodweddion y sêr. Adeg y creu, fe

> ganodd sêr y bore nes i'r haul,
> A'r bydoedd-bererinion, edrych oll
> Yn ôl ar dragwyddoldeb . . .

ac, yn ei gyfnod o ddiniweidrwydd, y mae dyn yn hongian 'ei fawreddog fyfyrdodau / Fel ardderchocaf ddringion wrth y sêr' (S2, 10). Ond fe'u pylwyd gan y Cwymp, yr 'erchyll awr' pan dduwyd tynged dyn 'gan godi'r sêr, / Ddwyfolion rai, i mewn i Dduw i gyd, / Nes oedd yn nos ar hyd yr enaid oll' (S2, 19). Eto y maent yn dwyn i gof y cyfnod dedwydd: 'y sêr ar ael y nos, / Fel cysgod o'r baradwys dlos' (S2, 123).

Camgymeriad, mae'n debyg, fyddai ceisio adeiladu strwythur athron-yddol ar y delweddu ond, heb fynd cyn belled â hynny, fe ellir mentro awgrymu natur y dolennau: y Duw creadigol yn amlwg yn y sêr fel arwyddion o ehangder y gofod ('ryw ddarnau o dragwyddol ddyddiau Iôr', S2, 66); y sêr yn cynrychioli natur cyn i ddyn ei llygru ('Cyflawn oedd / Bodolaeth bêr / Gyda Natur / Iôr, a'r sêr', S2, 123); atgof ('y seren fore, atgof', S2, 25) yn cyfeirio'n ôl at y cyflwr paradwysaidd; yr enaid yn dwyn perthynas arbennig â'r sêr ('Y mae yr enaid yn mwynhau y sêr / Fel cydaelodau o'r un teulu derch', S2, 84); 'Pan fo dy enaid di a'r sêr yn un / Pan lifo dy feddyliau iddynt hwy / Mewn cydgymysgiad o urdduniant pur', S2, 75); drwy'r berthynas y mae'r enaid yn gallu anelu at y tragwyddol, yr anfarwol:

> y nef fordwyol enaid, pan
> Y taen ei hwyliau oddi ar y byd,
> A helm tragwyddol gobaith yn ei law,
> A seren anfarwoldeb ynddo'i hun
> Yn codi ac yn eistedd ar ben blaen
> Y llong ysbrydol o feddyliol nwyf. (S2, 88)

Y sêr, yn anad dim, sy'n pontio mater ac ysbryd, amser a thragwydd-oldeb, dyn a Duw:

> yn chwyddo i'r lan
> Hyd uchder eithaf defnydd, haen y sêr
> Goruwch y rhai y gorffwys tragwyddoldeb
> Fel nefoedd a gorseddfainc Duw fel haul. (S2, 69)

> A eiriolai gyda'r sêr,
> Cynrychiolwyr nesaf Nêr. (S2, 124)

Yn yr ysgrif ar John Foster yn *Y Traethodydd* 1854, y cyfeiriwyd ati eisoes, fe drosir y geiriau hyn o'i waith:

> Y mae y ser . . . fel yn cyffesu y rhaid fod yna ryw ardaloedd uwch eto i dderbyn ysbrydion wedi eu puro, y tu hwnt i ymgyfathrach â phob goleuni materaidd; ie, gadawsant ni i ddychymygu nad ydyw yr holl fydysawd materaidd ei hunan yn ddim ond lle y penodwyd i fodau ddechreu ynddo, ac i gael eu haddysgu trwy olygfeydd olynol, nes y maent – wedi myned heibio i'w derfynau eithaf, i'r anfeidroledd y tu draw, yn eu canfod eu hunain o'r diwedd yn mhresennoldeb uniongyrchol y Duwdod.

I Islwyn arwyddocâd hyn i gyd yw'r cysylltiad ag Ann. Yn dilyn llinellau sy'n cyfeirio at 'y ddau anwylion' yn rhodio dros y traeth, sef

> Tawelaf nawn oedd hwnnw! Addas awr
> I'r ymdaith olaf cyn y rhaniad mawr
> Yr oedd y glannau'n amlwg ar bob tu . . . (S2, 115)

cawn ef yn cyfarch

> Yr angel sydd yn cadw'th seren lon,
>   [gweler hefyd S1, 111–12]
> Dy seren deg dy hunan, ar y nef,
> Yn barod ac yn sanctaidd, erbyn awr
> Dy lon ddychweliad o dy ymdaith fawr.

Sylwer ar yr effaith a grëir o ailadrodd y gair 'ymdaith', y tro cyntaf yn y corfforol, yr eildro yn ysbrydol; dyma gyfleu, yn anymwybodol o bosibl, y llithro cyson rhwng corff ac ysbryd sy'n nodweddu'r gerdd.

Barddoniaeth, yn wir, yw'r unig beth a all gwmpasu'r cyfan:

> Barddoniaeth, O Farddoniaeth! Pwy a ddyd
>   Derfynau arnat? Eang fel y nef
> Yw taen dy ymerodraeth; mae y byd
>   Ei greig, ei foroedd, a'i fynyddoedd ef,
>   Yn troi o'th gylch ag argyfundraeth gref
> O dragwyddolion bethau, a'r holl sêr
> O fewn gwelediad dy gerubdrem têr.
>
> Un yw gwirionedd, ac i ti y rhoed
>   Dirgelwch ei unoliaeth. (S2, 33)

Rhethreg y ddeunawfed ganrif, at wasanaeth syniadau wedi eu magu mewn Rhamantiaeth. Fe ddaw'r syniadaeth Wordsworthaidd yn fwy amlwg fyth mewn ymgais arall i ddwyn natur ac amser, y personol a'r dwyfol i ryw un cytgord breuddwydiol:

> A yw'r sêr uwchben
> Mor ddwyfol ac ardderchog ag y myn
> Barddoniaeth ganu? Onid mewnol swyn
> Atgofion am ddwyfolach golygfeydd,

A phethau yn disgleirio oll gan Dduw
[hynny yw, y cyflwr cyn y Cwymp]
Sy'n rhoddi iddynt hwy eu hysbryd-nerth
A'u harucheledd? Ynom mae y sêr,
A phob barddoniaeth, onid atgof yw
O rywbeth mwy a fu, neu ragwelediad
O rywbeth mwy i ddyfod? (S1, 151)

Gwaddol y ddeunawfed ganrif oedd dadleuon sylfaenol ynghylch natur
y gofod ac, yn wir, natur gofod fel y cyfryw, dadleuon i'w cysylltu ag
enwau Leibniz, Locke, Newton a Kant. Ai sylwedd o ryw fath yw gofod,
neu agwedd ar feddwl Duw, priodoledd yr anfeidrol a hollbresennol,
neu ganfyddiad y meddwl dynol drwy'r synhwyrau, neu'n gynhenid
yn ffurfiant y meddwl? Ai meddwl Duw, ynte, neu feddwl dyn sy'n
poblogi'r gofod? Ymgais Islwyn, yn ei 'goedwig o feddyliau' (S1, 129),
oedd cyfuno'r deongliadau gwahanol – ac yn aml cyferbyniol – dileu
neilltuolion, ac ymdoddi rywfodd yn yr absoliwt a gwneud i'r sêr ddwyn
baich yr holl gyflwyniad:

Pan na fydd yn dy enaid amgylchiadau,
Ond dyn a Duw, y meddwl a'r teimladau, –
Efe fydd nerthol na wastraffodd ddim
O'i nerth ar farwol fyd, a gadwai'i rym,
Grym meddwl, grym serchiadau, oll ynghyd
Fel serol bethau 'mhell goruwch y byd. (S2, 55)

Uchafbwynt y cyfannu, sy'n ffinio ar *Weltseele* (byd-enaid) Schelling,
neu'n gymar i linellau Shelley yn 'Mont Blanc' – 'The everlasting
universe of things / Flows through the mind' – yw:

Pa beth yw'r greadigaeth hon?
    Rhyw feddwl beiddgar mawr
Yn fflamio trwy'r dragwyddol nos
    Yn fydoedd fyrdd o fynwes Iôr i lawr.
    Y ddaear gron,
    A'r sêr am hon.
Meddyliau mawrion ydynt hwy
Yn troi o fewn un Meddwl Mwy! (S1, 118)

Ai methiant yw'r *Storm*, yn y naill fersiwn a'r llall? Fe fyddai eu ffurf anorffenedig yn awgrymu hynny, ond y mae hi'n werth cofio tuedd y Rhamantwyr at yr anghyflawn, at y di-siâp yn hytrach na'r twt, at yr anghyraeddadwy anorffen rhagor y cyfyngedig y gellir ei gwmpasu. Mewn cyswllt pur wahanol, mae'n wir, fe wahaniaethodd E. M. Forster rhwng nofelau drwy alw rhai yn 'well made' ac eraill yn 'loose baggy monsters'; i'r ail ddosbarth y perthyn *Y Storm.*

Dylid cydnabod hefyd, heb ymhelaethu lawer arnynt, campau mydryddol Islwyn, hyd yn oed os ydynt weithiau'n disgyn i'r hyrdigyrdi, a chyfoeth syfrdanol ei eirfa o ystyried ei gefndir, hyd yn oed os yw'n rhy ddyledus i eiriadur William Owen Pughe (y mae'r obsesiwn â'r ansoddair 'derch', er enghraifft, yn troi'n fwrn). Ar brydiau y mae'n ymddangos yn orddyfeisgar yn y modd y mae'n cyplysu geiriau: 'amanfeidrolderau' (S2, 15), 'y nefoedd gorwel-hongiol' (S2, 43), 'pethau difeddadwy' (S2, 71), 'ymbenrhynio i'r tragwyddol fôr' (S2, 85), 'sêroleuedig arbinagalu'r nos' (S2, 86), 'byd-golofn bryn-faenedig am bob oes' (S2, 109); ac fe ellid amlhau dyfyniadau, o'r *Storm* gyntaf yn ogystal â'r ail. Cymwynas ag ef, efallai, fyddai credu mai ffordd o awgrymu undod pethau sydd yma; ond y mae'r ffaith ei fod yn pentyrru enghreifftiau ar ddudalennau cyfagos, fel y gwelsom eisoes, yn lled awgrymu elfen o'r peiriannol. Daw y perygl o fod yn or-chwyddedig yn yr ymgais at aruchledd i'r wyneb yn weddol fynych hefyd, fel yn y disgrifiad o 'ysbryd Caos':

> Yn edrych arnoch dros y tanllyd rim,
> Nes gollwng deigryn aruthr ar y môr
> O fflamau bryn-lanedig, pan y tyr
> A sawdd fynyddoedd dan ei ryddgoch fŷr,
> Gan ado gwledydd cyfain ar ei ôl
> Yn weigion ac yn ddymchweliadau erch
> A'u dyfroedd oll yn mygu hyd y nef. (S2, 121)

Ond am bob darn felly y mae eraill, ac fe ddyfynnwyd llawer ohonynt eisoes, yn hynod gyffrous a phrydferth. Nid yn anfynych y mae'n anelu'n uchel ac yn glanio yn y niwl, ac fe gaiff y darllenydd ei hun mewn dryswch hollol, ac yn ei chael y nesaf peth i amhosibl i ddarganfod ystyr; wrth gwrs, fe geir anawsterau tebyg gyda llawer o linellau a delweddau Blake.

Nid yw'r cerddi heb eu gorlwyth o ddelweddau emosiynol, o'r straenio am yr aruchel a nodwyd, o ddilyn ffasiynau llenyddol eilradd. Nid oes cysondeb yn y trafod motiffau a symbolau – gweithredol, synfyfyriol, gweledigaethol, breuddwydiol, llesmeiriol, diwinyddol, yn eu tro. Ond prin bod dryswch a blerwch o unrhyw bwys; llif y dychymyg ac angerdd y mynegiant sy'n ysgubo popeth o'u blaen, o leiaf yn yr ariâu mawr sy'n codi byth a hefyd allan o'r adroddgan. Yng nghroth y gerdd y mae rhyw gydweddiadau'n tyfu: metafforau tragwyddoldeb, ehediadau daearyddol, gofodol a hanesyddol, gweledigaethau ysbeidiol o ddoleniad natur, meddwl, a'r anfeidrol. Y rhyfeddod yw gweld llanc 22 a 23 oed o'r Ynys-ddu yn anelu mor uchel, ac yn cyrraedd y nod mor aml.

6 ∞ Trannoeth y Drin

Wedi hwylio'r cefnfor dyma'r llong yn ôl mewn dyfroedd bas. Roedd bywyd Islwyn, yn ei allanolion o leiaf, wedi sadio. Bu farw ei dad yn 1857 gan ei adael yn fwy fyth dan ddylanwad ei fam a'i frawd-yng-nghyfraith, Daniel Jenkyns. Aed ymlaen ar rawd a fyddai, gyda phyliau o afiechyd, yn parhau am weddill ei oes: y weinidogaeth, eisteddfod, cylchgronau ac, yn anad dim, yr Ynys-ddu.

Roedd newydd wella o un o'i anhwylderau pan ddaeth athro ato yn ei gartref, William Thomas arall, sef Gwilym Marles (1834–79) a drodd ymhen amser i fod yn weinidog Undodaidd, ac i wneud enw iddo'i hun fel golygydd, nofelydd, bardd a gwleidydd. Ar y pryd roedd yn astudio athroniaeth ym Mhrifysgol Glasgow ar ôl cyfnod, 1852–6, yng Ngholeg Presbyteraidd Caerfyrddin pan ddaeth yn dipyn o feistr ar y clasuron – derbyniodd wobr ucha'r coleg yn 1853. Yn Glasgow, ochr yn ochr ag athroniaeth, fe fu'n ei drwytho ei hun yng ngweithiau Shakespeare a llenyddiaeth Saesneg; ond roedd yntau wedi bod yn ddifrifol wael ac ni allai ddychwelyd i Glasgow yn hydref 1857. Gan iddo eisoes weithredu yn Glasgow fel tiwtor preifat am gini a hanner y mis, fe gymerodd yr un math o waith yng Nghymru er mwyn ei gynnal ei hun rhwng hynny a theithio i bregethu. Dywed yn ei hunangofiant iddo fod yn 'diwtor o Dachwedd 1857 hyd Chwefror 1858 i'r Parchedig William Thomas – (Islwyn) – Ynysddu, Pontllanfraith, yng Ngwent' (yng nghartref Islwyn, mae'n amlwg), ac iddo gael mawr foddhad wrth weld astudiaethau'r bardd yn gwella'n ddirfawr.[1] Dywedodd Iolo Caernarfon wrth O.M. i Islwyn ddweud wrtho ef mai Gwilym Marles a ddysgodd Roeg iddo. '"Gwilym Marles roddodd yr *insight* gyntaf i mi i'r iaith Roeg oedd rhai o eiriau Islwyn."'[2] Mewn llythyr gan Islwyn at Martha yn Rhagfyr 1863 y mae'n cyfeirio at ganlyniadau'r dysgu: 'It is so easy to forget the Greek language without being in continual practice.'

Y mae'n debyg iddynt hefyd brydyddu cryn dipyn gyda'i gilydd yn ystod y misoedd, ac yn 1859 fe gyhoeddodd Gwilym Marles ei gyfrol

Prydyddiaeth. Yn ei gerdd goffa am Islwyn yn *Y Faner* yn Ionawr 1879, gloywach ei theimladau na'i barddoniaeth, sonia fel y

> Bu rhyngom ymgom bêr o dro i dro,
> Wrth rodio ynghyd ar hyd y brydferth fro
> Lle y preswyliai ef; prydferthaf lle
> A mwy dewisol, nid oes dan y ne!

Yna, ar gymeriad Islwyn:

> Os byth bu diniweidrwydd yn y byd,
> Corfforid ef yn Islwyn ar bob pryd.
> Ei dalent fawr, nis byth dangosai hi;
> Mor wylaidd oedd – ni fynnai fydol fri.
> Pan eraill a ymffrostient yn eu dawn,
> Gwrandawai ef yn dawel, addfwyn iawn,
> Heb yngan gair o enllib nac o glod.
> Yn ei unigedd tawel carai fod.
>
> (Martin, tt.111–12)

Y mae ychydig o eithafiaeth, efallai, yn yr honiad nad oedd yn mynnu bydol fri; os felly, pam yr holl eisteddfota? Ôl-olwg hefyd oedd yn ei wneud yn barchedig yn 1858, er ei fod ar ei ffordd.

Peth naturiol iawn erbyn diwedd y 1850au neu ddechrau'r 1860au fyddai meddwl am geisio gwraig, yn un peth er mwyn sefydlu ei gartref ei hun. Ond nid mewn gwaed oer y darganfu hi. Yr oedd yn feirniad ar fân gystadlaethau yn Eisteddfod Genedlaethol Abertawe, fis Medi 1863. Naturiol iawn oedd iddo ymweld â Stryd yr Ardd, a mam Ann – cofier am ei deyrnged iddi yn 'Mewn Adgof' (GBI 442–3): 'Tydi, yn fy nheimlad, oet famaeth i mi, / A "mam" fyth y'th alwn oddiar *"fifty three"*.' Erbyn *'sixty-three'*, a David Bowen wedi marw er mis Hydref 1854, roedd Jane Bowen wedi ailbriodi, a Jane Davies oedd hi bellach. Gŵr gweddw oedd William Davies,[3] groser yn Nhredegar, a symudodd wedi'r briodas i'r siop yn Abertawe, erbyn 1865 a 1868 yn rhif 48 Stryd yr Ardd yn ôl cyfeirlyfrau Slater a Webster, gyda'i ferch Martha, a'i fab John. Y mae ychydig bach o ddirgelwch gan fod Martha, o dystiolaeth Cyfrifiad 1871 wedi ei geni yn Nhredegar, ond y mae'n ymddangos yn debyg iawn mai hi oedd y Martha, merch William a Catherine Davies, a fedyddiwyd yn St John, Abertawe ar 1 Hydref 1842 (pan fu hi farw yn 1885 roedd hi'n 44 oed); bedyddiwyd John James Davies yn yr un eglwys ar 16 Tachwedd 1837. Efallai felly mai rhywbeth dros dro oedd y siop yn Nhredegar, ac mai Abertawe oedd y cartref gwreiddiol. (Roedd perthnasau hefyd ym Merthyr, gan fod Islwyn yn ysgrifennu at Daniel Davies ar 5 Mehefin 1877; 'Buasai yn wir dda gan Mrs T. hithau ddyfod oni b'ai un amgylchiad. Y mae ewythr a modryb iddi o Ferthyr yn dod yma foreu Llun, fel nas gallai hi ddychwelyd mewn pryd i'w derbyn' (LlGC 173).) Y mae'n edrych yn debyg mai John y brawd a ymwelodd â'r Ynys-ddu yn Rhagfyr 1863 ar ei ffordd o'r coleg diwinyddol yn Birmingham drwy Gaerdydd i Abertawe. Fe awgrymir hyn yn y frawddeg yn llythyr 17 Rhagfyr 1863 at Martha: 'I am writing by this post to your father, as John wishes me to do so.' Ymgeisydd am urddau oedd y John hwn, ond wedi methu'r iaith Roeg, a'r prifathro Espin[4] yn ei gynghori i beidio â chynnig ei hun i'r esgob ar hyn o bryd. Angen tiwtor am ychydig sydd arno, meddai Islwyn.

Efallai fod Islwyn wedi cyfarfod â Martha yn Nhredegar neu Abertawe ynghynt, ond erbyn hyn roedd hi'n 22 oed, ac fe gymerodd lawer mwy o sylw ohoni. Y mae Brynley Roberts, yn ei ragymadrodd i lythyrau Islwyn a Martha, yn gosod y mater yn deg iawn:

> Yr hyn sy'n sicr yw i'r wythnos honno adeg yr eisteddfod ddeffro ynddo hen nwydau wrth iddynt ymserchu'n angerddol a threulio'r wythnos gyfan yng nghwmni ei gilydd. Erbyn diwedd yr wythnos nid oedd amheuaeth ym meddwl y naill na'r llall ohonynt na fyddent yn priodi (er bod gan Martha gariad eisoes, fe ymddengys – [y mae llythyr cyntaf Islwyn ati yn cyfeirio at ryw Davies]). Bu'n garwriaeth frwd, nwydus, lencynnaidd i Islwyn, debyg i honno a fu ddeng mlynedd yn gynharach ar yr un traethau.[5]

At y profiadau hyn, yn sicr, y mae'n cyfeirio yn y 'Llinellau i'm Hanwylyd' (GBI 769–70):

> Pan fyddo 'n mhell, y mae dy fardd,
> Yn meddwl am Ystryd yr Ardd;
> Ac nid oes man mor llawn o swyn
> A'r man lle trig fy Martha fwyn.
>> Dy lygaid mawrion gloewon glân
>> Enynnant yn fy nghalon dân;
>> A thwym yw mynwes Isyllwyn
>> Wrth edrych ar ei Fartha fwyn.
>>   . . .

Mi gofiaf am yr hoff brydnawn,
A thithau gofi'n dyner iawn;
Pan y teimlasom rymus swyn
Serch yn ein huno, Martha fwyn;
　　Ar lan y môr yr eisteddasom
　　Ac yno gyntaf cydgarasom,
　　Fe wnaed o ddau un enaid yno,
　　Dwy galon gun yn un fan honno.

. . .

　　O! hapus ddydd pan ddof i'th gyrchu,
　　A'th wneyd am byth yn eiddo i mi.

Roedd wedi addo wrth ymadael ag Abertawe ar y dydd Gwener y
byddai'n ysgrifennu cyn diwedd yr wythnos, ond dyma hi'n ddydd
Mawrth (29 Medi 1863) ac ni allai ymatal:

my heart is a warm one very warm very affectionate, and I find now that
I can't wait till the end of the week.

You see that I am very candid – there is no reserve in my nature – I
always express myself freely and openly – Therefore I confess at the
outset that you have made an impression on my heart – I have thought
a good deal about you my dear, since we parted, and the more I think
the more I feel that this is a step in the right direction. We entered
the path of affection very suddenly and unexpectedly, but I feel assured
that it is a right path, and that it will lead us both to joy and
happiness.

Indeed I believe that Providence has kept you for me and me for you –
We are so well suited to each other in every respect, our habits are the
same, and we belong to the same religious denomination which is a great
thing. It is very important for a minister to get a religious lady to be his
companion for life. We are well suited in this respect. I feel a stronger
desire than ever to consecrate myself to the cause of the Gospel, and to
serve my Lord and Master to the utmost. And you will be a great help to
me to do so.

My dear Miss Davies, you will always find me kind and faithful,
and full of tenderness and affection. Besides my mother is so very fond
of you. I told her all about it friday night and she was quite delighted
to hear. I also told Jenkyns and my sister Mary and they were very
greatly pleased. But I have requested them not to let it out until the proper
time.

Nid yw'r 'Miss Davies' a'r llofnod 'William Thomas' yn achos syndod,
wrth gwrs, dan gonfensiynau'r oes, ac ymhen pythefnos y mae'n 'My
dear Martha . . . Your faithful and affectionate Islwyn', ac ym mis
Rhagfyr yn 'My own dearest Martha'; yntau erbyn 25 Chwefror 1864 yn
'My dearest little boy'. Ond y mae dau beth i'w nodi ynglŷn â llythyr
29 Medi. Yr argraff a roddir yw bod Martha eisoes yn adnabyddus i'r
teulu (o ddyddiau Tredegar?), ond efallai mai ymserchu ynddi yng
ngoleuni disgrifiad Islwyn a olygir. Yn ei lythyr at Martha ar 22 Ionawr
1864, yn rhoddi manylion am ymweliad ei chwaer Mary ag Abertawe,
dywed: 'I am sure you will like Mary, she is such a noble companion',
sy'n awgrymu nad oeddynt eto wedi cyfarfod. Sut bynnag am hynny,
gwelir yn llythyr 22 Ionawr 1864, a'r pâr ifanc yn paratoi at briodi, nad
oedd popeth yn rhedeg yn gwbl esmwyth. Roedd rhywun wedi sôn am
gael y gwasanaeth yn yr eglwys:

> As to what you say about our wedding, I will do as my lovely Martha says.
> I am willing to marry in Trinity. [Y mae hyn ynddo'i hun yn od; onid
> dyna'r lle naturiol, a'r ddau yn Galfiniaid?] If we married in Church
> perhaps it would be against me with some people as I am a Dissenting
> Minister. It does not matter where we marry and we had better disarm all
> opposition by going to Chapel.

Nid yw'n glir beth oedd y gwrthwynebiad disgwyliedig, nac o du pwy; o
bosibl bod a wnelo'r anhawster â'r ffaith nad oedd priodas wedi bod
hyd hynny yng nghapel Triniti.

Ond yr oedd hefyd ail bwynt yn llythyr 29 Medi, sef ymhelaethu ar
addasrwydd Martha i fod yn wraig gweinidog, datganiad amddifad o
angerddoldeb i'n clustiau ni heddiw. Ond nid oedd dim anghyffredin yn
y safbwynt. Y mae Brynley Roberts yn f'atgoffa am Thomas Charles a
Sally, a gwrandawer hefyd ar bregethwr Wesle o Gymro, Thomas Olivers
(1725–99) yn ei hunangofiant yn 1799, yn adrodd fel y bu iddo holi ei
hun sut berson i'w dewis yn wraig. Gosododd yr angenrheidiau mewn
trefn pwysigrwydd: yn gyntaf gras, yn ail synnwyr cyffredin: 'A
Methodist Preacher in particular, who travels into all parts, & sees such
a variety of company, I believed, ought not to take a fool with him.' Y
trydydd anghenraid, gan gofio poethder ei dymer ef, oedd rhywun i
daflu dŵr yn hytrach nag olew ar y tân; a'r pedwerydd: 'I judged that, as
I was connected with a poor people, the will of God was, that whoever I
married should have a small competency, to prevent my making the
Gospel chargeable to any.' Ac fe briododd ferch groser cefnog yn Leeds.

Wrth lwc yr oedd gan Martha hefyd 'a small competency', er iddo gael ei ladrata ymhen blynyddoedd, ond mae'n sicr nad dyna oedd ym meddwl Islwyn ar y pryd. Eto, nid oedd serch yn alltudio rheswm. Y mae Sian Rhiannon Williams yn credu mai gwneud 'iws' o Martha yr oedd Islwyn dros y blynyddoedd ar ôl y briodas ac 'mai anaml y byddai hi'n ei weld yn ystod y 1860au a'r 1870au cynnar, pan dreuliai lawer o'i amser yng Nghasnewydd yn derbyn lletygarwch gwraig Athan Fardd . . . neu'n gweithio wrth ei newyddiaduriaeth, ei farddoniaeth, ei feirniad-aethau ac, i raddau llai, ei bregethau a'i ddyletswyddau fel asiant yswiriant'.[6] Y mae dau sylw i'w gwneud ar hyn: heblaw'r tro i Gas-newydd, unwaith yr wythnos yn ôl Athan (ond yn amlach am gyfnod gweddol fyr cyhoeddi'r *Glorian*), o dan draed gartref y byddai Islwyn gan amlaf, yn gwneud ei waith oddi yno – ac, fel llawer o weinidogion am ganrif ar ei ôl, yn treulio rhan helaeth o'r dydd yn ei stydi, gan ddisgwyl i'w fam, a'i wraig, a'r forwyn fach weini arno (Margaret James, 22 oed yn 1861, Phoebe Jones 18 oed o Gydweli yn 1871); nid rhywbeth i'w ganmol, efallai, ond dyna oedd y patrwm hyd yn oed yn y priodasau gorau. Gwelir hefyd ei fod yn amlwg yn anawyddus i dreulio noson oddi cartref os gallai osgoi hynny sut yn y byd; weithiau hefyd fe fyddai Martha yn dod i'w ganlyn.

Da gweld ei bod yn ceisio ei gymryd mewn llaw o'r cychwyn cyntaf. 'I am happy to inform my dear Martha that I have reformed with regard to smoking – Indeed I haven't smoked but very little since last Friday week. I believe I shall derive much benefit from abstaining. And I am determined not to sit down over my studies so much in future' (llythyr 13 Hydref). Nid oedd y diwygiad yn un parhaol, ysywaeth, fel y dengys disgrifiadau Athan Fardd ohono 'yn ysmygu gydag hyfrydwch a rhwysg-fawredd Ercwlffaidd . . . un o'r ysmygwyr mwyaf meistrolaidd'; yna yn swyddfa'r *Glorian*, sef yn 1867: 'Pan yn ysgrifennu defnyddiai "church-warden" pibell fawr, hir, yn dal cymmaint â dwy bib gyffredin o fyglys; a dyna lle byddai o'r tân i'r ysgrifenfwrdd ac o'r ysgrifenfwrdd i'r tân yn barhaus.' Yr oedd cysodwyr *Y Glorian* yn anghymeradwyo'r *church-warden* gan hwtio a churo eu traed: 'Teimlodd Islwyn yn "ddirfawr" yn herwydd yr anfri hwn.'

Y traeth oedd piau hi unwaith yn rhagor yn y garwriaeth, mewn adlewyrchiad poenus o'r profiad gydag Ann ddeng mlynedd ynghynt:

> I often think of the rocks of Mumbles! Oh how I would like it if we both were there now! What pleasant talk we would have of the evening when we spoke first of love. We would look long on the rock we sat upon that

evening. Well, the time to visit Mumbles will soon come again and we will spend a happy week together once again.' (Llythyr 17 Rhagfyr 1863)

Diddorol gweld, gyda llaw, gyfeiriad arall at y Mwmbwls yn ei golofn farddol yn *Y Gwladgarwr*, 22 Hydref 1870) wrth feirniadu cân o glod gan Glan Afan i Thomas Francis, Chile: 'Cawsom lawer o'i gymdeithas pan y bu ar ymweliad a gwlad ei enedigaeth [tua 1867], ac y mae fy adgofion am ein hyfryd grwydriadau ar hyd creigiau y Mumbles yn adgofion gwir baradwysaidd.'

Wedi chwe mis o garwriaeth fe'u priodwyd yng nghapel Triniti, ac o Stryd yr Ardd, yn union fel y bwriadwyd gydag Ann. Fel hyn y cofnodir y weithred yn y dystysgrif priodas (LlGC 14374E): 'William Thomas, 31 years, Bachelor, Dissenting Minister, Ynisddu, Mynyddislwyn and Martha Louisa Davies, 22 years, Spinster, Garden Street, Swansea: at the Trinity Chapel, Park Street, Swansea. Fathers: Morgan Thomas (deceased) Agent on railway; William Davies, Grocer.' Ceir ychydig, ond nid llawer, mwy o fanylion yn *Baner ac Amserau Cymru*, 9 Mawrth 1864:

PRIODASAU. Mawrth 3ydd, yn nghapel y Drindod, Abertawe, gan y Parch. Daniel Jenkins, Babell (brawd yng nghyfraith y priodfab) yn cael ei gynorthwyo gan y Parch. D. Howells, Abertawe, y Parch. William Thomas (Islwyn), â Miss Martha Davies, merch W. Davies, Ysw., Garden St. Abertawe. Yr oedd amryw foneddigion a boneddigesau o fri yn bresennol; oblegid mai hon oedd y briodas gyntaf yn y capel hwn, cyflwynwyd Beibl hardd yn rhodd i'r briodferch.

Ond, o leiaf, y mae'r *Faner* yn cario pwt o farddoniaeth i ddathlu'r achlysur:

LLINELLAU
ar briodas y Parch. William Thomas (Islwyn),
â Miss Davies, Garden Street, Abertawe

Rhyw fywyd *anfarddonol* yw
Y bywyd henlancyddol,
A blodau swynol serch yn wyw,
A sycha'r ddawn farddonol;
Bydd awen felys Islwyn fardd,
Yn awr yn *fil melusach*,
Barddoniaith o'i holl eiriau dardd,

A'i awdlau fyddant *amlach*;
Bydd i gyfeillach gynhes gwraig
I'w wneyd mewn serch yn ysgolhaig.

Llanelli   DAFYDD AB OWEN

David Bowen, 1829–89, Llanelli, oedd hwn, ond nid yw'n hawdd dweud
a oedd yn perthyn.

Yn ôl, felly, wedi'r briodas i'r Ynys-ddu i fyw gyda mam Islwyn. Beth
bynnag am y nwydau, ni ddaeth plant. Yr argraff glir yw mai mamol
oedd tynged Martha wedi'r cynnwrf carwriaethol – ond mamol tuag at
Islwyn. Y mae Athan Fardd yn disgrifio bywyd eithaf cyfforddus a
dedwydd yn Green Meadow a'r Glyn. Yng Ngwanwyn 1868 ar hwyr-
ddydd Sadwrn aeth Athan a'i wraig ar daer wahoddiad i'r Ynys-ddu. Fe
dâl rhoddi dyfyniad helaeth er mwyn cyfleu'r awyrgylch, a chofnodi
peth o waith Islwyn nad yw, hyd y gwn, wedi ymddangos yn unman
arall:

'Dywedais wrth Mrs Thomas', meddai [Islwyn], 'am ddarparu tamaid
blasus i Mrs Jones, ac y buaswn inau yn arllwys llwyth o lyffetheiriau
Dafydd ab Edmwnd i chwithau, a dyna fe: –

Tyred i fyny, ti a'r rhad feinwen,
Ar nos o leuad, i'r ynys lawen;
Caredig fydd mab Ceridwen, – a groeso
O lais y rhuo i lys yr awen.'

Treuliasom y rhan gyntaf o'r nos yn wir ddyddanus, 'y duwiesau', fel y'u
gelwid gan Islwyn, yn siarad Saesneg. Ar yr aelwyd y gorweddai y ci bach,
Caesar.

Wedi'r darllen a'r gweddio, dechreuodd Islwyn a Mrs Thomas ganu
rhyw dôn Gymreig ar eiriau Islwyn 'Yr udgorn a gân':

Yr udgorn a gân; daw y dorf lân filiynau
Yn llu ebrwydd allan o'r tywyll briddellau,
A gall yr engyl o oergell yr angau;
Ei weled y byddant o waelod y beddau,
A'i adwaen ar unwaith. Mor dyner ei wênau!
Mor hawdd yw ei nabod plith myrdd o wynebau!

Bydd Babilon eang, anferthol yr angau,
A'i gaerau enhuddol, byth mwy yn garneddau.
O feinciau gogoniant hwy welant yn olau
Ei enfawr gynhebrwng o fro gain y wybrau.
Cânt ddechreu'r gân lon goruwch oerion garcharau
A rhodio fel byddin ar adfail y beddau.

I Seion dychwelant, cychwynant â chanau,
Y miloedd a brynwyd yn amledd eu breiniau,
A thrag'wyddol hoen wedi'r poen ar eu penau,
O! araul gyfodiad ar ol eu gofidiau!
Ein llafur a'u llethiad, – y lleiaf o'r llwythau,
Rad fola ei Brynwr ar adfail wybrenau.

Ar wawr y borau mawr y berwa y moroedd,
A'r daran olaf a rua drwy'r niwloedd,
Alarm-gloch terfynawl bythbeidiawl y bydoedd;
Ond teulu ein Naf, ar gant ola' y nefoedd,
A geir yn ddiangawl anfarwawl niferoedd,
Trwy angau'r Iesu, wedi trengu o'r oesoedd!

Ail-ganasant y pennill olaf mewn modd brawychus o annaearol.

Yr oedd gan Martha ddigon o Gymraeg ar gyfer y ddeuawd, a hefyd i ddeall llinellau serch Islwyn yn y 'Llinellau i'm Hanwylyd' ac yn yr ailadrodd, ychydig yn wahanol, o un o'r penillion yn ei lythyr ar 17 Rhagfyr 1863:

A hoffus waith fy Awen I
Fydd canu am dy degwch di;
Mi blethaf ganiad lawn o swyn
A'i thestun hoff fydd Martha fwyn.

Ond yn Saesneg yr oedd hi a gwraig Athan yn sgwrsio, a dyna, mae'n sicr, oedd hawsaf ganddi. Daw hyn â ni at eiriau olaf Islwyn fel y trosglwyddwyd hwy yn Gymraeg gan y Parchedig Tom Beynon, ar sail tystiolaeth nith Islwyn a oedd yn ei ystafell farw; y tebygolrwydd er hynny yw mai Saesneg oedd ffurf y gwreiddiol: 'Diolch iti Martha, am y cwbl a wnest i mi. Buost yn garedig iawn. Rwyf yn mynd at Ann 'nawr.'[8] Os yw'r dystiolaeth yn agos at fod yn gywir, ac o edrych heibio i sentimentaleiddiwch, mae'r geiriau yn anfaddeuol arswydus. Fe'n temtir i gredu, er nad yw hyn yn eu gwneud ronyn gwell, mai'r bardd sy'n llefaru yma, yn chwarae ei ran ddisgwyliedig. Fe wnaeth ei enw, wedi'r cyfan, ar bwys Ann.

Gwelsom yn y bennod gyntaf y camau a arweiniodd at ei ordeiniad yn Llangeitho, 4 Awst 1859, yn Sasiwn enwog y Diwygiad, gyda Daniel Jenkyns yn traddodi'r cyngor. Er i Howel Harris bregethu tipyn ym Mlaenau Gwent ac i ryw nifer o seiadau godi am fyr amser yng nghanol y ddeunawfed ganrif, nid oedd Methodistiaeth wedi magu gwreiddiau cadarn iawn ym Mynwy erbyn adeg geni Islwyn; 16 o eglwysi oedd yn bod pryd hynny, 9 ohonynt wedi eu cychwyn ynghynt yn y ganrif. Erbyn 1852 roedd 24 o gapeli a 15 gweinidog, llai o gryn dipyn nag yn unrhyw sir arall yng Nghymru. Un o gapeli'r ddeunawfed ganrif oedd Capel Ed, y Goetre, a sefydlwyd yn 1788 ac a ailadeiladwyd yn 1807, ac am y capeli eraill y bu teulu Islwyn â chysylltiad â hwy fe agorwyd Soar, Rhisga, yn 1810 a'r Gelli-groes yn 1813.[9] Gwelsom mai yn 1827 yr adeiladwyd Capel y Babell yn yr Ynys-ddu. Yng Nghyfrifiad Crefyddol 1851 fe ddywedir bod seddau rhad ar gyfer 84, eraill yn 80; nid oedd lle i sefyll 'the chapel being fully seated'. Ar y Sul penodedig roedd 45 a 20 disgybl yng ngwasanaeth y bore, 64 disgybl yn ysgol Sul y prynhawn, 50 a 40 disgybl yn yr hwyr. Y cyfartaledd, meddir, oedd 70 a 30 disgybl yn y bore, ac 80 a 40 disgybl yr hwyr. 'Several of the Congregation were confined at home this Sunday by sickness. Morgan Thomas, Elder.' Yn union ar ôl ei briodas â Mary yn 1840 fe gymerodd Daniel Jenkyns ofal y gymdeithas er bod gweinidog arall, William Williams, hefyd yn gysylltiedig â'r Babell – roedd yn un o'r pregethwyr yng Nghymdeithasfa Llantrisant yn 1852. Fe wnaeth y truan amdano'i hun ar 4 Rhagfyr 1857 'mewn iselder meddwl er ys mwy na dau fis', gan adael gwraig a saith o blant bychain. 'Bore y dydd Llun canlynol i'w farwolaeth, claddwyd ef wrth gapel y Methodistiaid yn Llaneirwg, pryd y pregethodd y Parch. Daniel Jenkins yn dra theimladol a phriodol ar yr achlysur.'[10]

Tystiolaeth *Yr Haul*, y misolyn Eglwysig, adeg marw Islwyn oedd ei fod 'yn ormod o ddyn i feithrin ysbryd cul, main, rhagfarnllyd sectyddol' (xxiii, 1879, 38). Ond yr oedd yn sicr yn rhannu syniadau'r oes am wneud y gorau i'n 'pobl ni'. Yr enghraifft glasurol o hyn yw'r cyn-llwynio ynglŷn â chael ysgolfeistr i'r Ynys-ddu, ac y mae'n werth adrodd yr hanes. Y mae'n cychwyn gyda llythyr at Davies, Ton, ar 17 Ebrill 1876 (LlGC 6812):

Private. Anwyl Syr Y mae mab i Mr Dd Williams (yr hwn sydd aelod gyda'ch Eglwys chwi – gynt o Nantyglo) yn Ngholeg Bangor. Mab arall iddo ef, yr wyf yn meddwl, sydd yn arweinydd y cânu gyda chwi. Y mae Board School yn prysur godi gyda ni yn fy mhentref genedigol hwn, 'Ynysddu'. Ac, wrth gwrs, y mae Mr Jenkyns a minau yn awyddus am gael un o'r Corff yn ysgolfeistr. Siaradodd Mr Jenkyns air â Mr Dd Williams, pan fu yna, yn nghylch i'w fab ef ddyfod yma, ac ymddangosai yntau yn foddlawn iawn, yn enwedig gan fod perthynasau i'r teulu yn aelodau yma gyda ni. A fyddwch chwi gystal â siarad â Mr Williams a rhoi address ei fab i mi, fel y gallwyf ohebu ag ef. Agorir yr Ysgol, mae'n debyg, oddeutu Medi nesaf, feallai cyn hyny. Er nad ydym ni yn aelodau o'r Board, y mae genym gryn ddylanwad ar yr aelodau, ac y mae'n lled sicr y telir gryn sylw i'n recommendation ni. Gan ddymuno llinell yn ebrwydd, Gorphwysaf Yr Eiddoch yn gywir Islwyn.

O.Y. Y mae yma Ysgoldy ardderchog, a thy cyfleus yn nglyn ag ef. Feallai nad agorir yr ysgol cyn Hydref. Hoffwn wybod pa bryd y bydd tymor Williams ar ben. Yr wyf yn dyweyd Hydref, am mai hyd Hydref yw contract yr adeiladydd, ac feallai na orphena ef hyd hynny. Nid aml y maent hwy yn gorphen cyn pen eu hamser, er fod yr adeilad hwn, hyd yn hyn, yn bur advanced.

Erbyn 19 Gorffennaf (LlGC 6814) y mae wedi deall bod Williams gartref, ac yn credu y dylai ei weld, ac y mae'n rhoddi manylion sut i deithio. Wedi cyrraedd Tredegar Junction a chychwyn am yr Ynys-ddu, y mae i ymholi am 'siop Mr Nathaniel Edmunds, Gellygroes (un o'n brodyr) ac fe rydd Edmunds ef ar y ffordd tuag yma'. Dydd Gwener fyddai orau, gan fod siawns iddo weld un o aelodau'r Bwrdd ('yr hwn sydd Fethodist') cyn hynny. Llythyr arall ar 19 Hydref (LlGC 6815):

Yr wyf yn meddwl mai heddyw y mae y Board yn eistedd ac y penderfynir rhywbeth ynghylch Ynysddu.
Private. Feallai na advertizir o gwbl, ond y derbynir application Wms ar un waith ar recommendation cryf. Wrth gwrs caiff ef wybod heb oedi. Nid oes fawr ameuaeth am lwyddo.

Sylwer ar y gair *Private* mewn dau o'r llythyrau, yn rhyw led dystio ei fod ychydig bach yn anghysurus ynglŷn â'i ymyrraeth, ac efallai yn wir nad aeth pethau yn gwbl hwylus gan i ddeufis fynd heibio cyn iddo, ar 26 Rhagfyr, amgáu llythyr at Williams i Davies ei anfon ymlaen (LlGC 6816). Gwahoddiad oedd yn y llythyr i Williams ddod drosodd i'r Ynys-ddu, ac y mae brawddeg mewn llythyr y diwrnod wedyn (LlGC 6817) yn awgrymu bod y penodiad yn gyhoeddus erbyn hyn: 'Disgwyliem yn ddyfal am Mr Williams a'i dad ddydd Nadolig, ond nis daethant.' Wrth lwc, roedd yr apwyntiad yn un da, ac fe ddaeth y gŵr ifanc, W. Glynfab Williams, yn bur gyfeillgar ag Islwyn. Aeth ymlaen i'r weinidogaeth yn y man, ac fe geir rhai atgofion ganddo, 'Islwyn a minnau', yn *Y Drysorfa* yn 1941. Yn yr ysgrif y mae'n adrodd fel y bu iddo ddatguddio cyfrinach ei apwyntiad i 'brif noddwr bechgyn ieuainc Jerusalem, Ton Pentre, sef Mr Daniel Davies . . . Wrth fy llongyfarch dywedodd wrthyf: "Ynys Ddu! Yn Ynys Ddu y mae Islwyn yn byw. Ni awn yno ddydd Llun ac fe'ch cyflwynaf iddo."' Roedd Davies yntau yn gallu cadw cyfrinach, felly.

Yn ôl Glynfab Williams, Islwyn oedd ysgrifennydd y pwyllgor addysg lleol, ac yn fawr ei ddiddordeb yn yr ysgol. Ymwelai'n fynych yn ystod misoedd olaf 1877 (agorwyd yr ysgol o'r diwedd ar 30 Ebrill gyda tua 60 o blant).

Un tro, mi gofiaf amdano'n dyfod i gyfeiriad yr ysgol â'i bibell hir yn ei enau. Dywedais wrtho: ''N awr, Islwyn, ni chaniateir ysmygu.' Ymbiliodd â mi am ychydig, ond o'r diwedd cuddiodd y bibell yn ei lawes ac aeth i mewn ar ei union i ystafell y babanod. Yno y gwelais ef ymhen tipyn yn edrych wrth fodd ei galon, a phen ei bibell yn y simnai. (t.15)

Nid gŵr sur a gorddifrifol mohono, medd Williams:

Rhyw bryd ym mis Gorffennaf daeth Islwyn ataf ar awr ginio i ofyn am fenthyg allwedd yr ysgoldy. Fe'i cafodd, a phan aethum i agor ysgol y prynhawn yr oedd nifer dda o'r plant yn yr ysgoldy, ac Islwyn yn eu canol, a'r drws dan glo. Yr oedd seremoni 'cloi'r mishtir mas' ar droed dan arweiniad y bardd, ac ni chawn fyned i mewn ond drwy addo gwyliau i'r plant. Clywn Islwyn yn eu hannog: 'Gofynnwch am dri mis, blant.' Yn raddol daeth y tri mis i lawr i dair wythnos, ac addewais hyn iddynt. Agorwyd y drws ac aethum i mewn, gan ymddangos yn bur ddig; ond cymerodd Islwyn y cyfrifoldeb i gyd ar ei ysgwyddau ei hun, a gofynnodd imi beidio â chosbi'r plant. (t.17)

Ni chymerodd Islwyn eglwys erioed, ond nid oedd hyn yn beth anghyffredin yn achos yr Hen Gorff yn nhri chwarter cyntaf y bedwaredd ganrif ar bymtheg. Efallai mai'r enghraifft gynharaf o weinidog cyflog-edig ar eglwys oedd Humphrey Gwalchmai yn Llanidloes yn 1816. Ei gyflog oedd £20 y flwyddyn, ac am hyn fe ddisgwylid iddo bregethu yno ar un Sul y mis, cynnal cwrdd eglwys wythnosol, a phregethu bob nos Wener. Mwy cynrychioliadol oedd Richard Jones, Llanfair Caereinion, a roes y gorau i'w alwedigaeth fel gwehydd i fod yn weinidog llawn amser. Ond tâl am bregethu'r Sul yn unig a gawsai, ac yn 1839 roedd wedi penderfynu ymfudo i America gan mor wael ei amgylchiadau; cwynai na allai wisgo'n briodol, a'i fod yn byw mewn tŷ gwaeth na'r rhan fwyaf o drigolion Llanfair. Gwahanol iawn oedd amodau byw Islwyn, ond teithio i bregethu a darlithio oedd ei hanes yntau hefyd. Diau ei fod yn weithgar hefyd yng Nghapel y Babell, ac ni ddylai'r ffaith mai prin yw'r dystiolaeth o hynny aflonyddu arnom; am resymau amlwg ni fyddai llythyru ynglŷn â'r achos gartref. Fe bregethodd yn weddol aml yng Nghaerdydd yng nghapeli Saesneg London Square, Zion Trinity Street a'r capel Cymraeg yn Canton, ac yn achlysurol ym Mryste, Lerpwl, Caer a Llundain – roedd ar daith bregethwrol i'r olaf ychydig cyn ei farw, a gorfod troi tuag adref yn gynt na'r bwriad oherwydd gwaeledd ei iechyd.[11] Yn ôl Daniel Davies, fe geisiwyd droeon gan rai o eglwysi cryfaf y Corff ei ddenu i fod yn fugail arnynt, ond methu a wnaethant. Un dystiolaeth bendant o'r fath gynnig yw llythyr at John Morgan, twrne yng Nghaerdydd ac un o brif ddynion Eglwys Frederick Street, er mai fel 'solicitor's clerk' yn unig y cyfeirir ato fel sgutor ewyllys Islwyn yn 1875. Roedd Morgan yn gyfaill agos i Islwyn, a weinyddodd yn ei briodas ag Ellen, merch y Parchedig William Jones, Pontarddulais, ar 16 Hydref 1873. Ail fab i W. Morgan, gwerthwr glo ym Mhontypridd oedd John, ac efallai mai dyna oedd y cysylltiad ar y cyntaf. Fe gyfansoddodd Islwyn 'Odlau Priodasol' ar yr achlysur (*Y Gwladgarwr*, 1 Tachwedd 1873 a GBI 284) ac yna gerdd 'William Parry, 39, Parade, Caerdydd' (GBI 480) i'w mab a oedd yn 'galw un yn ewyrth na pherthyn dim i'th wraidd' – sef Islwyn ei hun, wrth gwrs. Y mae'n werth dyfynnu llythyr Islwyn at John Morgan ar 20 Medi 1874 yn llawn, gan ei fod yn cyfleu'n glir iawn ei ddiffyg uchelgais enwadol a'i ymlyniad i'r Ynys-ddu.

My dear John.

We were both at Varteg (Abersychan) last Sunday, where I have particular old friends – a family whom Martha has promised to visit since we were married but which promise was not until now fulfilled (bother these double letters – the double consonants of the Welsh always interfere with my English orthography and always will, I suppose, until I settle down for an English Minister).

Well, what with the intense heat in going, the intenser heat during our stay there, and the heavy rain on returning yesterday I can assure you we are shipwrecked on dry land. I have just finished my leader for this week for *Gwladgarwr* and was very lazy over it. 'Tis on 'Mr Spurgeon ar ysmocio', and I trust you will see it and read it and remember its salutary precepts because you need them, tho' you are after all a fine old fellow.

As regards the article on 'Myfyr' I could not send it you because I get only one No. and Mr Griffiths, our very friendly Vicar, would have it and had it.

As regards my engagements in your church it appears it is no use my advancing any arguments, therefore I must ask you to rest satisfied with the simple negative – 'No' – It is a short word and not difficult of understanding. I am thankful, I repeat, for your good and kindly feeling towards me, and appreciate your motives more deeply than perhaps you think, but it must be so in this case. I cannot see that I should leave my nativity. I cannot see that circumstances are powerful enough to justify my doing so. Where there is an inherent and strong antipathy to a course, I think if Providence intends one to adopt such a course, Providence will bring about a combination of circumstances, an avalanche of arguments that will be irresistible and overwhelming.

I love Wales, I love my people, and my people love me. I am at Home. Leave me at home. I am badly paid in money, but there is a pay more valuable than British coin. There is in Christian spirit a *capacity for waiting*, and this capacity ought to be cultivated and developed. The real Christian *waits* for his 'Nos Sadwrn y Pay'. Waits for the Last Day and the Last Reckoning. Many will be surprised at the smallness of their wages then, having demanded such an advance (a 'Draw') in Time. Some people won't preach unless they get £400 or £1000 a year. Paul made tents. 'Tis (it may be) a long way from this September '74 to the Resurrection, but it is a short way to the grave and the honest Christian can put up with a little mud and rain.

Let's have a line soon.

Our Cymanfa at Rhymney commences to-night.

In haste,
ISLWYN[12]

Nid dyna'r unig gyfeiriad at fychander tâl gweinidogion. Wrth feirniadu yng Nghyfarfod Cystadleuol Bethania (Aberdâr, medd G. M. Ashton mewn cromfachau), Nadolig 1866, y mae'n bur hallt ar ymgeisydd 'Sylwedydd' a'i draethawd 'Y Gweinidog':

Y mae Sylwedydd yn beio yn fawr ar y Gweinidogion hynny sydd yn dal cys[ylltiad] â masnach. Ond pa ddyben ydyw beio ar hyn, pan y mae bychandra gwaradwyddus y tâl a roddir iddynt yn eu gorfodi i ymwneud â phethau y byd hwn?[13]

Adeg y Nadolig 1866 rhyw hanner blwyddyn oedd er pan fu farw ei fam, ac yntau (a'i briod ers 1864) yn byw gyda hi yn Green Meadow, ac o bosibl yn elwa peth ar hynny. Ond petai wedi gorfod dibynnu'n gyfan gwbl ar gydnabyddiaeth am bregethu ar y Suliau, fe fyddai wedi bod yn o fain arno, hyd yn oed a chofio, fel y cawn weld yn nes ymlaen, fod ganddo heyrn eraill yn y tân. Efallai y byddai angen wedi ei symbylu i gadw ei gyhoeddiadau'n fwy cydwybodol; nid oedd y cyhoeddwr a ddywedodd 'Islwyn fydd yma y Sul nesaf – os daw e' ond yn mynegi barn eithaf cyffredinol. Tybed a oedd gan Islwyn gyfraniad i'r 'drafodaeth frwd' a fu ar y pechod o dorri cyhoeddiadau yn y Sasiwn a gynhaliwyd yng Nghasnewydd yn Ebrill 1864? Er tegwch fe ddylid cofio am gyflwr bregus ei iechyd ar hyd ei oes, a'r ofnusrwydd a gor-ofal a oedd ynghlwm wrth hynny; eisoes gwelsom ef yn troi'n ôl o'r stesion am ei fod wedi anghofio ei gôt uchaf. Y mae awdur y 'Bras-nodion' yn *Y Drysorfa* goffa, Awst 1932, braidd yn ddiamynedd parthed y torri cyhoeddiad, gan dybio bod ei lesgedd

> yn dra aml yn tarddu o'i annhueddrwydd i ymysgwyd, ac i fudo o gylch a chyfaredd ei freuddwydion . . . Nid hwyrach y maldodid ef gryn lawer gan ei edmygwyr; cwynent iddo beunydd a chydymdeimlent ag ef, a chryfhaent ynddo ymdeimlad o lesgedd; ond llesgedd neu beidio, meddyliai a breuddwydiai'n ddibaid. Pla arno oedd bod dan orfod i hwylio symud oddi cartref nawn Sadwrn. (tt.283–4)

Ar brydiau mae'n sicr mai ar y mynych byliau o iselder ysbryd yr oedd y bai; ar adegau eraill, gormod ar ei blât. Ond y mae'n deg dyfynnu o'r *Goleuad* adeg ei farw:

> Nid oedd neb yn fwy derbyniol gan y gynulleidfa na'r bardd. Cwynid yn fynych ei fod yn tori ei gyhoeddiadau, heb nodi y gwahaniaeth rhwng *tori* a *methu*. Cwynai yntau wrthym er's blynyddoedd ei fod yn cael ei gamgyhuddo gan rai, ac nad oedd yn gwybod ei gystuddiau ef – fod y meddygon yn ei rybuddio yn barhaus i beidio pregethu os oedd am fyw. (ix, rhif 477, 14 Rhagfyr 1878, t.8: 'Nodion o Gwent')

Prif ffynhonnell ein gwybodaeth am ei gyhoeddiadau Sabothol yw'r casgliad o lythyrau at Daniel Davies, Ton, yn awr yn y Llyfrgell Genedlaethol. Ond y mae Davies, yn ei ysgrif yn *Cymru*, yn delio'n uniongyrchol â'r torri cyhoeddiad, ac yn enghreifftio. Gwell dyfynnu'n o helaeth:

Gwannaidd a thyner ydoedd ei gyfansoddiad naturiol, a bu ei holl
fywyd cyhoeddus yn un ymladdfa ag afiechyd poenus; gwelais ef fwy
nag unwaith yn ceisio ymgynnal i bregethu ymlaen tra yr oedd yr un
pryd yn ymgreinio mewn poen, a llawer tro y bu mewn gormod o boen
i adael ei gartref i fyned i'w gyhoeddiadau, a thrwy hynny, daeth i gael
ei gyfrif yn hynod fel torrwr cyhoeddiadau, a llawer o feio a fu arno
oblegid hynny; byddai rhai, heb wybod y gwir achos, yn dychmygu mai
heb bregethau y byddai, ond yr oedd hynny yn gamgymeriad dirfawr, ac
nid llai camgymeriad oedd tyb ereill, sef, ei fod yn rhy wan i ddweyd 'na'
wrth flaenoriaid na chymerent ddim pall ganddo, ac am hynny, ei fod yn
cael ei orfodi i addaw gwasanaethu mwy nag un gynulleidfa ar yr un
adeg.

Wrth edrych dros ei ddyddiaduron, gwelir fod hynny yn hollol ddisail.
Y gwir achos oedd afiechyd, ac er ymwroli, ac er cychwyn am ran o'r
ffordd, byddai weithiau yn gorfod troi yn ol, a dychwelyd adref drachefn,
a chan y byddai y disgwyliad wrtho gymaint, yr oedd y siomedigaeth
ar ol iddo fethu mynd i le yn fawr iawn, ac nid ar fyr yr anghofid y
tro . . .

Yr oedd yn cael ei ddisgwyl un tro i gyd-bregethu â'r Parch. Joseph
Thomas Carno mewn cyfarfod blynyddol yn yr Ystrad, yng Nghwm
Rhondda, ac ar ol i'r bobl weled nad oedd wedi cyrraedd, aeth llawer
o honynt i dymherau blin ac anghysurus, a llefarai rhai o honynt bethau
chwerwon yn ei erbyn, a thrannoeth, gan nad oedd eglurhad wedi dyfod
oddiwrtho, anfonwyd ato i'w hysbysu o'r cyflwr yr oedd llawer ynddo
oblegid ei waith yn peidio dyfod i'r lle, ac ymhen tuag wythnos
derbyniwyd atebiad oddiwrtho, yn cynnwys yr amddiffyniad a'r eglurhad
canlynol, – 'Dylaswn fod wedi anfon atoch gyda'r post cyntaf, ond tyb-
iais mai gwell oedd gadael pethau i ol-suddo dipyn i'r gorffennol
yn gyntaf, lle y mae yr hinsawdd yn oerach. Ni adawyd lle i hunan-
amddiffyniad, onide gallesid cynyg y cwestiynau canlynol i'r cyfeillion
anfoddog, – A oedd yn amhosibl fy mod yn glaf? Onid oedd yn bosibl fod
fy ngwraig yn glaf, afiechyd yr hon sydd wedi fy lluddias i fyned i fwy nag
un Sabboth, ac i fwy nag un "daith" bellenig? Oni allasai fod rhyw
amgylchiad wedi digwydd i wneyd fy nyfodiad atoch yn anichonadwy? Ac
felly y bu. Gallwn ddadleu fy mod, ag ystyried Methodistiaeth fel y mae,
wedi bod yn dra ffyddlawn i'r Ystrad – hoff le gennyf fi i bregethu ynddo,
a lle hefyd fydd yn hoff gennyf eto. Yr oeddwn i yn berffaith barod
gogyfer a'r amgylchiad o ran parodrwydd trwy lafur – pregethau, &c., –
mwy, yr oeddwn yn teimlo gradd helaeth o *awydd* dod, a chryn fesur o
ysbryd y gwaith, ond fe ddygwyddodd amgylchiad ar yr unfed awr ar
ddeg a'i gwnaeth yn *amhosibl llythyrennol* i mi adael cartref.

Buan ar fardd y beiir,

ond arbedwch y wialen y waith hon. Yr oedd y dygwyddiad yn achos siomedigaeth i mi fy hun, yn enwedig gan fy mod i bregethu yna mewn undeb a'r *genius* hynod o Garno, un o'm hoff bregethwyr i.'

Chwarae teg i'r 'Cashier', y mae'n ymdrechu'n lew i amddiffyn Islwyn, ac yn ddiau y mae llawer o wirionedd yn yr hyn a ddywed, ond y mae'n rhaid cyfaddef nad yw ateb Islwyn yn helpu'r achos, gan nad oes eglurhad o gwbl ynddo mewn gwirionedd. Y mae'r un aneglurder yn ei ymddiheuriad am fethu ag ymddangos yn Eisteddfod Dyffryn Aeron yn 1873: 'Bu yn ddiflastod i mi fethu dod, ac yn fwy neillduol oblegid siomi y brodyr nos Fawrth [ychwanegwyd nodyn gan J. M. Howell: 'Wrth "siomi y brodyr" cyfeiria at addewid a roes i bregethu yn y Tabernacl, Aberaeron'], ond nid oes help am dani, daeth amgylchiad sydyn i'm cwrdd a'm llwyr analluogodd' (LlGC 1064B; llythyr dyddiedig 9 Awst 1863). Y mae'n debyg mai ymhellach ymlaen yn y ganrif y bathodd Benjamin Jowett, meistr Coleg Balliol Rhydychen, y cyfarwyddyd 'Never apologize, never explain.'

Ceir digon o enghreifftiau eraill o'r grefft, yn ei lythyrau at Daniel Davies:

LlGC 6797

2 Page Street Swansea Awst 12/69

Anwyl Syr

Nos Fawrth y dychwelais o'r Gogledd, ac heddyw daeth eich llythyr i law. Y mae y wraig yma gyda mi, gyda'i thad yr hwn sydd mewn cyflwr peryglus iawn gan gystudd trwm a hirfaith. Aroswn yma hyd wythnos i'r Llun nesaf.

Y mae Sul a Llun yn ormod o bregethu i mi *yn yr un man* – yn ormod o *excitement*. Y,r wyf yn ceisio osgoi Cyfarfodydd Pregethu yr haf hwn, er mwyn ymadferthu dipyn. Ond deuaf atoch chwi, os etyb hyny, ddydd Llun Hydref 25ain. Byddaf yna erbyn oedfeon 2 a 6 – Nis gallaf (pe dewiswn) fodd yn y byd, dynu yn ol y saboth, gan fy mod mewn man lle y mae perthynasau i mi yn trigianu – sef Tredegar. Yr wyf hefyd wedi methu mynd yno droion . . .

Yr eiddoch yn gywir
Islwyn

LlGC 6799

Awst 31/71

Anwyl Syr
   Yr wyf yn cwbl fwriadu bod gyda chwi y saboth nesaf, yn y dull a'r modd arferol.
   Wyf wedi bod yn lled wael o iechyd ac wedi colli sabothau, ond teimlaf yn well yn awr.
      Yr Eiddoch yn frawdol
         Islwyn

LlGC 6801

Glyn Pontllanfraith Maw 22/73

Anwyl Syr
   A fyddwch chwi garediced ag anfon gair bore fory at y cyfeillion yn Heol Vach i'w hysbysu fy mod yn gwbl analluog i ddod wythnos i fory.
   Dylaswn fod wedi anfon yn gynt, ond y mae myfyrion llenyddol wedi myned â'm holl feddwl yr wythnosau diweddaf.
   Blin gennnyf eich hysbysu fod Mr Jenkyns yn lled wanaidd ei iechyd. Y mae yn bwriadu pregethu yfory, ac yn meddwl ymorphwys wedy'n am rai sabothau, i weled pa effaith a ga hyny.
      Gyda'r cofion goreu
      Yr Eiddoch yn ffyddlawn
         Islwyn

LlGC 6808

[ar bapur y Provincial (Life) Insurance Company]
? Gor.1874

Anwyl Syr
   Ymollyngdra a ymaflodd ynof prydnawn Sadwrn a bore Sul diweddaf. Aethum y bore (wedi codi'n fore iawn wrth gwrs) dros filldir o dre, ond yn fy ol y daethum. Prin y gallaf roi yr achos, ond yr effaith sydd eglur. Ryw lesgrwydd yspryd, ryw feddyliol gystuddiolrwydd. Gan nad

wyf yn dysgwyl cyd-deimlad nis gallaf ofyn am dano. Er hyny bydd yr
hen gapel â mi yn ffrindiau eto, os estynir einioes – gobeithio eich bod yn
y mwynhâd o iechyd da, a gan gofio yn garedig
    Yr Eiddoch
        Islwyn

Llythyr dadlennol yw'r un ym Mawrth 1876, lle y mae Islwyn yn ceisio
sleifio allan o'i addewid i'r Ystrad am fod rhywbeth amgenach wedi troi'i
fyny; amlwg ei fod wedi addo'r Sul yn ogystal â'r ddarlith ddydd Mawrth.
Ond sylwer ar ddau beth; y cyntaf yw'r gosodiad, rywfodd nid annisgwyl,
nad yw'n gallu cynhyrchu dim llafur meddyliol oddi cartref. Y mae a
wnelo hyn, mae'n debyg, â rhyw awydd am sicrwydd a diogelwch, am
gysuron y cyfarwydd. Yr ail beth yw'r ychwanegiad cyfrinachol y gallai
fod yn fantais iddo pe gwnelai ddarlith lwyddiannus. Beth oedd hyn yn ei
olygu, tybed? A oedd galwad i eglwys mewn golwg, wedi'r cyfan?

LlGC 6811

Glyn Mawrth 15/76

Anwyl Syr
    Bore heddyw cefais lythyr o Nazareth Aberdar yn deisyfu arnaf fynd
yno y Saboth nesaf yn wyneb eu bod wedi eu siomi, a'm bod inau
wedi addaw dod atynt (pe modd yn y byd) pan ddeuai gwagle. Nid wyf
wedi bod yno ers amser maith. Yn awr, yr wyf i ddarlithio yn yr Ystrad
nos Fawrth yn ol yr addewid, ac y mae gryn waith eto gyda'r ddarlith.
Yr wyf am ymroi ati, gan wneyd fy ngorau o wneyd o gwbl.
    Gallaf fyned i Aberdar ac yn ol y Sul, yr hyn a fydd yn fantais fawr.
Byddaf yn cychwyn atoch yn fresh ddydd Mawrth. Eto: – Yr wyf yn
amharod iawn at y pulpit gyda chwi y tro hwn, oherwydd llafur y ddarlith
a phethau ereill; ac o'r tu arall yn gwbl barod erbyn Nazareth. Heblaw
hyn yr wyf wedi gwasanaethu yr Ystrad yn bur ffyddlawn ar y cyfan, a
gwnaf hyny eto.
    Gwn y dywedwch y gallwn gael hamdden yna y Llun i gyfansoddi –
ond nid wyf un amser yn gallu cynyrchu dim llafur meddyliol oddi
cartref.
    Yr wyf yn meddwl fy mod wedi gwneud case lled dda. Caniatewch
i mi fy rhyddid am hyn o dro, a gwnaf iawn eto.
    Cyfrinachol. Gall fod yn fantais i mi pe gwnawn ddarlith

lwyddianus, ac y mae y cyfnewidiad hwn y Saboth yn fforddio manteision nodedig tuag at hyny.

Yr wyf yn ysgrifenu i Aberdare y *post* hwn i ddweyd y deuaf 'Buan ar fardd y beiïr,' [gan ail-ddefnyddio'r fformiwla] ond arbedwch y wialen am un waith. Testun y ddarlith yw 'Beirdd a Barddoniaeth.'[14]
Yr Eiddoch yn gywir
Islwyn

LlGC 6823

Private. Mawrth 9 1878

Anwyl Syr
Y mae Mrs Thomas mor sal, a minau hefyd o gorph ac yspryd, fel y mae yn anmhosibl meddwl am fyned oddicartref yfory. Y mae trymder llafur llenyddol, &c, y misoedd diweddaf, wedi effeithio yn ddwys arnaf. Methais a myned ogartref wythnos i heddyw oherwydd yr unrhyw achosion. Y mae colledion arianol dirfawr yn property Mrs Thomas, oherwydd rascality rhyw 'Directors' yn Llundain, wedi cael eu heffaith pruddâol dros dymor. [Cawn ddod yn ôl at hyn (t.224).] – Bwriadwn ddod hyd heddyw, ond dyna fel y mae. Cyflawnaf, os byw, fy addewidion ereill.
Hyn, yn gyfrinachol, oddiwrth yr Eiddoch yn barchus
Islwyn

Yn rhifyn Tachwedd 1852 o gyfrol gyntaf y *Welsh Calvinistic Methodist Record* y mae gan gyfrannwr cyson, W.H. o Gaerfyrddin, ysgrif daranllyd ar y Saboth a'r rheilffordd:

When the wild shriek of the steam-engine breaks in upon the stillness of the sabbath, whatever may be its errand – whether it convey to the scene of iniquity the unblushing sabbath-breaker . . . or take to his appointment the sober minister by his side, now revolving in his mind the important truths he is about to deliver, and presently striving to reason away the last faint protest of conscience – we listen as we would to the triumphant yell of a demon.

Gweinidog sobr o'r fath oedd Islwyn, gan mai gyda'r trên y byddai'n teithio i'w gyhoeddiadau, pan oedd hynny'n ymarferol, gan gerdded y ddwy filltir a mwy i Dredegar Junction. Oddi yno fe ellid, yn ôl llythyr

Mawrth 1876 uchod, fynd i Aberdâr ac yn ôl ar y Sul. Am 9.00 y
byddai'r trên yn gadael am Gasnewydd yn 1866; cyrraedd erbyn 9.45 – a
fyddai hynny mewn pryd i'r oedfa, tybed? Y mae'n sicr y byddai
gwasanaeth olaf yn ôl, sef gadael Casnewydd am 6.00, yn rhy gynnar.[15]
Wrth gwrs, fe fyddai disgwyl i bregethwr aros dros y nos Sadwrn a'r Sul
pan fyddai'r cyhoeddiad allan o gyrraedd hwylus taith Sul, ond y mae'n
amlwg mai ail orau oedd hyn i Islwyn, ar wahân i ddewis lletyau
cyfarwydd. Y lletywyr hynny oedd testun llawer o'r farddoniaeth
achlysurol ar hyd y blynyddoedd, fel yn wir ym marwnadau Pantycelyn.
Lletywr o'r iawn ryw, 'ddyliwn, oedd y gŵr o Gasnewydd y cyfeirir ato
yn ei ddyddiadur:

> *Dydd Iau, Ion. 18, 1866.* Aethum i Gasnewydd. Yr oedd y Parch
> E. Matthews yn darlithio ar y diweddar Barch Morgan Howells, a minnau
> yn gadeirydd. Cyfarfod da, cynulliad gweddol, a darlith ddoniol iawn.
> Aethum i letya i Richmond House, Maindee, a Mr Matthews gyda mi, sef
> i dŷ Mr Griffiths, Traveller, gŵr sydd a'i galon yn llawn o garedigrwydd,
> a'i ben yn llawn o synwyr. Treuliasom noswaith a gofir yn hir. Yr oedd
> Mr Matthews yn ei hwyl ymddyddan oreu, a'r nos wedi cerdded yn mhell
> cyn myned i orphwys.
>
> Dywedai Mr Matthews am ryw bregethwr oedd yn arfer rhoi ei
> gyhoeddiadau Sabothol mewn dau neu dri o leoedd – dywedai mai yn y
> *Station* yr oedd y gŵr yn penderfynu i ba un o'r manau yr ai. Does bosibl
> fod y ddynoliaeth mor ddrwg a hyn![16]

Weithiau, am ba reswm bynnag, doedd dim amdani ond marchogaeth
neu gerdded. Y mae'r dyddiadur yn cyfleu naws un o'r teithiau dros y
mynydd:

> *Llun, Ion. 22, 1866.* – Daeth William Llewellyn i'r oedfa nos i Machen i
> fod yn gydymaith i mi adref dros y mynydd. Cydymaith tlawd yw William
> i ddyn ofnus ar ben y mynydd yn y nos. Y mae hen ysgubor ar ben y
> Warren, ac yr oedd rhywun wedi addaw dodi llyfr i William yn yr ysgubor
> – yn y ffenestr – na, nis gwn beth yw yr enw – *betwal*, medd fy mam
> [dyna ddarlleniad O.M., ond fe ellid hefyd ddarllen betryal] – yr agoriad
> hirgul. Aeth William dipyn ymlaen, a dododd ei law i mewn – ond wele
> ysbryd! Ymaflodd llaw flewog yn llaw William, nes i bob dyferyn o waed
> yn ei gorff sefyll gan fraw a dychryn. Adroddodd y stori wrthyf gan daeru
> ei bod yn wirionedd. Dyma gyfaill! Os oedd ffrae ·rhwng y diafol a
> William, y maent bellach wedi gwneyd i fynu trwy ysgwyd llaw. Dywedir

bod yr hen ysgubor hon, a'r adfail gerllaw iddi, yn gyrchfa boblogaidd iawn o ysbrydion. Beth bynnag am hynny, mae yn ffaith fod yn y lle filoedd o gwningod, a digon posibl i William gamsyniad cefn cwningen am law ei feistr.

Cawn hanes y marchogaeth gan Athan Fardd:[17]

Tranoeth, a'r Sabboth oedd hi, codasom ar lasiad gwawr y borau, gan wneuthur darpariaethau i'r daith bregethwrol, canys yr oedd Islwyn i bregethu yn Abertileri . . . Paratowyd dau farch llamfarchus, carngragen, gafl-gyfyng, a llygaid brithlas-dra-theryll (!) . . . ar ein cyfer. [Yr oedd Athan ar gefn march a fenthyciodd Islwyn gan y Parchedig John Williams, Twyngwyn.] Yr oedd amdrws mawr a garw dros ysgwyddau y marchog barddol; a chan fod tair hugan am dano heblaw'r amdrws, ymddangosai yn fwy o faintioli na'r march ei hunan! . . . Gosodasom y meirch . . . yn marchlan Ioaneen, offeiriad, Abercarn, a chefnderw i Islwyn ydoedd y gwr parchedig a charuaidd hwnw . . .[18] Aethom wrth ysgil y march tân [y trên] i Abertileri, a chawsom letty ac asymaith ['gosymaith' a olygir, mae'n debyg] gan Mr Jones a'i deulu yn y Llythyrdy.

Fe wnaeth Islwyn ddogn o waith gweinyddol yn yr enwad; cadeiriai Gyfarfod Misol Sir Fynwy ar brydiau, fel yn Gelli-groes ym mis Medi 1862, ac yn Ionawr 1859, yng Nghyfarfod Misol Twyncarno, Rhymni, etholwyd ef yn Ysgrifennydd – o ddiffyg neb arall addas ac ar anogaeth Daniel Jenkyns, mae'n debyg – nes iddo, yn ôl adroddiad yn *Y Drysorfa* yn Chwefror 1876, hysbysu 'ei fod ef, yn ngwyneb fod ei ddyledswyddau gweinidogaethol, ynghyda'i orchwylion llenyddol, yn gofyn ei holl amser, wedi dyfod i'r penderfyniad o roddi i fyny ei swydd'. Nid dyn pwyllgor mo Islwyn; fel ysgrifennydd dywedir 'bod yn gymysg â'r cofnodion ddarluniau o adar, ŵyn, dynion ac angylion. Tra oedd y tadau a'r brodyr yn ymddadlau ac ymgynghori, ymddifyrrai yntau yn ei bethau ei hun.'[19] Tebyg yw tystiolaeth Edward Matthews:

Nid oedd mewn crefydd yn arweinydd ac yn drefnydd, yn gynygydd *resolution*, nac yn eilydd; byddai efe yng nghanol ffrwgwd fel yna mor llonydd a'r ych yn cnoi ei gil, gan orwedd ar y ddol. O'i blegid ef, gallesid cynyg, eilio, a phasio y peth a fynid; eto, byddai yn cael difyrwch weithiau pan yn clywed ystorm enbyd mewn teapot, ac mewn profedigaeth i wneuthur englyn, er difyrwch iddo ei hun a'i gyfeillion.[20]

Baich a ddaeth i'w ran yn Rhagfyr 1872 oedd bod yn un o'r arholwyr yn yr arholiadau blynyddol ar gyfer ymgeiswyr am y weinidogaeth.

Un ddyletswydd enwadol a oedd, mae'n debyg, yn fwy wrth ei fodd oedd bod yn aelod o bwyllgor a sefydlwyd yn 1864 yng Nghymanfa Gyffredinol gyntaf y Methodistiaid Calfinaidd, yn Abertawe ym mis Mai, i lunio'r *Llyfr Hymnau* cyntaf at wasanaeth yr holl Gyfundeb; fe'i cyhoeddwyd yn 1869. Cawn sôn yn y man (t.215) am gymwynas arall â'r Corff, sef taith godi arian yn Sir Aberteifi – nid y dasg hawsaf, gellid tybio.

Er gwaethaf ei ddiofalwch gyda chyhoeddiadau, y mae'n amlwg fod Islwyn yn dderbyniol iawn fel pregethwr a bod mawr alw amdano, yn ei sir ei hun ac, yn gynyddol, mewn mannau eraill yng Nghymru a gogledd Lloegr; bu, er enghraifft, yng Nghaer, Manceinion (gresynai, yn ôl Athan Fardd, ei fod yno yn pregethu pan fu farw ei dad ym Mai 1857, ond camgymeriad ar ran Athan yw hynny; pan fu farw ei fam yn 1866 a olygir, fel y dengys y llinellau yn ei gerdd iddi: 'pan y dug [y pellebyr] i mi mewn marwol awr / Y marwol newydd i Manceinion fawr' GBI 171) a Lerpwl – yn y lle olaf gyda Roger Edwards yng Nghymanfa'r Sulgwyn yn 1877. Bu'n gwrando ar bregethwyr o fri; er enghraifft, y mae William Griffith, y cawn sôn amdano yn y man (t.215–16), yn adrodd iddo glywed Thomas Richard, Abergwaun, mewn sasiwn yn Rhisga pan oedd yn blentyn. Ond pregethwyr canolig eu gallu oedd gan y Methodistiaid Calfinaidd ym Mynwy, ar y cyfan; nid oedd hoelion wyth yno ar ôl marw'r tanllyd Morgan Howells (Howell, yn aml) yn 1852; yntau wedi gweinidogaethu yng Nghasnewydd a Thredegar. Y mae rhestr llyfrau Islwyn yn Abertawe yn cynnwys casgliad o bregethau Morgan Howells, ynghyd â'i gofiant, *Boanerges*, gan Evan Morgan. Fe gafodd yr Islwyn ifanc ei glywed droeon ac, yn wir, y mae Daniel Davies yn adrodd hanes am un amgylchiad, ac yn dweud hefyd fod Howells wedi annog y llanc yn daer i ddechrau pregethu:

> Adroddai Islwyn am Mr Howell yn pregethu mewn Cyfarfod Misol yn y Gelligroes unwaith, ac ar ei bregeth tarawodd wrth yr emyn, –
>
> O fryniau Caersalem ceir gweled
> Holl daith yr anialwch i gyd,
>
> ac ar ol ei adrodd yn hwyliog, cyfeiriodd at Islwyn, a'i athraw, Aneurin Fardd, y rhai oedd yn eistedd yn y gallery ar ei gyfer, a dywedodd, – 'Mae arnaf eisieu i chwi y beirdd wneyd pennill i ateb y pennill yma.

Gweld yr anialwch o'r bryniau sydd yn hwn, ond y mae arnaf fi eisieu un yn dweyd ein bod yn gweld weithiau y bryniau o'r anialwch.'[21]

Pregethwr hynod wresog a herfeiddiol oedd Howells, ac efallai mai cyfeiriad at hyn sydd yn llinellau cofiadwy Emrys (William Ambrose):

> Her i Gabriel, her i Uriel,
> Her i'r angel uwcha'i sain,
> Ddweud yn well na Morgan Howells
> Am y groes a'r goron ddrain.

Ychwaneger at hyn mai chwaer i Dic Penderyn oedd ei wraig gyntaf, ac fe synhwyrir ei apêl unigryw.

Gwahanol iawn oedd apêl Islwyn, yn sicr nid oes yn ei bregethau fawr ddim o feiddgarwch Howells, na rhyw lawer o dân. Cyn troi at ddisgrifiadau ohono yn y pulpud fe ddylid manylu ychydig ar y gyfrol o 38 o'i bregethau a gyhoeddwyd yn 1896 gan Mary Jenkyns, gyda rhagymadroddion ganddi hi ac Edward Matthews. Oni bai am orchestion barddonol Islwyn efallai na fyddai'r gyfrol yn sefyll allan o blith yr ugeiniau, os nad cannoedd, o rai tebyg a gyhoeddwyd yn y bedwaredd ganrif ar bymtheg – fe gyhoeddodd Spurgeon 66 cyfrol ei hun. Prin iawn yw'r pregethau ysgrifenedig sy'n ennill eu plwyf fel llenyddiaeth, ac y mae hyd yn oed yr eithriadau ymddangosiadol, megis alegorïau Christmas Evans, gan amlaf yn dibynnu ar ddetholion.

Codwyd 28 o'r testunau o'r Testament Newydd, 10 o'r Hen. Nid oes datblygiad arbennig yn y pregethau o'u cymharu â'i bregeth yn *Y Cylchgrawn* yn Nhachwedd 1851 – pregeth hynod ddatblygedig o lanc 19 oed – ond y mae eithaf amrywiad yn eu natur. Y mae nifer ohonynt yn rhagdybio cryn dipyn o aeddfedrwydd diwinyddol o du'r gynulleidfa, er mai prin byth y bydd yn aflonyddu'r saint â syniadau newydd. Diwinyddiaeth hen-ffasiwn, os mynnir, oedd ganddo yn y pulpud; os oedd syniadau beiddgar o gwbl – yr hanner chwarae â phanentheistiaeth, er enghraifft – yn y cerddi y ceir y rheini. Gellid ffurfio darlun go gywir o ddysgeidiaeth uniongred Calfiniaeth gymedrol hanner cyntaf y bedwaredd ganrif ar bymtheg o ddadansoddi y pregethau hyn. Eto nid pregethau dadleuol mohonynt. Anffyddiaeth yw'r gelyn bellach, nid Arminiaeth; daeth y cweryla i ben erbyn y 1840au. Ychydig iawn o resymu a gawn gan Islwyn; amrywiadau ar wirioneddau ymddangosiadol hunaneglur yw ei faes. Pynciau mawr cynllun yr achub, athrawiaeth yr Iawn sy'n dod i'r wyneb fynychaf yn y pregethau: 'Nid oes dim mewn bodolaeth wedi cynyrchu y fath ganlyniadau rhyfeddol a'r Iawn. Pa beth sydd yn ei ddilyn? Maddeuant, cyfiawnhad, sancteiddhad, adgyfodiad, a gogoneddiad tragywyddol' (*Pregethau*, t.75). Cofier i Lewis Edwards gyhoeddi ei *Athrawiaeth yr Iawn* yn 1860, gyda'i bwyslais ar haeddiant y Gwaredwr, yn hytrach na syniadau masnachol.[22] Y mae'r cynllun mawr a'r cyfamod dwyfol yn abl i gysuro pechadur: 'Pa beth yw dy lygredd di? Y mae yr ewyllys ddwyfol hon wedi gwaghau calon y Priod Fab ei hunan i gael digon o waed i'th olchi'n lân! Ewch i'r bedd yn dawel a rhaffau y cyfamod hwn am danoch, fe fydd grym y bwriad Dwyfol yn sicr o'ch adgyfodi ryw foreu fydd' (t.136).

Wrth gwrs y mae posibilrwydd arall, cysylltiedig â buchedd:

Dydd y farn fydd *terminus* – pen pellaf, amser. Dydd y farn fydd *starting point* tragywyddoldeb. Ac yn y fan hòno, fe fydd y tragywyddoldeb mawr yn ymagor i ddwy ffordd. Nid oes ond dwy ffordd yn myned ar draws cyfandir tragywyddoldeb. Ti fyddi di, bechadur, yn cychwyn dy daith ar un o'r ddwy ffordd hyn ar brydnawn y dydd olaf. Fe renir y dorf yn ddwy, ac aiff pob un i'w ffordd ei hun. Bydd y ddwy ffordd hyn yn myned i ddau gyfeiriad hollol wrthgyferbyniol i'w gilydd. Fe fydd un yn myned i lawr, y llall i fyny; un i ogoniant, a'r llall i dân tragywyddol. Bydd y ddwy dorf yn ffarwelio a'u gilydd am byth yn y dydd hwnw . . . Yn mha le y byddwn *ni* ar ddydd y didoliad? gyda pha un o'r ddwy dorf? Nid oes dim eisiau i mi feddwl am y pwnc, medd rhywun; oes y mae, oblegid ti fyddi di yno yn rhywle, ar y ddehau neu ar yr aswy law. Byddi ar un o'r ddwy ochr. Ar ba ochr y byddaf fi? Ni wn i ddim, ond mi wn hyn, ti a fyddi ar yr un ochr ag y byddi pan yn marw, a thi a fyddi farw ar yr un ochr ag y byddi fyw. (t.48)

Yn y mwyafrif mawr o'i bregethau yr isalaw yw anfarwoldeb. Yn aml, yn wir, dyna brif bwnc y bregeth, megis yr un ar 'Ewyllys y Tad' a gyfansoddodd ar achlysur marwolaeth ei fam ym mis Gorffennaf 1866. Y mae ei bwyslais ar atgyfodiad y corff: 'Ni fyddai iachawdwriaeth yn beth cyflawn heb adgyfodiad. Ni ellir cadw *dyn* heb adgyfodiad, fe ellid cadw angel heb hyny. Mae y corff mor hanfodol i ddyn ag yw yr enaid; a phe b'ai yr enaid yn cael ei adferyd, ond y corff yn cael ei adael yn y bedd am byth, *rhan* o ddyn fyddai wedi cael ei achub' (t.71, gweler hefyd t.139). Fe eir gam ymhellach: 'Y mae adgyfodiad y corff yn golygu adgyfodiad y synwyrau, y llygad, y clyw, &c.; ac y mae adgyfodiad y synwyrau ar eu nhewydd wedd yn agor drws llydan i ni i edrych i mewn i ddull y byw fydd yn y nef' (t.263). Datblygir y thema mewn modd sy'n taro'n od iawn, rhyw ffuglen wyddonol gynnar:

Meddyliwn am Y LLYGAD, y penaf o'r holl synwyrau. Trwy hwn yn benaf yr ydym yn dyfod i adnabyddiaeth o wrthrychau gwybodaeth . . . Y mae gallu presenol y llygad yn aruthrol o fawr. Fe all ganfod gwrthrychau mewn pellder anfesurol. Y mae ei *range of vision*, cylch ei welediad yn gyfryw, fel y mae dychymyg ei hun yn dyrysu wrth geisio ei fesur. A hyny *yn awr*, er gwaethaf afiechyd a gwendid o bob math. Y maent yn defnyddio ffigurau i osod allan y pellder sydd rhyngom a'r sêr sefydlog, ond ni fyddai waeth iddynt beidio. Y mae yr esboniad ar y pellder, fel llawer esboniad arall, yn gofyn esboniad arno. Gwyddoch fod goleuni yn tramwy 200,000 o filldiroedd mewn un eiliad. Ac fe ddywedir fod rhai o'r sêr a welir gan y llygad trwy ysbïenddrych mor aruthrol bell, fel y mae eu goleuni yn gofyn pedair mil o flynyddoedd i dramwy *hyd* atom ni! Ac eto y mae y llygad yn alluog i'w gweled, ac i ddwyn y meddwl i ryw gymundeb dyrchafedig a hwynt. Rhyw olwg anfoddhaol ac aneglur iawn a geir arnynt mae'n wir. Ond meddyliwn fod gallu y llygad yn cael ei fwyhau yn yr adgyfodiad, nes gall cymeryd i mewn *nid outline* y seren bell, ond ei *manylion*, ei rhanau neillduol – nes gallu gweled ei thrigolion, a'i golygfeydd, a'i holl ryfedd-odau. Y fath gyfrwng o wybodaeth fyddai hyn! . . . Ac nid oes dim i rwystro hyn i gymeryd lle. Yr ydym wedi cyrhaedd y gallu hwn i raddau mawr trwy y *telescope*. Ac os gallwn wneyd hyn trwy wellhau gwydr, oni all Duw ei wneyd trwy wellhau defnydd yn 'y corff a fydd'? (t.265).[23]

At hynny fe fydd y goleuni hanfodol a thragwyddol . . . mor bur, mor dreiddiol, ac mor ddwyfol *yno*, nes gwneyd *pob* gwrthrych yn dryloew (*transparent*) . . . Fe welir y tufewnol yn gystal a'r allanol. (t.266)

Syniadau oedd, o bosibl, yn rhyw gymaint o syndod i'r saint. A rhyfedd hefyd, ac yntau'n damcaniaethu fel hyn am y byd a ddaw, yw ei gael yn mynnu bod y 'dyn sy'n myfyrio llawer iawn, yn y goleu sydd ganddo, ar fyd arall, yn anghymwys iawn at y byd hwn. Pwy allai fyned at yr aradr, a'r llaw-weithfa, a'r masnachdy, pe bai golygfeydd byd tragwyddol yn noeth o flaen ei lygaid, heb un lên drostynt. Fel y mae y mae oreu'n ddiamheu' (t.98). Ar yr un pryd y mae lleoliad y nefoedd yn fater o ddiddordeb iddo, ac yn mynnu esboniad gofodol:

Ym mha le mae . . . gorsedd-fainc y Brenin Tragwyddol, Arglwydd yr arglwyddi, a Brenin y Brenhinoedd . . . nis gwyddom ni yn iawn. Mangre gorsedd-fainc Duw! pa gynifer bynag o filiynau o filldiroedd y tu hwnt i'r sêr pellaf fry, pa le bynag mae y lle hwnw . . . yno y mae ei holl waredigion, mewn sanctaidd hyfdra, yn sefyll ger bron ei orsedd-fainc, ac yn edrych yn ei wyneb mewn cyfiawnder. (t.202)

Mewn troednodyn i *Golwg ar Deyrnas Crist* y mae Pantycelyn hefyd yn cyfochri dyfeisiau dynol a datguddiad dwyfol wrth ddyfalu y gall fod y planedau a'r sêr gwibiog yn 'fydoedd trigiannol, lleoedd wedi eu cymhwyso at gyfanheddu, ac wedi eu llenwi o ryw greaduriaid addas. Ond pa fath greaduriaid ydynt, hyn sydd anhawstra nas gellir ei ddehongli heb ddatguddiad oddi uchod, neu ryw sbienddrychau nas gallwyd eto eu cyrraedd.'[24] Cynnydd yn y byd hwn sydd gan Williams; datblygiadau yn y byd a ddaw sydd gan Islwyn gan amlaf. Ond yn ei bregeth ar 'Breswylfaoedd Duw' y mae'n ceisio cyfannu'r ddau mewn ffordd ofalus a phetrus:

> Y mae yn sicr fod gallu rhyfeddol o ymddadblygiad yn y natur ddynol. A phan y cynyrchir ynddi had ffrwythlawn ac anllygredig y dduwiol anian 'trwy air Duw', a phan y trysorir ynddi egwyddorion grymus ac anfarwol y bywyd nefol, y mae y gallu hwn yn derbyn cynhyrfiad (*impulse*) anrhaethol nerthol. Y mae cwrs dyrchafedig o ddadblygiad yn dechreu fel nas gallwn osod un terfyn arno y tu yma i gyflwr perffaith y nefolion . . . Nid oes eisiau ond amser a chwrs naturiol o ddadblygiad tuag at ddwyn yr egwyddorion hyn i'r ystad ogoneddus ag y maent ynddi yn y nef ei hun, tuag at ddyrchafu 'yr isel o ysbryd' i fyny ac i fyny, o radd i radd, ac o ogoniant i ogoniant, hyd nes y caffo efe ei hyn . . . yn nghanol 'myrddiwn o angelion'. (t.187)

Y mae Gwenallt[25] yn canfod yn y bregeth egin y ddiwinyddiaeth newydd, fel y'i hamlygir gan David Adams (Hawen) yn chwarter olaf y ganrif. Ond cam bychan iawn ar unrhyw ffordd Hegelaidd a fentrodd Islwyn, ac nid yw damcaniaethau esblygiadol yn ymddangos o gwbl. Prin iawn y gwelai ddyn yn goresgyn pechod gwreiddiol (un o'r 'pum pwnc') yn y byd hwn; ar y gorau rhyw raddol ymberffeithio tuag at y byd a ddaw. Yn *Y Storm* y ceir y syniadau am Fewnfodaeth yr anfeidrol. Nid yw'r pregethau yn taflu unrhyw amheuaeth ar ddysgeidiaeth hanfodol arall yr hen drefn, sef Uwchfodaeth Duw – y Duw cwbl arall y byddai diwinyddiaeth Karl Barth yn ei orseddu yn yr ugeinfed ganrif.

Ond y mae tystiolaeth hefyd iddo ymateb i apêl efengylaidd fwy uniongyrchol a mewnfodol cyn diwedd ei oes. Mewn dwy erthygl yn *Y Traethodydd* yn 1962 fe ddangosodd W. J. Phillips, yn ddiddorol iawn, dwf dylanwad Sankey a Moody yng Nghymru.[26] Y mae'n rhestru'r trosiadau o'r emynau a fu yn Gymraeg o'r gyfrol *Sŵn y Jiwbili* gan Ieuan Gwyllt yn 1874, drwy Isaac Foulkes (1875), Samuel Roberts (1876 a 1878), Watcyn Wyn (1882 i 1894), Dyfed, hyd at ddetholiad

W. J. Parry, *Telyn Sankey* (1901). Mae'n amlwg na wyddai'r awdur i
Islwyn fod wrthi hefyd, ond y mae'r sylw cyffredinol o'i eiddo yn
berthnasol er hynny:

Wrth ddilyn y traddodiad emynyddol Americanaidd ymadawodd emynau
Sankey â'r ddiwinyddiaeth Galfinaidd . . . Dilornwyd y syniad o Uwch-
fodolaeth Duw gan yr efengylwyr, a gosodwyd y pwyslais ar ei Fewn-
fodaeth ac ar y gyfathrach agos rhyngddo a'i gread. Daeth dyn yn fwy
o feistr ar ei dynged ei hun, ac yn emynau Sankey Duw'r cariad a bort-
readir.

Y mae ymgais gyntaf Islwyn, o dan y pennawd 'Caniadau y Diwygwyr
(Sankey), cyfieithedig gan Islwyn', i'w gweld yn *Y Gwladgarwr*, 12
Mawrth 1875, sef 'Y Bywyd-Fad (The Life Boat):

> Mae'r wawr yn tori, Forwr,
>   Mae'r dydd gerllaw:
> Gwel dros y berwol donau
>   Wlad well o draw.
> Blin fu y fordaith, Forwr,
>   I derfyn daeth;
> Rhwyfa'th fywyd-fàd, O Forwr,
>   Tyn am y traeth . . .

Ceir hefyd 'Bywyd am Drem' (Life for a Look), 'Yn y Man' (Sweet By
and By), 'Dal y Twr' (Hold the Fort); ac yn rhifyn 19 Mawrth, 'Curo,
Curo, Pwy yw Ef?' (Knocking, Knocking, Who is There?) a 'Mwy i
Ddilyn' (More to Follow).[27]

Nid oes ond ychydig iawn o ddiwinyddiaeth yn emynau Sankey a
Moody, ond erbyn diwedd y ganrif yr oedd syniadau rhai fel R. J.
Campbell yn Lloegr a David Adams yng Nghymru am fewnfodaeth
Duw yn y cread ac mewn dyn yn beryglus agos at ddwyfoli dyn; ond
roedd hyn hefyd yn pwysleisio cyfrifoldeb at y cyd-ddyn, yr 'efengyl
gymdeithasol'. Yn niwedd y 1840au, hefyd, ar ôl methiant y mudiad
Siartaidd, fe gychwynnwyd ymgyrch gan F. D. Maurice ac eraill oddi
mewn i Eglwys Loegr, i ganolbwyntio ar anghyfiawnderau cymdeithasol
– y mudiad a adweinid fel Sosialaeth Gristionogol. Yn awr, yr oedd
Islwyn yn barod iawn i boethi mewn dadleuon gwleidyddol a chym-
deithasol, ond ar bapur yng ngholofnau'r *Gwladgarwr* neu'r *Cardiff
Times*, ac nid mewn pregeth. Y mae un eithriad ymhlith y pregethau

cyhoeddedig, sef 'Tosturio wrth y Tlawd', pregeth oleuedig yn ysbryd yr
efengyl gymdeithasol – nid galwad i newid y gyfundrefn ond i newid y
galon:

> Nodwedd amlycaf a gwaethaf y ganrif hon [yw] yr awydd sydd mewn
> dynion i hel arian at eu gilydd, i ymgyfoethogi; ac *wedi* ymgyfoethogi, i
> fyned i fyw mewn annibyniaeth hunanol . . . yn lle aros i fyw gyda'r dorf,
> ac er mwyn y dorf . . . Nid oes hawl gan neb i adeiladu *kennel*-dai gwych
> i'w gŵn, tra y mae gwŷr, a gwragedd, a phlant, o fewn canllath i'w barc,
> yn gorfod byw mewn aneddau rhy gyfyng i anadlu ynddynt – aneddau ag
> sydd yn magu clefydau a heintiau yn y wlad. (tt.171–2)

Nid yw, meddai, yn credu mewn cydraddoldeb amgylchiadau, ond y mae
yn credu yn y rhwymedigaeth o geisio llesáu eraill. Fe all y llywodraeth
wneud ei rhan, ond mater personol yw elusengarwch:

> gyda golwg ar y sefydliadau a ddarperir gan y llywodraeth, y mae yn
> wirionedd hysbys ddigon fod y tlodion yn eu cashau . . . Y peth diweddaf,
> olaf, eithaf, yw myned i'r Tlotty . . . Heblaw hyny, nid yw y dreth a godir
> i'r tlodion yn myned i gyd iddynt. Y mae llawer o'r ffrwd yn sychu ar y
> ffordd. (tt.172–3)

> Pa sawl gwaith y pasiwyd y ddynes llwyd ei gwedd, a thlawd ei gwisg,
> heb roi dim iddi? Feallai nad yw yn deilwng. Nid hynyna yw dy bwnc
> *di*. Y mae hi yn *chwaer* i ti, ac y mae y nefoedd yn dysgwyl i ti ei
> chynorthwyo . . . Pwy ydym *ni* i fyned i wahaniaethu, i farnu, i ddethol,
> i ddewis? (tt.174–5)

Y mae'r 'myrddiwn o angylion' yn britho pregethau Islwyn; y mae un
bregeth gyfan ar y testun. Yr apêl iddo, mae'n debyg, yw eu bod yn
bodoli mewn rhyw dir neb, rhwng ysbryd a mater:

> Gyda golwg ar natur yr angelion, a'u dull o weithredu a bod, nis
> gwyddom fawr. Nid yw dadguddiad yn boddhau ein cywreinrwydd ni yn
> hyn. Ac eto fe ellir casglu rhyw ychydig yn nghylch hyn. Gelwir hwynt yn
> ysbrydion, ac eto, bob tro yr ymddangosant i ddynion y maent yn gwisgo
> cyffelybiaeth dynion. (tt.248–9)

'Fe fydd mantais fawr arall genym yn y nefoedd i chwyddo ein
gwybodaeth, sef cymdeithas angelion.' Ond hefyd yn y byd sydd ohoni

y mae undeb ffydd yng Nghrist 'yn ffrwytho mewn gwasanaeth presenol i ni o du yr angelion. "Onid ysbrydion gwasanaethgar ydynt," &c. Ac yn y pen draw, yn y nefoedd, y mae yr undeb yn ffrwytho mewn cymdeithas rydd, felus, a thragwyddol â'r bodau dyrchafedig hyn' (tt.268–9).

Pwyllog ac anfarddonol yw arddull ei bregethau gan amlaf. Nid ydynt chwaith yn arbennig o ddarluniadol. O bryd i'w gilydd fe geir ffigur ymadrodd gafaelgar: 'Prin yr ydym ni yn gwlychu ein traed yn nyfroedd gorthrymderau yn yr oes hon, ond y mae miloedd o frodyr a chwiorydd wedi myned o'n blaen trwy ddyfroedd uwch na'r ên' (t.201). Neu, fel eithriad barddonol, y gymhariaeth rhwng anghyfnewidioldeb Duw a breuder dyn:

> Y mae y blodeuyn yn hardd iawn. Yr ydych yn ymhongian uwch ei ben i fwynhau ei berarogl, ac i ryfeddu ei brydferthwch, pan fo'r haul yn tywynu ar ei liwiau, a'i dyner ddail yn plygu dan y gwlith. Y mae yn brydferth iawn, ond dyna yr oll a berthyn iddo – prydferthwch. Nid oes nerth ynddo: mae disgyniad y gwybedyn arno yn peri i'w holl ddail grynu, gan mor wan ydyw. Deuwch yma yn mhen pythefnos, ie, 'n fynych yr un prydnawn, fe fydd wedi diflanu . . . Dyna gysgod o ddyn . . . ond i gael cysgod o Dduw rhaid myned at y graig. Y graig ar ymyl y môr, ac yn y blaen. (tt.63–4)

Y mae un gymhariaeth ogleisiol i egluro ardderchogrwydd y byd a ddaw:

> Y mae tynel tywyll ar un o reilffyrdd Cymru, wrth ddod allan o'r hwn i oleu'r dydd, yr ydych ar unwaith, mewn moment, yn dod i olwg y dyffryn mwyaf paradwysaidd, a'r mynyddau mwyaf pellgribog, welodd llygad erioed. Y mae y trosglwyddiad sydyn, o'r tywyllwch i'r goleuni, o'r anghyfanedd-dra i'r ffrwythlonrwydd a'r prydferthwch digyffelyb, yn mwy na dyblu swynion y golygfeydd. (tt.375–6).

Dyfaled y darllenydd ei leoliad.

Yr oedd ganddo syniad uchel iawn am y pulpud Cymraeg a rhagoroldeb yr iaith ynddo:

> Nid wyf yn dadleu dros gadwraeth y Gymraeg oddiar ryw fympwy a hunan-dyb, ond oddiar olygiad ar lesiant ysbrydol y genedl. Yr wyf yn credu y byddai colli yr iaith yn golled ddirfawr i ni mewn ystyr crefyddol – yr ystyr uchaf a phwysicaf. Oblegid pan gollom ein hiaith, ni a gollwn ein

gweinidogaeth anghydmarol. Diameu fod y weinidogaeth Gymreig yn un o ddadblygiadau ardderchocaf y meddwl Cristionogol trwy yr holl oesoedd. Ni chewch y fath gyfuniad o ragoriaethau mewn unrhyw bulpud trwy holl deyrnasoedd cred. Nid oes un areithfa yn yr holl fyd yn cael ei thwymo â'r fath wres, ei goleuo â'r fath ddisgleirdeb, a'i hamgylchynu â'r fath nerthoedd a dylanwadau, â'r areithfa Gymreig. Y mae'r llefarwr yn dân a'r gynulleidfa yn donnau. Y mae rhagoriaethau ein gweinidogaeth i'w phriodoli i fesur mawr i neilltuolrwydd ein hiaith. Iaith crefydd ydyw. Y mae rhyw gydnawsedd rhyfeddol rhyngddi ag ysbryd yr efengyl.[28]

Dyma'r fan i sylwi ar ei bwyslais cyson ar werth y Gymraeg, ond yn bennaf o ochr crefydd a diwylliant. Gwelir hyn, er enghraifft, yn ei golofn agoriadol yn y *Cardiff Times* (2 Chwefror 1878; Atod. 57–8): 'Byddai colli hymnau Williams Pantycelyn, pêr-ganiedydd ty Gomer, yn golled nas gallai dim ei gwneyd i fyny.' Ond yr oedd ymhell cyn hynny wedi bod yn poeni am ddyfodol yr iaith. Ar gefn tudalen o ddyddiadur 1856, ond gyda'r dyddiad Rhagfyr 1858 mewn llawysgrif, y mae nodiadau, eithaf diniwed a dweud y gwir, ar gyfer araith ar 'Cadwedigaeth yr Iaith Gymraeg':

> Cynysgaeddwyd dyn i ddeall a rheswm a chynysgaeddwyd ef hefyd ag Iaith i'r dyben o ddefnyddio y galluoedd hyn er lles cymdeithas . . .
>
> Iaith a bair dangaws
> Dangaws a bair Ystyr
> Ystyr a bair deall.   (AMC 6787)

Fe'n temtir i ddweud nad yw'r pregethau, o leiaf yn eu ffurf ysgrifenedig, yn ateb i'r fath froliant, er cystal eu ffurfiad ieithyddol. Efallai mai'r siom yw eu llythrenoldeb a'u natur anymofyngar; ond ni all neb amau eu cywirdeb, hyd yn oed os oes eto beth delfrydu a gorhyder:

> Nid yw pregethwr yr efengyl i ymostwng i archwaeth y gwrandawyr. Yr ydym wedi derbyn ein cenadwri oddiwrth Dduw, y mae sêl Duwdod arni, mae yn berffaith o law Duw ei hun, ac nis gallwn newid na gadael allan un iod nac un tipyn o honi heb roddi y celwydd i ddadguddiad. Os nad yw y byd yn hoffi y genadwri, nid oes genym un help; mae yn anmhosibl i ni ei chyfnewid. Yr ydym yma yn sefyll dros Dduw, a cher bron Duw; a gwae fydd i ni os cyhoeddwn ddim amgen yr hyn a orchymynodd efe i ni.

Y mae hwnw mewn perygl ofnadwy ag sydd yn beiddio esgyn i'r lle cysegredig hwn a'i olwg ar foddhau dynion, a'i amcan i dymheru a chymhesuro y weinidogaeth at chwaeth wamal ei wrandawyr. (t.144)

Ni raid dibynnu ar ei ddatganiad ef yn unig, gan fod tystiolaeth arall ar gael i'w ddifrifoldeb ynglŷn â'r pulpud. Gwrandawer ar Athan Fardd: 'Ar foreu rhyw Sabboth, yn Nghapel Ebenezer, pregethodd Islwyn gyda nerth ac effeithiau annirniadwy, a chafodd ei ddychymmygion a'i ddarluniadau dyeithriol ddylanwadau trydaneiddiol arnaf fi.' Roedd Athan yn cysgu yn yr un gwely ag Islwyn ar noson y 'bregeth fawr' uchod.

Dadwysgais ac aethum i'r gwely o'i flaen ef, ond collais ef yn dra disymwth, a chodais fy mhen i'r lan, a gwelais yr angel-ddyn ar ei liniau wrth y gadair, a thorodd rhyw iasau annaearol drwy fy nghorff a'm henaid. Dechreuodd Islwyn ymbil â'i Wneuthurwr mewn llais dystaw main a chwynfanus, yr hyn a'm tarawodd â mudandod sobreiddiol . . .
(*Y Gweithiwr Cymreig*, 29 Ebrill 1886)

Yn y flwyddyn 1871 fe aeth Islwyn a William Griffith, Casnewydd, ar daith yn Sir Aberteifi i bregethu a chodi arian ar gyfer yr achos yn Abertyleri.[29] Hen arfer gan y Methodistiaid Calfinaidd oedd anfon dau weinidog i gynnal oedfaon mewn cylch arbennig, ond weithiau gweinidog a blaenor, ac felly y bu hi yn yr achos hwn. Mater arall oedd cael caniatâd i gyplysu'r pregethu a'r apêl ariannol i glirio dyled o fil o bunnoedd ar gapel Abertyleri, ac fe fu raid iddynt ymddangos gerbron y Cyfarfod Misol yn Llangeitho ym Mehefin 1871. Amheuwyd a fyddai'r cyfarfod yn cydsynio, yn wyneb y 'godro' a fu ar eglwysi Sir Aberteifi, gan y Dr Owen Thomas ar ran eglwysi Llundain, gan John Phillips at y Coleg Normal ym Mangor, gan eraill ar gyfer eglwysi gweiniaid yng ngogledd Lloegr, a chyda Choleg y Brifysgol, Aberystwyth ar y gorwel. Ond fe gafwyd caniatâd gan eisteddiad hynod niferus, mwy nag arfer oherwydd presenoldeb Islwyn a Lewis Edwards. Pregethodd y ddau y noson honno, a thrannoeth fe aeth Islwyn a Griffith ymlaen i Lechryd a Blaenannerch ac Aberteifi, lle y caed pregeth gan Islwyn a barodd i'r gynulleidfa wylo'n uchel a dechrau gweiddi allan, nes i Islwyn orfod aros am ychydig cyn mynd yn ei flaen. Pregeth fer a gafwyd ym Mlaenannerch, gan fod Swper yr Arglwydd i'w weinyddu ond, medd Griffith, 'yr oedd y pregethwr o dan yr eneiniad yn drwm, – ond wrth y Bwrdd yr oedd gwledd! . . . byddai yn arfer bod yn hynod bob amser pan

yn gweinyddu yr ordinhad hon, ac ni chlywsom erioed weinidog ieuanc
i'w gydmaru iddo gyda'r gwaith: yr oedd mor nefolaidd ei ysbryd'
(t.161).
    Aeth dros flwyddyn heibio cyn iddynt ailgychwyn ar y daith, ym
Medi 1872. Pregethu eto yn Llechryd ac Aberteifi ar y Sul i gynulleidfa-
oedd mawr: 'y pregethu yn rhagorol, a'r casgliadau yn anrhydeddus'
(ibid.). Y drefn oedd y byddai Griffith yn dechrau'r oedfa am chwarter
awr ac yn cyflwyno'r casgliad i sylw ar y diwedd am chwarter awr arall
(nid oedd Islwyn yn cyffwrdd â'r gwaith o gasglu). Felly fe gâi 'Islwyn
awr gyfan i bregethu, oblegid gwyddwn na wnai ef ddim llun o bregethu
os na chawsai awr yn y fan lleiaf at y gwaith' (t.162). Ddydd Llun fe
bregethwyd, eto i gynulleidfaoedd mawr iawn, yn Aberporth a Blaen-
annerch. Yn ôl William Griffith yr oedd arddeliad mawr ar y bregeth
yno: '"Mi es i'r cwrdd i glywed bardd," meddai un o gymeriadau hynod
yr ardal, "ond pregethwr oedd yno, a phregethwr iawn hefyd; cawsom
bregeth dduwinyddol gan bregethwr dawnus."' Yr oedd John Jones,
Blaenannerch ei hun yn yr oedfa ac fe gafwyd ei gwmni wedyn hyd oriau
mân y bore. 'Dywedai wrthyf ei fod wedi dotio ar bregethu Islwyn,
"digon o fater i chi," meddai, "duwinyddiaeth gref wedi ei gwisgo mewn
barddoniaeth", ac nis gallai ymatal heb ddangos ei fodlonrwydd i Islwyn
ei hun. "Mae gyda chi lais iawn, ŵr, llais soniarus, cryf, digon o lais i
bregethu ar y maes mewn Sasiwn.' Aed ymlaen i nifer o gyhoeddiadau
eraill ar y gaseg 'Dol' (y mae cerdd ganddo yn ei chanmol 'A dirfawr
bwys cadeirfardd / Oedd ail us i Ddoli hardd' (GBI 854) ond, ar y nos
Wener fe gafodd Griffith delegram yn ei alw adref oherwydd gwaeledd
yn y teulu. Aeth Islwyn yn ei flaen ei hun am rai oedfaon ond, ar ôl iddo
gael ei adael yn unig, fe ddigalonnodd a thynnodd y daith i ben. Y mae
diweddglo Griffith yn ategu'r hyn a glywsom gan Athan Fardd:

> Yr oeddwn . . . yn synnu'n fynych at y dylanwad oedd yn cydfyned agos
> yn wastad a'i weinidogaeth. Byddai yn treulio llawer o amser bob dydd yn
> ei ystafell mewn myfyrdod a gweddi, a phan elem i'n hystafell wely y nos,
> byddai Islwyn am awr, ac yn hwy na hynny weithiau, ar ei ddeulin. Nid
> rhyfedd oedd gennyf ar ôl gweld hynny ei fod yn cael oedfeuon mor
> llewyrchus a dylanwadol. Dyn Duw ydoedd, cymdeithasai lawer â Duw
> yn y dirgel, a byddai Duw yn talu yn helaeth iddo yn yr amlwg.

Un nodwedd arbennig yn oedfaon Islwyn oedd ei ffordd o ddarllen
yr emynau. Dyma dystiolaeth i hynny: 'Pa fath bregethwr ydoedd?
Meddylgar, bid sicr, o flaen popeth arall. Teimlid hynny pan ddarllenai'r

emyn cyntaf yn yr oedfa. "A glywsoch chwi Islwyn?" gofynnais i berthynas inni. "Do, unwaith," ebr yntau, "cofiaf byth amdano'n darllen yr emyn "O! Iesu mawr rho d'anian bur".'[30] 'The best reader of hymns we ever heard', meddai Cynddylan; ac y mae'r *Pregethau* yn gyforiog o ddyfyniadau emynyddol, 83 ohonynt. Llwyddais i olrhain rhyw 70, 31 o'r rheini gan Williams Pantycelyn.

Nid oes yr un emynydd arall a mwy na dau neu dri o ddyfyniadau, ond y mae amrywiaeth mawr yn y dewis (o'i gof, mae'n amlwg, gan mai ychydig iawn ohonynt sy'n gwbl gywir), yn eu plith Morgan Rhys, Ann Griffiths, y ddau David Charles, Dafydd Morris, Twr-gwyn, Dafydd William, Llandeilo Fach, Thomas Charles, John Elias, Ieuan Glan Geirionydd, Ehedydd Iâl, ond hefyd ei gyfaill Thomas Levi. Ceir hanner dwsin o'r enghreifftiau mewn pregeth 'Ant o nerth i nerth', wrth iddo nodi dylanwad 40 mlynedd Israel yn yr anialwch ar brofiad y Cymro:

heb fyned allan o'n gwlad ni ein hunain, a'n cenedl ein hunain, mor dlawd fuasem heb y daith trwy yr anialwch, mor ddiffygiol fuasai ein hiaith grefyddol heb yr Aifft, y môr coch, yr anialwch, Pisgah, yr Iorddonen, a'u cysylltiadau. Mor dlawd fuasai emynyddiaeth yr eglwys Gymreig heb ryfeddodau yr Aifft, a gwyrthiau yr anialwch, y pethau rhyfedd a wnaed yn nhir Ham, y pethau ofnadwy wrth y môr coch. Y mae ein hemynau yn llawn o'r daith fawr, ac yr ydym yn gwybod yn ein profiadau crefyddol am holl gyfyngderau a gwaredigaethau plant yr Israel. Oes, y mae myrddiynau o Gymry wedi bod 'Rhwng Pihahiroth a Baalsephon' . . . (t.53)

ac yn y blaen.

Dychwelwn at bortread Cynddylan, y mwyaf manwl ohonynt i gyd, gan gadw'r Saesneg blodeuog gwreiddiol, ond cyn hynny y mae'n werth clywed R.O. (sef, yn bur sicr, Robert Owen, Bethesda) ar Cynddylan ac Islwyn yn yr un oedfa:

Ar ôl i'r gwasanaeth gael ei ddechreu, dyna Cynddylan ac Islwyn am y cyntaf i'r ffrynt, y ddau am fyned yn gyntaf. Ymwthiai Islwyn fach i'r ffrynt, a'r gynulleidfa fel yn barod i'w dderbyn, a'i anwylo; ond dyma Cynddylan yn cydio ynddo, a than gydio yn rhoddi emyn allan; a dyna Islwyn yn eistedd yn ei ôl. Ah! dyna siomiant, tybiai ar y pryd ei fod wedi cael siomedigaeth farwol braidd; ei wynebpryd, bobl anwyl, yr oedd yn cynyrchu teimladau rhyfedd yn mhawb. Daeth Cynddylan drwyddi yn dda iawn, a dyna Islwyn i fyny ar ei ôl, a chawsom bregeth farddonol –

gwledd amheuthyn, ar Diar. XVIII, 21 . . . Gresyn na fuasai ganddo fwy o hyder ynddo ei hun . . . yr oedd y diffyg hwn yn niweidiol iawn ynddo. (*Y Goleuad*, ix, rhif 476, 7 Rhagfyr 1878, 11)

Ac yn awr Cynddylan:

A short man stands rather lackadaisically in the pulpit, and looks shy as a lark upon the congregation. He reads a familiar hymn; but we think we never heard it before. The consonants seem to lose their harshness and to melt into vowels; the cadencies fall sweetly and softly upon the ears; the sentiments feel warm and breathe life into your soul. The best reader of hymns we ever heard. His reading of the Bible is rather broken and indifferent – he does not quite arrest the attention. The prayer is low, subdued, here and there exquisitely sweet; but nothing to deeply impress you unless it be the quiet, unobtrusive reverence which affects the mind very much like the shadows of trees towards the mystic horror of sundown.

He reads his text. You are rather surprised by an apparent air of carelessness. Evidently he is under the partial influence of the Rev. Edward Matthews. Not that he imitates him; but he is anxious to save his strength. He proceeds with the introduction: ordinary observers charge him with laziness. A bit of Matthewism again, without the animation. He proceeds slowly; his sentences – not his thoughts – drop rather incoherently. He shifts his body to secure ease of attitude. In about ten minutes – though they look like twenty, because of the impatience of the hearers to see him in his '*hwyl*' – his big soft eyes look bigger and softer.The sentences acquire greater consistency. His voice is soft and low, but marvellously rich, like the cooing of doves. The emotion begins to heave like the Cardigan Bay in a summer breeze. The preacher's voice has gentle undulations, and seems to the feeling like waves of honey. During the middle half hour of his sermon, to us always the best part, his voice is one of mellow, honeyed richness. Tears and smiles, smiles and tears, greet his ideas . . . The congregation waves up and down, not like a forest in a storm, but like a cornfield when the warm zephyrs blow. He raises his voice a tone or two higher during the last five minutes; the sweetness is lost and a slight touch of harshness is easily perceptible. The thoughts flow full, large, beautiful, and captivating as ever, but the voice suffers from a slight deterioration. But before the hurried eyes have had time to dry, he concludes; and the congregation gradually recovers from the sweet faint into which they had been thrown by the mystic wand of the magician.

Ond yna: 'We do not remember much of what he said, but we feel very happy.'[31]

Beth, tybed, sydd gan Edward Matthews ei hun i'w ddweud? Nid oedd Islwyn yn ddiwinydd o'r radd flaenaf, ond 'yr oedd yn trin yr Ysgrythyrau gyda deheurwydd a gwylder mawr' (t.xxii).

> Ni welsom ddim tebyg i hunanoldeb ynddo mewn geiriau nac ym-ddangosiadau yn y pwlpud . . . Ei weinidogaeth dyner, dawel, oedd fel gwlith-law boreuol yn adfywio y planhigion . . . Yr oedd ei enaid ef yn llawn o gariad a thangnefedd, ac yn byw gyda phlant Israel yr ochr oleu i'r cwmwl o hyd . . . Yr oedd ei weinidogaeth yn dyner anghydmarol; yr oedd rhywbeth mor darawiadol ynddi, mor swynol, mor hyfryd i bob teimlad, fel yr oedd y bobl, mor gynted ag y codai i ddarllen ei destyn, yn ymdrech i beidio peswch . . . Yr oedd y pregethwr yn dueddol i siarad yn isel a gwanaidd, a'r bobl yn gwybod fod colli gair yn golled o berl, fel yr oedd yr ymdrech i glywed pob gair yn rhyfeddol o darawiadol . . . Yr oedd fel y wenynen, byth yn disgyn ar ddim heb gael dyferyn o fêl oddiyno.
> (t.xxii)

Eir ymlaen i bwysleisio *prydferthwch* iaith a meddyliau Islwyn:

> nis gallasai feddwl yn afler, yn lledchwith, ac yn ddiarchwaeth. Yr oedd ynddo gyfuniad ardderchog o natur a gras, a dawn gweinidogaethol . . . Ei wrandawyr a'i hedmygent, a'i carent, a'i cofleidient . . . Yr oedd ei archwaeth yn angelaidd, ei ddiniweidrwydd yn golomenaidd, a'i agwedd ddiymhongar, yn debyg i aderyn y tô – unig ar ben y tŷ.[32]

Fe bwysleisir y prydferthwch, y lledneisrwydd, y mwynder a'r melodedd i'r fath raddau gan eraill, nes i rywun deimlo eu bod o fewn dim i ychwanegu 'merchetaidd'. Wrth gyfeirio at y paratoi manwl a gofalus fe sibrydir hefyd am feithder y pregethau ac, er yr holl sôn am naturioldeb ei draethu, fe gyfaddefir ei fod yn gaeth i'w lawysgrif: 'Ni lefarai yn y pulpud onid a baratoisai, a bychan oedd ei ymddiried yn ei ddawn parod ei hun a'i fedr i gyflenwi bylchau pregeth ar ei draed.' A hyd yn oed yn ôl safonau stoicaidd yr oes honno, y mae nifer yn sylwi ar feithder ei bregethau paratoedig. Ac nid yn unig ei bregethau. Wedi canmol ei 'ddawn gweddi' y mae Daniel Davies yn sôn yn arbennig am ei weddïau ar achlysuron neilltuol, megis ar ddiwedd cymundeb:

> Ymollyngai ar adegau felly i weddïo yn faith iawn weithiau, fel pe buasai

wedi anghofio amser, ac yr oedd ei wrandawyr yn anghofio amser yn wirioneddol. Byddai ei weddïau ar derfyn gweinyddiad Swper yr Arglwydd yn cael eu gwneyd i fyny o fawl a deisyfiadau, ond yn bennaf o fawl, ac agos yn gyfangwbl yng ngeiriau beirdd yr Hen Destament a'r Testament Newydd.[33]

Am ei bregethau, medd Davies, nid oeddynt yn farddonllyd, ond

yr oedd [yr] iaith yn hollol syml, ac nid ymddanghosai fel pe byddai ar ei eithaf yn ymorchestu at gyrraedd rhywbeth uchel a phell, ond byddai bob amser yn dawel a hamddenol, fel un fyddai yn cyflawni gwaith o fewn cylch ei allu, ac am hynny yn hawdd iddo. Ni amcanai fod yn farddonol yn y pulpud, ond nis gallai ymddiosg o hono ei hun, ac am hynny yr oedd yn rhaid i'r pregethwr fod yn fardd. (tt.69–70)

Y mae'n cloi ei ddisgrifiad o bregethu Islwyn gyda'r llinellau o eiddo y bardd ei hun:

> Er uched yw y bardd, er pured yw
> Cenadaeth Awen o sancteiddiol ryw,
> Ymgolla yn y swydd oruchel hon,
> Fel seren yn y dydd, fel defnyn yn y don. (t.70)

Ni ddylid gadael y pwnc, chwaith, heb ddyfynnu Mari Rosser o Ffynnon Taf, yn diolch iddo wedi ei glywed yn pregethu ac yn ychwanegu: 'Am danoch chi, Islwyn, un rhyfadd i chi, rhyfadd, rhyfadd. Nofiwr ych chi, nofiwr yn y mor, ac yr ych chi'n cael gwaith cadw'ch pen uwchlaw y dwr withe oti chi ddim?'[34]

1. Islwyn yn ifanc, tua 1859
(Llun: Llyfrgell Genedlaethol Cymru).

2. Pont Dramffordd Penllwyn, Nine-Mile Point, Dyffryn Sirhywi
(Llun: Llion Pryderi Roberts, Gwasg Prifysgol Cymru).

3. Yr hen felin ger Gelli-groes, cartref Aneurin Fardd
(Llun: Llion Pryderi Roberts, Gwasg Prifysgol Cymru).

4. Capel y Babell, yn Nyffryn Sirhywi. Sylwer ar y ddwy garreg fedd dal o boptu'r ffenestr. Mae carreg fedd Islwyn ar y chwith a charreg fedd Daniel Jenkyns ar y dde (Llun: Llion Pryderi Roberts, Gwasg Prifysgol Cymru).

5. Llun o gasgliad John Thomas o'r Parchedig Daniel Jenkyns, Babell, tua 1875 (Llun: Llyfrgell Genedlaethol Cymru).

6.Llun o gasgliad John Thomas o bump o weinidogion y Methodistiaid
Calfinaidd yn Sir Fynwy, tua 1875. Gwelir lluniau Islwyn a Daniel Jenkyns
(Llun: Llyfrgell Genedlaethol Cymru).

Y Storm.

Pa bryd, O Natur deg, y'th ddysgwyd di
Fy mlythoed i wednewid, ac i roi
I'r tawel a'r ystormus ar dy wed
Gellweirio fyth, a byth ae watwar dyn,
Rhy watwaredig eisioes, nes ei gael
Yn uchel ar y mynydd neu y mor;
Ei denu trwy y boreu dros y fro,
Neu dawel hynt, o wof yr afon lefn
Ymlifiad, hyd freuddwydion hed y don,
O ddystawrwyd anian, pan orphwyso'r mor
Yan ddysgwyl am y ser a gair y nos;
~~I'w ddifio at ei waith o twyn ar gof~~
~~I natur fod ei chryfach eto fyg:~~
Ei dawel ddenu oni wywo 'r lan
Fel ymyl breuddwyd i'r eangder pell,
A bedu'r penrhyn yn y berwol fyr,
A gweled draw ystormus ael y graig
Ac adfail y goleudy ar ei brig
A gorsed gan y storm ni yno mwy.
O somedigaeth na chyrhaedd bed
Mor syfnder, na marwolaeth erch ei ing!

7. Tudalen o lawysgrif *Yr Ail Storm* (1856)
(Llun: Llyfrgell Genedlaethol Cymru).

8. Llun o gasgliad John Thomas o Islwyn, tua 1875
(Llun: Llyfrgell Genedlaethol Cymru).

9. Carreg fedd Islwyn ym mynwent Capel y Babell
(Llun: Llion Pryderi Roberts, Gwasg Prifysgol Cymru).

7 ❧ *Ar y Tredmil*

Tua diwedd y bumed bennod (t.181) gwelsom Islwyn yn canmol y sawl a geidw ei hun uwchlaw 'amgylchiadau': 'Efe fydd nerthol na wastraffodd ddim / O'i nerth ar farwol fyd' (S2, 55). Ac ymhen blynyddoedd fe'i cawn, yn ôl Athan Fardd, yn mynegi gofid am na wnaethai hyn: 'Dywedais wrth Islwyn na chystadleuodd Dafydd Ionawr nac I. D. Ffraid mewn eisteddfodau o gwbl. "Iechyd i'w calonau," ebe yntau. "Gwyn fy myd pe buaswn inau wedi eu hefelychu; buaswn yn debyg o fyw nes gweled hen ddyddiau mewn canlyniad."'[1] Roedd ei deulu, neu o leiaf ei frawd, o'r un farn, fel y mae Cranogwen yn cofnodi toc wedi ei farw: '"Y mae wedi barddoni digon bellach," meddai ei frawd wrthym y dydd o'r blaen, wrth i mi siarad am dano, a chyn deall fod un perygl. O'r anwyl, nac yw, meddem.'[2]

Y mae ei lythyrau yn llawn cwynion am ei anhwylderau ac yn un o'r llawysgrifau (LlGC 5879E) y mae'n nodi ei fod wedi ymuno ag un o'r clybiau cleifion: '15 Jan. 1866 Monday: Called on Mr Lilly Albert Street Merthyr, and entered the club. Paid entrance fee etc and 6d being one week's premium in advance.' Cytunwyd hefyd ei fod i gael ei ddoctor penodol ei hun a deg swllt yr wythnos pan oedd yn sâl.[3] Erbyn y 1870au, y mae cwynion am ei brysurdeb i'w cael ar ben cwynion iechyd: ar 1 Tachwedd 1873, er enghraifft, y mae'n ysgrifennu at Daniel Davies,

> Blin genyf nad allaswn ateb eich llythyr yn gynt – yr oedd hyny ymron a bod yn anmhosibl oherwydd absenoldeb parhaus o gartref er wythnos i heddyw. Cynelid ein Cyf. Misol yr wythnos hon, a'r bore hwn yw'r unig hamdden wyf wedi ei gael ers tro. Cwrdd Misol lled bwysig oedd hwn, fel y gwelwch wrth y report yn y Goleuad nesaf.
>
> Y mae pregethu, teithio, llenyddiaeth ac ychydig . . . [gweddill y llythyr, LlGC 6804, ar goll].

Yna, ar 7 Ionawr 1876:

Bwriadwn hefyd ysgrifenu atoch chwithau bob dydd, ond rhwng ein Cyf. Misol a phrysurdeb anarferol methwyd cyflawni. Rhaid yw rhoi i fyny y bwriad o'r ddarlith ar hyn o bryd, ond cyflawnir yn fuan eto os ceir iechyd.

Ni fu yn bosibl cael amser at baratoi, gan fod y Saboth yn gwasgu yn lled drwm, a bod llawer o waith beirniadu tua'r Nadolig ac erthyglau 'Y Gwladgarwr' yn drymach ddiwedd y flwyddyn nag un tymor arall;

ac ar 9 Mawrth 1878: 'Y mae trymder llafur llenyddol, &c, y misoedd diweddaf, wedi effeithio yn ddwys arnaf' (LlGC 6823). Fe'n temtir i ddweud os oedd yn mynd ati fel lladd nadroedd, mai cyrff penbyliaid a gafwyd yn rhy aml ar faes y frwydr.

Ond ym Mehefin 1871, roedd pethau'n dawelach, gan ei fod yn gallu ysgrifennu at ei hen athro, Aneurin Fardd, yn America: 'Blwyddyn led ddïog fu hon i mi, so far. Dim llafur llenyddol, dim braidd ond pregethu' (LlGC 8104). Yn ôl pob golwg, roedd gan Martha beth cyfalaf wrth gefn, ac y mae'n debyg bod y llogau yn bur dderbyniol. Ond, gwaetha'r modd, fe aeth pethau o chwith gyda'r buddsoddiadau, er nad tan flwyddyn olaf oes ei gŵr. Daw'r eglurhad mewn llythyr arall at Davies, Ton, y dyfynnwyd brawddeg ohono eisoes:

LlGC 6823

Private. Mawrth 9 1878

Anwyl Syr

Y mae Mrs Thomas mor sal, a minau hefyd o gorph ac yspryd, fel y mae yn anmhosibl meddwl am fyned oddicartref yfory. Y mae trymder llafur llenyddol, &c, y misoedd diweddaf, wedi effeithio yn ddwys arnaf. Methais a myned ogartref wythnos i heddyw oherwydd yr unrhyw achosion.

Y mae colledion arianol dirfawr yn property Mrs Thomas, oherwydd rascality rhyw 'Directors' yn Llundain, wedi cael eu heffaith pruddâol dros dymor – Bwriadwn ddod hyd heddyw, ond dyna fel y mae. Cyflawnaf, os byw, fy addewidion ereill.

Hyn, yn gyfrinachol, oddiwrth yr Eiddoch yn barchus

Islwyn

A barnu oddi wrth lythyr 12 Awst 1869, fe all mai yn y flwyddyn honno

y bu farw tad Martha: 2 Page Street Swansea . . . 'Anwyl Syr / Nos
Fawrth y dychwelais o'r Gogledd, ac heddyw daeth eich llythyr i law. Y
mae y wraig yma gyda mi, gyda'i thad yr hwn sydd mewn cyflwr
peryglus iawn gan gystudd trwm a hirfaith' (LlGC 6797). Erbyn
Cyfrifiad 1871, Jane Davies, sef y weddw (yr eilwaith) oedd yn byw yn
Page Street ac yn cadw lojers – dau 'scholar', un yn 16 a'r llall yn 24.
Roedd nith iddi, Ellen Jones, hefyd yn byw yno. Disgrifir Jane Davies fel
'annuitant'; ei hoedran oedd 56; ond y mae rhywbeth o'i le, gan ei bod
hi'n 43 adeg Cyfrifiad 1851 – efallai mai 65 a olygir.

Anodd penderfynu faint o'r prysurdeb oedd yn codi o unrhyw wasgfa
ariannol. Gwelsom ryw gwynion wrth fynd heibio ganddo ynghylch
cydnabyddiaeth isel gweinidogion. Fe geir ychydig o oleuni ar y taliadau
yn *The Story of Ebenezer Church Newport* gan Abraham Morris
(Casnewydd, 1916). Yn y 1840au, 7s 6d oedd y gydnabyddiaeth arferol, 3s
6d am noson waith; ond erbyn y 1850au (fe bregethodd Islwyn yno am y
tro cyntaf yn 1855) roedd wedi codi i 18s neu sofran ar gyfer
gweinidogion ordeiniedig,[4] gyda Morgan Howells a Daniel Jenkyns
ymhlith y rhai oedd yn derbyn sofran. Y swm i bregethwyr heb eu hor-
deinio oedd 12s. Ym mis Awst 1851 fe gafodd Henry Rees, Lerpwl,
hanner sofran am bregethu mewn cyfarfod ganol yr wythnos. Ond, wrth
gwrs, fe fyddai derbyn y gydnabyddiaeth yn golygu cadw'r cyhoeddiad,
ac y mae'r mynych fethiant i'r cyfeiriad yna o bosibl yn awgrymu nad
oedd y tâl yn gwbl dyngedfennol yn ei hanes.

Fe ddeuai ychydig o arian o osod yr hanner dwsin o dai yn yr Ynys-
ddu (y Babell Row y cyfeirir ati yn ewyllys Islwyn, fel y nodir ymhellach
ymlaen); y mae nodyn yn y llyfr trwchus (LlGC 5879E) yn dangos mai
chwarterol y talai Thomas Morgan, a'i fod wedi gwneud hynny'n rheol-
aidd rhwng Awst 1866 a Mai 1868. Ni nodir symiau yn unman, ond
efallai mai rhyw ddeg swllt y chwarter fyddai'r cyfartaledd. Yn ôl ei
ewyllys roedd ganddo ddau dŷ hefyd ym mhlwyf Machen. O bosibl fod
Islwyn yntau erbyn hyn yn gorfod talu rhent am Green Meadow. Mewn
llythyr at Aneurin Fardd ar 20 Gorffennaf 1866 (wythnos cyn marw ei
fam) y mae'n dweud: 'Yr wyf yn byw, hyd yn hyn, yn yr hên dy, ond y
mae manteision yr Agency wedi darfod' (AMC 8099). Y mae'n debyg i'r
newid ddigwydd ar ôl marw ei dad yn 1857, er bod peth cwestiwn
ynglŷn â hyn gan mai yn 1863 neu 1864 yr ymfudodd Aneurin ac fe
fyddai'n debyg o fod yn gwybod am y newid cyn iddo fynd. Yn y llyfr y
cyfeiriwyd ato (5879E), gyda llaw, y mae cynllun plannu'r ardd: 'savoys,
French bean, peas, carrots, parsnips, onions, ffa, Brussel sprouts, Cott's
Keil [cottager's kale, y mae'n debyg, yn ôl cyfarwyddyd Llyfrgell Lindley

y Royal Horticultural Society]'. Defnyddiol yn hytrach nag addurnol, ond y mae'n iawn tynnu sylw hefyd at y ddwy gerdd 'Fy Ngardd' (GBI 658–64) a 'Fy Rhosynau' (GBI 664) i'w dyddio yn 1874, yn enwedig agoriad yr ail, gyda'r cywiriadau sydd i'w cael yn aml, ond nid yn gyson, yn y llawysgrifau:

> Oh! mae'm Rhosynau yn fy adwaen ~~oll~~ i
> Gan ddiolch im~~i~~ drwy ^bêr-^ aroglau ~~pêr~~ cu
> Am ofal maith fy llaw.
>
> (LlGC 5869B)

Y mae 'Fy Ngardd' yn tybio bod a fynno 'Adgofion Eden â phob garddwr eto', a phob gardd yn cynrychioli 'rhyw greol wyrth o'r impiad cynta' rioed'; ond y mae hefyd yn dwyn Gethsemane i gof. Barddonllyd braidd yw corff y gerdd, ond y mae'n cyfeirio'n ddiddorol at adeiladu 'Y Glyn' yn 1871 (fe ddaeth arian o rywle – o waddol Martha o bosibl, gan fod hyn ymhell cyn 'rascality rhyw "Directors" yn Llundain' a barodd y colledion iddi yn 1878):

> Adeiliais im fy hun dan gysgod bryn
> Dŷ wrth fy modd. [Ac wrth fodd Martha, gobeithio]
>   Nid yw yn fawr, er hyn
> Y mae yn ol fy hoffaf archwaeth i,
> Yn sylweddoliad o hen freuddwyd cu.
> Mae gennyf ardd tu ol, a lawnt tu blaen
>   [a'r Jenkynses yn union gyferbyn]
> Yn Eden o wyrddolion teg ar daen.

Y cam nesaf at godi arian oedd dod yn asiant siwrin. Mewn llythyr o 2 Page Street, Abertawe ar 26 Mai 1869 (AMC 9810[5]), yn amlwg at Daniel Davies, y mae'n dweud ei fod ef a'i wraig yn Abertawe ers wythnos ac yn aros am wythnos eto, yn addo Sul, ac yn ymateb i gais am englyn. Yna, mewn ôl-nodyn: 'Mr Davies, A ydych wedi insurio eich bywyd? A gaf fi wneud hyny? Gyrwch linell ataf yma.' Ym mis Awst y mae'n galw sylw Davies at wahanol gynigion:

> Dymunaf alw eich sylw at y Prospectus oddifewn i'r llythyr hwn. 'Table I' yw yr un mwyaf poblogaidd. Dan y Table hwn, byddwch yn talu £2:10:7 y flwyddyn am £100, dwbl hyny am £200 ac felly yn mlaen. Ond bydd y tâl blynyddol hwn yn lleiâu trwy rym y profits – y 'Bonus'. Dan 'Table V',

telwch £6:2:10 y flwyddyn, i gael £100 pan fyddwch yn 45ain mlwydd oed, neu y £100 i'r sawl a fynoch chwi, os daw y diwedd cyn hyny. Ond yr wyf yn eich cynghori i fabwysiadu 'Table I'. Yr wyf yn amgae form i chwi ei lanw. Os byddwch mor garedig a'i lanw, byddaf yn dra diolchgar. Os bydd rhywbeth yn y Form yn ddyryslyd, gadewch hyny i mi, mi a'i llanwaf. Gan obeithio clywed yn fuan i'r address uchod, a chan gofio at y teulu caredig yna. (LlGC 6797)

Daw tystiolaeth i'r ffaith fod Davies wedi brathu yn llythyr 21 Medi 1877: 'Dymunaf eich coffâu o'r premiuns dyledus yn bresenol, £7:2:9' (LlGC 6820); fe fyddai teirgwaith £2:10:7 Tabl I yn £7:11:9 – llai'r bonus efallai, petai o unrhyw bwys.

Y mae nifer o'r llythyrau ynglŷn â chyhoeddiadau ac yn y blaen ar bapur y Provincial (Life) Insurance Company ond yr oedd hefyd yn gysylltiedig â'r Liverpool and London Fire and Life Insurance Co, a'r Northern Counties Fire Office. Gellid tybio bod rhywbeth ychydig yn amheus ynglŷn â'r olaf: fe'i cofrestrwyd yn 1876 fel y Northern Counties Fire Insurance Co. Ltd, yna fe newidiwyd yr enw i Northern Counties of England Fire Insurance Co. Ltd, ac ar 19 Rhagfyr 1879 fe gafwyd gorchymyn llys i'w ddirwyn i ben.

Yn ôl Athan Fardd roedd Islwyn yn dipyn o bla gyda'r busnes siwrin: 'Wedi iddo gymmeryd at yswiriaeth, dysgwyliau am gefnogaeth oddiwrth ei holl gyfeillion, a mawr ei gythrudd a'i siom am na fuasai ei "osgordd Arthuraidd" [y llenorion a gyfarfyddai yn nhŷ Athan] yn un o'r rhai cyntaf i'w nawddogi.' Ceisiodd ddarbwyllo Athan mewn

llythyr maith a rhan fawr o hono yn cymhell yswiriaeth, a diweddai â'r englyn *awgrymiadol* a ganlyn: –

Yswiriwch yn lle siarad, – yswiriwch,
   Neu soraf yn anfad.
Nis galwaf, er pob dysgwyliad,
Etto am oes yn y 'Tent' mad!
(Llith VI, 15 Ebrill 1886)

Y ddau obaith arall am enillion, a'r ddau leidr amser, oedd newyddiadura ac eisteddfoda. Ei fenter gyntaf i'r maes golygu oedd yn 1861 gyda'r misolyn *Yr Ymgeisydd: sef Cylchgrawn Misol (Dan nawdd y Trefnyddion Calfinaidd) yn cynnwys Traethodau, Pregethau, Barddoniaeth, Hanesion, Manion, &c.*, ac ar y clawr mewnol: 'Anfoner y gohebiaethau i ofal Y Parch. W. Thomas (Islwyn), Pontllanfraith, Newport, Mon.' Fe'i hargraffwyd gan John Davies yn Brynmawr, ac fe ymddangosodd y rhifyn cyntaf ym Mehefin 1861, a'r cyfraniad cyntaf oedd pregeth 'Preswylfaodd Duw' gan Islwyn (*Pregethau*, 181–8). Yna fe geir darn gweddol helaeth sy'n gymysgfa o linellau o'r *Storm* (GBI 34–5) a'r bryddest *Cymru* (GBI 380 – fe fewnforiodd O.M. linellau'r bryddest i'w fersiwn ef o'r *Storm*). Ceir diweddglo'r bryddest yn dilyn (GBI 394–5) ac yna'r gerdd 'Aberth Crist' (GBI 615). Eiddo Islwyn felly yw'r rhan helaethaf o'r rhifyn, er nad ef, mae'n debyg, oedd awdur cyfieithiad o Chateaubriand ar 'Dyffryn yr Iorddonen'. Egyr rhifyn Gorffennaf gyda phregeth gan Daniel Jenkyns, yn cael ei dilyn gan gerdd o dros 50 llinell, 'Drwg Hunanoldeb. Yr Asyn a'r Ci (Efelychiad o La Fontaine)'. Y mae'r gwaith yn ddi-enw, ond y mae'r dystiolaeth fewnol yn awgrymu awduraeth Islwyn, ac fe welwn gadarnhad o hyn yn y rhifyn nesaf gydag efelychiad arall, y tro hwn yn dwyn ei enw:

> Ordeiniodd Modryb Anian
>   Pan fyddai dau yn nghyd,
> Fod iddynt helpu'u gilydd,
> A bod o frawdol fryd.

Erbyn y trydydd rhifyn ym mis Awst y mae nodyn ar y clawr mewnol: 'Bydded i'n Gohebwyr Barddonol anfon eu cynyrchion o hyn allan i Mr T. Davies (Dewi Wyn o Essyllt), Dinas Powis, near Cardiff. Gohebiaeth-au (oddigerth y Farddoniaeth) o hyd i Islwyn.' Ond y mae Islwyn yn dal i gyfrannu rhan helaeth o gynnwys y rhifyn: cyfres o englynion ar 'Y Gwanwyn' (GBI 500), efelychiad arall o La Fontaine 'Y Ceffyl a'r Asyn', eto heb enw ond i'w gael yn GBI 800, ac ysgrif gan Blaengwawrne (Islwyn yn adfer yr hen ffugenw) 'Y Mynyddoedd Hyfryd', sef myfyrdod ar *Taith y Pererin*. Y mae dau ddyfyniad yn taflu peth goleuni ar y dulliau yr amcanai Islwyn ei hun atynt:

> Darlunio y nefol yn y daearol – darlunio mawredd pethau bychain – dwyn cyfoeth allan o bwnc a ystyrir yn dlawd – dyma waith Athrylith.

Yna, pan yw Bunyan wedi dod â'r pererinion i ben y Mynyddoedd Hyfryd, ychydig iawn a ddywedir nac a ddisgrifir.

> Y mae y darlun [o'r olygfa nefol] yn aneglur ac yn anghyflawn, ond hynyna yw ei ogoniant. Ei ddiffyg yw ei berffeithrwydd. Y mae yn gadael

lle digonol i'r meddwl a'r dychymyg ardderchocaf i ymarfer, ac i ymgolli mewn annherfynolder.

Erbyn rhifynnau chwech (Tachwedd) a saith (Rhagfyr) y mae'r cyfeiriad at Islwyn a Dewi Wyn wedi diflannu, a John Davies ei hun yn gorfod ysgrifennu llawer o rif saith. A dyna'r *Ymgeisydd* wedi chwythu ei blwc.

Ychydig fisoedd a barhaodd yr olygyddiaeth weithredol, felly, ac efallai mai rhywbeth o hyd braich oedd cyd-olygyddiaeth *Y Cylchgrawn*, pan gychwynnwyd cyfres newydd yn Ionawr 1862 (daethai'r hen gyfres i ben ym Mawrth 1856). Enwir Islwyn fel un o nifer i dderbyn gohebiaethau, fel hefyd ei gyfaill John Rosser, ond Edward Matthews, yn ôl pob tebyg, oedd y gwir olygydd.

Y papur newydd cyntaf i Islwyn gael ei ddannedd ynddo oedd *Y Glorian*, a lansiwyd yng Nghasnewydd yn 1867, ond a aeth yn 'llongddrylliad' yn eithaf buan. Thomas Williams, perchennog y papur Saesneg lleol, *The Star of Gwent*, oedd hyrwyddwr y fenter, a phrif amcan y ddau gyhoeddiad oedd lledaenu syniadau Rhyddfrydol – yn achos y papur Saesneg, a ymddangosodd gyntaf yn 1859, mewn cystadleuaeth â phapur y Torïaid, y *Monmouthshire Merlin*. Y mae llawer o'r manylion ynglŷn â'r *Glorian* i'w cael yn erthyglau Athan Fardd, sydd o bosibl yn gwneud gormod o'i ran ef yn y cyfan. Sut bynnag am hynny, ymddengys nad oedd Islwyn i mewn yn y busnes o'r cychwyn. Glasynys (Owen Wynne Jones, 1828–70) oedd y golygydd i fod. Yn ôl Athan, roedd Glasynys wedi dod i fyw i Gasnewydd; yn ôl *Y Bywgraffiadur*, dod yno i olygu'r *Glorian* a wnaeth, a'r tebyg yw mai'r ail osodiad sy'n gywir, gan fod Athan ei hun ymhellach ymlaen yn dweud bod Glasynys yn lletya efo Williams. Ond, p'run bynnag, dewis go ryfedd oedd ei wneud yn olygydd ar bapur Rhyddfrydol. Clerigwr oedd Glasynys ac un tra uchel-eglwysig ac, ar ben hyn, ceidwadol iawn oedd ei ddaliadau gwleidyddol. Caed llawer ffrwgwd hyd yn oed cyn cyhoeddi, ac fe gafodd Athan gan Williams gyflogi Islwyn hefyd, o bosibl i geisio cadw'r ddysgl yn wastad – gobaith afrealistig, os bu un erioed. Y syniad oedd i Islwyn ofalu am y 'farddas' a'r cylchdremau gwleidyddol a chrefyddol, ac i gydweithio â Glasynys ar yr erthyglau arweiniol. Y cyflog oedd 25 swllt yr wythnos.[6] Daeth y rhifyn cyntaf o'r wasg erbyn Dydd Gŵyl Dewi 1867, ond nid heb helynt flaenorol. Ysgrifennodd Glasynys y 'rhag-hysbysiadaeth', ond barnwyd bod hyn yn sarhad ar Islwyn, a'i 'rag-hysbysiadaeth' ef a ymddangosodd yn y diwedd. Arwyddair y papur oedd 'Fy rhyddid, fy iaith, fy nghenedl a gwlad fy nhadau'. Ysgrifennodd Islwyn gerdd gyfarch (Atod. xvi):

>Boed yn bapur pur, darpared – iach lên,
>   Gwych lwydd fo i'w dynged,
>   Ac i gannoedd coginied
>Oreu ŵyl i'r wlad ar led.

>Llenyddol, llawn o addysg, – a fyddo,
>   O fuddiol wyddonddysg,
>   I Gomer rhoed yn gymysg
>Ynni meib dawn ymhob dysg.

Ac yn y blaen.

Tynnu'n groes i'w gilydd yr oedd y ddau olygydd yn gyson. Edrydd Athan am Islwyn yn ysgrifennu erthygl gondemniol ar Weinyddiaeth Disraeli, gyda chyfeiriadau 'hynod lyminiog' ar bolisïau 'yr Iuddew ymchwyddfawr', tra yn yr un rhifyn yr oedd Glasynys yn amddiffyn doniau ac egwyddorion Disraeli. Eglura Athan fod y *Daily Telegraph*, yr amser hwnnw, yn bapur Rhyddfrydol, a derbyniai Williams un yn ddyddiol at wasanaeth y swyddfa, ac ynddo yr oedd Islwyn yn cael ei safonau gwleidyddol.

Nid oedd Islwyn am fod yn 'boer-gawg' i neb, medd Athan, ac fe gyhuddai Glasynys o 'Eglwyseiddio' a hyd yn oed 'paganeiddio'r papur'. Croes-gyhuddiad Glasynys oedd bod Islwyn yn ceisio 'cael delw Shon Gorff arno'. Gwahaniaethent hefyd ar bwnc yr orgraff. Roedd Islwyn yn perthyn i'r 'dosbarth diwygiadol', hynny yw, y rhai o dan ddylanwad William Owen Pughe, a gredai mai 'gwastraff ar amser ac anfri ar synnwyr cyffredin' oedd dyblu'r cytseiniaid mewn geiriau fel 'cymod', 'cymrodor', 'danedd', 'hyny'. Ond roedd Glasynys o blaid dyblu. Nid oedd y cysodwyr, chwaith, yn cymryd ochr Islwyn ar bob mater orgraffyddol, ac fe fyddent yn aml yn newid ei sillafu, gan roddi'r 'h' i mewn yn y geiriau y byddai ef am ei hepgor, er enghraifft byddent yn troi ei 'cyfiawnâu' yn 'cyfiawnhau'. Cwynai Islwyn yn enbyd: 'Y mae bonglerwch ac haerllugrwydd y bechgyn yma yn anfaddeuol,' meddai gan ychwanegu mai 'Northmyn' oeddent.

Fe fyddai Glasynys yn defnyddio gohebwyr gwellt ac yn ffugio gohebiaethau o 'D[d]ulyn, Paris, Caerodor [Bryste], Glascoed, Manceinion, Lerpwl, a phob tref fawr yng Nghymru', a phan ddeallodd Islwyn hyn fe 'ofidiodd yn ddwys'. O'r diwedd, penderfynodd Williams ofyn i Llew Llwyfo (Lewis William Lewis, 1831–1901), a oedd ar y pryd yn Aberdâr ac yn golygu'r *Gwladgarwr*, gymryd at yr olygyddiaeth, gydag Islwyn yn gofalu am yr adran farddol. Ymddengys i gydlafurio Islwyn a'r

Llew fynd yn ei flaen yn bur hwylus, gyda'r 'cydwelediad a'r cyd-ymdangnefeddiad dymunolaf' rhyngddynt, a'r Llew, er enghraifft, yn rhoddi clust i gŵynion Islwyn ar noson a dreuliodd ef ac Athan yn yr Ynys-ddu:

> Y maent wedi ceisio fy mychanu yn mhob modd. Gwrthodasant fy ysgrif-au, gwawdiasant fy arddull Dduwinyddol, dywedasant fy mod am wneud papyr i 'Shon Gorff' ac nid papyr i Gymry; llurguniasant fy orgraff, anogasant y cyssodwyr i'm difenwi; a gwaeth na'r oll o'u hystranciau, ymdrechasant ddod rhyngwyf ag Athan . . . (Athan, *Y Gweithiwr Cymreig*, 1 Ebrill 1886)

Ond, er y cydweithio, er yr honnid bod iddo gylchrediad o 3,000 neu 4,000 ac er cystal ansawdd golygyddol y papur (un o'r rhai gorau a gyhoeddwyd erioed yn Gymraeg, meddai Ifano Jones yn ei hanes argraffu yng Nghymru), ni lwyddodd yn fasnachol, ac fe ddaeth i ben gyda rhifyn 22 ym mis Gorffennaf yr un flwyddyn. Toc cyn hyn yr oedd Islwyn wedi bod ar daith i'r gogledd, ac meddai Athan: 'Pan ddychwelodd o'r "daith alpaidd" hono, dywedais wrtho fod dydd trancedigaeth y *Glorian* yn agoshau! "Yr oeddwn yn meddwl mai felly y buasai pethau," ebe yntau "bachgen *ffamws* i ofalu am y Deheubarth yn fy absenoldeb oeddych chwi!".' Yr un tyst sy'n dweud bod Williams, cyhoeddwr *Y Glorian*, yn nyled Islwyn o bum punt ar y diwedd, a'i fod yntau am i Athan fynnu'r arian. Er bod Williams wedi colli £300 ar y fenter, fe dalodd.

Yn ystod oes *Y Glorian* fe fyddai Islwyn yn mynd i lawr i Gasnewydd ar bedwar neu bum diwrnod yn yr wythnos ond, yn ôl Athan,

> ni threuliai fawr o'i amser yn swyddfa *Y Glorian* canys ei ddewis fan ef bob amser ydoedd Noddfa y Cynghaneddfeirdd, ac nid wyf yn cofio iddo fyned gymmaint ag *unwaith* i'r 'ffau olygyddol' heb ei 'osgordd Arthuraidd'. Byddai yn dyfod i Gasnewydd o'r Ynysddu gyda'r tren cyntaf bob boreu, ac ar ôl boreugwest, ysmygu . . . ymaflai yn ei ffon a chychwynem tua 'maes y lladdfa' drwy yr heolydd mwyaf anghyhoedd a ellid gael.

Bron na ellid disgrifio'r perfformans fel prysurdeb yn glog i wag-symera; sut wedd a osodwyd ar bethau tua Green Meadow, tybed?

Dywedir gan Davies, Ton, ac eraill iddo fod am gyfnod yn golygu colofn farddol *Y Faner*. O dderbyn yr hyn y mae Athan Fardd yn ei ddweud, fe fyddai hyn yn ail hanner y 1860au:

Pan ddechreuodd olygu'r *Faner*, achwynai yn barhaus ar hwyrfrydigrwydd y macwyaid barddol i'w anrhegu â gwlybyroedd sanctaidd Pair Ceridwen, ac i wneuthur y diffyg hwnw i fyny, yr oeddem yn cyfansoddi rhyw doraeth mawr o linellau caethfrydol, gan ofalu bod ynddynt anafau cynghaneddol yma ac acw, er iddo ef gael gwaith beirniadu, annghymmeradwyo, ac hyfforddi.'[7]

Yn anffodus, nid oedd Y *Faner* yn rhoi rhyw lawer o amlygrwydd i'w cholofn farddol, a chwta ac anaml yw'r sylwadau dienw.

Ond ei brif ymrwymiad am rai blynyddoedd oedd i'r *Gwladgarwr*, Aberdâr. Yn ôl ysgrif ddiddorol Huw Walters,[8] 2,000 oedd cylchrediad Y *Gwladgarwr* pan sefydlwyd ef ym Mai 1858, ond 9,000 erbyn Rhagfyr 1865. Yna, erbyn 1875, bu rhaid cystadlu â *Tarian y Gweithiwr*, a oedd yn llawer mwy gwleidyddol ei naws, ac fe effeithiodd hyn yn drwm ar gylchrediad Y *Gwladgarwr*, a aeth ar i lawr yn raddol o hynny ymlaen.

Ymgymerodd Islwyn â'r gwaith o olygu'r golofn farddol ar farwolaeth Caledfryn, ac y mae rhifyn 10 Ebrill 1869 yn cyhoeddi o 'Bwrdd y Golygydd': 'Y mae yn dda genym hysbysu ein cyfeillion y Beirdd, ein bod wedi sicrhau gwasanaeth yr enwog fardd ISLWYN, i gymeryd lle ein hymadawedig olygydd CALEDFRYN, at yr hwn y mae ein Beirdd i anfon eu holl gynyrchion i'r GWLADGARWR rhagllaw.' Camgymeriad ar ran Davies, Ton, yw dweud bod Islwyn yn olygydd ar y cylchgrawn i gyd; yn wir yn rhifyn 8 Ionawr 1870 dywedir yn blaen: 'Bydded hysbys i'r beirdd nad ydym ni yn golygu ond un dosbarth o'r *Gwladgarwr* – y dosbarth barddonol yn unig. Y mae amryw yn anfon atom ohebiaethau rhyddieithol; anfoner y cyfrwy i'r Swyddfa.' Ond erbyn 1874 Islwyn oedd yn ysgrifennu'r erthygl flaen bob wythnos.

Am rai misoedd ym mlwyddyn olaf ei oes, 1878, bu hefyd yn golygu'r golofn lenyddol Gymraeg yn y *Cardiff Times and South Wales Weekly News* ac yn ysgrifennu'r rhan helaethaf ei hun. Camgymeriad ar ran Davies, Ton, yw dweud iddo wneud hyn 'am amryw o flynyddoedd olaf ei oes', gan mai gyda rhifyn 9 Chwefror 1878 y cychwynnodd, a hynny heb flewyn ar ei dafod. Wrth adolygu *Misolyn Darluniadol i'r Cymry* [sef Y *Darlunydd*, ond odid], cyhoeddiad John Jones [John Evans Jones, Caernarfon], y mae'n glir iawn ei farn: 'Y mae yn well i'r Cymry fod heb fisolyn o gwbl na chefnogi sothach o'r fath hwn . . . Fe wnaed ymgais, rhai blynyddau'n ôl [1876] i sefydlu papur o gyffelyb natur, sef y *Pwnsh Cymreig*, ond nis gwnaeth hwnw ddim ond rhwyg a drwg, oblegid crefydd a gweinidogion oedd gwrthrychau y gwawd.'

Ei gyfraniad cyntaf i'r *Gwladgarwr*, yn rhifyn 17 Ebrill 1869, oedd teyrnged i Caledfryn, ac fe dâl ddyfynnu:

Nid yw yn debyg i neb, ac ofer yw i neb geisio bod yn debyg iddo yntau . . . Bardd natur oedd efe: natur oedd ei gynllun; ac y mae ei awdlau yn ffrydio mor rwydd ag afonydd a nentydd natur. Ffurfiodd arddull iddo ei hun, ac yr oedd ei feistrolaeth ar ei arddull yn berffaith . . . Diamau i'r *Drych Barddonol* fod yn foddion i ddechreu cyfnod newydd yn marddoniaeth Cymru; ac fe erys y llyfr hwnw mewn bri ac arferiad, fel prif hyfforddydd yr ymgeisydd awengar, tra y byddo parch yn cael ei dalu i 'anianawd y Gymraeg ac ansawdd ei barddoni'. Ei awdl ar Ddrylliad y Rothsay Castle, yw yr awdl fwyaf cyffrous yn yr iaith: . . . Treuliasom ddiwrnod gydag ef yn ddiweddar, ond yr oedd swn agos yr Iorddonen yn pryddâu y cyfarfyddiad olaf. Diwrnod ydoedd hwnw a gofir genym yn hir, fel y ffarwel-ddydd yng nghymdeithas un o'r dynion serchocaf ac anwylaf a fagodd Cymru erioed. Yr oedd ef yn gyfaill na cheir mo'i fath yn gyffredin: er mor wrolfryd yr ymddangosai yn y cyhoedd, yr oedd yn gariad i gyd o flaen yr aelwyd . . . Wrth ei olynu yn ei swydd, dymunwn hyspysu y bydd i ni efelychu ei uniondeb, ei onestrwydd, a'i anmhleidgarwch. Gwnawn ein goreu i ddangos diffygion yr ymgeisydd ieuanc, ac i gefnogi talent pa le bynag ei gwelom. Defnyddiwn y dwrlestr meithrinol yn amlach na'r gyllell ysgythrol. Pan yn beio gair, awgrymwn ei well; a phan yn nodi cynghanedd wallus, dangoswn pa fodd i'w chywiro. Ein hamcan fydd meithrin yr egin gwan, heb ddiystyru dydd y pethau bychain . . .
Tri pheth sydd yn angenrheidiol tuag at gyrhaedd perffeithrwydd yn y gelfyddyd farddonol, sef Awen, Amser, a Hyfforddiant; y Nefoedd sydd i ofalu am roi y gyntaf; ninau a ofalwn am roi y ddau olaf.

Y mae'r addewidion yn ddi-fai, ond fe gafodd ambell ddarpar-fardd frathiad eithaf garw yn ystod y blynyddoedd i ddod. Y mae Huw Walters yn nodi bod Caledfryn yn feirniad didrugaredd, 'yn wir ef heb unrhyw amheuaeth oedd beirniad llenyddol llymaf Cymru'r ganrif ddiwethaf' (t.13). Ond ei farn ef yw bod dull Islwyn yn dra gwahanol i eiddo'i ragflaenydd.

Gallai ef gywiro a hyfforddi gyda thynerwch, ac er iddo ddylanwadu ar egin feirdd fel Elfed a Ben Davies, prin y gellir dweud iddo gael cymaint o ddylanwad â Chaledfryn. Yn wir y mae lle i gredu i nifer y cyfansoddiadau ostwng cryn dipyn yng nghyfnod golygyddiaeth Islwyn, a hwyrach bod hynny'n esbonio paham y dewisodd y golygydd gyhoeddi cymaint o'i waith ei hun yn y golofn. (t.15)

Dichon fod gwir yn hyn, er bod achlysuron pan fo Islwyn fel petai'n cofio ei ddyfarniad ef ei hun o blaid beirniadaeth galed Aneurin Fardd o'i chymharu â chanmoliaeth Gwilym Ilid. Sylw Watcyn Wyn ar olyg-yddiaeth Islwyn (yn ei ysgrif 'Dafydd Morganwg' yn *Y Geninen*, xxiii, 3, Gorffennaf 1905) yw ei fod 'yn rhy farddonol ac yn rhy ddifater i fod yn olygydd poblogaidd. Ychydig ddywedai am ddim dderbyniai; ond yr oedd y beirdd yn credu cryn dipyn mewn gair o ganmoliaeth ganddo ef hefyd.'

Noder hefyd ei fod yn gyson yn cwyno bod ganddo ormod o ddeunydd: 'Os parhewch', meddai ar 4 Mawrth 1871, 'i arllwys y fath Niagara o aweniaeth arnom, ofnwn y bydd yn rhaid i rai ohonoch aros hyd y Milflwyddiant'; ar 29 Tachwedd 1873:

> Y mae John Parry, y llythyr-gariwr o Pontllanfraith i'r Glyn, yn barnu y dylai Beirdd y *Gwladgarwr* gofio am dano ef mewn ffordd sylweddol y Nadolig nesaf. Y mae ysgwyddau Parry yn ddolurus wrth gario baich trwm y farddoniaeth dair milldir o ffordd bob bore. Fe allai mai gwell i'r Beirdd barchu yr awgrym llednais hwn, rhag ofn i Parry daflu eu llythyrau cynwysfawr dros y Bont Garn i'r afon, a thaflu ei hunan yno ar eu hol.

Ar 7 Medi 1877: 'Y mae yn anhawdd gwybod beth i'w wneyd o'r *shoals* o farddoniaeth sydd yn dyfod i mewn.' Ar ben popeth, roedd llawer o'r cynigion yn cyrraedd heb stamp, neu heb ddigon, gan beri iddo ofyn i'r beirdd 'bwyso eu llythyrau; yr ydym yn gorfod talu yn aml i'r *postman* oherwydd eu dibrisdod' (30 Ebrill 1870). Nid oedd yn hoff, chwaith, o dderbyn y cynhyrchion ar gerdyn post: 'Gan nas gellwch fforddio ond *Post Card*, gwell i chwi fyn'd â'r *hat round* i'r beirdd am dipyn o gasgliad. Nid oes cynghanedd yn y llinell gyntaf na'r olaf. Ceisiwch eto, ond nid ar y newyddbethau gwael a elwir yn *Post Cards*' (6 Medi 1873).

Y mae'n gosod ei stondin allan yn o fuan, ac yn parhau ar yr un trywydd: 'Pa beth a feddyliwch wrth gynyg peth fel hyn i'r *Gwladgarwr*? Y mae y gân hon saith canrif tu ôl i'r safon' (19 Gorffennaf 1869); 'Y mae yn ddirgelwch o'r mwyaf i mi beth a barodd i'r cyfaill hwn alw y pethau canlynol yn englynion' (16 Gorffennaf 1870); 'Nis gallwn ddyfalu pa beth a barodd i chwi dybied fod un math o drefn na rheol ar y dernyn hwn. Y mae drwyddo draw yn wallus i gyd' (9 Rhagfyr 1871); '"Englynion i'r dydd Saboth" – Rho'wch heibio'r grefft!' (25 Ebrill 1874); '"Rhagluniaeth a Natur, gan yr Hen Bererin" – Rhodded yr Hen Bererin y pin ysgrifenu o'i law am byth, ac edryched yn unig at ei ffon'

(20 Mehefin 1874); 'Y *Cristion*. Gwallus ym mhob ystyr, Diwygiwch, onide fe ddaw Odl, Acen a Mydr i farn yn eich erbyn' (16 Ionawr 1875); 'Pentyrau o wallau . . . Anwelladwy' (28 Ionawr 1876). Y mae cwynion eraill:

> Y mae rhai yn gofyn am ein hynawsedd oblegyd eu bod yn cyfansoddi *mewn brys*. Eithr nid yw beirniadaeth i gymeryd ffolbeth fel hyn i ystyriaeth o gwbl. Os oes rhywun *mewn brys*, arosed hyd oni chaffo hamdden. Yn y cyffredin fe all y byd *fforddio i aros* i'r dosbarth hwn, ac aros yn hir. Nid oes dim a wnelom a beirdd *y brys gwyllt* . . . mae y bardd *difyfyr*, yn gyffredin, yn ysgafnach na'i gysgod. (7 Mai 1870)

Nid yw'r syniadau llenyddol yn rhai arbennig, ar y cyfan, er gwaethaf ambell sylw bachog: 'Y mae y Gynghanedd yn y Saesoneg fel dryw bach mewn *Wellington boots*' (11 Ionawr 1878). Gweddol brin yw'r awgrymiadau technegol ar y gynghanedd yn Gymraeg, ac y mae'n aml yn cywiro heb nodi beth oedd perthynas y cywiriad a'r gwreiddiol. Anogaeth fwy cyffredinol sydd ganddo fynychaf: yn cymell gofal gydag ansoddeiriau, er enghraiftt (12 Mehefin 1869). Ymhen amser fe fydd yn ymddangos braidd yn ddiamynedd, ond yn y misoedd cyntaf y mae'n ceisio codi calon a golygon, fel ar 2 Hydref 1869:

> Y mae yn dda genym weled arwyddion amlwg o gynydd yn llawer o'r beirdd ieuainc. Y mae llaweroedd o honynt yn dechreu agor eu llygaid i ganfod y seraff sydd yn ehedeg yn awyr niwliog Amser − y *dirgelwch barddonol* hwnw a welir ac a deimlir, ond yr hwn sydd ry ysbrydol i'w ddesgrifio . . . Ein hamcan ydyw magu *beirdd*, nid ysgrifenwyr rhyddiaeth odlog, nid rhigymwyr ffeithiau sychion. Uwchlaw pob peth yr ydym yn cynghori y beirdd i ddarllen llawer ar weithiau y prif-feirdd yn y ddwy iaith − i faddo bob dydd yn moroedd dwyfol barddoniaeth Dewi Wyn o Eifion, Geirionydd, Eben Fardd, Milton, Shakespeare a Longfellow [tystiolaeth Athan Fardd yw ei fod yn hoff iawn o adrodd darnau o 'Awdl Elusengarwch' Dewi Wyn, 'Cywydd y Farn Fawr' Goronwy Owen, a 'Rothsay Castle', Caledfryn].[9] Ymrodded pob bardd ieuanc i feistroli yr iaith Seisnig, yr hon sydd yn cynwys y fath gyflawnder o'r farddoniaeth uchelaf; y mae y syniad fod yn rhaid *colli* y Gymraeg wrth *enill* y Saesneg, yn ynfydrwydd i'r eithaf. Y fath golled yw i ddyn fyned trwy y byd heb allu cymdeithasu a meddyliau angylaidd Milton, Young, Pope a Cowper!

Purion gyngor, mae'n debyg, i Gymry uniaith yr adeg honno, er mor eironig y swnia erbyn hyn. Ond mwy eironig fyth yw'r clebran am 'y dirgelwch barddonol . . . sydd ry ysbrydol i'w ddesgrifio', ac yntau'n wynebu'r dasg o nithio'r hanner derbyniol o domen o swbriel. Rhyfedd, hefyd, a ninnau â'r *Storm* ar ein meddwl, yw sylw fel hyn: 'Y mae defnydd bardd galluog ynoch. Eich bai yw gradd o dywyllni (*mysticism*) a diffyg manylwch gyda'ch cyffelybiaethau' (9 Hydref 1869).

Y mae'n galw am fwy o amrywiaeth yn nhestunau'r cerddi: 'Y mae gormod o hiraethganau yn dod i'n llaw. Anhawdd iawn yw dyweyd dim ar ol cyfeillion fyddo wedi ymfudo neu wedi marw, nad yw wedi ei ddyweyd lawer gwaith o'r blaen. Dewised y beirdd destunau newyddion. Y mae digon o bethau i ganu arnynt heblaw, geni, priodi, ymfudo, a marw' (31 Gorffennaf 1869). Y mae'n awyddus iawn i alltudio'r lili a'r rhosyn fel testunau a delweddau: 'Y mae cydmaru prydferthwch i'r lili ac i'r rhosyn, yn barhaus a thrag'wyddol, yn dangos diffyg darllen, diffyg astudiaeth, neu ddiffyg crebwyll' (23 Ebrill 1870); 'Onid ydym wedi alltudio y *lili* a'r *rhosyn* o'r *Gwladgarwr* am y gweddill o'r ganrif hon?' (24 Chwefror 1872); 'Y cryd, yr allor, neu y bedd, fyth a hefyd! Da chwi, feirdd calonbrudd, siriolwch gyda'r Gwanwyn' (31 Mawrth 1876); 'Da chwi, anwyl gyfeillion, gadewch y marwnadau trag'wyddol yma. Y mae agos haner y cyfansoddiadau sy'n dyfod i'n llaw yn perthyn i'r dosbarth diflas hwn. Y mae y wythien hon wedi ei gweithio allan yn hollol' (24 Mehefin 1871). Ac ar 17 Rhagfyr 1875, 'Byddai yn dda genym pe dewisai ein cyfeillion bynciau newydd ac amrywiog, yn lle rhygnu o hyd ar y tanau priodasol a marwnadol' (fe demtir y sawl fo wedi ymlafnio drwy GBI i ofyn 'pwy sy'n siarad?'). Nid yw am destunau rhy amrywiol, chwaith: 'Y *Condemniedig a'r dienyddle*. Rhyfedd fod neb yn dewis testyn mor hyll, mor *repulsive*. Pa bleser all neb gael uwchben pwnc mor ddychrynol!' (13 Awst 1875). Bach o groeso oedd i'r Wladfa hefyd: '*Patagonia* – Testyn gwael, a chân waelach. Os oes eisiau sefydlu Trefedigaeth i'r Cymry, paham yn enw pob rheswm a phob synwyr cyffredin – paham yr eir y tu allan i gyffiniau pellaf gwareiddiad? . . . Ped ymsefydlai ugain mil o Gymry yno, gallai ymosodiad o'r brodorion gwylltion eu difodi mewn un nos!' (7 Medi 1877).

Daw'r anuniongred dan y chwyddwydr o bryd i'w gilydd. Wrth ganmol cyfres o englynion yn rhifyn 3 Gorffennaf 1872, y mae'n ofni bod yr awdur yn

gogwyddo at amheuaeth. Gofyna i ba le y mae ei gyfaill ymadawedig wedi myned: –

ai yn ol
I annelwig Anian,
I'r groth fawr heb un wan?

Os oes dirgelwch yn perthyn i grefydd ddatguddiedig, y mae llawer mwy o
ddirgelwch a thywyllni yn perthyn i'r athrawiaeth 'annelwig' uchod
. . . Nis gallwn gyhoeddi yr englynion hyn oblegyd eu hafiachusrwydd.
Dymunem yn fawr i Awen mor feistrolgar gael ei lloni â goleuni yr
Efengyl. Awen heb Efengyl sydd angel heb adenydd.

Y mae'r gweinidog Methodus yma yn drech nag awdur *Y Storm*.
    Ystrydeb yw nodi mai cyfnod anfoddhaol a dryslyd oedd y bedwaredd
ganrif ar bymtheg yn hanes yr iaith, ac fe ellid cyfeirio at ddylanwad
syniadau hanner gwallgof William Owen Pughe, effeithiau rhodresgar
llawer o bregethwyr ac areithwyr, dynwarediad o ddulliau cwmpasog
Saesneg y cyfnod, ac yn y blaen. Gwelsom eisoes fel y bu i Islwyn osgoi
llawer o'r maglau yn ei farddoniaeth a'i ryddiaith (heblaw am eiriau
gwneud Pughe), ac ieithwedd barchus, briodol (yn olyniaeth *Gramadeg
Cymreig* Caledfryn, 1851) piau hi yng ngolwg Islwyn y beirniad. Nid oedd
ganddo fawr i'w ddweud wrth awydd Wordsworth yn *Lyrical Ballads*, 'to
bring my language near to the language of men'. 'Pa iaith yw *cwmpeini?*'
(8 Rhagfyr 1876); 'Y *Meddwyn*. Nid yw drachtio yn un math o air';
'*Llinell i ofyn pardwn*. Nid yw ffryn'd yn Gymraeg' (20 Tachwedd 1869,
a'r un gŵyn ar 23 Ebrill 1875 a 11 Ionawr 1878) – druan o Bantycelyn felly,
gyda llaw; 'Gair gwerinol a gwael yn mhlith y Gogleddwyr yw *dotio*, ac
nid yw yn deilwng o fonedd cyfansoddiad' (27 Ionawr 1872).
    Ar y cyfan fe berchid ei feirniadaethau – tu hwnt i'w haeddiant, yn
wir. Yn *Llais y Wlad*, 29 Tachwedd 1878, wrth edrych yn ôl ar ei yrfa, fe
ddywedir ei fod 'yn wr llariaidd; ac os oedd unrhyw fai arno, ei
garedigrwydd oedd hwnw, yn rhinwedd pa un y gallasai fod yn rhy
hyblyg i ddirwasgiad cydfeirniad'. Ond Islwyn ar ei ben ei hun oedd
testun yr helynt pennaf yn ei gylch yng ngholofnau'r *Gwladgarwr*.
Eisoes fe welsom Athan Fardd yn carlamu i'r maes ym mis Ionawr 1877
mewn un ffrwgwd eisteddfodol, ond am rai misoedd cyn hynny fe
gafodd Islwyn y profiad annymunol o fod yng nghanol cweryl arall, sef
Helynt y Duchangerdd. Yn Eisteddfod Iforaidd Aberdâr ym Mehefin
1876 fe roes y wobr i Dewi Haran am 'Duchangerdd i'r Siaradwyr a'r
Ysgrifenwyr hyny sydd mor hoff o orfeichio y Gymraeg â geiriau
Saesneg'. Yn ystod y feirniadaeth fe ddywed am un o'r cystadleuwyr
aflwyddiannus, Brython:

Llwyr ddichwaeth. Dybena mewn modd annrhaethol goeth, fel y canlyn: –

> Os na wnant ddiwygio – wel, *berwer* hwynt oll
> *Am ddeufis* yn mhoeth bair Ceridwen.

'Berwer' chwithau gyda hwynt.

O Fehefin i Fedi y mae colofnau'r *Gwladgarwr*, heb sôn am gyhoeddiadau eraill, yn diasbedain dan gyhuddiadau a gwrth-gyhuddiadau. Cnewyllyn y ddadl oedd y si bod cerdd Dewi Haran yn yr un llawysgrif ag englynion Dewi Wyn o Essyllt ar Cynddelw, gyda'r awgrym, nad oedd neb yn barod i'w ddweud yn blwmp ac yn blaen, mai oherwydd iddo adnabod y llawysgrif yr oedd Islwyn wedi dyfarnu'r wobr i duchangerdd annheilwng Dewi Haran. 'Tyned y beirdd y casgliad a fynont oddiwrth y ffaith yna – ond yr ydym ni yn gallu sawri rhywbeth yn y fusnes hon . . . Rhaid bod awen Haran wedi cael rhyw adgyfodiad oddiwrth y meirw cyn y gallodd guro rhai gwyr oedd yn y gystadleuaeth hon' (Mehefin 1876). Nid yw'n syndod darganfod mai'r Arsyllydd a ysgrifennodd hyn oedd 'Brython', sef Brythonfryn (Daniel Griffiths, 1837–85),[10] ac fe gyhoeddwyd ei gerdd 'ddichwaeth' yn y rhifyn canlynol, ynghyd â llythyr gan Dewi Haran yn condemnio ei lith 'iselwael a diegwyddor', gydag 'amcan bawaidd'. Peth cyffredin, meddai, oedd iddo gael eraill i adysgrifio ei ganeuon gan ei fod 'yn myned ar fy nhriugain a phedair oed . . . [a'm] llaw yn dechreu crynu'; hefyd yr oedd ganddo 'fwy o hyder yn nghywirdeb eu horgraff na'r eiddo fy hyn'. Ac yn yr un rhifyn daw Dewi Wyn i'r maes: 'Fy inc i, fy mhapur i, a'm llawysgrif i, ac . . . yn fy nhy i y gwnaed y cwbl.' Roedd wedi gwneud hynny'n aml ac ni welai ddim o'i le. Ar 7 Gorffennaf y mae Llenydd yn ceisio tacluso peth ar y sgarmes:

> Barn unfrydol lluaws o feirdd a llenorion . . . yw na ddylasai y Gwyn o Essyllt adysgrifio cân neb pwy bynag i sylw unrhyw feirniad adnabyddus a'i lawysgrifen; nid am nad yw Islwyn yn wr gonest a chywirfarn yn ei ymdrafodaeth feirniadol, ond am y rheswm ei fod yn achos o ddrwgdybiaeth y gall y beirniad lithro i'r amryfusedd o gredu nad oes dim rhagoraf nag eiddo y prif-fardd wedi dyfod i'r gystadleuaeth.

Ceir wedyn gic bach haeddiannol i Dewi Haran: 'Os nad yw y prydydd neu fardd erbyn yr oedran o 64 wedi gallu meistroli llawysgrifen ac orgraff iaith ei wlad a'r gystadleuaeth, wfft iddo.'

Bu digon o wfftio, sut bynnag. Cyhoeddwyd y ddychangerdd wobrwy-edig, gyda'r sylw: 'Os oes *genius* a thalent yn y gerdd yna, mae *genius* mewn maidd, mewn erfin, mewn pibrwyn, ac mewn pilion tatws.' Ar 14 Gorffennaf y mae Dewi Wyn yn amddiffyn Islwyn mewn llythyr maith:

> Yr un peth fuasai i Brythonfryn i ddweyd ar unwaith nad oedd Islwyn yn ddigon o feirniad i wneyd ei waith yn iawn, neu ei fod wedi gwneud anghyfiawnder gwirfoddol, a dywedyd yr hyn y mae yn ei ddywedyd . . . cabledd ar urddas mor fawr ac anrhydeddus a'r eiddo Islwyn: gallesid meddwl fod sefyllfa Islwyn fel pregethwr yr efengyl, a'i brofiad fel bardd, yn ddigon o reswm i bob dyn gweddol o gall i goleddu uchelach tyb am dano nag y mae Brythonfryn yn ei wneuthur.

Nid oedd mater adnabod ei lawysgrif yn dal dŵr: 'er fy mod yn gwybod am Islwyn er's mwy na phum' mlynedd ar hugain, nid yw efe wedi derbyn oddiwrthyf fi, na minau oddiwrtho yntau, ddim haner dwsin o lythyrau yn ystod yr holl amser; ac ni fum mewn cystadleuaeth o dano fwy na dwywaith yn fy mywyd o'r blaen.' Rhygnodd y ddadl ymlaen tan fis Medi, gyda Brythonfryn yn anfon y cerddi i holi barn y ddau *veteran* barddol, Hiraethog a Gwalchmai, a hwythau yn dyfarnu ei un ef yn orau (11 Awst 1876). Bu llythyrwyr eraill ar y maes hefyd; er enghraifft, 'Manhattan' yn yr un rhifyn yn rhestru'r geiriau Saesneg yn llythyrau Brythonfryn a Dewi Wyn. Ar 21 Gorffennaf roedd Brythonfryn yn mynnu nad oedd 'yn coleddu yr un anymddiriedaeth yn onestrwydd beirniadol y prif-fardd Islwyn, ond fod yn dra thebyg . . . fod rhyw *blunder* wedi ei wneyd yn nghylch y duchangerdd rywsut rywfodd'. Ar 29 Medi y mae Brythonfryn yn y *Gwladgarwr* yn cyhoeddi llythyr a wrthodwyd gan y *Darian* yn ailadrodd *blunder* ac yn gofyn: 'Pa angen dwyn Islwyn ymlaen yn ei gymeriad gweinidogaethol? Nid âg Islwyn fel *gweinidog* oedd a fynai dim a ysgrifenasom ni, ond âg Islwyn fel *beirniad*.'

Mewn llythyr a gyhoeddwyd yn *Tarian y Gweithiwr* (11 Awst 1876), cyn i'r golygydd ddirwyn y ffrae i ben, roedd Dewi Wyn wedi holi: 'Pwy oedd y gwr hwnw a ddywed nad oedd ganddo ef yr un "anymddiried-aeth yn ngonestrwydd Islwyn", tra ar yr un pryd a'i holl egni yn ceisio darbwyllo y wlad i gredu ei fod wedi gwneuthur y camwri mwyaf a'i gerdd anwyl ef?' Yna y mae'n dweud ei farn yn groyw: 'Emrys ac Islwyn, a chymeryd holl anhepgorion barddoniaeth i gyfrif, yw y ddau fardd mwyaf a welodd Cymru erioed.' A beth oedd gan Islwyn ei hun i'w ddweud am yr helynt? Ar 28 Gorffennaf fe neilltuodd y golofn gyfan i'w drafod, gan feio'r cystadleuwyr am beidio ag aros i weld y feirniadaeth: sef bod 'pawb ond Dewi allan o'r gystadleuaeth am – y *very bai* y disgwylid iddynt *ei feio* a'i wawdio'. Gwadodd iddo gredu mai llawysgrif Dewi Wyn oedd o'i flaen – ond ni fyddai wedi cael yr effaith leiaf ar ei farn petai wedi ei adnabod. Ond pam, o ran hynny, wneud y fath dwrw ynglŷn ag adnabod llawysgrif cystadleuydd am wobr o ddwy bunt, tra'n

ddiystyr hollol o'r ffaith fod y beirniaid cerddorol yn adnabyddus, ac weithiau yn gyfeillgar âg arweinyddion enwog y corau a ymgeisiant am wobr o ryw 70 punt? Paham? Am eu bod yn wŷr ag y mae gan y wlad ymddiried llwyr ynddynt. Honaf finau fod yn yr un rhes, ac apeliaf at dros ugain mlynedd o wasanaeth ffyddlawn i'n llenyddiaeth heb rwgnach o neb cyn yn awr . . . Rhaid addef . . . fod dynion siomedig yn wrthddrychau cydymdeimlad. Maddeuir, gan hynny, i'r holl rwgnachwyr, ac os daw neb ohonynt i'r Glyn cânt ddrws agored, a'r un a fynont o dair cadair farddol i dreulio prynhawn ynddi. Cânt bobpeth mewn rheswm *ond gwobr am trash*!

Fel ôl-nodyn i'r helynt, dyma ddisgrifiad W. Glynfab Williams o amgylchiad nid cwbl annhebyg:

Meddai wrth ei briod: 'Martha, light a candle for William in the parlour. He is going to help me in the adjudicating of the awdlau for Birkenhead.' Euthum i'r ystafell. Ni wyddwn ddim am y cynganeddion, a dewisais yn orau yr awdl â'r llawysgrif fwyaf destlus a chryno. Dychwelais at Islwyn a dywedais: 'Dyma'r awdl orau.' 'Nage, nage, William,' meddai, 'gwrando ar hon.' Gofynnais iddo pwy tybed oedd yr awdur, ac atebodd: 'Edrych ar gornel de y tudalen rhyngot ti a'r golau.' Edrychais, ac yno yr oedd yr enw – R. Williams (*Hwfa Môn*). Y testun oedd 'Rhagluniaeth', ac yr oedd yr enw priodol dan sêl ar waelod y tudalen cyntaf.

Un nodwedd amlwg iawn yn ei golofn yn *Y Gwladgarwr* (ac yna yn y *Cardiff Times*) oedd y toreth o gerddi achlysurol. Nid oedd rhaid iddo ef ddilyn yr un rheolau â'r gohebwyr y mynnai gael ganddynt rywbeth amgen 'geni, priodi, ymfudo, a marw'. Yn ail rifyn ei olygyddiaeth o'r golofn (24 Ebrill 1869) fe geir 'Englynion Priodasol (Cyfansoddwyd ar briodas Mr Benjamin Matthews, Pentwynmawr, a Miss Margaret Davies, Ynysddu, Mynyddislwyn)', gyda dau o'r englynion yn rhyw baratoad ar gyfer marwnad hefyd:

Wedi gyrfa dêg hirfaith – ar randir
  Pererindod gobaith,
Uchod eloch eich dau eilwaith
I gu iawn fyd y gydgân faith.

At y llu o seintiau llon – i gânu
  Esgynoch, gyfeillion!
Clywoch si clychau Seïon – i'ch croesaw
'N dirion wrth rwyfaw drwy nerth yr afon.

Galargerdd go iawn wedyn ar 1 Mai, er cof am Miss Sarah Jenkins, unig ferch T. Jenkins, Ysw., Oak Cottage, Briton Ferry –

Nac wyla fy mrawd; sugndyniad y Nef
  A aeth yn rhy gryf yn y diwedd.
Enillodd ei meddwl yn llwyr iddo Ef,
  Ehedodd i fythol dangnefedd . . .

– pum pennill wyth llinell i gyd. Yna, ar 24 Mawrth 1870, englyn er cof am 'Henry Williams a'i wraig, o Ynyshowell, Machen . . . aelodau ffyddlawn yn eglwys y Bedyddwyr Tonyfelin, Caerphili':

Mor gu, yn Iesu, isod, – y cysgant!
  A'c esgyll y Duwdod
Drostyn', i'w diffyn, nes dod
Yn iach i Seion uchod!

Nid priodi a marw ydyw bob amser; y mae englynion ar achlysur cyflwyniad tysteb i'r boneddwr Lieutenant Temple Stroud, Coed Duon, Mynwy:

Nid gyrwr anfad, gerwin, – yn gwthio
  Y gweithiwr cyffredin,
Drwy wgus stormydd a dryghin,
Eithr ei plant yw ei weithwyr blin . . .

Priodas arall, a'r englynion beth yn ysgafnach: 1 Chwefror 1873 ar briodas D. Hughes, Manchester House, Tredegar, â Miss Price, St Clears.

>Dwys galedfyd Hughes glodfawr – ddybenodd,
> A'i boenau meudwyfawr;
>Ar fedd ei Unigedd yn awr
>Daw gwên adgyfodiad gwynwawr.

>I newydd fyd, fel Nöa, – 'r aeth efe
> Wrth fodd ei deg Fartha:
>Byd o hoen, bywyd o ha'
>Bo'u hoes gu heb ias gaua'.

Y mae rhyw ddwsin o rai eraill yn *Y Gwladgarwr* ac wyth yn y *Cardiff Times*, y rhan fwyaf ohonynt yn GBI neu Atod., o safon eithaf tebyg. Dylid crybwyll efallai y ddwy gerdd nad ydynt yn y casgliad. Dyfynnwyd yr englynion i Arglwyddes Llanofer eisoes (tt.27–8), a'r llall (17 Medi 1875) yw penillion er cof am briod y Parchedig J. Williams, gweinidog y Bedyddwyr:

>Ac nid oedd le rhy dda i mi
> Na chroeso rhy galonog;
>I'r gader fawr, ger aelwyd glyd,
> Hi fynai o hyd fy anog.

>. . .

>Pan fyddai'r Awdl faith ar ben,

>. . .

>Mi awn am dro i fwrw 'maich
> Yn nghader fraich ei haelwyd . . .

Roedd Islwyn yn englynwr medrus ond heb fod efallai yn y rheng flaenaf. Yn *Cymru* xxxiii, rhif 196 (Tachwedd 1907), mewn erthygl ar 'Lle Ceiriog ymysg beirdd Cymru', y mae E. Vaughan Humphreys yn ceisio cloriannu: 'Er fod gwahaniaeth mawr cydrhwng Islwyn a Cheiriog fel englynwyr, – y naill yn fwy hamddenol ac yn canfod gwirioneddau dyfnach, a'r llall yn fwy chwim a sicr, heb gymeryd hamdden i edrych yn ddwfn nac edrych yn hir, ond yn dweyd yr hyn a wel yn bert, – yr ydym yn barod i roi y ddau yn yr un dosbarth,' sef, i bob diben, y trydydd dosbarth, gyda Dewi Wyn ac Eben Fardd yn yr ail, a Trebor Mai, Ioan Madog a Robert ap Gwilym Ddu yn y cyntaf. Y mae'n ychwanegu enwau Dyfed, Dewi Havhesp a Meurig Idris mewn erthygl yn *Y Traethodydd* yn 1911. Nid oes rhyw lawer o ystyr mewn rhestrau graddau llenyddol, debyg iawn, ond fe ddengys y sylwadau sut yr oedd y gwynt yn chwythu 30 mlynedd wedi marw Islwyn.

Ar y cyfan, er hynny, y mae'r cerddi achlysurol, llawer ohonynt ar ffurf englyn, yn gwbl dderbyniol, ac nid oes dim o'i le ar yr arfer. Mae'r gerdd achlysurol yn gallu codi i lefel uchel iawn, fel gyda rhai o feirdd y Barock yn yr Almaen; neu y mae portreadau bychain hyfryd a phersonol – gwelir nifer o enghreifftiau yng nghasgliad Roger Lonsdale, *Eighteenth-Century Women Poets*. Fe'u ceir wrth eu cannoedd yn llenyddiaeth Gymraeg y bedwaredd ganrif ar bymtheg, fel rhyw ddatblygiadau, neu ddirywiadau, o ganu mawl a chanu cyfarch, o farwnadau clasurol (gweler, yn Saesneg, Pantycelyn ar George Whitefield neu Thomas Olivers ar John Wesley) neu, yn wir, o feddargraffiadau y bardd gwlad. Ar gais y cyfansoddwyd y mwyafrif, mae'n debyg; dyma ran o lythyr gan Islwyn at Davies, Ton, yn 1873, er enghraifft (LlGC 8107): 'Yn unol a'm haddewid yr wyf wedi gwneud ymgais ar y farddas ofynedig, ac yn ei hanfon heddyw i Llanwrtyd. Dyma gopi i chwithau.'

Efallai fod rhyw gil-dwrn bach weithiau, ond cyfeillgarwch oedd y symbyliad gan amlaf, ac fe esgor ar linellau eithaf gafaelgar a chywir yn aml; gweler, er enghraifft, y llinellau ar Eryr Glan Taf (yn *Caniadau* a GBI 488) – fe gofir, gyda llaw, iddo yntau fynd ar ofyn Eben Fardd am englynion priodasol. Ac eto – cymharer y rhain â noethni teimladau Pantycelyn yn canu ei farwnadau Cymraeg i'r ddiadell fechan ar eu taith i'r Ganaan wlad. Fe welir y gwahaniaeth yn fwy fyth yn y bryddest goffa i John Jones, Blaenannerch (GBI 219–25; fe'i cyhoeddwyd ar wahân yn 1877). Dyma Glynfab Williams eto:

I Islwyn yr oedd barddoni yn waith mor rhwydd ag anadlu. Dyma braw o hynny. Ar nawn Gwener daeth brysneges oddi wrtho – 'Dere lawr i'r Glyn ar unwaith, yr wyf mewn penbleth.' Euthum i'w dŷ heb oedi a gofyn iddo pa beth oedd yn bod. Dywedodd wrthyf ei fod wedi cael gwahoddiad i gystadlu ar bryddest goffa i John Jones, Blaenannerch, yn eisteddfod Aberporth [25 Gorffennaf 1877]. Yr oedd John Jones yn un o arwyr Islwyn, ac anogais ef i fynd ati ar unwaith. 'Ond,' meddai 'rhaid iddi fod yn llaw'r ysgrifennydd ddydd Llun.' 'Fe fydd,' meddwn innau, 'ewch ati, ac erbyn bore Sul fe fydd cerdd goffa i John Jones yn barod i'w phostio. Mi gerddaf i Risca (rhyw bum milltir o daith) i'w gosod yn y post.' Fe aeth ati, a thrwy gydol dydd Sadwrn eisteddwn gyferbyn ag ef, ac yntau'n estyn imi dudalen ar ôl tudalen. Yn hwyr nos Sadwrn darllenais y ddwy linell olaf –

Diau'r cyntaf yr ymholwn am ei drigfan yn y nef
Fydd yr annwyl Jones Blaenannerch, canys yno' r un fydd ef.

Postiwyd y gerdd yn Risca fore Sul; cyrhaeddodd yr ysgrifennydd
yn brydlon a daeth y pum punt i law Islwyn yr un mor brydlon.

Cystal cyfaddef nad yw dyn yn synnu at y cyflymder wrth ddarllen
ambell i gwpled:

Fe wnaeth ddiwrnod da o waith, llafuriodd tra bu'n ddydd;
Ac er cyrhaeddyd pen ei daith, pen draw i'w waith ni fydd.

Ai annheg awgrymu mai 'going through the motions' yw llawer o hyn?
Cofier am Islwyn yn ei gymeriad o feirniad: 'Ein hamcan ydyw magu
beirdd, nid ysgrifenwyr rhyddiaeth odlog, nid rhigymwyr ffeithiau
sychion.' Go brin ei fod yn dilyn ei bregeth ei hun yn hyn o beth. Hawdd
iawn edliw i O.M., fel y gwnaeth llawer, mai anghymwynas ag Islwyn
oedd creu'r fath domen sbwriel â'r *Gwaith Barddonol* (a'r gyfrol honno
heb gynnwys cryn lawer o'r manion, o ran hynny); ond y pwynt yw, nid
ei fod wedi ysgrifennu cerddi gwael, fe wnaed hynny gan bob bardd,
ond ei fod wedi treulio ei amser yn ormodol yn selerau llenyddiaeth ar
draul y gwir greadigol.

Ond tybed a oedd hynny bellach yn ei allu? Onid oedd yr awen wedi
codi ei phabell ar ôl 1856? Fe dynnwyd sylw'n aml at y ffaith mai prif
gynnwys *Caniadau* 1867 yw ail-bobiad o rannau o'r *Storm* a'r bryddest
Cymru, ynghyd â chynhyrchion a oedd eisoes wedi ymddangos yn
y cylchgronau. Cafodd y casgliad dderbyniad da, er nad oedd wedi
gwerthu allan erbyn Chwefror 1872 gan iddo, mewn llythyr at Davies
Ton, ofyn: 'A gaf fi ddod â sypyn eto o'r llyfryn gyda mi?' (LlGC 6800).
Yn *Y Drysorfa* (xxxvii, rhif 249, Medi 1867, 332–4) fe gaed adolygiad
sydd o leiaf yn agor yn dra ffafriol:

Saif Islwyn ar ei ben ei hun ymhlith beirdd Cymru; ac am danom ein
hunain, têg yw i ni addef nad oes neb y gwyddom am danynt o feirdd
Lloegr, ag sydd o deithi tebyg iddo, yn cael mwy o ddylanwad arnom, nac
yn gosod ger ein bron feddyliau yn ymddangos i ni yn fwy ardderchog ac
aruchel, neu yn fwy treiddiol a chyffrous.

Pwysleisir fel y mae ei gyflwyniad o ryfeddodau natur yn rhoddi
'iaith ac ëangder' i deimladau dynion, 'a phethau newyddion a mwy

gogoneddus nag y buasent hwy eu hunain yn eu gweled yn ddad-
guddiedig iddynt' ac y mae'n dyfynnu, ymhlith darnau eraill:

> Y morwr blin ar dòn aflonydd amser
> A lawenhâ pan welo yn y pellder
> Y llinell dân o sêr ar làn y nefoedd,
> Goleudai o dragwyddol angorfäoedd.

Bardd y meddwl yw efe, pa beth bynag, bron, a gymer mewn llaw . . . Hyd
yn nôd pan y mae efe yn canu i natur, mae yn canu iddi yn ei chysylltiad
â meddwl dyn, ac yn myned i mewn at y cyfatebiaeth sydd rhwng y ddau
. . . Y mae hiraeth am fyd arall yn cael lle mawr yn nghyfansoddiadau
Islwyn. Nid yw yn gorphen gyda'r gweledig nes y cenfydd yr anweledig
drwyddo; 'dull' ydyw y grëadigaeth oll i'w olwg ef, yn cuddio sylwedd
dan bob rhan o honi. Byd y meddwl yw'r gwir fyd ganddo, a gwneyd iddo
ddyheu am y byd hwnw y mae byd mater ar ei oreu.

Eir ymlaen i sôn am y gwladgarwch dwfn, y cyfeillgarwch neillduol
a'r 'coethder meddwl puraidd yn y cyfan, heb ddim o'r digrifwch
gwagsaw sydd yn anurddo cymaint o brydyddiaeth Cymru yn y dyddiau
hyn' [Ceiriog? Mynyddog?]. Ond yna y mae'r adolygydd yn troi o
'ragoriaethau diammheuol ac amrywiol ein bardd' i nodi'r 'prudd-der ac
afiachusrwydd meddwl' a'r duedd *morbid*.

Y mae diffygion a beïau yr hen ddaear yn cael cymaint o sylw mewn rhai
o'i gyfansoddiadau . . . nes y gallem dybio y dylem ddigio wrth ein
sefyllfa yn gwbl . . . Buasem yn hoffi gweled mwy o le i'r gweithredol a'r
bywiog gyda y goddefol a'r hiraethlawn − pe rhoddasid tafod mwy
difloesgni i farddoniaeth ymdrech a rhyfel bywyd − anwesu llai ar
eisteddfa'r pentan, ac ymwregysu i wynebu'r byd fel y mae.[11]

Am adolygiad Daniel Rowlands, golygydd *Y Traethodydd*, y mae Athan
yn adrodd wrth Islwyn iddo roddi'r 'ganmoliaeth uchelaf ond yn
awgrymu nad oedd yn deall rhai darnau. "A yw efe yn cyfeirio at ryw
ddarn neillduol," meddai. "Ydyw," meddwn, "y mae yn nodi 'Tybiaeth'
yn un." "O!" meddai yntau, "nid wyf yn rhyfeddu dim, canys nid wyf
yn deall *hwnw* fy hunan."' Rhan o'r *Storm* yw'r gerdd hon hefyd ('*Ynom*
mae y sêr'), yn cynnwys cyfran helaeth o'r motiffau mewn byr gwmpas,
ac o'r herwydd yn crynhoi'r amwyseddau − niwlogrwydd distylledig
megis.

Fe gynhwysir nifer o'r cerddi eraill mewn detholion. Un ffefryn yw 'Y Dylanwad', gyda'r arysgrif 'The vision and the faculty divine', ac yn agor:

> Pan y myn y daw,
> Fel yr enfys a'r glaw,
> Fel odlau yr eos ger y gwyrddaf lyn draw . . .

Cyferbynnir amlygiadau naturiol, môr a haul, sy'n dilyn rheolau amser, â

> Dylanwad yr Awen,
> Y pruddaidd a'r llawen,
> Mae'n hŷn yn ei darddiad na'r sêr bore fu
> Yn canu uwch bydoedd dwyrëol di-ri' . . .

> . . .
> Fel enfys y daw,
> Fel arwydd cyfamod tragwyddol wnaed draw
> Rhwng Meddwl â Duwdod, pan araf ddychwelai
> Môr mawr tragwyddoldeb hyd nes ymddangosai
> Mynyddoedd pell amser, ac Arch y Meddyliau
> Tragwyddol yn disgyn yn iach ar eu bànau. (GBI 811)

Dyma ddwyn cyfamod y bwa yn y cwmwl yn nawfed bennod Llyfr Genesis i gyfoethogi'r drychfeddwl o'r awen, yn codi o ryw bellteroedd y tu draw i amser, ac o'r herwydd yn gweithredu fel cyfrwng i doddi meddwl dyn a'r meddwl mawr i'w gilydd. Nid 'awen' ffurfiol y ddeunawfed ganrif sydd yma bellach, ond rhyw rym cyfrin ymgyfunol.

Cerdd arall a gafodd gryn sylw yw 'Ffontygeri', gyda'r nodyn 'Morgilfach prydferth yn Morganwg':

> Glan môr! glan y môr i mi!
> Teg oror Ffontygeri! (GBI 398)

Rhydd Daniel Davies cryn dipyn o wybodaeth am gefndir y gerdd.[12] Tŷ 'radd yn uwch na ffermdy' oedd Fonte de Gary (Ffynnon Gary yn wreiddiol, yn ôl Davies, Ffontygari erbyn hyn), rhyw ddwy filltir a hanner i'r gorllewin o'r Barri, cartref y blaenor Thomas Matthews brawd Edward Matthews, a hanner cartref i Islwyn pan fyddai yn y parthau hynny. 'A wyddai Islwyn tybed y buasai ef o'r fan hon yng ngolwg y ddau

fardd y tebygai ef fwyaf iddynt o unrhyw ddau fardd Saesonig arall?'
Coleridge a Wordsworth a olygir. Y mae Davies yn mynd yn ei flaen i
nodi bod y rheilffordd erbyn hyn yn rhedeg dros y cae lle y chwenychai
Islwyn wneud cartref iddo ei hun; erbyn heddiw y mae Maes Awyr
Caerdydd o fewn tafliad carreg. Am y gerdd ei hun, er iddi gael ei dewis
gan feirniad mor graff â Bedwyr Lewis Jones ar gyfer ei *Blodeugerdd o'r
Bedwaredd Ganrif ar Bymtheg,* fe'm temtir i ddweud y bydd hi'n apelio'n
fawr at garedigion ebychnodau, ffuantrwydd ac ailadrodd enwau lleoedd
od. Yn wir nid yw ei delynegion (er enghraifft 'Mae deigryn ar y rhosyn
hardd', neu 'Y Dderwen') yn cyfleu fawr mwy na'r hyn sydd ar yr wyneb.
Y gair nodweddiadol – ond deifiol – amdanynt ym meirniadaeth y
cyfnod yw 'tlws'.

Yn y 'Rhaglith' i'r *Caniadau* y cawn y llinellau a achosodd y cyhudd-
iadau o ddiffyg chwaeth pan wnaeth O.M. y camwri o'u gosod fel
diweddglo'r *Storm*:

> Fe'm ganwyd i yn mlwyddyn y Reform Bill,
> A dyna pam yr wyf yn dwyn ystormbil
> Mor hyf i mewn i'r Senedd Awenyddol,
> Er dychryn i Doryaid mân-brydyddol.

Mynn Athan mai yn ei arlunfa ef y cyfansoddwyd y Rhaglith. Roedd
Athan wedi bod wrthi'n amddiffyn y cynganeddion; a dyna'r pryd yr
ychwanegodd Islwyn y pennill olaf. 'Pwysleisiai yn hynod gellweirus ar y
geiriau "Toryaid mân-brydyddol", a gofynnais iddo, pwy oeddynt. Yntau
a atebodd, "Tydi a Chaledfryn."'

Beth bynnag am hynny, y mae'r cyfeiriad at y Reform Bill yn ein
hatgoffa, petai angen, fod gan Islwyn ddiddordebau gwleidyddol amlwg,
er nad ar lwyfan hyd y gwelais. Rhyddfrydwr oedd, ac y mae ambell
gerdd, megis 'Gwrthryfel Llafur' neu'r epigram 'Gormes Cyfalaf': 'rhyw
deyrn erch ar dron oedd / Cyfalaf, – drygai filoedd' (GBI 853) yn radical-
aidd ddigon.

Roedd hefyd yn rhyw fath o genedlaetholwr; o leiaf, roedd ganddo
fflachiadau gwladgarol, os braidd yn gonfensiynol Fictoraidd. Am y
flwyddyn 1874, Islwyn oedd yn gyfrifol am erthyglau blaen *Y Gwlad-
garwr.* Fel y gellid disgwyl, y mae'n ymdrin â'r etholiad cyffredinol a'r
weinyddiaeth Dorïaidd, Araith y Frenhines a'r Gyllideb; y mae cryn
dipyn hefyd ar Ryfel Cartref Sbaen ac ar Ryfel Ashantee, gydag am-
heuaeth ar ffurf gellweirus nawddogol ynglŷn â'r olaf: 21 Mawrth,
'Rhyfel yr Umbrella Fawr' – 'Y mae y brawd Koffee [brenin yr Ashantee]

wedi ei *exposio* hyd yr eithaf, canys y mae ei *Umbrella* freninol wedi ei dwyn oddiarno, a'i chyflwyno fel anrheg i'n grasusaf Frenhines Victoria . . . Gobeithio nad aiff Prydain Fawr i ryfela eto am hen *Umbrellas*.' Y mae'r newyddion o'r India yn ysgogi agwedd jingoaidd a gwaedlyd ddigon. Ar 7 Tachwedd, o dan y pennawd 'Nana Sahib yn y Ddalfa', cawn 'Yr oedd gwaed Cawnpore [miwtini 1857 a'r lladdfa yn dilyn] yn para i waeddu tua'r Nefoedd, a Nana Sahib o'r diwedd a ddaliwyd. Nis gallwn lai na llawenychu yn y digwyddiadau, canys, gydag adyn mor erchyll a hwn, y mae *revenge* yn wir yn felus.' Ond, erbyn 28 Tachwedd, roedd yn rhaid cofnodi ei bod yn anodd profi mai hwn yw y gwir Nana. Nodau braidd yn wahanol a drawyd ym mis Ionawr gyda theyrnged i'r tangnefeddwr, Henry Richard, ac erthygl 'Melldith y Cleddyf'.

Nid oes prinder pwythau i'r Saeson, yn enwedig y crachach. Wrth ganmol rheilffordd y Midland (5 Rhagfyr) am ddiddymu'r ail ddosbarth, y mae'n edrych ymlaen at adeg pan fydd y *first* hefyd yn diflannu, 'ac ni bydd wedi hyny ond cydraddoldeb, fel y sydd yn yr Unol Daleithiau. Os byth y dygwydd i ni deithio gyda'r Midland, byddwn yn sicr o godi tocyn *first class*, er mwyn y godidog obaith o eistedd gyferbyn â duchess, o ymwasgu yn erbyn cysegredig asenau duke!'; 20 Mehefin, 'Segurwr Costus' ar y *pension list*: 'Y mae *ex-clerk of the Pipe* – nis gallwn Cymreigio swydd nad ydym yn ei hamgyffred – o'r enw Mr Panton, wedi pocedu £850 y flwyddyn oddiar 1821, fel iawn am ddiddymiad ei swydd urddasol'; 13 Mehefin 1874, 'Y Saeson a Cheffylau', sef enillydd y Derby yn cael ei groesawu i'w bentref gan seindorf bres: 'Cofia, Ddarllenydd, mai am geffyl yr ysgrifenwyd y ffwlbri uchod . . . Ai dyma'r genedl a fynai edrych i lawr ar wyliau llenyddol a cherddorol y Cymry?'; 12 Medi, 'Pererindod Rhyfedd': 'Y mae torf o Saeson newydd fod yn Ffrainc i wneud ffyliaid o honynt eu hunain ger gwydd holl Ewrop', sef ymweld â chreiriau Edmwnt, archesgob Caergaint, yn Pontigny. Ychwaneger at y rhain hanesyn o'i eiddo yn y *Cardiff Times*, 6 Gorffennaf 1878, wrth gyfeirio at ffolineb barnu llenyddiaeth heb ddeall ei hiaith:

Y mae hyn yn ein coffâu o amgylchiad a ddygwyddodd mewn pentref yn Nghymru er's hir o dro yn ol. Daeth Sais heibio, ac ymosododd y Cymry arno yn ddiymarbed. Yr oedd hyny yn afresymol ynddynt, ond yr oedd y Sais bryd hyny yn ryw fath o ganwyll corff yn Nghymru. Yn eu plith fe gaed rhyw Gymro callach na'r lleill, yr hwn a ddywedodd, 'Aroswch, peidiwch, onidê chi laddwch y dyn.' Atebodd y *mob* – 'Nid *Dyn* yw e, *Shaish* yw e.'

Agwedd o'r gasineb tuag at Babyddiaeth yw crafiad 12 Medi yn *Y Gwladgarwr*. Canmolir Bismarck fel un a all wrthsefyll y Babaeth, 'y Bwystfil yn Rhufain' (25 Gorffennaf), a chyfeirir yn wawdlyd o dan y pennawd 'Gweddio Ffasiwn Newydd' at offeiriad pabyddol yn melltithio'r rhai nad oeddynt wedi anfon eu plant i ysgol babyddol. Cefnogir hefyd, mewn erthygl 'Esgob Llanelwy a Defodaeth' (21 Tachwedd), safiad yn erbyn tueddiadau pabyddol, defodaidd yn yr Eglwys Anglicanaidd. Y mae'n croniclo marwolaeth Livingstone yn 'Y Teithiwr Mawr' (4 Ebrill) – 'Ffarwel, Livingstone! Ffarwel, Columbus Affrica!'; yn canmol y Deon Stanley ar Undeb Cristionogol (30 Mai); ac yn edmygu 'Cyfaill i Fechgyn Digartref' (19 Rhagfyr), sef Dr Barnado. Ond efallai mae'r clerigwr sy'n ei blesio fwyaf yw Spurgeon, dyn gonest (3 Hydref), a hynny am iddo ddweud 'fod yn bosibl i ddyn ysmocio'n grefyddol, a'i fod ef yn gobeithio mwynhau *cigar* cyn myned i'w orweddfa y nos hono'.[13] Gellid synhwyro bod elfen bersonol yn hyn, ond fe gyffredinolir y ddadl drwy gyfeirio at beryglon amlhau pechodau: 'Y pechod gan y *tyrants* hyn – y pechod yn awr yw ysmocio. Yr ydym yn cofio amser pan y cyfrifid yn bechod pendant i ddyn droi ei wallt oddiar ei dalcen! . . . Nid amddiffyn yr arferiad yr ydym, ond amddiffyn rhyddid personol dyn – amddiffyn anibyniaeth dyn.' Cystal nodi yn y fan hyn mai gochelgar iawn oedd agwedd Islwyn at ddirwest, efallai, meddid, am ei fod yn mwynhau ambell wydriad o wisgi fin nos.

Gresyna hefyd ('Canu Fyth, Darllen Dim', 29 Awst) mai ar gerddoriaeth y mae gwario'r genedl:

> Esgeulisir duwinyddiaeth, esgeulisir athronyddiaeth, dibrisir y gwyddonau, ni thelir nemawr sylw i hynafiaethau a hanesyddiaeth; ychydig iawn o'n cydwladwyr sydd yn derbyn, a llai eilwaith sydd yn darllen ein Cyhoeddiadau Chwarterol gwerthfawr . . . Cedwir y bardd yn dlawd, cwynir ychydig geiniogau am ei gerddi, cedwir y llenor a'r athronydd a'r hanesydd yn ddwfn o dan ddwr; ac am y gweinidog, gall hwnw agor Siop pryd y myno ond iddo ofalu peidio rhoi llawer o *drust* i aelodau ei gynulleidfa, canys hwynt-hwy yn aml yw y prynwyr haelaf a'r talwyr gwaethaf.

Ond y mae cyflwr y gweithiwr ac anghyfiawnder cymdeithasol yn ei boeni yn fwy fyth. Yn rhifyn 11 Gorffennaf, ar y testun 'Help i'r Chwarelwyr', fe geir datganiad croyw o'i Radicaliaeth: 'Mae pob peth yn arwyddo fod y rhyfel rhwng *capital* a llafur yn tynu at bwynt terfynol.

Y mae gweithwyr y byd wedi bod dan draed trwy yr oesoedd
. . . Y mae y goleuni newydd wedi llewyrchu ar Dinorwig a Llanberis, ac y
mae baner Rhyddid y gweithiwr wedi ei chodi wrth droed yr Wyddfa.' Ar
1 Awst, y mae'n cymeradwyo 'pererindod y tir-lafurwyr' sy'n sefyll allan
am godiad cyflog; ac, ar 24 Hydref, y mae'n condemnio 'annghyfiawnder
a chythreuligrwydd' crogi Dic Penderyn, ar ôl clywed bod rhywun yn
America wedi cyffesu ar ei wely angau mai ef a laddodd y milwr.

Y tu ôl i'r gweithgarwch cylchgronol hwn roedd y carafanau eistedd-
fodol yn cyson rolio ymlaen. Yn ei erthygl ar 'Islwyn a'r Eisteddfod' y
mae Glyn Ashton yn cyffesu mai 'gormod o orchwyl yma fyddai olrhain
holl gampau eisteddfodol Islwyn', a hawdd iawn yw amenio. Fe fu'n
cystadlu a beirniadu mewn dwsinau, ugeiniau ohonynt, fawr a mân;
cofier nad oedd unrhyw waharddiad yr adeg honno rhag beirniadu a
chystadlu yn yr un eisteddfod. Eto i gyd, nid oedd Islwyn heb ei feirniaid
yn hyn o beth, fel y mae ei lythyr at Gwilym Cowlyd ar 9 Medi 1875 yn
tystio (LlGC 9228: Hobley Griffith NS, 78):

Gyda golwg ar fy ngwaith i yn cystadlu dipyn, a glywodd dyn erioed y
fath dwrw wirion a gedwir! Mewn difrif y mae y fath ignorance a chulni
islaw sylw – Nid oeddwn i yn barnu ond ar ddau bwnc, ac er fod rhyw
30ain o destunau rhaid fy nghau i allan ohonynt oll! Beth mae'r coreich
yn ei feddwl o'u beirniaid? Ai gwŷr o anymddiried a thwyll ydym oll – os
felly trenged yr Eisteddfod fyth. Yr wyf wedi colli lawer tro, ond heb
achwyn – rhaid i rywun golli. Diolch am eich sylwadau brawdol, mi wnaf
sylw ohonynt yn ol eich cynghor.

Ond, cymerais ragofal gonest. Pan anfonodd y Pwyllgor i ofyn a
wnawn feirniadu atebais 'I am willing to adjudicate upon these subjects,
provided I shall not thereby be disqualified from competing on other
subjects shd I feel so disposed.' Yr oedd hyn yn amod hollol, a chefais yr
atebiad fod genyf berphaith hawl a thrwydded ar yr holl faes cystadleuol.

I bobl fel ni, sy'n gweithio dros ein gwlad am bron lai na dim, onid
anfad yw lluchio llaid arnom fel hyn ar ol pob Eisteddfod – y mae yn
ddigon peri i ddyn lwyr ymneillduo o'r maes. Dyna fy nheimlad ar hyn o
bryd . . .

Cofier hefyd mai brith iawn oedd y patrwm eisteddfodol yn y chwarter
canrif y bu ef ynglŷn â'r sefydliad. Yn wir, y mae sôn am sefydliad yn
gamarweiniol ynddo'i hun; ddwy flynedd wedi marw Islwyn y ffurfiwyd
Cymdeithas yr Eisteddfod Genedlaethol. Y mae'n wir i eisteddfodau y
gellid yn ddilys eu galw'n genedlaethol gael eu trefnu ar ôl Eisteddfod

Fawr, a checrus, Llangollen yn 1858 – o 1861 yn Aberdâr hyd Gaerfyrddin yn 1867 – ond cael a chael fyddai cyfrif eisteddfodau'r gogledd rhwng 1873 a 1878 yn rhai gwir genedlaethol. At y rhain, yn ystod cyfnod cystadlu a beirniadu Islwyn, roedd dros gant o eisteddfodau 'cadeiriol' ar draws y wlad.[14] Eisteddfodau cymdeithasau cyfeillgar (yr Iforiaid, er enghraifft) neu gapeli oedd llawer ohonynt, ond ni ddylid eu diystyru oherwydd hynny, chwaith. Gwrandawer ar Islwyn yn canmol Eisteddfod Maesycwmer yn y *Cardiff Times* (14 Medi 1878): 'Ni fuom mewn Eisteddfod fwy pleserus a hyfryd erioed' ac y mae'n cyferbynnu'r Eisteddfod Genedlaethol a ddaeth

> a'r hwyadledd a'r hir-wyntedd cadeiryddol . . . i fodolaeth; ynddynt hwy, yn y cyffredin, fe geir areithiau hirion gan Aelodau Seneddol ac Arglwyddi, ar bynciau perthynol i wladlywiaeth gartrefol neu dramor, neu ar 'gwestiynau cymdeithasol', fel eu gelwir. Eithr nid oes dim a fyno *politics* ag eisteddfod, ond nis gall urddasolion o'r fath hyn siarad ar ddim arall.

Gwahanol iawn ydyw yn Eisteddfod Gadeiriol Caerffili (*Cardiff Times*, 18 Mai 1878): 'Yr ydym yn hoffi gwyliau Cymreig. Y mae y cydgyfarfyddiad cydnaws yn ein cludo yn ol i oesoedd gogoniant Cymru, pan yr oedd i fardd fraint drwydded i bob llys, ac i gerddor roesaw yn mhob palas.' Roedd tipyn o'r hirwyntogrwydd, ond hefyd o gydnabod safon deilwng eisteddfod capel, yn adroddiad Y *Gwladgarwr* (1 Chwefror a 22 Mawrth 1878) ar Eisteddfod Treherbert, Nadolig 1877, pan enillodd Islwyn ar awdl 'Y Nef'. Cafwyd beirniadaeth agos i ugain munud gan Hwfa Môn, ond diweddodd: 'Ystyriwn fod yr Awdl hon yn EM ddysglaer yn mysg trysorau ein hiaith; ac y mae yn fri i Eisteddfod Carmel, Treherbert.'

Denwyd Islwyn yn gynnar, fel y gwelsom, gan gyfaredd cystadlu, a chwmnïaeth clic barddas. Yn ôl Aneurin Fardd, mewn llythyr at O.M. (AMC 1729), fe gafodd wobr yn Eisteddfod Gelli-groes ar gân 'Golygfa Mynwent y Stow, Casnewydd' ac fe gyfansoddodd bryddest 3,000 o linellau ar 'Ryddid' yn Eisteddfod Cymmrodorion Dirwestol Merthyr, y ddau yn ôl pob golwg yn 1852 neu cyn hynny. Y mae llythyr at R. J. Derfel ar 24 Awst 1855 (LlGC 3292E) yn dweud yr hanes:

> Yr wyf yn cofio i mi ysgrifenu Pryddest aruthrol faith ar y testun 'Rhyddid' ers tair blynedd yn ol. Ychydig wyddwn i beth oedd gwir farddoniaeth bryd hyny. Chwi synwch pan ddywedaf wrthych fod y

bryddest dros dair mil llinellau o hyd. Cafodd Iorwerth G. Aled y wobr gyntaf a minau yr ail. Bu Eben Fardd ein Heber dirion – yn dyner iawn o honi yn ei feirniadaeth a dywedodd fod llawer o dan awenyddol ynddi, a bod darfelydd yr ysgrifenydd yn anturus – Mae yn well genyf na chan punt iddi fethu cyrhaedd y wobr flaenaf oblegid nid oedd ynddi nemawr dim yn werth ei gyhoeddi. Yr wyf wedi ei llosgi ers hir amser; ac i'r tan a phob ystwff cyffelyb! Pe buasai Eben Fardd yn ei llosgi yn y fan hono, ac anfon ei hulw i mi, buaswn yn diolch iddo yn awr.

Wedi ei ddal felly yn 19 neu 20 oed, roedd yn y maglau weddill ei oes, a'i aflwyddiant cymharol fel cystadleuydd yn ei arwain ymlaen fel gamblwr yn disgwyl gwell lwc y tro nesaf. Aeth hobi'n gaethiwed. Arwydd o'r cyfansoddi ar archeb yw'r cyfrif llinellau a welir mor aml ar ymyl y ddalen yn y llawysgrifau; nid oes dim o'r fath yn llawysgrifau'r *Storm*. Fe wnaeth y cystadlu peiriannol a diystyr ddirfawr niwed i'w awen; os oedd gwreichion i'w cael wedi'r *Storm*, blanced dân yn hytrach na megin oedd yr eisteddfota. Cafodd ei hun yn cystadlu â rhai oedd yn salach beirdd o ddigon, ond yn well cystadleuwyr. Wrth ymgiprys yn eu herbyn am dlysau a chadeiriau a theganau, fe'i gosododd ei hun ar yr un lefel, ar eu cae cartref megis. Y mae'n bur debyg iddo gael cam ar brydiau; roedd llawer o'r beirniaid yn ddiofal ac esgeulus, yn fympwyol, yn ffafrio ffrindiau – ac fe welwyd eisoes sut yr oedd Islwyn ei hun yn dod dros yr anhawster bychan o gyfrinachedd y ffugenwau.

Ni lwyddodd erioed i ennill cadair un o'r Eisteddfodau Cenedlaethol. Bu'n aflwyddiannus yn Aberdâr yn 1861 ar 'Genedl y Cymry', o dan Eben Fardd, Emrys ac Aneurin Fardd fel beirniaid. Yn ychwanegol at Islwyn, roedd Cynddelw, Elis Wyn o Wyrfai, Hwfa Môn, Hywel Glan Cefni a Nicander yn ymgeisio, a'r olaf a orfu. Gwelir awdl Islwyn yn GBI 403–32 ac nid oes, a dweud y gwir, fawr iawn o arbenigrwydd yn perthyn iddi, gyda'r ystrydebau a'r ormodiaith arferol:

> Hen Gymru oedd enwog am wir ddoniau,
> Mwy na fu Athen am hynafiaethau,
> Aruthredd didor, a thraddodiadau,
> Awenol aniaeth, a gwronawl enwau
> Mawredig gymeriadau – fal ser pur
> I lawr hyd Arthur ar asur oesau.

A'r hanes, wrth gwrs, yn gorffen yng nghrefyddolder y Cymro:

Mewn crefydd beunydd mae'n byw,
Ei nodwedd, ei elfen ydyw.

Efallai mai'r unig adran ddiddorol, yn wyneb ei ddilorniad ychydig
flynyddoedd ynghynt, yw'r un sy'n clodfori'r gynghanedd:

Gemau'r awen Gymrêig – gwych harddwisg
Ei cherddi mawreddig.
Nid ydyw'r drefn nodedig – yn gadwen
Na lludd i awen mewn llaw ddeheuig.

Edrydd Llew Llwyfo am ornest y bryddest mewn eisteddfod yn Aberdâr,
ac y mae'r dyddiadau yn awgrymu mai un 1861 oedd hi. Cyfeirio y mae
at William Thomas (Glanffrwd; 1843–90) pan oddeutu 17 oed, yn cys-
tadlu yno ar y bryddest ar 'Ardd Eden', pryd y rhannwyd y wobr rhyng-
ddo ef ac Islwyn. 'Nid rhyfedd i gyfran luosog o'r gynulleidfa ddatgan
syndod, os nad anfoddogrwydd grwgnachlyd, wrth ganfod llengcyn
cymharol ddibrofiad yn cydgyfranogi o'r wobr âg un o brif feirdd
Cymreig yr oesau', medd Llew Llwyfo, gan ragdybio'n gynamserol
braidd enwogrwydd Islwyn. Disgrifir cynnwrf yn y dyrfa ond, ar
ddiwedd yr eisteddfod, wrth i'r ddau gydfuddugwr gydgyfarfod yn
'safle'r gerbydres gerllaw,' cafwyd hwy 'yn llongyfarch eu gilydd gyda . . .
serch a brwdfrydedd . . . ; ac Islwyn, yn ei ddull ysmala ei hun, yn anerch
Glanffrwd, gan ddywedyd: "Fachgen, mae'n ymddangos fod pawb yn
ffraeo, oddigerth nyni ein dau".'15
  Y mae cerdd Islwyn (GBI 185–92) yn ailadrodd delweddau a themâu'r
Storm – mynyddoedd (Alpau, a Chimborazo eto), fforestydd, penrhyn,
llais natur, sêr ac angylion, cymhariaeth â Chymru – yn wir gellid meddwl
am nifer fawr o'r llinellau yn ffitio'n hwylus ac nid annheilwng i'r gerdd
fawr:

Dihunid brenin y baradwys dlos
Gan anthem anian weithiau ganol nos,
A rhodiai allan ar yr hwyr-awr bêr
I wrando ar hyawdledd pur y ser –
Cenhadon disglaer tragwyddoldeb pell
Sy'n canu eto am ryw fydoedd gwell.

  . . .

Deallai iaith yr awel ar y bryn,
A iaith y dail, a dyfnaf iaith y don,
'Roedd ei synhwyrau yn ysbrydol bron.

> Mae anian eto'n siarad, ond y mae
> Clyw dyn yn fyddar ond i lefau gwae.

Neu:

> Mae ambell lannerch yn fy Nghymru dlos, –
> Pan rodiwyf drwyddi rhwng y dydd a'r nos,
> Pan fyddo'r ser yn ennill ar yr huan –
> I mi fel darn o Wynfa Duw ei hunan.

Cerdd anwastad ac ailadroddus yw, ond am unwaith roedd testun eisteddfodol yn ei alluogi i ganu yn ôl ei awyddfryd yn hytrach nag yn ôl y disgwyl.

Nid yw'n ymddangos iddo ymgeisio yng Nghaernarfon yn 1862, ond roedd yn ei ôl yn Abertawe yn 1863 ar y testun 'Albert Dda'. Y beirniaid oedd Iago Emlyn a Clwydfardd. Ymgeisiodd deg, yn eu plith Emrys, Gwalchmai, Islwyn a Talhaiarn. Barnai Clwydfardd Talhaiarn yn orau, ond roedd Iago Emlyn yn bleidiol i Gwalchmai. Heb ymgynghori â neb, anfonodd Iago Emlyn bum awdl at Hiraethog fel canolwr a'i ddewis ef oedd Emrys; cytunodd Iago Emlyn, a chadeiriwyd Emrys. Wedi i hyn i gyd ddod yn hysbys fe brotestiodd Talhaiarn, ac fe aeth y cyfan yn gecru ynglŷn â rheolau ac ansawdd y cyfansoddiadau. Fe geir yr hanes diddorol gan Dewi M. Lloyd yn *Talhaiarn* (Caerdydd, 1999, tt.174–7). Ni chymerodd Islwyn ran yn y ffraeo ond fe gyhoeddwyd ei awdl yn 1869, ac y mae i'w gweld yn GBI 331–5. Ar y cyfan, o ystyried y testun, nid yw'n mynd dros ben llestri, ond mae'n rhaid cyfaddef bod ynddi ddarnau cyffredin iawn ac eraill sy'n chwyddedig, os nad doniol:

> Hwnt ar adenydd hoewon trydanol
> Ehedau'r eres hanes resynol;
> Cyffroai don ar fôr cyffredinol
> Dynoliaeth – ton o hiraeth tynerol.

(Annheg, efallai, yw cofio llinellau Alfred Austin ar salwch Edward VII: 'Swift o'er the wires the electric message came / "He is not better, he is much the same".') Wedyn y mae cyffyrddiadau eithaf hapus, fel yn y rhan ar yr Arddangosfa Fawr a'r Palas Grisial:

> Hapus fan, cwmpasai fyd
> A'i dawel gelfau diwyd.

Ple is haul i'r palas hwn
A'i loewbyrth gyffelybwn?
Palas yr hoffai pelydr
Y ne wen, warae 'n ei wydr!

Yn yr un eisteddfod roedd Islwyn yn feirniad gyda Glan Alun ar y bryddest 'Dychweliad y Gaethglud o Babilon'; y buddugwr oedd Hywel Glan Cefni. Dyma'r tro cyntaf i Athan Fardd weld Islwyn:

Pan ddaeth Islwyn yn mlaen i ddarllen ei feirniadaeth ar un o'r testynau, ymddangosai yn ddyn ieuanc boneddigaidd, gwylaidd, a phruddglwyfus; a chan fod ei lais dipyn yn wan, nid oedd neb yn ei glywed ond y ffodusion o gwmpas yr esgynlawr, a gwaeddodd y Parch Henry Thomas, Llansawel, am iddo siarad yn 'uwch'. Hanner wenodd y bardd mawr, pan glywodd darandrwst ddisyfyd Mr Thomas, ac edrychodd tua'r man yr eisteddai'r taranwr, gan awgrymu iddo ef a'r gwyddfodolion nad oedd natur wedi ei gynnysgaethu â pheiriannau llafar trystfawr. Flynyddoedd wedyn dywedodd Islwyn wrth Athan ei fod yn cofio'r achlysur yn dda a chwarddai yn ddoniol pan dywedai, 'Pe buasai genyf ddim ond *adlais* taran y brawd hwnw, buasai yn beryglus i mi waeddu yn y corff Islwynaidd hwn.'[16]

Cawn weld ar ddiwedd y bennod ei atgofion am ddigywilydd-dra'r pwyllgor lleol.

Ceisiodd am y Gadair wedyn yn Eisteddfod Genedlaethol Aberystwyth, 1865, ar 'Sant Paul', pan ataliwyd y Gadair gan y beirniaid Caledfryn a Dewi Wyn o Essyllt. Ymhlith y saith ymgeisydd cafwyd hefyd Nicander, Ap Vychan ac Ioan Emlyn. Ni phleswyd Caledfryn o gwbl gan yr awdlau. 'Condemniai y cwbl yn lled erwin,' meddid,

ac yn niwedd ei sylwadau ar yr awdl oreu [sef un Nicander], dywedodd rywbeth tebyg i hyn: – 'Mae yn yr awdl hon dros haner cant o wallau, ac y mae y rhai hyn yn sefyll fel gosgorddlu rhwng yr ymgeisydd a'r Gadair': ar hyny aeth yn ol, ac eisteddodd yn ei le. Ymddangosai yr Arweinydd, a phawb arall hefyd, mewn tipyn o betrusder, heb wybod yn iawn beth oedd dyfarniad y beirniad: ond dyma Caledfryn drachefn ar ei draed, ac meddai – 'Dweyd yr wyf fi nad oes neb yn deilwng o'r Gadair. Os awn i wobrwyo pob math, fe aiff ein barddoniaeth i lawr mor isel ag eiddo yr hen frawd fu yn ein hanerch ar y dechreu [gan gyfeirio at un a elwid 'Bardd Berw' a oedd wedi adrodd rhigwm diniwed, diacen, a difesur, ond yn odli yn amlwg-ddigrif].'[17]

Yn wyneb hyn nid yw'r feirniadaeth ar gynnig Islwyn yn ddifaol iawn:

> Bran ab Llyr Lediaith: Awdl dda yw hon, can belled ag y mae yn ymwneud â'r testun. Gresyn fod yr awdwr wedi gadael rhai amgylchiadau pwysig yn mywyd yr apostol heb grybwyll dim am danynt; ac ereill heb ddim ond prin eu cofnodi. Yr ydym ni yn ffaelu a gweled y priodoldeb o ddyweud fod meddwl yr Apostol wedi ei gymylu wrth draed Gamaliel: –

> > A'r Iuddew ieuanc roddwyd – dan uchel
> > Law Gamaliel, a'i feddwl gymylwyd.

> Pa fodd y gallai gael ei gymylu wrth dderbyn addysg? Yr ydym yn ffaelu gwybod hefyd paham y rhoddes yr awdwr Vereus [Nereus ac Urbanus yn gywir] i adrodd hanes Paul. Y mae yr Awdl hon, oddigerth yr ychydig bethau a nodwyd, yn lled reolaidd. Y mae yn cynwys hanes helaeth am Paul; ond y mae yn rhy wasgaredig ac amddifad o nerth. Y mae y cyfansoddiad yn frith o fân addurniadau a darfelydd, ond nid yw yn meddu ar rym llifeiriant, nac ar danbeidrwydd y fellten.[18]

Efallai fod peth anghysondeb rhwng dymuno math ar draethawd bywgraffiadol manwl ac ar yr un pryd 'danbeidrwydd y fellten', ond y mae'r beirniad yn llygad ei le wrth ei galw'n wasgaredig ac amddifad o nerth (GBI 505–29). Syniad eithaf da, mewn gwirionedd, oedd cael yr hen ŵr Urbanus i agor yr hanes o'i ddiwedd megis:

> Bore heddyw, – ai breuddwyd – yw y peth?
> > Ein Paul a aberthwyd;
> > Ein sancteiddiaf uchaf ŵr,
> > Ein noddwr ddienyddiwyd;
> . . .
> Galar gerdd glywir i gyd – a nodau
> > O anedwydd dristyd,
> > Drwy'n daearol farwol fyd,
> > Mae rhwyg mawr o'i gymeryd.

Ar yr un pryd fe ragfynegir cerydd pedestraidd Caledfryn gan esgusawd Urbanus:

Fôr o destyn! pwy all ei ddarlunio?
Fy noniau sydd yn ei ddwfn yn suddo,
Ar hyd ei ymylon rhaid im hwylio,
Ar hyd ei finion y rhodiaf heno . . .

Y mae cymaint â hyn yn awgrymu'r troedio dŵr a'r llacrwydd sy'n elfennau amlwg yn y gerdd, ac nid oes digon o fflachiadau dychymyg i'w hachub. Y mae olion straen yn y modd y mae'n llurgunio enwau i ffitio'r gynghanedd – Gethseman, Palestin (ond Palestina yn y llinell nesaf ond un) – neu yn yr ymgais at strôc, gyda'r ebychnod yn gwaethygu pethau:

Ond ef – Columbus crefydd! – a hwyliai
    O olwg y glennydd.

Pedestraidd iawn yw'r cyfan, a dweud y gwir.

Yn yr eisteddfod hon yn Aberystwyth y gorchfygodd Cranogwen Islwyn, Ceiriog, Tafolog a Mynyddog ar gân i'r 'Fodrwy Briodasol'. Fe ddisgrifir yr achlysur fel hyn:

Wedi mynegu nifer yr ymgeiswyr a chanmol y gystadleuaeth, dywedai Hwfa, gyda llais mor uchel fel yr oedd pob gair i'w glywed yn mhen pella'r babell: 'Wyddom ni ddim pwy ydyw neb o'r ymgeiswyr hyn mwy nag a wyddom beth sydd yn nghalon y Wyddfa.' Ar ol galw yr enw oedd wrth y gân oreu, aeth merch ieuanc, ddigon cyffredin ei hymddangosiad, o blith y dorf, i fyny i'r llwyfan, rhyw Miss Rees, hollol anadnabyddus i ni y pryd hwnw, ond erbyn heddyw neb amgen na'r glodfawr Granogwen. Dywedid fod rhai o brif feirdd y genedl yn y gystadleuaeth hono. Yr ail oedd Edward Edwards (Ap Myrddin, brodor o Bennal, yn Sir Feirionydd), ag oedd ar y pryd yn glerc twrne yn Aberystwyth.[19]

Ymhen ychydig fisoedd yr oedd Islwyn, efallai i guddio ei chwithdod, yn gwamalu am y golled, mewn llythyr at Daniel Davies (30 Mawrth, 1874: AMC 6806):

Gwelaf yn amlwg fod y Cashier am i'r Farddes Gadeiriol gael pregethu. Nid yw 'pregethu' ond 'addysgu' ac y mae hi yn hên wneyd yr olaf – Eithr, boed iddi fod yn eithriad ddyddiau'r ddaear – Os cofiaf yn gywir, dyma y llinellau:

Rhaid addef mwy, hi biau'r gân,
Hi 'nghurodd i yn ddigon glân:

Gwir fod y testun yn bwrpasol
I ferch – 'Y Fodrwy Briodasol':
Peth chwithig oedd mewn merch mor fad
I guro'i hawenyddol dad –
Mae hyn yn arwydd ddigon siwr
Y bydd i'r Farddes guro'i Gwr!

Adlewyrchu rhagfarnau ei oes oedd Islwyn, gyda llaw, yn ei agwedd tuag at ferched yn y pulpud, fel y mae nodyn yn y *Cambrian* (14 Gorffennaf 1848) yn tystio: 'TOWER LANE CHAPEL. The Twelfth Anniversary of the Tower Lane Chapel was held on Sunday last, when sermons were preached in aid of the Chapel fund, morning and evening, by Mr Phillips, from North Shields; and in the afternoon, by a Female.'

Teg ychwanegu ei fod, yn y *Cardiff Times* am 26 Hydref 1878, yn cyfeirio at raglen y cylchgrawn arfaethedig *Y Frythones*, dan olygyddiaeth Cranogwen, gan ddweud, 'Y mae Miss Cranogwen Rees yn fwy galluog a chymhwys at hyn o olygyddiaeth na, hwyrach, neb yng Nghymru.' Er, tybed a oes awgrym yn yr 'hyn o olygyddiaeth' nad yw cyfnodolyn i ferched i'w osod yng ngradd flaenaf cyhoeddiadau?

Nid oes tystiolaeth iddo ymgeisio yn y Genedlaethol yng Nghaer, er bod ei enw ymhlith y pump o dde Cymru a enwebwyd ar gydbwyllgor i lunio adroddiad ar berthynas y Gadair â'r awdl a'r bryddest.[20] Gosodwyd ef hefyd ar bwyllgor i'r un perwyl yn Eisteddfod Gadeiriol Rhuthun yn 1867, ond unwaith yn rhagor nid oes sôn am gystadlu. Efallai mai'r paratoadau ar gyfer cyhoeddi *Caniadau* (1867) oedd yn mynd â'i fryd. Peidiodd y Genedlaethol â bod tan yr Wyddgrug yn 1873 ac roedd dyddiau cystadlu am y Gadair fel petaent wedi dod i ben yn hanes Islwyn, ond nid heb un cynnig arall a aeth i'r gwellt. Mewn llawysgrif (LlGC 5869B) sydd hefyd yn cynnwys yr awdl 'Cartref', yr awdl fuddugol yng Nghaerffili yn 1874 (GBI 145–52 a'r *Traethodydd* xxx, 1876, 5–11), y mae braslun 11 tudalen ar gyfer cerdd ar 'Y Beibl', sef testun gosod y Gadair yn Eisteddfod Genedlaethol Bangor yn yr un flwyddyn. Yr hyn sy'n ddiddorol yw mai cymysgfa o Saesneg a Chymraeg yw'r drafft, ac y mae'r un peth yn wir am ddrafft cynllun 'Cartref', sydd â'i ddeuparth yn Saesneg. Fel hyn y mae'r nodiadau yn dechrau:

– Hanfodion Cartref dedwydd: 'The angry voice suppressed, the taunting thought – the petty strife.'

'All the peace which springs
From the large *aggregate* of little things –'

'The fond attack! to the well-known place
Whence first we started into life's long race
Maintains its hold, with such unfailing sway,
We feel it even in age, and at our latest day.'

Y Morwr yn y storm – Y Milwr yn y frwydr.

= Un Cartref – y cyntaf! Tad, mam, etc.
= Hanfod cartref: *Personau*. Serchiadau –
  For without hearts, there is no home!
  The kettle sings – Cricket – Y ci, y gath –
  Y plant wedi bod yn chwareu drwy y dydd – Evening –
  Darllen –

Beth tybed oedd yn cyfrif am y gymysgfa? Yn amlwg ddigon, roedd
y ffaith mai'r Saesneg oedd iaith yr aelwyd briodasol, fel yn achos
cartref ei ieuenctid, yn ei arwain i'r fath gyfeiriad; ond a oedd rhywbeth
ychwanegol ar waith yn 1874? Anodd dweud, wrth gwrs, ond fe ellid
awgrymu, yn achos awdl 'Y Beibl', mai Saesneg fyddai iaith y rhan fwyaf
o'r llyfrau a fyddai'n eu defnyddio; ac, am 'Cartref', diddorol gweld ei
fod yn parhau i ddyfynnu Hannah More ('Sensibility, A Poem', ar
ddiwedd *Sacred Dramas*, 1782) ac y mae cyfeiriad yn sicr hefyd at *The
Cricket on the Hearth: A Fairy Tale of Home*, Dickens, 1846. Y mae'r
gerdd yn dilyn patrwm yr amlinelliad yn bur glòs ond, beth bynnag am
hynny, y mae hefyd yn ymddangos yn fwy personol na'r rhan fwyaf o'i
ymdrechion eisteddfodol:

> Bydd fy Ann eilwaith, bydd fy anwylion,
> Fy merth wiw Dora, fy Martha dirion,
> A'm holl, O! f'holl gyfeillion – fry yn saint
> To maith o geraint, i emu'th goron.

Rwy'n ofni na allaf leoli Dora, os nad oedd yn enw anwes ar un o'r
chwiorydd fu farw'n gynnar.

Erbyn Eisteddfod Genedlaethol Pwllheli yn 1875 yr oedd yn feirniad
ar yr awdl ('Prydferthwch', Tudno'n fuddugol), gyda Llawdden a
Gwalchmai. Beirniadai hefyd ar y gân, testun 'Y Llosgfynydd', ond ar yr

un pryd, cystadlodd yn llwyddiannus ar y bryddest 'Angel' dan yr enw
'Gweledydd' (GBI 267–76)[21] ac ar y cywydd 'Saint Enlli' (GBI 281–3), ond
yn aflwyddiannus ar awdl-bryddest er cof am Emrys (GBI 227–38). Cawn
sylwi eto ar gefndir y beirniadu a'r cystadlu yn niwedd y bennod. Y mae
'Angel' yn rhagori ar y rhan fwyaf o'i ymdrechion eisteddfodol a hynny,
mae'n debyg, am ei bod yn estyniad, neu'n fwy cywir ailadroddiad, o
themâu'r *Storm*: angylion, wrth gwrs, carchar pechod, arwyddion tra-
gwyddoldeb, ysbryd a defnydd, 'rhodio ros-lwybrau Eden'. Ar adegau,
ceir cyfeiriadau sy'n hofran rhwng profiad a dyhead, cred a hygoeledd,
ehediadau barddonol a phathos llinell ola'r dyfyniad:

> Os caf gyrhaeddyd bro y Wynfa,
> Ryw ddedwydd dydd o lwyr ddiangfa,
> 'R ôl cyfarch i fy hen gyfeillion
> Y dyrfa sy yng nghartref Seion,
> Ymholaf am fy Angel-Geidwad
> A'm dygodd drwy fy holl ymdeithiad;
>
> . . .
>
> O uchder nef y nef, yn ôl y syllaf,
> A'm llwybyr cul trwy'r anial dwfn a welaf,
> O garreg-filltir yr ail-eni pell
> Hyd at y terfyn yn y gwynfyd gwell;
> Bydd rhosyn ar bob draenen; gwawr siriolaf
> Yn euro godrau y cymylau duaf.
> O! synnaf weld fath was fu arnai'n gweini,
> Un wisgai fantell o ddi-len oleuni,
> A chob o anfarwoldeb dros y cyfan . . .

Y mae nifer o linellau eithaf llwyddiannus:

> Mae llen y cnawd mor deneu mwy [ar ddiwedd oes]
> Fel gall yr ysbryd dremio *drwy*
> Y gorchudd brau, a gweld dy wedd,
> A theimlo blâs anfarwol hedd.

neu

> I weini ganol nos yn Gethsemane.

Ond, ar y cyfan, y mae'r troedio gofalus drwy hanes ysgrythurol ac
uniongrededd yn feichus, ac y mae'r cyfan yn darfod yn hynod swta.

Gwahanol iawn oedd barn Dewi Wyn o Essyllt, mae'n rhaid cyfaddef:

> Cyfansoddiad o ysplander meddylddrychol ac arucheledd syniadol mawr,
> ydyw'r bryddest odidog hon; ac yn ein barn a'n teimlad ni, ac yn ol ei hŷd
> hithau, yn deilwng o gael eu gosod ochr yn ochr â'r cynyrchion
> barddonol goreu yn yr iaith . . . Y mae yn y bryddest hon, fel ag sydd yn
> holl weithiau *physico-theological* Islwyn, yr elfenau hyny ag sydd yn eu
> gwneuthur mor gymeradwy a phoblogaidd, rhagor i gyfansoddiadau, yn
> mron, bawb ereill o feirdd ein gwlad; sef ei hepisodau adfyfyriol,
> defosiynol, melusber, hyfrydlawn, a swynol.[22]

Prif werth y dyfyniad, ond odid, yw dangos pa agweddau o'i waith oedd
yn apelio at ei edmygwyr mwyaf eiddgar.

Ymddengys nad oedd ganddo ran yn Eisteddfodau Cenedlaethol
Wrecsam, 1876 na Chaernarfon, 1877, ond yn Eisteddfod Genedlaethol
Penbedw yn 1878 roedd yn feirniad ar yr awdl 'Rhagluniaeth' gyda
Hiraethog ac Elis Wyn o Wyrfai. Cadeiriwyd Hwfa Môn, er bod Elis
Wyn o blaid Tudno; gwelsom eisoes dystiolaeth W. Glynfab Williams o
Islwyn yn gweld enw Hwfa Môn, wrth ddal yr amlen at y golau. Bregus
iawn ei iechyd oedd Islwyn erbyn hyn a go brin ei fod wedi cyfrannu
rhyw lawer iawn i'r feirniadaeth. Yn wir, er ei fod yn uchel ei barch fel
beirniad, cwta oedd ei sylwadau gan amlaf, a hynny, yn ôl Dyfed,

> yn codi o ddiffyg amynedd i groesi ambell ddiffaethwch sych y deuai i
> gyffyrddiad âg ef yn ei swydd; ac felly, byddai ei sylwadau yn fyrion, ac yn
> brin o'r addysg hono ellid ddysgwyl o gadeiriau barn. Clywsom ef yn
> dyweyd, lawer gwaith, ar bentwr o gyfansoddiadau – 'Y mae yma lawer o
> dir coch nas gallaf wastraffu amser i fanylu arno.' Er hyny, argyhoeddid
> ni o uniondeb ei egwyddor, a chysondeb ei ddyfarniad, yn ngwyneb ei
> holl wendidau beirniadol. Ni wnai gam â'i elyn, na ffafr â'i gyfaill.[23]

Tebyg yw casgliad cofnodydd arall, wrth drafod Eisteddfod Genedlaethol 1878 pan oedd Hiraethog, Elis Wyn o Wyrfai ac Islwyn yn feirniaid ar yr awdl, a'r ddau arall yn gadael y dyfarniad i Islwyn:

> Yr oedd gan Hiraethog feddwl uchel o Islwyn fel bardd; a thybiai felly ei
> fod yn feirniad da, ac ymddiriedodd ynddo. Y mae yn debyg na wyddai
> fod Islwyn ar y pryd yn mhell dan ddwylaw angeu, a bod beirniadu yn
> fanwl yn beth nas gallai ei wneuthur ar y pryd, heb son am y ffaith addef-
> edig ei fod gryn lawer gwell bardd na beirniad.[24]

Gwelsom ef yn beirniadu yn y Genedlaethol, ac y mae'n bur debyg nad yw'r rhestr o eisteddfodau a geir yn Atodiad 3 yn dihysbyddu ei weithgarwch o ran beirniadu a chystadlu rhwng 1858 a 1878 mewn eisteddfodau eraill.

Er iddo gystadlu cymaint a mwynhau cwmni mân gyd-eisteddfodwyr Gwent, nid oedd Islwyn rywfodd yn ffigwr creiddiol yn y byd eisteddfodol. Yn sicr nid oedd yn ddyn llwyfan fel Llew Llwyfo neu Hwfa Môn, fel y gwelsom yn sylw Athan Fardd arno yn beirniadu yn Abertawe. Ni ddaeth, chwaith, yn fath o batriarch, fel Eben Fardd, Caledfryn a Gwilym Hiraethog. Ac ni fyddai, wrth reswm, yn un o'r criw y canodd Ceiriog iddynt yn ei gerdd 'Cyfoedion Cofiadwy':

A galwyd am delyn i loni y cwrdd,
A 'baco a diod – na wader:
Roedd Creu[ddynfab], a Glasynys a Thal[haiarn], wrth y bwrdd,
Ac R[hisiart] Ddu o Wynedd mewn cader.

Am y farwnad hon y sylwodd Gruffydd Rhisiart yn sarrug yn *Cronicl Canol y Mis* (I, Rhif 9 15 Medi 1872, t.244): 'Yn Eisteddfod —— rhoddir gwobr am y rhestr hiraf o Feirdd a laddasant eu hunain wrth *yfed*. Beirniad, – Ceiriog.'

Y mae un cyfeiriad gogleisiol nad yw'n hawdd ei esbonio. Ar 21 Ebrill 1868 fe gyfarfu'r tri bardd Emrys, Ceiriog ac Islwyn ym Mharc y Faenor, Llanidloes. Y mae'n debyg mai Edmund Cleaton, ŵyr neu gor-ŵyr i Rheinallt Cleaton, cynghorwr cynnar gyda'r Methodistiaid, oedd yn byw yn y plasty bach yr adeg honno, ac efallai fod cyfeillgarwch rhyngddo a'r gorsaf-feistr, Ceiriog. Ond beth, tybed, oedd yr achlysur? Ai tri beirniad mewn rhyw eisteddfod, neu a oedd gan Emrys gyhoeddiad yn y cyffiniau gyda'r Annibynwyr ac Islwyn gyda'r Hen Gorff, a Cheiriog wedi trefnu iddynt gyd-gyfarfod yn nhŷ Cleaton?[25] Sut bynnag am hynny, fe gyfansoddodd Emrys englynion i goffáu'r digwyddiad:

Côf hir fydd am ein cyfarfod – am awr
Rhwng muriau mor hyglod:
Lle iawn i feirdd yn llawn fod
Cân ber ac awen barod.

Ceiriog sy'n bwydo'r corau – â chynnyrch
Ei awenawl *Oriau*;
Damwain oes ydyw mwynhau
Llanidloes yn llawn odlau.

Islwyn yw meistr y swynion, – fe rydd
  Wefreiddiad i'r galon
  Edmygir, dethlir ei dôn
  Yn hir gan blant ein hwyrion.

Eto rhoed lle i'r trydydd, – sef Emrys,
  Sy' fymryn o brydydd:
Heb air traws, mewn ysbryd rhydd, – y beirdd llon
  O burwych galon ro'nt barch i'w gilydd.

Y mae nifer o lythyrau yn tystio i amwysedd Islwyn parthed y sefydliad eisteddfodol. Yn ei lythyr at Thomas Levi,[26] fis wedi marw Ann, fe'i cawn yn gwerthfawrogi Eisteddfod y Fenni, ond yn lleisio anfodlonrwydd neu, yn gywirach, ragfarn, ar le gor-flaenllaw cerdd a ddaw i'r amlwg yn fwy croch mewn blynyddoedd i ddod:

> Bum yn Eisteddfod Fenni a gynnaliwyd y mis diweddaf. Yn wir yr oedd hi yn ogoneddus, o sefydliad o'r fath. Y bai mwyaf a welaf fi yn yr Eisteddfodau mawrwychion yma yw rhoddi gormod o wobrwyon am chwareu telynau, a chanu, &c. – pethau ag sydd yn myned heibio heb adael un effaith da ar feddyliau dynion. Treuliwyd ugeiniau o bunnau yn yr Eisteddfod hon yn y ffordd wastraffus yma. Oni fuasai erbyn heddyw yn gan' mil gwelll i'r symiau tewion yma gael eu rhoddi am Draethodau neu Bryddestau, neu, i beidio bod yn *ann*ghenedlaethol – Awdlau! Buasai genym yn awr rywbeth i'w ddangos i'r byd, ie, i'r oesoedd dyfodol, pe felly y buasai. Ond 'wrth y llyw' y dylid cyhoeddi hyn.

O edrych yn ôl ganrif a hanner, gwaredigaeth wrth gwrs yw na chawsom ychwaneg o gyfansoddiadau diflas a chwyddedig.

Yna, fe geir llythyr 20 Gorffennaf 1866 (LlGC 8099) at Aneurin Fardd yn America, yng nghanol y dadleuon ynghylch dyfodol y Genedlaethol, ac ynddo y mae ei awydd i ddi-Seisnigeiddio'r Eisteddfod yn dod i'r amlwg:

> Y mae y Sefydliad Eisteddfodol, fel yr ydych yn darllen ei helynt yn ddiameu, yn bur flodeuog yn y dyddiau presenol yn ein mysg. Go Seisnigaidd yw yr Eisteddfod Genedlaethol, ond yr wyf bron yn meddwl mai gwell fuasai diwygio hon na rhanu y gwersyll trwy gychwyn yr hyn a elwir Eisteddfod y Cymry. Eto fe ddichon y gwna *opposition* les i'r Genedlaethol i leiâu yr ymddiried mewn *Patronage* ac i'w dwyn i ymddiried yn y

Gymraeg a'r genedl. Lled ieuainc yw y bechgyn sydd wrth lyw Eisteddfod y Cymry, ond byddaf yn synu wrth eu gwroldeb diildio.

Erbyn 27 Mehefin 1871 (LlGC 8104) mewn llythyr at Aneurin, y mae'r nodyn gobeithiol yn parhau:

> Y mae llenoriaeth Eisteddfodawl yn adfywio yn fawr yma wedi tranc yr Eisteddfod Genedlaethol – maddeuwch yr enw 'cenedlaethol'. Y mae Eisteddfod ardderchog i fod yn Towyn, ac un arall yn Llanerchymedd. Yr wyf yn beirniadu yn yr olaf mewn undeb â Nicander a Mynyddog.

Ond y mae ei lythyr at Athan Fardd ar 6 Hydref 1874 yn fwy tywyll ei ysbryd, yn gyffredinol ac yn eisteddfodol.[27] Y mae Athan yn yr atgofion yn ymhelaethu ar y llythyr fel hyn: 'Tybiai Islwyn fod siomedigaethau cystadleuol – yn herwydd dallbleidiaeth, unochraeth, analluedd, ac anonestrwydd rhai beirniadon – wedi anmharu y darfeddyliau cyfoethocaf, ac wedi dwyn llawer cawrfardd i fedd annhymhoraidd!' Ac, yn sicr, nid y lleiaf o'r cawrfeirdd oedd Islwyn ei hun.

Dyma'r llythyr yn ei gyfanrwydd:

Glyn, Pontllanfraith, Hydref 6, 1874

Anwyl Athan

Daeth eich llythyr i law y bore hwn, ac yr wyf, er ei bod weithian yn hwyr, yn eistedd i lawr i'w ateb. Caiff yr englynion fynd i'r swyddfa yfory. Gofynwch i mi anfon Y Gwladgarwr i chwi; nis gallaf hyny, gan nad wyf yn derbyn ond un rhifyn, a bron bob wythnos y mae hwnw yn myned i ryw gymydog ar fenthyg.

Wel, yr oedd yn dda genyf glywed oddiwrthych, ond byddai yn well lawer genyf eich gweled!

Wn i ddim a gawn ni gyd-gwrdd eto – pe caem, byddai yn bur bleserus i'm teimlad i. Y mae Eisteddfod fawr yn Nghasnewydd ddoe a heddyw, ac excursion trains bytholfaith yn rhedeg ar hyd y Sirhowy, gyferbyn a'r breswylfa lonydd hon, ac ar yr holl reilffyrdd. Dywedir fod torfeydd gorfawr yno y ddoe – y dref yn llawn o bobl; ond ni dda gen i am dani gan mai cyfres o concerts ydyw, ac nid Eisteddfod. Prin y mae Eisteddfod yn bod yn bresenol yn y Deheudir. Y fath ffwlbri yw hysbysu 'Cyngherdd yn yr hwyr,' pan nad yw hi ond Cyngherdd yn y bore, a thrwy y dydd. – Mewn gair, yr wyf bron wedi llwyr flino ar lenyddu i'r

Cymry. Y mae fy mryd yn troi yn llwyr at bregethu yr Efengyl Dra-
gwyddol, blas nefolaidd yr hon sydd fwy na phob tâl arianol. Gobeithio,
Athan bach, eich bod yn meddwl am y Dyfodol Mawr – y Tragwyddol.
Gobeithio eich bod yn myned yn gyson i le o addoliad, ac yn ymarfer â'r
moddion uchelaf y sydd i lesoli dynoliaeth. Nid wyf fyth, bron, yn myned
i Gasnewydd, nac i un dref arall, ond pan yn pregethu. Yr ydym ni yma i
gyd yn lled iach – yn debyg iawn i arfer – diolch am hyny. Lled farwaidd y
byddaf yn teimlo yn y cwm dystaw hwn, ac eto, y mae yma dâl. Oes!
Hydref ydyw, ac y mae y gwlaw y funud hon yn seinio rhywbeth ar y bow
windows ag sydd yn well na chynghanedd i mi; y mae y gwrddwynt yn dal
dialogue â changau'r deri o gwmpas y Glyn, ac sydd yn well nag unrhyw
goncert glywais i eto / Sing on! y mae y gerddoriaeth yn cydseinio – yn
adseinio i – rywbeth sydd yn fy ysbryd, yn nyfnderoedd dieithr fy ysbryd i.
  Dymuna fy mhriod ei chofio atoch. Rhowch air cyn bo hir.
  Yr eiddoch yn llesg.
    Islwyn

A'r llythyr olaf i gyfeirio at faterion eisteddfodol yw'r un at Gwilym
Cowlyd, 9 Medi 1875 (LlGC 9228 E, 27)[28] yn trafod cymhlethdodau
beirniadu'r awdl yn Eisteddfod Genedlaethol Pwllheli – dyfynnwyd y
rhan ganol eisoes:

Yr oedd yn rhaid i rywun ysgrifenu 'y Feirniadaeth Swyddol', a chan i'r
cyfansoddiadau fod yn gyntaf yn meddiant Gwalchmai, ac yntau heb gael
cyfarwyddyd at ba un o honom i ddanfon nesaf, a heb wybod fy *address* i,
bu yr awdlau ganddo ef yn hwy na chan Llawdden na minau. Nid oedd
amser i ymdroi, felly ceisiais gan Gwalchmai i ysgrifenu y Feirniadaeth.
Heblaw hyn, ystyriwn mai efe oedd yr hynaf o laweroedd [ganwyd 1803],
ac felly yn haeddu y blaen, os blaen hefyd mewn llafurwaith fel hyn.
Tybiaf ei fod yn anmhosibl i Llawdden gael hamdden i gymryd nodiadau.
Yr oedd, fodd bynnag, yn *hollol* anmhosibl i mi. Y cwbl allai ef a mi ei
wneyd ydoedd barnu *p'un oedd oreu* – dyna i gyd. Wel, mae'n ddios
genym mai Ithel [sef Tudno] oedd oreu. Y mae awr ysbrydoliaeth yn dod
ar bawb o honom yn ein tro, a dyma awr Ithel, dyma ei Rothsay Castle ef,
a thebygol yw na wna ef gyffelyb eto. Hefyd, nid wyf wedi cael eich Awdl
drwy'r post yn ol eich bwriad . . . Hoffwn ei chael. [Ai un o'r rhai
anfuddugol oedd un Gwilym Cowlyd, felly; ac yntau am i Islwyn gael ail
olwg arni?] . . . I bobl fel ni, sy'n gweithio dros ein gwlad am bron lai na
dim, onid anfad yw lluchio llaid arnom fel hyn ar ol pob Eisteddfod – Y
mae yn ddigon peri i ddyn lwyr ymneillduo o'r maes. Dyna fy nheimlad
ar hyn o bryd . . .

Y cantorion sy'n mynd â'r Eisteddfod a byddai bron well ei gadael i
fynd yn ysglyfaeth iddynt. Cyngherdd yn yr hwyr, yn wir! Cyngherdd yw
hi yn y bore hefyd, a thrwy y cydol oll.

Ei air olaf ar yr eisteddfod, yn y *Cardiff Times* ym mis olaf ei fywyd,
yw'r mwyaf gerwin. Croniclo y mae ei atgofion am Eisteddfod Genedlaethol Abertawe yn 1863, helyntion y ceir disgrifiad afieithus ohonynt
gan Hywel Teifi Edwards yn ei *Gûyl Gwalia* (tt.32–5). Gwnaed 'a
respectable surplus' ar yr eisteddfod, medd Islwyn (yn agos i £500 yn ôl
Hywel Teifi), ac fe â ymlaen:

> Yr oedd rhai, rhyw dair wythnos wedi'r Eisteddfod, yn treulio prynhawn
> yn y Mumbles, ac yn eu plith yr oedd John Griffiths ('Y Gohebydd') a
> Chreuddynfab [William Williams, Ysgrifennydd Cyffredinol Cyngor yr
> Eisteddfod], ac ysgrifenydd y llinellau hyn, ac amryw eraill. Hwyr
> brydnawn y dydd hwnw y cynaliai 'local committee' Abertawe eu
> cyfarfod olaf, sef 'i ranu yr yspail' arianol. Ymadawodd Creuddynfab
> gyda thrên gynharol, er mwyn bod yn bresenol yn y pwyllgor. Arosasom
> ni, yn anadlu awyr falmaidd y dòn. Yr oedd Creuddynfab wedi aml ofyn i
> ni am y Feirniadaeth, a phallem ei rhoddi, oherwydd na wnai y 'local
> committee' roi ffyrling am ein chwech wythnos o feirniadu, ac am agos
> gyfrol o feirniadaeth. Yn y man cyrhaeddasom ein llety yn Abertawe
> [mae'n debyg mai Islwyn yn unig a olygir o hyn ymlaen], ac yno yr
> oedd Creuddynfab yn dysgwyl am danom – fel dyn wedi tori ei galon.
> 'Beth yw'r mater?' 'Y mater! y mae 'nhw wedi rhanu'r arian *i gyd*,
> cydrhyngddynt a'u gilydd; ac fe waharddwyd i mi yngan gair yn y
> Committee, oblegid mai gwas y Pwyllgor Cyffredinol oeddwn i, meddent
> hwy, ac nid gwas y Pwyllgor Lleol.' 'Oh, wel, dyna'r feirniadaeth i ti,
> Creuddynfab – gwna beth fyd fynot o honi.' Dealler fod 'local committee'
> Abertawe wedi rhanu y cwbl cydrhyngddynt a'u gilydd – sef cydrhwng
> clercod, tafarnwyr, siopwyr, marsiandwyr, &c. A hyn oll heb gymaint a
> thalu *postage* y parseli mawrion o ysgrifau! Heb, hefyd, dalu costau ein
> hymweliad ni â Wyddgrug, i weled y diweddar Glan Alun, ein henwog
> cydfeirniad, oherwydd rheswm angenrheidiol! A heb dalu dimeu o'n
> costau yn Abertawy.

Yr unig nodyn anrhydeddus yn yr holl fusnes, ac y mae'n eithaf posibl
nad oedd Islwyn yn gwybod hyn, oedd bod un o'r Ysgrifenyddion, ei
hen athro Dr Evan Davies, wedi derbyn £50 am ei waith ond wedi ei
drosglwyddo i goffrau Cyngor yr Eisteddfod.

Efallai mai am y clod, ac i fesur llai am y wobr ariannol yr oedd

Islwyn yn *cystadlu*. Ond gwaith llafurfawr a diddiolch oedd y beirniadu, a hynny'n aml am y nesaf peth i ddim o gydnabyddiaeth, hyd yn oed a bwrw ei fod yn derbyn tâl o gwbl. Y mae Daniel Davies yn cyfeirio (*Cymru*, Chwefror 1896) at 'un adeg, yn agos i derfyn ei oes, yn ymboeni gyda beirniadu swm anferth o farddoniaeth ar gyfer un o brif Eisteddfodau y blynyddoedd hynny . . . [bu'r gwaith] yn pwyso yn drwm arno am rai wythnosau, ac am y gwaith mawr y lludded corff, a'r blinder ysbryd, derbyniodd —— y mae arnaf ofn enwi y swm, ond yr oedd yn llai o sylltau nag a delid o bunnoedd i rai yn yr Eisteddfod honno am gân neu ddwy yn y "cyngherddau hwyrol!"' Yn sicr y mae tinc llais Islwyn ei hun yn y geiriau.

Rhodded clod teilwng iddo am ei lafur, yn 'gweithio dros ein gwlad am bron lai na dim'.

8 ❧ 'Newydd ofidis'

Gwaethygodd iechyd Islwyn dros aeaf 1877–8, ac ar 3 Rhagfyr, wrth anfon cyfraniadau, pur anaddas gellid tybio, at Thomas Levi, golygydd *Trysorfa y Plant*, y mae'n cwyno:

Yr wyf yn llesg fy iechyd, cefais anwyd enbyd wrth deithio i ac o 'nghyhoeddiad wythnos i ddoe. Does flas ar ddim o un math . . . Fe leinw englyn 'Tachwedd' ryw gongl fach ryw dro. – Fe lanwodd Tachwedd '77 hanner tragwyddoldeb yn fy mhrofiad i –

> Mis tuchan yw mis Tachwedd – mis niwloedd
> Mis anaele trymwedd:
> Mis creulon – drosto dristedd –
> Mis arch byd, mis erch y bedd.'   (AMC 8110)

Mis creulon yn wir; ar 21 Tachwedd 1878 anfonodd William Williams, ysgolfeistr Ynys-ddu, lythyr at Daniel Davies, Ton: 'Newydd ofidis "Islwyn wedi marw." Bu farw nos Fercher am 10 o'r gloch' (AMC 6845). 'Gofidus' yn sicr, ond prin annisgwyl. Dywed Daniel Davies iddo dderbyn llythyr ganddo yn gynnar yn y flwyddyn 1878 yn tystio ei fod 'yn sâl gorff ac ysbryd; y mae trymder llafur llenyddol y misoedd diweddaf wedi bod yn ormod i mi, ac y mae wedi effeithio yn ddwys arnaf; methais fyned oddicartref i'm cyhoeddiad wythnos i heddyw, ac heddyw eto nis gallaf fyned.' Yna'r llythyr canlynol ymhen ychydig wythnosau:

Y Glyn, Ynysddu, Ebrill 30, 1878.

Annwyl Syr

Diolch am ein gwahodd mor gynhes ein dau i'r Gymanfa, ond ni byddai ond ofer argraffu fy enw gan y bydd yn anmhosibl cyflawni oherwydd grym cystudd.

Yr wyf yn ysgrifenu hyn yn fy ngwely mewn anhwyldeb ac anghysur corfforol mawr. Yr wyf yn fy ystafell – bron yn fy ngwely – ers pythefnos. Nid wyf wedi gallael pregethu ond un Sul ers naw neu ddeg wythnos, a'r Sul hwnnw cefais anwyd enbyd a daethum adref i orwedd. Cefais ymosodiad o'r bronchitis a pneumonia yn ngyd, ac yna piles yn ofnadwy o lym. Yr wyf yn well os na chaf anwyd newydd. Diau fy mod wedi sangu traed y Mynyddoedd Tywyll y tro hwn, ond Duw a drugarâodd wrthyf, ac a'm dyg yn fy ol, hyderaf, i oleuni bywyd. Pair hyn i mi feddwl fod fy ngwaith heb ei orphen, a diau fod fy meddwl wedi ei ddifrifoli yn fawr, a'm hawydd am burdeb a defnyddioldeb wedi ei ddyfnâu.

Yr oedd fod y ddau feddyg yn galw yma mor aml a hyny o gryn bellder yn creu syniad o berygl ynof.

A ellwch ddod i'm gweled cyn hir – ryw ddydd ar ol y Llun nesaf. Byddaf yma ysbaid maith eto.

    Cofion unedig, eich brawd cystuddiol

      Islwyn

Y mae nodyn gan Daniel Davies gyda'r llythyr: 'Poor Islwyn! Yn ei fedd cyn pen chwe' mis. Gofid sydd arnaf am danat ti fy mrawd: cu iawn fuost genyf fi. Pa fodd y syrthiodd y cedyrn!' (LlGC 16658).[1]

Tua'r un amser y cyfansoddwyd 'Cystudd yn y Gwanwyn' (GBI 447):

Daeth yn ei dro y gwanwyn llon y flwyddyn hon fel arfer,
Gan ddwyn i'r hen leshad o'i boen, i'r ieuanc hoen a llonder –
I mi, fab llên, ni ddygodd ddim ond cystudd llym a gwywder.
   . . .
Mor brudd yw gweld yn nrych y bardd y gwyneb hardd yn gwywo!

Daliai ati i bregethu hyd y gallai (yn Libanus Dowlais y pregethodd ddiweddaf, yn ôl Mary Jenkyns), i feirniadu'n bur drafferthus, ac i gyfansoddi cerddi achlysurol. Mary Jenkyns hefyd sy'n cadarnhau'r hyn a welwyd yn y llythyrau ynglŷn â'i gyflwr ysbrydol yn ei fisoedd olaf:

Yr oedd fy anwyl frawd yn ei fisoedd olaf yn awyddus iawn am wella ac am wneud mwy o wasanaeth i'w Feistr dywedai yn aml 'Fy Nuw na chymer fi ymaith yn nganol fy nyddiau dy flynyddoedd di sydd yn oes oesoedd.' Yr oedd yn benderfynol, os cawsai adferiad, i ymroddi mwy at bregethu, a llai at Lenyddiaeth . . . Yr oedd eu ymddiddanion yn grefyddol a nefolaidd iawn yn ei ddyddiau olaf, dywedai yn nghanol y nos 'I must see Jenkyns' ar ol cael ychydig ymddiddan ag ef am y nefoedd ac am gyfeillion ymadawedig teimlai yn well. Yr oedd yn dweud yr adnod hono 'Er nad yw fy nhy i felly gyda Duw eto cyfamod tragwyddol a wnaeth efe a mi.' (AMC 7676)

Ategir ei benderfyniad i roi heibio barddoni, dros dro o leiaf, mewn ysgrif goffa yn Y *Gwladgarwr*, 29 Tachwedd:

> Dydd Llun, mis i'r diweddaf [28 Hydref felly, mae'n debyg, ac yntau wedi bod yn pregethu yn Nowlais fel y dywed Mary Jenkyns], cawsom y pleser pruddaidd o gyfarfod ag Islwyn am y tro diweddaf, yn ngorsaf Merthyr . . . Ymddangosai yn lled wael ei iechyd y pryd hwnw . . . Dywedem wrtho: – 'Yn awr, gan nad yw eich iechyd yn dda, rhaid i chwi ymatal yn llwyr rhag cyfansoddi dim y gauaf dyfodol; ond meithrin eich hunan, ac yna, pan ddaw y gwanwyn, ewch i newid awyr, ac ymgadw yn llwyr rhag un llafur meddyliol.' Ei ateb oedd: 'Yr wyf yn benderfynol na chyfansoddaf ddim y gauaf hwn.'

Yr oedd ef ei hun, yn Y *Gwladgarwr* ar 8 Tachwedd, wedi egluro, 'Y meddyg yn gorchymyn llonyddwch a gorphwysdra.'

Ym mis Tachwedd, yn ôl Y *Faner* (27 Tachwedd 1878), roedd Cyfarfod Misol Sir Fynwy wedi annog y capeli i 'gymmeryd ei achos i ystyriaeth, a gwneyd yr hyn a allant mewn ystyr arianol yng ngoleuni cystudd trwm y bardd coeth, y llenor trylen, a'r pregethwr cymmeradwy', ac fe apelid hefyd am gyfraniadau oddi wrth eglwysi'r Gogledd: 'Er mai gŵr lled gartrefol yw Islwyn wedi bod hyd yn oed pan iachaf a chryfaf – rhy gartrefol o lawer – etto gwasanaethodd i gryn fesur ar y siroedd eraill; a thrwy ei ysgrifbin, gwasanaethodd ei genedl.' Ond, wrth gwrs, cyn bod cyfle i neb i ymateb yr oedd wedi marw. Gwelir yn Yr *Herald Cymraeg* (27 Tachwedd) mai bwriad y casgliadau oedd ei 'alluogi i dalu ymweliad â'r Cyfandir. Barnwyd mai hyn fyddai y peth mwyaf tebygol i'w adferu i'w gynnefin iechyd': y 'newid awyr', felly.

Mary Jenkyns hefyd sy'n adrodd fel yr oedd ei wraig yn wael iawn ar yr un pryd,[2] ac Islwyn yn dweud wrth Mary, ar y Sul olaf y bu fyw, ac wedi iddo groesi'r lawnt i'w thŷ, 'There is a race between me and Martha to the Babell Yard.' Gyda llaw, diddorol gweld yn y ddau ddyfyniad mai Saesneg oedd ei iaith hyd yn oed gyda Mary; ai gyda Jenkyns hefyd tybed? Gwelir hefyd ei fod erbyn hyn wedi penderfynu mai ym mynwent y Babell yr oedd am gael ei gladdu. Bu adeg pan oedd am orwedd ym mynwent yr eglwys yn Mynyddislwyn, ymhlith teulu ei fam ac wrth ochr ei chwaer Eliza, fel y dengys llinellau o'r awdl 'Y Fynwent':

Y gladdfa deuluaidd.
Na, na! pan ddaw fy niwedd,
Ger y Llan boed man fy medd!
. . .
A minnau wyf am annedd – dawelaf
Yn ochr Elisa fy chwaer lyswedd. (GBI 180)

Davies, Ton, yw ffynhonnell manylion ychwanegol am y newid bwriad:

Dywedai wrth ei frawd yng nghyfraith weithiau, – 'Ni chaf fi ddim lle
bedd wrth yr hen gapel, y mae wedi myned mor llawn yno; rhaid i mi gael
bedd wrth y llan, ond mi fynnaf fi gael bedd i chwi o dan y pulpud yn y
capel,' oblegid cymerai yn ganiataol y byddai ef byw ar ôl Mr Jenkyns, yr
hwn oedd lawer o flynyddoedd yn hŷn nag ef. Ond yn ystod ei gystudd
diweddaf, daeth cyfnewidiad dros ei feddwl . . . Nis gallasai ddygymod â'r
meddwl o'i fod i gael ei gladdu ond wrth y Babell, gerllaw beddau ei dad
a'i fam, ac er mwyn cydsynio â'i ddymuniad, symudwyd drws y capel o'i
front i'w dalcen, ac felly, cafwyd lle bedd iddo ef yn yr hen lwybr i'r capel,
ac wrth draed ei fedd ef, y mae bedd Mr Jenkyns.

Yn nhraddodiad bywgraffyddol geiriau olaf, y mae Davies (yn ysgrif-
ennu'n ddiau yn ôl a glywodd gan y teulu) yn anwybyddu, neu heb
glywed am, y 'mynd at Ann', ac yn croniclo'n fwy adeiladol:

Y dydd Mercher dilynol, Tachwedd yr 20fed, yr oedd yn eistedd i fyny, a'i
chwaer, a Mr Jenkyns, heblaw Mrs Thomas, gydag ef yn yr ystafell, ac
wrth ymddiddan, coffhaodd yr adnodau hynny o'r Salmau fel ei brofiad y
dyddiau hynny, – 'Ti, yr hwn a wnaethost imi weled aml a blin gystuddiau,
a'm bywhei drachefn, ac a'm cyfodi drachefn o orddyfnder y ddaear.
Amlhei fy mawredd, ac a'm cysuri oddiamgylch,' ac ar hynny, cafodd
ymosodiad gan ychydig o beswch, yr hyn a ataliodd ei anadl, ac felly, ar
ganol ymddiddan, ehedodd ei ysbryd mawr i'r byd ag yr oedd ei feddwl
wedi ymgartrefu cymaint ynddo.

Y tyst arall yw Glynfab Williams, sydd rywfodd yn swnio'n fwy naturiol
ac o'r herwydd efallai'n fwy dibynadwy:

Ymwelwn ag ef yn gyson ar ei glaf wely, a gofynnais iddo ryw wythnos
neu fwy cyn ei farw: 'Islwyn, a ydych yn cysgu'n weddol?' Atebodd: 'Nac
ydwyf, William, mae arnaf ofn cysgu rhag ofn i mi ddeffro yn

nhragwyddoldeb' . . . Cefais y fraint o fod gydag ef yn ei oriau olaf, ac erbyn heddiw [1941] myfi yw'r unig un (y tu allan i gylch y teulu) sy'n fyw o'r cwmni a safai wrth ei wely angau.

Yn ôl tystysgrif marwolaeth Islwyn roedd y nai, John Howells, yn dyst o'i farw ('in attendance'), a'r achos yn syml oedd broncitis ('certified by J. D. James, MRCS').

Roedd yr angladd, ar ddydd Mercher 27 Tachwedd, 'llawn hanner milltir o hyd' gyda thorf 'hynod luosog o bob rhan o Gymru'. Fel y gellid disgwyl yr oedd holl weinidogion a phregethwyr y Methodistiaid Calfinaidd yn Sir Fynwy yn bresennol. Ymhlith y nifer fawr o feirdd a llenorion, fe enwir Ossian Gwent ac, o'i gyfeillion eraill, Daniel Davies a John Morgan. Anerchwyd ar lan bedd gan y gweinidogion J. Cynddylan Jones, Caerdydd, William Jones, Cendl, R. Herbert, Pontlotyn, Aaron Davies, Rhymni, a'r lleygwr Titus Lewis, hynafiaethydd o'r Bont-faen. Y mae'r *Haul* yn nodi ychydig o anghydfod:

> Gweddïodd un pregethwr o Rymney dros y beirdd. Nid oeddym o'r blaen yn credu fod y beirdd fel dosbarth yn waeth na phobl eraill. Dywed Dewi Wyn yn y *Weekly Mail* nad oedd gweddi y *brawd* o Rymney ddim amgen nag anfri personol i'r beirdd. Yr oedd hyn allan o le yn angladd yr enwog Islwyn ac yn archwaethu o Phariseaeth – 'diolch nad wyf fi fel pobl eraill.' Nid ydym yn rhyfeddu fod Dewi Wyn o Essyllt yn ceryddu y pregethwr am ei weddi bersonol yn angladd y bardd gwiwber o Fynydd Islwyn.[3]

Yn ôl arfer y cyfnod nid oes sôn am y weddw, ond dyma'r fan i nodi ei bod hi, er gwaetha'r 'race to the Babell Yard', wedi goroesi Islwyn er am ychydig flynyddoedd yn unig. Bu hi farw ar 11 Gorffennaf 1885 yn 44 oed, ac fe welir oddi wrth ei llythyrau at Davies, Ton, 12 a 21 Mawrth 1884 (LlGC 3197C II), a hithau ar y pryd ym Merthyr yn edrych ar ôl ewythr a oedd newydd golli ei wraig, ei bod hi'n dal ei hymlyniad at Gapel y Babell ac yn ceisio codi arian ar gyfer yr achos. Yn *Y Goleuad* (xvi, 822, 8 Awst 1885) ceir cofnod o'i marwolaeth. Erbyn hynny roedd hi wedi symud ers dros flwyddyn at ei hewyrth, 'D. Davies, Ysw., Plas-cadwgan, Morriston, perchennog [ond ai rheolwr?] y "Beaufort Tin Works". . . boneddwr o urddas a safle ac un a gerir yn fawr gan y cyfoethog a'r tlawd.' Mynychai eglwys Bethania, Treforus, ond fe'i claddwyd, ar 15 Gorffennaf, yng Nghapel y Babell.

Y syndod ynglŷn â'r llythyrau at Davies yw ei bod hi'n ysgrifennu mewn Cymraeg glân gloyw (ac eithrio ychydig o amryfusedd gyda'r sbelio) heb unrhyw awgrym o'r math ansicrwydd yn yr ysgrifen a ddaw wrth atgynhyrchu iaith estron:

> Byddaf yn dra diolchgar am ychydig genych, a gwnaf drosglwyddo eich rhodd yn ddioed ir frawdoliaeth yn y Babell. Esgusodwch fi am ysgrifenu fel hyn atoch – ni fyddwn yn gwneyd oni bae fod fy *Anwyl Islwyn* a chwithau yn gymaint o gyfeillion. Gyda chofion cynas . . . Martha Thomas [Tynn Brynley F. Roberts fy sylw at y tebygolrwydd mai tafodieithol yw'r 'cynas'.]

Y mae'r ail lythyr yn tystio i haelioni y 'Cashier':

> Diolch am eich mawr garedigrwydd yn anfon y fath swm . . . Teimlaf ddyddordeb arbenig yn achos y Babell ac y mae yn llon genyf feddwl fy mod wedi llwyddo i gael cynorthwyo ato oddiwrth gyfeillion caredig eleni eto . . . Buasai yn dda genyf pe y gallasech ddyfod yn ol eich dymuniad i'r 'Dadorchuddiad' [efallai i'r Tea Party y mae hi'n ei grybwyll yn y llythyr cyntaf], ac hyderaf pan y gallwch dalu ymweliad ar lle na fydd y 'Glyn' yn nghau er y credaf y bydd yn rhaid i mi aros gyda fy ewyrth am dymhor eto.

Un peth od braidd ynglŷn â'r ail lythyr yw'r nodyn ychwanegol ganddi:

> Tybiasoch yn gywir mai gweddw y diweddar Islwyn a ysgrifenodd atoch ac y mae yn rhaid i mi eich hysbysu mai oherwydd yr anwyldeb ar cyfeillgarwch oedd yn bodoli rhwng Islwyn a chwithau y cymerais yr hyfdra i anfon atoch i ofyn eich cydymdeimlad ar achos yn y Babell.

Sut yn y byd y cafodd Davies achos i amau, a'r llythyr cyntaf yn cyfeirio at 'fy *Anwyl Islwyn*'? A oedd yntau wedi synnu at y Gymraeg? Ac ai er mwyn sicrwydd y mae hi'n defnyddio'r enw llawn y tro hwn: Martha Louisa Thomas?

Ar 27 Medi 1883, profwyd ewyllys Islwyn,[4] a oedd wedi ei arwyddo ganddo ar 9 Mehefin 1875, gyda William Williams, 'draper and grocer' o Lantrisant a John Morgan, 39 Parade, Caerdydd, 'solicitor's clerk', yn sgutorion. Yn yr ewyllys, gadawyd ei ddau dŷ annedd ym mhlwyf Machen i'w chwaer Elizabeth Howells ac er ei hôl hi i'w phlant; Babell Row, sef y chwe thŷ yn ymyl y capel, i Martha, ac ar ei hôl hi hefyd i

Elizabeth a'i phlant; Y Glyn a'r 'Coach House' yn Ynys-ddu i Martha, ac yna i Elizabeth a'i phlant. Cyflwynwyd yr hawlfraint yn ei ysgrifau i'w chwaer Mary Jenkyns. Allan o bolisi yswiriant gyda'r Provincial Insurance Company roedd £100 i fynd i Mary, a £50 yr un i Elizabeth a Martha. Martha, fel etifedd y gweddill, a dderbyniodd y llythyrau gweinyddu; nodwyd bod y gweddill yn llai na £100. Gellid ystyried £100 yn 1875 yn cyfateb i tua £4,500 heddiw. Y mae'n debyg na ddylid ceisio darllen gormod i mewn i'r ewyllys, ond nodwn nad oes sôn am ei frodyr, fod Mary a Daniel Jenkyns yn ddi-blant, ac mai ar Elizabeth a'i gŵr yn amlwg yr oedd fwyaf o angen.

Y mae'r ysgrifau coffa yn unfryd am hynawsedd ei bersonoliaeth: caiff Yr Herald Cymraeg, 27 Tachwedd, eu cynrychioli: 'Yr oedd Islwyn yn ddyn caruaidd, unplyg, ac yn llawn o garedigrwydd a natur dda. Un ydoedd a goleddai feddyliau uwch am eraill nag am dano ei hun.' Oherwydd natur cylchgronau'r cyfnod y mae braidd mwy o ganmol ar ei bregethu nag ar ei farddoni; ond, chwarae teg i'r South Wales Daily News, 23 Tachwedd, y mae hwnnw'n nodi ei fod yn 'regarded as the greatest of modern Welsh poets'. Diddorol hefyd sylwadau llenyddol ac eisteddfodol Llais y Wlad (Bangor) ar 29 Tachwedd: 'Fel bardd yr oedd ei gynnyrchion yn meddu ar ryw nodwedd ddyeithriol a allasai fod yn argraphu darlleniad cynnyrchion hedegog Shelley.' Yr oedd 'yn wr llariaidd; ac os oedd unrhyw fai arno, ei garedigrwydd naturiol oedd hwnw, yn rhinwedd pa un y gallasai fod yn rhy hyblyg i ddirwasgiad cydfeirniad.'

Nid oedd y beirdd – mân feirdd gan mwyaf – ar ei hôl hi ond, yn amlach na pheidio, gyda mwy o barch nag o ysbrydoliaeth. Dyma E.P. (Ellis Pierce, Elis o'r Nant efallai) yn rhifyn cynta'r Frythones (Ionawr 1879):

> O, ddystaw lef, O, dyner, dyner dôn,
> Fel awel deg dros flodau gardd yr Ion.
> Nid oedd y gwynt ystormus yn ei iaith,
> Y ddaear-gryn na'r daran orddwys 'chwaith,
> O fewn i gylch ei ddawn 'roedd hedd o hyd
> Fel adeg genedigaeth Crist i'r byd . . . (tt.21–3)

Yn naturiol, roedd llawer o gerddi coffa yn Y Gwladgarwr: yn rhifyn 7 Rhagfyr gan Lleision Morganwg, Dyfedfab (sef Dyfed), Gwentfryn (Cwmogwy) a Twynog; ac yn 13 Rhagfyr gan Ioan Afan, Cynffigwyson a Rhuddwawr (Glasgow). Yn Tarian y Gweithiwr, 6 Rhagfyr, cafwyd englynion gan Dyfedfab, Dyfnwal Dyfed (Rymni) a G. Nedd; ar rawd rawdrawdawl rawdl rawddd

20 Rhagfyr cerddi gan Ab Dafydd (Taibach) a Twynog; ac ar 27 Rhagfyr gan Perllanog (Clydach); yna yn *Y Cyfaill* (Utica, N.Y.) yn Ionawr 1879 gan J. Islwyn Hughes (Ebensburgh, Pa.), ac yng Ngorffennaf 1879, gan Celynog (Cambria, Minn.). Rhai yn unig sy'n dangos adnabyddiaeth bersonol agos, er nad oes neb ohonynt yn mynd llawn mor bell â John M. Howell, Aberaeron (dyfynnir llinellau a ysgrifennodd yn 1878 yn *Cymru*, ix, 51, 15 Hydref 1895, 192–3):

> Nis gwn pwy oedd dy dad na'th fam, na'th frawd,
> Na nemawr am dy flin ddaearawl rawd.

Cwyd ambell gyfaill uwchlaw'r dorf. Gwelsom eisoes gerdd Gwilym Marles ac fe synhwyrir tinc gwir deimlad yn llinellau John Thomas, Llanwrtyd (gydag adlais efallai o'r bryddest 'Angel' GBI 272):

> Islwyn annwyl! os hwyliawn ni yna
> Gawn ni dy erfyn o'r ganaid dyrfa
> Redeg i'r ffrynt, i roi llaw yn gynta,
> A'i gwres enfawr o groesaw i Wynfa?
> Frawd hoff, tyrd a'th 'fore da' – i orwel
> Trofannau'r oerfel, – terfyn yr yrfa.[5]

Dengys Aneurin Fardd nad oedd yr holl flynyddoedd yn America wedi pylu ei atgofion na rhydu ei gynghanedd:

> Llenyddiaeth sy'n llonyddu,
> Nos ddaeth dros yr Ynys Ddu;
> Mae telyn y Glyn dan glo,
> A'i Awenydd yn huno;
> . . .
> Gŵr Duw oedd, gair da iddo, – gan bawb geid,
>   Gan bob gŵr heb wrthdro;
>   A'r gwirionedd glanwedd glo,
>   Ei hun oedd ei lawn eiddo.

> Brawd mad gydag ysbryd mwyn
> O dda oslef oedd Islwyn;
> Mal ei awen, ymloewai – o'i arfer,
> Mwy gorfyg y deuai;

Anwylach mwyaf wnelai,
Mwy-fwy ei nerth, mwyaf wnai,
Heb allu i weled, bellach,
Cwynwn oll, rhaid canu'n iach.[6]

Ymhen ychydig flynyddoedd wedi ei farw cawn y beirdd yn gweu ei ymadroddion a motiffau Islwyn i mewn i'w teyrngedau. Dyma J. J. Williams, nid ar ei orau, allan o 'Gwlad Gwent', awdl cadair Eisteddfod Rhymni, 1902 (*Y Geninen*, xxvi, 4 Hydref 1908, 246):

Deil y genedl i ganu
Am ei ddawn mewn 'storom' ddu, –
Yrwyd engyl er dangos
I'w enaid ef 'nef' a 'nos'.

Dewr anelai drwy niwlen – a chwmwl:
Dychymyg ei awen
Brysurai heibio'r seren
Ucha'i nod i 'loewach nen'.

Neu o gerdd ddeg-pennill J. T. Job, 'Ymson uwchben bedd Islwyn' (*Y Geninen*, xi, 3 Gorffennaf 1893, 160):

Dyhëad cryf ac ymestyniad byw
Fu'th oes, tuag at y Sylwedd Mawr di-lèn!
A dwyn y byd i 'geisio gloewach nen'
Wnai'th gân, wrth adael y cysgodau gwyw.

Cartrefu 'gyda Duw' wnai'th enaid mawr;
A'th bêr feddyliau, 'n wyn gan oleu'r Nef,
Anghofiant ddaear! – clywid yn eu llef
Mai 'glan afonydd Babel' oedd y llawr!

. . .

'Rwyt yno heddyw'n dringo bryniau Duw!
Ac yn Ei fythol weled 'fel y mae'
'Uwchlaw cymylau amser' – yn mwynhau
Tragwyddol fyfyr gyda'r dyrfa wiw!

Dengys y dyfyniadau fod pigion o'i farddoniaeth, o leiaf, wedi suddo i ymwybyddiaeth y genedl lengar – yn amlwg fe ddisgwylid i ddarllenwyr fod yn gyfarwydd â'r ymadroddion. Ond am wir frwdfrydedd, gwell troi at Ben Bowen.[7] Ym Mehefin 1897, sef wrth gwrs y flwyddyn y cyhoeddwyd *Gwaith Barddonol Islwyn*, ymwelodd y bardd 19 oed â Chapel y Babell, eisteddodd yng nghadeiriau Islwyn, a chafodd lyfr yn rhodd gan chwaer Islwyn. 'Collodd ddeigryn ar ei fedd, a gwaedodd ei galon yn y pentref pan welodd na allai y plant siarad iaith priffardd Cymru.' Roedd ysgolfeistr Ysgol y Bwrdd Treorci wedi ei gymell i ysgrifennu ato yn Saesneg unwaith bob wythnos, ac felly a fu:

As I was not far from Pontllanfraith, I felt myself, ere long, carried in a dream of poesy towards the Babell – Islwyn's resting place. It was majestic to see the mighty battalions of wood swarming the valley, and girting the reposing villages of Gelligroes and Ynysddu, as if to protect them from the attack of the sons of Labour, which means the destruction of their beauty. [Yna daw disgrifiad o'r gof-golofn a godwyd yno ar anogaeth Dyfed.] 'It is very striking in being so free from all vanity. The name Islwyn' is carved in gilt letters on it, including the date of his birth and death and that is all that dares break the silence of his grave, which is something 'too full for sound and foam' [– gan ddyfynnu Tennyson]. (t.xx)

Yn ei bryddest 'Pantycelyn', ail orau yn Eisteddfod Lerpwl 1900, y mae lle blaenllaw i Islwyn:

O lenyrch tawel, tlysion, y Deffroad,
Aiff Cymru heddyw'n ol at ei Diwygiad –
Eryri ei hysbrydolrwydd – cartre'r stormydd
Roes iddi awyr iach a bywyd newydd;
Yn myd meddyliau mwy caiff gadw'r emyn:
Caiff Islwyn ysgwyd llaw â Phantycelyn.

Caiff Islwyn ddangos pellder tragwyddoldeb;
A Phantycelyn dlysni ac anwyldeb
Dydd Cariad Duw'n ei lygad. Dieithr fawredd
Tawelnos gwybren gauaf – cwynfan rhyfedd
Y môr yn tori ei galon am dangnefedd
Ar greigiau oer, ddideimlad – dyna Islwyn,
Bardd y Deffroad. (t.132)

Ar lan y môr mae Islwyn yn y byd,
Ac hiraeth oesau yn ei gân o hyd
Yn chwilio am dragwyddoldeb – am y 'môr
O Dduwdod' – tònau'n canu yn gôr
A'r byd heb ddeall; try efe brydferthwch
Agosrwydd y Deffroad yn ddieithriwch.   (t.133)

Rhyfedd gweld Islwyn yn lladmerydd Cymru Fydd, er gadarned ei
Ryddfrydiaeth a'i wladgarwch, ac erbyn diwedd y bryddest, wedi iddo
groniclo ystad y Gymru gyfoes, y mae Ben Bowen yn llithro'n ôl i
arallfydolrwydd Islwyn, mewn efelychiad amlwg o'i ddelweddau:

Nid yw y greadigaeth fawr i gyd
Ond breuddwyd sydd yn meddwl Duw'n mynd heibio,
A thragwyddoldeb yn ddehongliad iddo:
Ac oni b'ai fod Nefoedd, ni f'ai byd;

Bu Ben Bowen farw'n 24 oed (troedio ymylon gormodiaith efallai yw
honni i Islwyn farw'n farddonol yr un oed); anodd proffwydo felly beth
fyddai datblygiad ei awen, ond yr oedd eisoes yn beryglus o agos at
fod yn un o'r 'Beirdd Newydd'. Yn bur aml, fe lwythir y cyfrifoldeb am
y mudiad anffodus hwn ar ysgwyddau Islwyn, a hynny nid yn gwbl
annheg. 'Ysgol Islwyn' y galwodd Gwili hwynt, yn ei ragair i *Caniadau
Gwili*. Yn negawd ola'r bedwaredd ganrif ar bymtheg bu'r 'Beirdd
Newydd' yn fuddugol ymron pob cystadleuaeth ar y bryddest yn yr
Eisteddfod Genedlaethol ac mewn llawer eisteddfod arall.[8]

Bwriad y 'Beirdd Newydd', Ben Davies, Iolo Caernarfon a Rhys J.
Huws ymysg eraill oedd codi barddoniaeth i dir ysbrydol ac athron-
yddol, uwchlaw'r prydferth a'r disgrifiadol. Paratowyd y ffordd iddynt
gan ddiwinydd go iawn, David Adams (Hawen), a geisiodd fewnforio
syniadau diweddar, Hegelaidd gan mwyaf, i feddylfyd a barddoniaeth
Cymru. Ei ganllaw barddonol oedd yr angen i'r bardd gyfleu meddyliau
Duw yn y cread, a'r unig un o'r beirdd diweddar a gredai Adams ei fod
wedi llwyddo i wneud hynny oedd Islwyn:

Nid ydym yn gwybod am un bardd yn y ganrif hon yn Nghymru mor
Wordsworthaidd yn ei allu i fyned i fewn i gyfrin-fywyd anian. Y mae
natur yn awgrymu mwy o *feddwl* iddo, ac yn dylanwadu yn ddyfnach ar
ei ysbryd, na neb o'n beirdd. Eglurir hyn gan 'Y Nos', 'Enaid', 'Mae'r oll

yn gysegredig', 'Mynyddoedd Gwyllt Walia', &c. Cenfydd ystyr ysbrydol yn yr oll a wêl o'i amgylch. Nid yn unig cred fel Coleridge fod anian 'yn rhoi yn ol yr hyn roddir iddi' ('Nature gives but what she receives from us'), ond mwy na hyna – ei bod yn sibrwd yn ei glust feddylddrychau roddir iddi gan Dduw sydd yn preswylio ynddi. (*Y Geninen*, V, 1, Ionawr 1887, 18–19)

Ond nid sibrwd yng nghlust y Beirdd Newydd yr oedd anian, ond eu byddaru gan seiniau chwithig a chymhleth syniadaeth newydd. Ar ben hyn, nid oedd gan Islwyn gyfundrefn beirniadaeth lenyddol at eu gwasanaeth, a rhaid oedd iddynt felly gymryd y rhannau dyfnaf ac aruchelaf o'i waith yn batrwm o'r hyn a fynnent. Gan Tafolog a Chreuddynfab cawsant sgaffaldiaeth athrawiaeth lenyddol, gyda Tafolog hefyd yn pwyso yn o drwm ar farddoniaeth Islwyn wrth honni 'nad yw y byd o ymddangosiadau sydd yn ein hamgylchu ond gwisgoedd materol i feddyliau Dwyfol', a chredu mai tasg barddoniaeth oedd treiddio drwodd at y 'meddyliau Dwyfol'. Yna Creuddynfab, gyda'i gefnogaeth i ryddid mewn barddoniaeth, a'i bwyslais, nid yn unig ar deimlad a dychymyg, ond hefyd ar y meddyliol, ar fod 'yn gyfarwydd âg athroniaeth feddyliol'.[9]

Yn anffodus, yn achos y Beirdd Newydd, nid oedd llond piser o ddawn barddonol rhyngddynt, er y dylid dweud bod rhyddiaith go arbennig gan Iolo Caernarfon ar brydiau. Tynnwyd sylw fwy nag unwaith at eu parodrwydd i ofyn cwestiynau yn eu pryddestau, a'u hanallu i'w hateb. Esboniad Tecwyn Lloyd ar hyn yw mai gweinidogion oedd pob un ohonynt, yn weddol hyddysg yn y darganfyddiadau a'r damcaniaethau newydd, ond yn anfodlon eu trin yn gyhoeddus rhag ofn y diaconiaid. Byw a barddoni mewn niwl oedd y canlyniad – mydryddu haniaethedd ac aneglurder. Roedd y llacrwydd ymadrodd i fesur yn fwriadol, yn estyniad megis o'u gwrthryfel yn erbyn y mesurau caethion a thra-arglwyddiaeth yr awdl yn yr Eisteddfod: 'Y mae llawer o feirdd Cymru heddiw, na buasai ganddynt rith o obaith enill cadair Eisteddfod oni bai am y fendigedig gynghanedd,' meddai Rhys J. Huws yn *Y Geninen* am Ionawr 1896, 'a daliwn hi yn gyfrifol am y ffaith fod meddylwyr pum-raddol wedi eu codi i safle o arbenigrwydd yng Nghymru.'

Detholwyd enghreifftiau erchyll o amleiriogrwydd a ffug-athroniaeth, o eiriau 'penagored, diganolbwynt' y Beirdd Newydd gan Tecwyn Lloyd ac eraill. Tecach efallai yw cymryd agoriad pryddest Ben Davies 'Arglwydd Tennyson', buddugol yn Eisteddfod Genedlaethol Caernarfon 1894, i awgrymu'r dylanwad Islwynaidd ar wedd ychydig yn llai eithafol:

Yr Arglwydd Iôr! Efe yw'r Meddwl mawr
Sy'n gweithio drwy y Greadigaeth oll
Yn Ddeddf a Bywyd, ac yn cyffwrdd gwraidd
Bodolaeth hyd y terfyn, – tyfu drwy
Y cyfan. Duwdod yn myfyrio yw
Y Greadigaeth. Swn meddyliau Duw
Sy'n chwareu yn y sêr, yn treiddio drwy
Bob awel a blodeuyn yn ein byd.

'Os bu erioed fethiant truenus ym myd llên, y Bardd Newydd oedd hwnnw,' medd Alun Llywelyn-Williams; ond, yn ffodus, byr fu ei deyrnasiad. Rhoddwyd ergyd bur effeithiol iddo gan Elphin (Robert Arthur Griffith) yn *Y Geninen* yn 1895: 'Cynyrch y *study* ydyw y Bardd Newydd. Wrth bwnio ei ben mewn llyfrau er mwyn eangu ei feddwl, y mae wedi crebachu ei gorff i'r fath raddau fel mai lle go gyfyng sydd gan ei enaid mawr i droi ynddo' (xiii, 4, Hydref 1895, 262–8). Â Elphin ymlaen i dynnu'n gareiau'r gyfrol *Ymsonau*, heb enwi'r awdur (Iolo Caernarfon, 1895): 'Anturiaf awgrymu fod llawer gormod o ystrydebu ar enw y Bod Dwyfol yn y caneuon rhyddion yma.' Dyry wedyn enghreifftiau o 'anochelgarwch wrth drin ffugyrau', 'anghysondeb', 'ail-adrodd geiriau', 'diffyg cywreinrwydd', 'difaterwch ynghylch rhai o reolau mwyaf elfenol cyfansoddiad', 'trwstaneiddiwch', 'dull bwngler-aidd o ysgrifenu', 'pentyru y naill beth ar ben y llall', 'gorwylltedd trystfawr', 'traethawd odledig'. Sylwa hefyd fod y bardd 'gyda'i holl adnoddau ieithyddol, mor hoff o ddefnyddio yr un geiriau a'r un ym-adroddion drosodd a throsodd drachefn', gan enghreifftio 'dreng', 'derch', 'certh'.

Yn y diwedd, canwyd cnul y Beirdd Newydd gan do iau o feirdd o dan ddylanwad John Morris-Jones, gydag adfywiad rhamantiaeth delynegol. Ganrif yn ddiweddarach y mae beirniadaeth lenyddol Syr John, er cymaint ei gyfraniad ieithyddol, yn ymddangos yn bur haearnaidd a di-ddychymyg, ond ni ellir gwadu ei effeithiolrwydd fel carthwr. Gwaetha'r modd, fe ysgubodd Islwyn i'r ymylon yr un pryd.

Helaethiad o'r gwendidau sy'n gynhenid yng ngwaith Islwyn a welir ym mhryddestau'r Beirdd Newydd – ond heb ei ragoriaethau. Y mae'n bryd ceisio cloriannu.

Nid oedd gan Islwyn fawr ddim syniadau athronyddol na chrefyddol gwreiddiol – yr hyn oedd ganddo oedd dychymyg; ond yn rhy aml fe gyfyngid y dychymyg oddi mewn i rigolau crefydd y cyfnod. Nid Calfiniaeth na chapelyddiaeth oedd ei wendid ef a'i gyfoedion ond beiblyddiaeth. Cyferbynner y defnydd a wneir o'r Ysgrythur gan Miltwn, Wordsworth, Blake: Miltwn yn ei osod yng nghyswllt breuddwydion mawr Clasuriaeth, Wordsworth yn ceisio'i weu i mewn i brofiad uniongyrchol o'r byd naturiol (profiad mwy miniog o lawer nag eiddo Islwyn), Blake yn ei wyrdroi'n symbolau personol llesmeiriol neu ddychrynllyd.

Ond, ac eithrio yn rhannau o'r *Storm*, ni fentrodd Islwyn groesi ffiniau'r cyfarwydd; bach o groeso a roddai'r sefydliad crefyddol (a Jenkyns i bob golwg yn eu plith) i unrhyw ddychymyg nad oedd yn troi yn ei unfan oddi mewn i'r Ysgrythurau. Y mae'n wir fod ambell arwr o'r hen Gymru'n llithro i mewn i farddoniaeth, ond fel rhyw Ymneilltuwyr er anrhydedd megis, ar bwys eu safiad tybiedig dros ryddid.

Yr elfen gyffrous yn *Y Storm* yw'r ymdeimlad ei fod ar fin torri allan, lledu ei esgyll – ond y mae rhychwant ei gyfeiriadaeth yn dal yn gyfyng. Nodwedd amlwg y cyfnod yng Nghymru yw diffyg chwilfrydedd ac antur; yn hyn y mae'n wahanol iawn i Bantycelyn gyda'i ddiddordebau gwyddonol a'i feiddgarwch yn, dyweder, *Aurora Borealis*. Fe geisiodd Lewis Edwards ehangu'r gorwelion yn *Y Traethodydd*, ond hyd yn oed wedyn erys y duedd i ddod â phopeth yn ôl dan bebyll beiblaidd.

Ond efallai mai'r diffyg pennaf ym marddoniaeth canol y bedwaredd ganrif ar bymtheg yng Nghymru yw absenoldeb drygioni. Y mae digon o sôn am bechod, wrth gwrs, ond rhyw bechod diwinyddol, amhersonol, di-waed. Nid yw gwylltineb na dychryn yn cynhyrfu, er ein bod ar fin teimlo hynny gyda fforestydd *Y Storm*. Y mae hanes am Thomas Charles yn ceryddu Twm o'r Nant am iaith ei ddychan ar yr offeiriaid, a Twm yn ateb: 'Mr Charles, 'drychwch chi ar ôl y defaid; mi 'drycha i ar ôl y bleiddiaid.' Defaid, gwaetha'r modd, sydd i'w cael ym marddoniaeth Cymru yn adeg Islwyn.

Ac y mae gogoniannau barddoniaeth Islwyn ei hun i'w canfod yn ei freuddwydion Edenaidd, arallfydol, teyrnasoedd diniweidrwydd. Mewn byd ystormus, ar fôr tymhestlog, ceir dihangfa yn nhawelwch y nos a'r sêr, ac yn chwithig iawn i'n tyb gyfoes, yn hafan y bedd. Ei gamp yn y rhannau gorau yw peri inni atal ein hanghredu, ac ymuno ag ef yn ei ymchwil ddeublyg am gysur a deall. Gweddnewidir y profiad personol ysgytwol i fod yn batrwm symbolaidd o berthynas byd ac arallfyd, y tymhorol a'r trosgynnol. Os oes amleiriogrwydd ac ailadrodd, yr ochr arall i'r geiniog yw geirfa hynod gyfoethog a beiddgar, fortecs ieithyddol sy'n cyfannu'r ysbrydol, ymenyddol ac emosiynol. Y mae egni yn *Y Storm* nad yw i'w gael yn unman arall yn llenyddiaeth Gymraeg y ganrif.

Cofier diweddglo ei lythyr at Athan yn 1874:

Hydref ydyw, ac y mae y gwlaw y funud hon yn seinio rhywbeth ar y *bow windows* ag sydd yn well na chynghanedd i mi; y mae y gwrddwynt yn dal *dialogue* â changau'r deri o gwmpas y Glyn, ac sydd yn well nag unrhyw *goncert* glywais i eto / *Sing on!* y mae y gerddoriaeth yn cydseinio – yn adseinio – i rywbeth sydd yn fy ysbryd, yn nyfnderoedd dieithr fy ysbryd i.

Ar brydiau yn unig y llwyddodd i iawn sylweddoli rhin ei brofiadau a'i freuddwydion yn ei farddoniaeth, ond ar ei orau y mae'r corddiad awenyddol a'r llif ieithyddol tonnog yn ein sugno ninnau i mewn i'r dyfnderoedd dieithr.

Nodiadau

Rhagair

[1] Y *Ford Gron*, ii, 9 (Gorffennaf 1932), 214. 'Yr oedd gweledigaeth ganddo, ond nid gweledigaeth bardd oedd honno . . . Ni farddonai'n naturiol . . . [roedd] ei chwaeth a'i ddychymyg barddonol yn wael . . . Seistemwr cyfriniol naturiol oedd . . . Paham felly y trafferthodd Islwyn i ysgrifennu mewn barddoniaeth? Y mae'r ateb yn syml. Dyna ffasiwn y dydd.'

[2] 'Ceiriog – Bardd heb ei Debyg', Y *Ford Gron*, iii, 4 (Chwefror 1933), 93–4, 96.

Pennod Un

[1] *The Cambrian Traveller's Guide* (Stourport, 1813), ail arg., colofn 1104.

[2] Daniel Davies (1896), 62.

[3] Yn ei golofn yn Y *Gwladgarwr*, 16 Awst 1873.

[4] Am y cefndir gw. D. J. V. Jones, *Before Rebecca: Popular Protests in Wales 1793–1835* (Llundain, 1973) a'i gyfrol *The Last Rising: The Newport Chartist Insurrection of 1839* (Caerdydd, 1999).

[5] Dewi Wyn o Essyllt (1887), tt.24–41.

[6] Ganwyd Morgan Thomas y tad ym Medi 1776, a chafodd ei fedyddio ar 28 Hydref, yn fab i Morgan ac Elizabeth. Ni ellir bod yn sicr ynglŷn â dyddiadau'r Morgan hynaf, ond mae'n debyg mai ef yw'r Morgan Thomas, 'drover', a gladdwyd yn Ystradgynlais ar 10 Gorffennaf 1795 (Adysgrifau'r Esgob). Os felly, y fam Elizabeth a fu farw tua 1806, o dderbyn tystiolaeth chwaer Islwyn, Mary Jenkyns; gweler nodyn 7 isod. Tybed ai'r rhain oedd y Morgan Thomas 'yeoman' a'r Elizabeth Portreff a briododd yn 1763 (Ymrwymiadau Priodas, Tyddewi)? Prin efallai, gan y byddai hynny'n golygu iddynt fod yn briod am ddeng mlynedd cyn geni'r plentyn cyntaf. O weithio'n ôl o enedigaeth meibion yn Rhagfyr 1773 (John), 1776 (Morgan), Chwefror 1778/9 (David) a Mawrth 1781/2 (William), gellid disgwyl dyddiad geni'r Morgan hynaf o gwmpas 1750 (neu 1740 os priod Elizabeth

Portreff ydoedd); dau bosibilrwydd a gynigir gan Adysgrifau'r Esgob, sef Morgan 'filius populi', 7 Mai 1749 a Morgan fab Watkin Thomas, bedydd-iwyd 13 Chwefror 1747/8.

[7]   Mewn llythyr gan chwaer Islwyn, Mary Jenkyns, at D. Davies, Ton, 27 Mai 1896 (LlGC, AMC 6833): 'wedi rhoddi ffarm Penllwynteg i fyny pan fu farw ein [taid? nain?] ai fod y pryd hwnnw yn 30 oed.' Gwerth sylwi nad yw Prothero yn ymddangos o dan Bont-y-pŵl yn *Pigot's Directory* am 1830 ond fe restrir 'Coal Masters and Merchants, Prothero & Jenkins, Pillgwenlly', sef yng Nghasnewydd. Ar gefn rhai o dudalennau'r ysgriflyfr (AMC 6787) sy'n cynnwys 'Detholion o'r Beirdd' a *Byd-gonglau* y mae rhannau o lyfr cownt busnes glo: e.e. 'Mr Crawshau 22 Tons @ 5/6 £6.1.0.'

[8]   'Yma a thraw ym Morgannwg', *Cymru*, xxiii (1902), 59–64.

[9]   Ganwyd Mary Jones ar 1 Mawrth 1789. Yn ôl Davies, Ton, yn ei erthygl yn *Cymru* (1896), 64, y mae 'llawer o hynafiaid y bardd o ochr ei fam yn gorwedd ym mynwent Mynyddislwyn', ond anodd gwneud allan pwy yn union oedd ei rhieni o blith y Jonesiaid.

[10]   'Agent i deulu Llanarth oedd fy Nhad nid oedd yn arolygu dim o fedd-iannau i Lanover. Bu fy rhieni yn Cymau beth amser yn Pontypool oddiyno y symudasant i'r Goitre.'

Oni nodir yn wahanol daw pob dyfyniad gan Mary Jenkyns o'r llythyr-au at Daniel Davies, Ton (AMC 6828 a 6833), neu o'i hatebion i'w holiadur (AMC 6792), neu o MS 14374E.

Un cymhlethdod yn yr achos hwn yw mai yng nghapel Zoar, Rhisga, y bedyddiwyd y mab John ar 12 Mehefin 1825. Y mae Sian Rhiannon Williams yn '"Mynwy Gu". Islwyn yn ei gynefin: Sir Fynwy yn y bedwaredd ganrif ar bymtheg', yn *Llên Cymru*, xviii, 3/4 (1995), 301–17 yn ychwanegu: 'Er mai Goetre a enwir fel ei gynefin gan y rhan fwyaf o'i gofianwyr, yn ôl Abraham Morris, hanesydd y Methodistiaid, adweinid ef fel Morgan Thomas, Mamheilad. Pentref bychan ar lethrau Goetre Fawr uwchben Goetre a Llanofer yw Mamheilad' (t.301). 'Asiant-glofeydd i stad Llan-arth' yw ei disgrifiad hi o swydd Morgan Thomas.

[11]   Yn ôl Thomas Jones yn *Rhymney Memories* (Llandysul, 1970) ail arg., t.33, y mae dau esboniad ar yr enw: 'Fleur-de-lys, familiarly called "The Flower". Two explanations of the name are given: one that it is due to a colony of Frenchmen who started spelter works near the New Inn; the other, that a Mr Moggeridge [sic] named the place after a visit to France, discovering some similarity between the place where he stayed in France and the land he owned near Pengam.'

[12]   Ar Moggridge gweler hefyd Brian Ll. James, 'John Hodder Moggridge and the founding of Blackwood', *Presenting Monmouthshire*, 5 (Spring 1968) 225–9.

[13]   Y mae Sian Rhiannon Williams, *Llên Cymru*, 304, yn awgrymu'r posibilrwydd mai Morgan Thomas a gododd y rhes dai a safai gynt gerllaw Capel y Babell, sef Babell Row, a ddymchwelyd yn 1957, 'oherwydd byddai hen wraig o'r pentref a pherthynas i Islwyn yn cyfeirio atynt fel "Islwyn's

Houses"'. Yn ei ewyllys y mae Islwyn yn gadael 'my six leasehold dwelling-houses . . . called Babell Row situate near Babell Chapel' i'w wraig Martha.
[14]   Gweler W. W. Tasker, *Railways in the Sirhowy Valley* (Rhydychen, 1992), ail arg., ac Oliver Jones, *The Early Days of Sirhowy and Tredegar* (Tredegar, 1969). Roedd y tramffordd fach arall, y Penllwyn, na throwyd byth mohoni yn rheilffordd, yn rhedeg yn gyfochrog i'r dwyrain o'r brif lein. Yn 1824, daeth y ddwy filltir ohoni a oedd yn rhedeg o Ynys-ddu ('Lower') i Nine-Mile Point yn eiddo i gwmni Sirhowy Tramroad, ond arhosodd yr hyd o Ynys-ddu ('Lower') i'r Coed-duon mewn perchenogaeth breifat. Enw'r darn yma oedd Tramffordd Llan-arth.
[15]   '"The Penllwyn Tramroad", précis by Jack Lewis of the Oxford House Risca's prize-winning entry in the 1972 competition', *Presenting Monmouthshire. The Journal of Monmouthshire Local History Council*, 38 (Autumn 1974), 9–10.
[16]   Bedyddiwyd David yn Nhrefddyn, 30 Awst 1816: Mary yng Nghapel Ed, y Goetre, ar 30 Gorffennaf 1821; Morgan yr un man, 10 Chwefror 1823: Elizabeth yng nghapel MC, Gelli-groes, ar 2 Rhagfyr 1827: a William yng Nghapel y Babell, 6 Ebrill 1832.
[17]   Tystiolaeth Mary Jenkyns, yn ôl J. T. Jôb (1932), 304.
[18]   Mary Jenkyns yn MS 14374E.
[19]   Bu farw ei wraig Margaret ar 14 Tachwedd 1858 yn 42 oed, ac ym mynwent y Babell y claddwyd hefyd nifer o'u plant: Margaret Ann, Rees, Ann, John, i gyd ond rhai dyddiau neu fisoedd oed; bu farw Naomi yn 1856 yn 14 oed a John yn 1893 yn 44 oed.
[20]   Dai'r Cantwr (David Davies; 1812?–74): gweler: *Y Bywgraffiadur Cymreig*. Rhoddir ei oedran yn 31 pan gyrhaeddodd Tasmania yng Ngorffennaf 1844, wedi iddo gael ei ddedfrydu i ugain mlynedd o alltudiaeth am gychwyn tanau a malu clwydydd. Cafodd bardwn dan amodau ar 31 Hydref 1854. Bu farw 10 Awst 1874, wedi mynd i gysgu'n feddw a rhoi'r gwair y cysgai arno ar dân. Ei esboniad ar ei lysenw oedd: 'Byddwn yn eu dysgu i ganu yn y capelau.' Dywedir iddo fod yn arweinydd y gân yng nghapel Wesle Pen-y-bont ar Ogwr.
      Shoni Sgubor Fawr (John Jones; 1811–*c*.1858): rhoddir ei oedran yn 33 pan gyrhaeddodd Tasmania yng Ngorffennaf 1844. Llysenwyd ef ar ôl fferm y Sgubor-fawr ym Mhenderyn – naill ai am i'w dad fyw yno neu am iddo ef ei hunan fod yn was yno. Yn 1843 dedfrydwyd ef i'w alltudio am ei oes am ei ran yn nherfysgoedd 'Beca'. Yr oedd byth a hefyd mewn helynt yn Nhasmania a chafodd amryw gyfnodau o lafur caled ac o garchar unig. Cafodd 'ticket of leave' yn Rhagfyr 1856, a phardwn amodol yn Ebrill 1858. Nid yw adeg nac amgylchiadau ei farw yn hysbys. Disgrifiad cyfoes ohono oedd: 'a half-witted and inebriate ruffian' ('David Williams' yn *Y Bywgraffiadur Cymreig*, t.453).
[21]   Y ffeithiau eraill y gellir eu canfod am y teulu yw i fab bychan naw mis oed farw ym Mhontypridd ar 31 Hydref 1845; i fab gael ei eni yn Nhasmania ar 2 Chwefror 1855, merch ar 15 Ebrill 1856, a mab arall ar

15 Ionawr 1861. Fe ailbriododd John, yn 44 oed, â Mary Lewis Williams, 22 oed, yn Nhasmania ar 5 Tachwedd 1867. Ganwyd dau o blant iddynt, a hwythau erbyn hyn yn byw yn Richmond, De Cymru Newydd: Albert John yn 1873 a Mary Lewis yn 1876. Bu farw'r fam hithau yn 1876 ar 23 Ionawr yn Newcastle, DCN, ac felly, yn ôl pob tebyg, ar enedigaeth y plentyn, ac fe ddyfarnwyd y Llythyrau Gweinyddu i Mary Jenkyns a'i gŵr, er bod John Thomas yn dal yn fyw yn Newcastle (LlGC, Gweithred 162). Bu ef farw 'yn ddiweddar' yn Awstralia, medd Mary Jenkyns yn 1896. Roedd crynhoad o weithwyr Cymreig o gwmpas Newcastle, fyth ar ôl i'r Australian Agricultural Company fewnforio 40 o fwynwyr o Gymru, ac erbyn 1872 roedd tua 600 o Gymry yn y gymdogaeth a phump o gapeli Cymraeg ar agor.

22   Y mae cyfrifiad 1851 yn dangos Mary Louisa, nith pump oed, yn enedigol o Lanwynno, Morgannwg, hefyd yn byw gyda'r teulu yn yr Ynysddu. Pwy tybed oedd hi? Am yr organyddes gweler W. Glynfab Williams (1941), 17: 'daethum yn olynydd i nith Islwyn'.

23   Gweler Alan Roderick, 'History of the Welsh language in Gwent – Part 2', *Gwent Local History*, 51 (Autumn 1981), pennod 5, 2–25, a Sian Rhiannon Williams, 'Y Gymraeg yn y Sir Fynwy ddiwydiannol *c*.1800–1901', yn *Iaith Carreg fy Aelwyd*, gol. Geraint H. Jenkins (Caerdydd, 1988, Cyfres Hanes Cymdeithasol yr Iaith Gymraeg), tt.197–223.

24   Cafwyd adroddiad ar gyflwr torcalonnus yr adeilad yn 1967 a sylwadau beirniadol iawn ar benderfyniad Henaduriaeth Saesneg Mynwy yn 1964 i gau'r Babell, yn groes i ddymuniad y pymtheg aelod, gan D. Ben Rees, *Y Cymro*, 9 Chwefror 1967. Y mae'n dyfynnu blaenor o Grymlyn yn dweud yn yr Henaduriaeth, 'Pwy yw'r Islwyn yma 'dych chi'n son amdano o hyd. Clywais i ddim amdano erioed.' O leiaf y mae gwell siâp ar yr adeilad erbyn hyn.

25   Edgar Phillips, Pontllan-fraith, yn *Canmlwyddiant Geni Islwyn* (1932), t.3.

26   AMC 5653, t.7.

27   Dyfed (Evan Rees) (1884), 43.

28   *Reports of the Commissioners of Inquiry into the State of Education in Wales. Part II. Brecknock, Cardigan, Radnor, and Monmouth* (Llundain, 1847), tt.285 a 308. Gweler hefyd E. T. Davies, *Monmouthshire Schools and Education to 1870* (Casnewydd, 1937).

29   Mae'n debyg mai at yr ysgol hon y mae'r Llyfrau Gleision yn cyfeirio yn 1847, er y dywedir mai yn 1846 y sefydlwyd hi gan Mr Williams, 'a cripple' a chyn-weinidog gyda'r Annibynwyr wedi mynychu Athrofa Aberhonddu am bedair blynedd, a'i oedran tua 29 neu 30; yn ôl yr adroddiad nid oedd yr un o'r plant yn byw mwy na milltir a chwarter o'r ysgol. Y dyfarniad am yr athro yw: 'I have no doubt [he] did his duty as far as he was able, and as conscientiously as most schoolmasters.' Fe ategir urddau'r athro gan Dyfed: 'y Parch. D. M. Williams – gŵr o gryn fri yn y dyddiau hyny fel cyfranydd addysg.' Nid yw'n ymddangos yn T. Stephens, *Album Aberhonddu o 1755–1880* (Merthyr, 1898), ond nid yw hwnnw'n

gwbl gyflawn gan ei fod yn gadael allan 'y rhai a aethant i'r Eglwys Wladol'.
[30]   William Bevan oedd goruchwyliwr glofa Bedwellte adeg damwain 1857 pan laddwyd 26 o lowyr. Fe'i cafwyd yn ddieuog o ddynladdiad ond amdano ef, ond odid, y dywedodd Matthews Ewenni mewn cyfarfod misol: 'Peidiwch chwi â dywedud gair, y dyn; y mae'r cymylau yn feichiog o wylofain a griddfannau gweddwon ac amddifaid o'ch achos chwi' (J. J. Morgan, *Cofiant Edward Matthews Ewenni*, [Yr Wyddgrug], 1922, t.384. Ar ferched Bevan gweler Evan Powell, *The History of Tredegar* (Casnewydd, 1902, ail arg.), tt.54–5.
[31]   Gweler ei hysbysiad yn y *Monmouthshire Merlin*, 1 Ionawr 1848. Gormod fyddai gobeithio mai hi oedd y Sarah Poole a oedd yn darlithio ar Fesmeriaeth yn Abertawe yn y 1860au.
[32]   Edgar Phillips, *Canmlwyddiant Geni Islwyn*, t.7.
[33]   Iolo Davies, 'A *Certaine schoole': A History of the Grammar School at Cowbridge Glamorgan* (Y Bont-faen, 1967), t.74 a *passim*.
[34]   Edgar Phillips, *Canmlwyddiant Geni Islwyn*, t.4.
[35]   Edward Matthews, 'Islwyn fel pregethwr', *Y Cylchgrawn*, 1879, ac yna fel rhagymadrodd i'r gyfrol *Pregethau*, tt.xii–xiii.
[36]   Rwy'n ddyledus i Richard Morgan o Archifdy Morgannwg am dynnu fy sylw at gyhoeddiad gan Gymdeithas Hanes Lleol y Bont-faen, *Cowbridge Buildings and People: Sources and References* (2000). Dyfynnir W. A. H. Fisher:

> By 1798 the inn had been given up and the large room turned into a schoolroom, and the yard made a capital playground for the boys. Here for 80 years boys were caned and breeched . . . About 1838 or 1840 [Mr Rhys] was succeeded by Mr Lewis, better known as Billy Lewis of the Eagle, a master of the same stamp as Mr Rhys for both of them looked upon it as a crime to 'spare the rod' . . . The Tithe list of 1843 gives the occupier as John Elliot. The 1851 Census then shows the occupier as William Lewis who is described in John Richards' *The Cowbridge Story* as being a 'teacher of renown' and that the School was 'famed for its teaching of the three R's.

Cymhlethdod ychwanegol yw'r dyddiadau a godwyd o gofnodion bedydd Caerdydd a Bro Morgannwg: 'William Lewis – schoolmaster – Cowbridge 1857–71 a William Lewis – schoolmaster Eagle Academy Cowbridge 1861–79 (tybed ai ei dad oedd William Lewis – schoolmaster – Cowbridge 1826–30). Codwyd y dyddiadau hyn o'r wefan *www. angelfire. com/ga/BobSanders /SCHOOL.html*. Mewn ysgrif goffa ar y Prifathro Howells, Trefeca (William Howells, 1818–88) yn *Ceninen Gŵyl Dewi 1889*, 45–51, dywed Thomas Rees am yr 'Eagle', 'yr anfonid plant ymhell ffordd i ddysgu gan yr athraw, Mr Rees, dyn o enwogrwydd yn ei ddydd'. Cyd-ddisgybl â Howells oedd William Williams, gweinidog Bethany, Abertawe wedyn, a chyd-olygydd *Y Cylchgrawn*.
[37]   Roger L. Brown, *David Howell: A Pool of Spirituality* (Dinbych, 1998), t.14.

[38]   Y llyfryn yw C. J. Kennedy, *Nature and Revelation Harmonious: A Defence of Scriptural Truths Assailed in Mr George Combe's Work on 'The Constitution of Man'*, *Considered in Relation to External Objects* (Caeredin: William Oliphant and Sons, 1846).

[39]   Yn ôl tystiolaeth John Lewis, *The Swansea Guide*, 1851; adargraffwyd gan Gyngor Sir Gorllewin Morgannwg, 1989, t.50. Yn gyffredinol ar yr Academi: David Salmon, *History of the Normal College for Wales* (Abertawe, 1902). Sylwer hefyd ar deyrnged Thomas Rees yn ei *History of Protestant Nonconformity in Wales* (Llundain, 1883), ail arg., t.503: 'Dr Evan Davies's school at Swansea was one of the most efficiently conducted in the kingdom. Many of his pupils have excelled at the English and Scotch Universities.'

[40]   Roedd yn un o dri beirniad ar y traethawd yn Eisteddfod Genedlaethol Caernarfon yn 1862 pan enillodd Gwilym Teilo wobr o £60 ar y testun 'Hanes Llenyddol Cymru o'r Oesoedd Boreuol hyd y Cyfnod presennol'; gweler Hywel Teifi Edwards, *Gŵyl Gwalia* (Llandysul, 1980), t.425.

[41]   Ni chollodd Islwyn ei ddiddordeb mewn cerddoriaeth. Y mae Saunders Lewis yn gosod llawer o bwys ar hyn yn 'Thema *Storm* Islwyn', (1957), 187: 'Yr oedd Islwyn yn gerddor medrus a gwybodus. Dywaid Dyfed iddo "astudio cerddoriaeth yn ieuanc a bu'n fuddugol rai troion fel arweinydd côr." Dyma dystiolaeth allweddol. Gellid sgrifennu'n helaeth ar fiwsig ei delynegion a miwsig ei linellau a'i baragraffau diodl . . . [Ac] yn null cyfansoddwr cerddoriaeth yr oedd ei feddwl ef yn gweithio â'i ddawn greadigol.' Gellir ychwanegu at hyn dystiolaeth o flynyddoedd olaf Islwyn yn Ifano, 'W. T. Samuel a hanes y Tonic Sol-ffa yng Nghymru', *Cymru*, lvii (1919), 47–8: 'Tra yn Risca [o 1875 ymlaen, ac felly y mae rhywbeth o'i le gan fod Athan wedi cilio erbyn hynny] cyflwynwyd ef gan y diweddar Athan Fardd, yn ei arlunfa yn y Casnewydd, i'r prifardd Islwyn, ac y ganwyd y cyfeillgarwch pur gydrhyngddynt . . . Ar ei deithiau athrawus . . . cysgodd y cerddor yn annedd y bardd lawer noson, a chyfieithodd y bardd i'r Gymraeg eiriau Saesneg "Storm the Fort of Sin", ac ar y 3ydd o Fehefin, 1876, prynodd y bardd harmonium yn shop y cerddor.' Ar gyfer y tŷ yr oedd yr harmoniwm, mae'n amlwg, gan fod W. Glynfab Williams, fel y gwelwn yn nes ymlaen, yn dweud iddo ef, wedi iddo ddod yn organydd yng Nghapel y Babell yn 1878, brynu harmoniwm.

[42]   Aneurin Talfan Davies, *Bro Morgannwg*, cyf. I (Llandybïe, 1972), t.53.

[43]   Darllener ysgrif hynod ddifyr D. Tecwyn Lloyd ar 'Safle'r gerbydres', er nad yw'n cyfeirio at yr englynion hyn, yn D. Tecwyn Lloyd, *Safle'r Gerbydres ac Ysgrifau Eraill* (Llandysul, 1970).

[44]   LlGC, AMC 6792.

[45]   Mae'n debyg na fu iddynt blant. Mary a Daniel yn unig a gofnodir yng nghyfrifiadau 1861 a 1871, ac nid oes sôn am blant iddynt yn ewyllys Islwyn.

[46]   *Y Goleuad*, xv, 779 (11 Hydref 1884), 9–10. Bu farw Daniel Jenkyns ar 18 Medi 1884 yn 69 oed.

47 Benjamin Hughes, *Y Drysorfa*, lxix (1899), t.537.
48 21 Rhagfyr 1895; LlGC, AMC 6827.
49 Daniel Davies (1896), 69.
50 *Canmlwyddiant Geni Islwyn*, t.4.
51 Edgar Phillips (Trefin), 'Aneurin Fardd (1822–1904)', *Llên Cymru*, vii, 1/2 (Ionor–Gorff. 1962), 92–105. Gweler hefyd Dafydd Islwyn, 'Aneurin Fardd (1822–1904)', yn *Ebwy, Rhymni a Sirhywi*, gol. Hywel Teifi Edwards (Llandysul, 1999), tt.85–107.
52 O bosibl ei fod yn rhag-weld hyn wrth efelychu 'Russell's Emigrant Song – Farewell, a last Farewell' yn *Cyfaill y Werin*, 22 Awst 1862: 'Ffarwel yr olaf waith / A grudd a llygaid llaith, / 'R wlad lle bu'n tadau'n byw . . .' Damcaniaeth yw'r dyddiad 1864 ar gyfer ei ymadawiad i America, ond ymddengys yn weddol gadarn, gan ei fod yn dal i argraffu'r *Bedyddiwr* ym mis Ebrill 1864, ond fe argraffwyd rhifynnau Mai a Mehefin gan Daniel Jones Thomas yn Aberdâr ac yna, o fis Gorffennaf ymlaen gan William Roberts (Nefydd), Blaenau, a oedd wedi prynu teip a gwasg Albion Aneurin ym mis Ebrill. Gweler Ifano Jones, *A History of Printing and Printers in Wales* (Caerdydd, 1925), tt.275–6.
53 *Y Gwladgarwr*, 3 Medi 1875:

Mewn llythyr yn ddiweddar at fy hen athraw, Mr Aneurin Jones (ac ni fu ar awen well athraw nag 'Aneurin') ymholwn yn nghylch ei oedran. Yntau a atebodd yn yr englyn rhagorol a ganlyn:

Troedio yr wyf y trydedd – ar y deg
Wedi'r deugain mlynedd;
Heibio â'r oes, ewybr wedd,
Aed fwy'i chlod hyd fachludedd.

Y mae gwers i lawer o feirdd ieuainc yn fy adgofion i am Aneurin. Yr oedd i mi athraw arall, ac yr oedd hwnw yn canmawl *popeth* a wnawn, ac felly nid oedd yn gwneyd i mi ddim lleshad. O'r tu arall, 'pigo beiau' a wnai Aneurin – beio, a beio yn ddidor, nes gyru ei ddysgybl aflonydd i ysbryd anheddus weithiau – ond pan welai Aneurin ei ddysgybl yn digaloni, efe a dröai i'w ganmawl a'i ddirgymhell at lafur ac ymdrech yn y dyfodol. Y *beiwr wnaeth* les, *nid y canmolwr*. Cymered pob dyn ieuanc yr awgrym.

54 Gweler crynodeb clir Hywel Teifi Edwards yn *A Guide to Welsh Literature* c.1800–1900 (Caerdydd, 2000), tt.27–35.
55 Aneurin Fardd, Gelli-groes, 'Yr emynau Cymreig a'i caniad', *Seren Gomer*, xxxvii (1854), 72–3, 216–19, 455–8.
56 *The Cambrian* [Abertawe], 21 Hydref 1853.

Pennod Dau

1   D. Thorne Evans (1896), tt.12–15.

2   *Y Llenor*, viii (1929), 41–2.

3   Y mae dyddiad y bedydd yn wahanol gan Islwyn yn LLGC 5862A (diwedd 1853): 'She was baptized November the 14th, 1833 by Rev John Evans Llwynffortun – She died October 24th 1853 at 5 o'clock in the morning. October 28th 1853 Islwyn.'

4   AMC 5653, t.7. Gweler *Y Bywgraffiadur Cymreig* am fraslun o hanes John Evan Davies (1850–1929), gweinidog gyda'r Methodistiaid Calfinaidd ac eisteddfodwr. Tebyg mai testun darlith yw'r ddogfen.

5   Mary Jenkyns yn *Pregethau*, 1896, tt.viii–ix.

6   *Y Cylchgrawn*, III, xxxii (Tachwedd, 1853), t.352.

7   Daniel Davies (1896), tt.65–6.

8   AMC VII HZ1/26/6.

9   *Trysorfa y Plant*, xxix, 844 (Awst 1890), 214–15.

10   Daniel Davies (1896), t.66. Cywirwyd testun y penillion o'r llawysgrif, AMC 6786.

11   Tybed a oedd Islwyn yn gyfarwydd â cherdd yr Esgob Henry King (1592–1669), 'Exequy upon His Wife'?: 'Sleep on, my Love, in thy cold bed . . . Stay for me there: I will not fail / To meet thee in that hollow vale.'

12   Tom Beynon, 'Cofio geni Islwyn' yn *Treftadaeth y Cefnu a Maes Gwenllian* (Aberystwyth, 1941) t.201; dyfynnwyd yn Catrin Hopkins (1998). Yn ei ysgrif (1943), cododd Gwenallt yr un sylw o Tom Beynon, *Gwrid ar Orwel ym Morgannwg* (Caernarfon, 1938), t.13.

13   Yn ei *Athrawiaeth Cyferbyniad* (Caernarfon, 1925, Darlith Davies, 1925) t.321, y mae William Hobley yn cyfeirio at Islwyn fel 'rhyw grynhoad ar Novalis a Wordsworth ac Emerson, y blaenaf a'r olaf yn enwedig. Fe glywyd ei fod yn edmygydd mawr o'r ddau yna.' Y mae tystiolaeth eraill am Emerson, ond gresyn na fyddai Hobley wedi gallu rhoi pennod ac adnod.

14   Adolygiad gan Carlyle o *Novalis Schriften*, gol. Ludwig Tieck a Friedrich Schlegel (Berlin, 1826), 4ydd arg. yn *Foreign Review and Continental Miscellany*, iv (1829), 97–111; ailgyhoeddwyd yn ei *Critical and Miscellaneous Essays*, argraffiadau yn 1839, 1840, 1842, 1847 ac ymlaen.

15   LlGC 6787 'Detholion o'r Beirdd'; teitl y Llyfrgell.

16   Llythyr at Jane Pollard, 10 a 12 Gorffennaf 1794: 'That verse of Beattie's *Minstrel* always reminds me of him, and indeed the whole character of Edwin resembles much of what William was.'

17   Ar ddylanwad Beattie ar Wordsworth gweler Abbie Findlay Potts, *Wordsworth's Prelude: A Study of its Literary Form* (Ithaca NY, 1953), tt.63–76. Darllenodd Wordsworth gerdd Beattie yn ystod gwyliau hir 1790, cyn cychwyn ar ei daith gyfandirol gyda Robert Jones, Llangynhafal: Potts, uchod, tt.131–47. Ar Beattie gweler yn gyffredinol Everhard H. King, *James Beattie* (Boston, 1977, Twayne's English Authors 260), ei *James Beattie's 'The Minstrel' and the Origins of Romantic Autobiography* (Lewiston N.Y.

a Llanbedr, 1992), a nifer o erthyglau ganddo. Hefyd Pierre Morère, *L'Oeuvre de James Beattie: tradition et perspectives nouvelles* (Lille, 1980 = Thèse Université de Paris III, 1977, 2 gyf.); a Margaret Forbes, *Beattie and his Friends* (Westminster, 1904; ailargraffwyd Bryste, 1990). Troswyd 'The Hermit' i'r Gymraeg gan Dafis Castell Hywel yn 1804.

[18]   Y mae'r term 'conglau'r byd' i'w gael yn S2, 53, ond nid yw'n taflu fawr o oleuni.

[19]   Yn y 1860au y daeth Islwyn i adnabod Athan Fardd, ffotograffydd yng Nghasnewydd. Agorwyd y stiwdio ffotograffig gyntaf yn Ewrop yn Llundain yn 1841 gan Richard Beard, gwerthwr glo a mentrwr gyda phatentau, ac fe brynodd hawliau cyfyngol ym mhroses Daguerre ar gyfer Lloegr, Cymru a'r trefedigaethau. Erbyn diwedd y 1840au roedd stiwdios daguerraidd ym mhob dinas bron, a ffotograffwyr crwydrol yn y mân drefi a'r pentrefi: cafodd Islwyn dynnu ei lun pan oedd yn 16 oed, felly yn 1848 neu 1849. Yna fe gafwyd datblygiadau pwysig drwy gydol y 1850au; roedd John Dillwyn Llewelyn yn gwneud arbrofion hynod bwysig a dylanwadol yr adeg honno ym Mhenlle'r-gaer, heb fod yn bell o Abertawe, a Calvert Richard Jones, rheithor anselog Llwchwr am gyfnod, yr un modd, ond go brin y byddai Islwyn yn gwybod amdanynt, os nad drwy Evan Davies. Bu Arglwyddes Llanofer hefyd yn tynnu lluniau yn y 1850au. Yn *Y Casglwr* (72, Haf 2001) dangosodd R. Elwyn Hughes fod Thomas Sims (1826–1910) wedi symud yn 1850 o Weston-super-Mare, lle roedd ganddo stiwdio ffotograffiaeth, yn ôl i Abertawe, ei dref enedigol. Dengys Cyfrifiad 1851 ei fod ef a'i wraig yn byw yno yn Belle Vue Street, cwta chwarter milltir o Stryd yr Ardd a'r Academi, a Sims yn ei ddisgrifio ei hunan fel 'photographic artist'. Erbyn 1853 yr oeddynt wedi symud i Lundain. Y mae Iwan Meical Jones yn rhestru stiwdios daguerraidd eraill in Abertawe: Langlois (1842–7), Freeman (1851), Marks (1854) a Jacquire (1855). Am y cefndir gweler Iwan Meical Jones, 'Scientific visions: the photographic art of William Henry Fox Talbot, John Dillwyn Llewelyn and Calvert Richard Jones', *Trafodion Anrhydeddus Gymdeithas y Cymmrodorion* (1990), 117–72; ei 'Datgelu Cymry: portreadau ffotograffig yn oes Victoria', yn *Cof Cenedl XIV*, gol. Geraint H. Jenkins (Llandysul, 1999), tt.133–62, a'r llyfryddiaeth yn y ddwy erthygl; a *John Dillwyn Llewelyn 1810–1882: The First Photographer in Wales*, Catalog Arddangosfa Deithiol Cyngor Celfyddydau Cymru, 1980.

Cystal sylwi yma fel y mae'n sôn am gael tynnu ei lun yn ei lythyr at Martha, 13 Hydref 1863, sef mis ar ôl iddynt gyfarfod: 'Please send me your carte de visite [h.y. ffotograff] soon – Mine is not ready, I have had some taken many times but somehow it is not a good likeness. I am going to sit again next Thursday at Newport.' Y mae Athan Fardd yn cyfeirio at adeg ddiweddarach, mae'n debyg, pan oedd yn ffotograffydd yn Dock St, Casnewydd:

> Cyflwynais ef i'r 'dduwies ffoddgraffyddol' a daethant yn gyfeillion brwdfrydig yn ddiatreg. Cafodd ei arlunio, a dyna'r unig lun *da* a gafodd

yn ei fywyd. Tynwyd ef amryw droion wedyn wrtho ei hun a chyda minau, ei anwyl wraig, ac eraill, ond methwyd a chael un Islwyn-debyg er bob ymdrech! Yr oedd y llun cyntaf yn un hynod nodweddiadol o hono, a chafodd gannoedd o honynt i'w rhanu rhwng ei luosog edmwygwyr ar hyd a lled Cymru.

[20]   Ganwyd George Combe yn 1788 a bu farw yn 1858. Gwerthwyd tua 300,000 copi o'i lyfr *Constitution of Man* rhwng 1828 a 1860; dywedwyd nad oedd ond y Beibl, *Taith y Pererin* a *Robinson Crusoe* yn fwy poblogaidd. Cafwyd adolygiad yr un mor ofalus ('Nid yw pob peth . . . uwchlaw amheuaeth . . . ond llawer o wir yn cael ei ddweyd') yn *Y Dysgedydd*, xxxiii (1854), 315, ar lyfr gan A. W. Jarvis, Caernarfon, *Pwyllwyddeg (Phrenology) a Mesmeriaeth* (Caernarfon, [1854?]). Disgrifir Jarvis fel 'Proffeswr yn y Gwyddorau uchod'. Roedd Nicander, mewn llythyr at Eben Fardd, 15 Rhagfyr 1862 (*Adgof Uwch Anghof, Llythyrau*, gol. Myrddin Fardd (Pen y Groes, 1883), t.257) yn cyfeirio'n amlwg at *An Essay on the Physiognomy and Physiology of the Present Inhabitants of Britain* gan Carnhuanawc (1829), ac yn poeni 'ofn fydd arnaf fi rhag bod tuedd yn y fath feddylddrychau tynghedfennol a hwn, a Phrenology, a phethau, i wanychu cyfrifoldeb personol a chenedlaethol.' Ceir y dyfyniad o Lewis Edwards yn ei ysgrif ddienw, 'Athroniaeth a Duwinyddiaeth Coleridge', adolygiad o *Aids to Reflection. By Samuel Taylor Coleridge* (Llundain, [1825]), *Y Traethodydd*, ii (1846), 332. Gweler hefyd Jason Y. Hall, 'Gall's Phrenology: a Romantic Psychology', *Studies in Romanticism*, xvi (Summer 1977), 305–17.

[21]   Y mae Gwenallt (1954), t.25, yn dadlau mai beirniadaeth lenyddol yn seiliedig ar Young sydd i'w chael yn y darn 'Diwedd Y Storm', y bu cymaint condemnio arno oherwydd camgymeriad O.M.: 'Ar ôl darllen y traethawd ar ddiwedd ail gyfrol argraffiad 1854 o weithiau Young, *Conjectures On Original Composition*, y lluniodd Islwyn y darn, a dyna braw mai'r ar-graffiad hwn o weithiau Young, argraffiad 1854, a ddarllenodd, ac nid ar-graffiad o *Night Thoughts* yn unig.' Dichon fod Gwenallt yn llygad ei le, ond dadleuon mewnol, nid tystiolaeth allanol, sydd i'r gosodiad.

[22]   Am fanylion pellach gweler Elizabeth L. Mann, 'The problem of originality in English literary criticism, 1750–1800', *Philological Quarterly*, xviii (1939), 97–118.

[23]   *Y Gwladgarwr*, 19 Awst 1871.

[24]   Athan Fardd (1886). Gwelir safbwynt Athan ar y dadleuon yn glir iawn mewn llythyr o'i eiddo yn *Baner ac Amserau Cymru*, 28 Awst 1867, sy'n dwrdio Llew Llwyfo am ei elyniaeth i'r awdl:

> Rhued y Llew a fyno, er mai'r llew mawr yw efe, chredaf fi byth nad yr achos ei fod yn condemnio'r awdl yw, am fod yn haws ganddo wneyd 'Pryddest'. Y ffordd oreu i'r Llew, Glasynys, I. D. Ffraid, Islwyn, &, yw canu ar garlam wyllt, nes gwrthweithio dylanwad yr awdl o'r wlad, a thu yma iddynt wneyd hyny, ni fydd eu holl ymosodiadau arni ond testyn gwawd a digrifwch gan holl addolwyr yr awdl anfarwol!'

[25] Fel enghraifft eithaf deniadol o wrthwynebiad i'r mesurau rhyddion gellid dyfynnu llythyr gan 'Caradog' yn *Y Gwladgarwr*, iv, rhif. 43 (Gorffennaf 1836), 182:

> Poed hysbys iwch oll fod drwgweithredwr o wlad Hengist wedi bod yn crwydro ar hyd y wlad ers rhai blynyddau bellach, ac hyd yma yn cael ei lochain a'i groesawu mewn amryw gornelau dïawen o honi. Ei enw yn ei wlad enedigol yw *Blank verse*; ond yn ein gwlad ni gelwir ef, Y Mesur penrhydd, *alias* Canu dïawdl, *alias* Canu côch sîr Fôn, *alias* Difyrwch gwyr y crachfarddoni.

[26] Codwyd y dyfyniad o lyfr campus Huw Llewelyn Williams, na chafodd y clod dyladwy, *Safonau Beirniadu Barddoniaeth yng Nghymru yn y Bedwaredd Ganrif ar Bymtheg* (Llundain, [1941]) t.78.

[27] *Y Llenor*, xvii, 4 (Gaeaf 1938), 212.

[28] 'Salmyddiaeth Gymreig', *Y Traethodydd*, viii (1852), 180. Gweler hefyd ysgrif ddienw yn *Yr Adolygydd* 1851, 106–23, a oedd, fel y gwelwn, yn debygol iawn o fod ar gael i Islwyn, yn galw ar y beirdd i bleidleisio dros ryddid yn eu cyfarfyddiad yn Nhremadog.

[29] Am barhad yr ymdrechion i gael yr Eisteddfod Genedlaethol i gydnabod gwerth y canu rhydd (gydag Islwyn o blaid ac Aneurin Fardd yn pwdu ar yr ochr arall) gweler Hywel Teifi Edwards, *Gŵyl Gwalia* (Llandysul, 1980), tt.151–5.

[30] O'r 'Rhaglith' i *Caniadau*; hefyd yn *Y Cylchgrawn*, 1867, 240, ac mewn fersiwn byrrach yn *Y Glorian*, 27 Gorffennaf 1867, gyda'r teitl 'Barddoniaeth'.

Pennod Tri

[1] D. Thorne Evans (1896), t.13.

[2] LlGC 5877 C.

[3] Dewi Wyn o Essyllt (1887), t.24.

[4] Ailgyhoeddwyd yn *Y Drysorfa*, cii, rhif 1220 (Awst 1932), 293.

[5] *Trysorfa y Plant*, Chwefor 1879; dyfynnwyd o John Thickens, *Emynau a'u Hawduriaid* (arg. newydd, Caernarfon, 1961), t.20.

[6] Dyfynnwyd yn Cynwyd Thomas (1902), t.183.

[7] Yn J. J. Morgan, *Cofiant Edward Matthews, Ewenni*. ([Yr Wyddgrug], 1922), t.419.

[8] Iolo Caernarfon [J. J. Roberts], 'Beth ydym', *Cymru*, xvi, rhif 90 (15 Ionawr 1899), 30.

[9] D. Thorne Evans (1896), t.13.

[10] LlGC 6819.

[11] LlGC 6805. Llythyr at Daniel Davies, 22 Ionawr 1874.

[12] T. Mardy Rees, 'Yr elfen gyfriniol yn llenyddiaeth Cymru', *Y Dysgedydd*, ciii (1924), 179–88; diwerth ar y testun ond gyda'r sylw

canlynol: 'oherwydd "dolur steddfod" (nid eisteddfod) llifai gwaed yn fynych i'w esgidiau yn ol tystiolaeth ei nith i'r awdur. Pe gwybuasai cynulleidfaoedd hyn pan oedd efe byw ni fuasent galeted arno am dorri ei gyhoeddiad weithiau.'

[13]   LlGC 16658. Llythyr at Daniel Davies, 28 Ebrill, 1878. Argraffwyd fersiwn eithaf blêr yn *Cylchgrawn Cymdeithas Hanes y Methodistiaid Calfinaidd*, xxviii (1943), 89–90.

[14]   LlGC 6808. Llythyr at Daniel Davies, Gorffennaf, 1874.

[15]   Edward Davies, 'Afiechyd a meddygaeth drwy lygad y bardd a'r llenor', Darlith yr Eisteddfod Genedlaethol, Castell-nedd, 1994, *Cennad. Cylchgrawn y Gymdeithas Feddygol*, 14 (Gwanwyn 1995), 80–94.

[16]   Meurig Walters (1969), t.31.

[17]   Athan Fardd (1886).

[18]   Daw'r dyfyniadau o Watcyn Wyn (1892, 1896). Ceir cyfeiriad arall at ei natur mewn erthygl ar Watkin Hughes (Brwynog) gan Evan Price (Glyn Ebbwy), 'Un o feirdd y werin. Ar dreigl o Fôn i Fynwy', *Cymru*, li (Gorffennaf 1916), 43–7: 'Bu Athan Fardd a Brwynog yn gyfeillion mynwesol am beth amser hefyd . . . ac yr oedd cryn debygolrwydd rhyngddynt, y ddau yn feius o ddiofal o'u hamgylchiadau, ac yn caru llyfrau gyda rhyw angerddoldeb digyffelyb, a'r ddau yn credu mai'r bod urddasolaf ar wyneb daear oedd Bardd Cymreig Cadeiriol ac Ariandlysog.'

[19]   Watcyn Wyn, *Y Geninen*, x, 3 (Gorffennaf 1892), 128.

[20]   Watcyn Wyn, *Ceninen Gŵyl Dewi* (Mawrth 1896), t.5.

[21]   Athan Fardd, llith iii, 25 Mawrth 1886.

[22]   Daniel Davies, *Cymru* (1896), 65.

[23]   Ibid., t.68.

[24]   Gwelir nad oedd yr ôl-rifynnau i gyd ganddo mewn nodyn gan Islwyn yn LLGC 5862A (diwedd 1853): 'Ask Mr Jenkyns for Mr Thomas, Cardiff, if he has returned the "Traethodydd" (47–8) to Mr Davies Tredegar.'

[25]   Ibid., 434. Cymharer Young, *Night Thoughts*, I, 120–1: 'All, all on earth is *Shadow*, all beyond / Is *Substance*; the reverse is Folly's *Creed*.'

[26]   Arweiniad cyffredinol, yn enwedig i'w foeseg, ar ffurf adolygiad o drosiadau i'r Saesneg yng nghyfres Bohn, yw 'Plato ar athroniaeth' gan awdur dienw yn *Yr Adolygydd* (1851), 22–40.

[27]   Gweler hefyd N. H. Keeble, *The Literary Culture of Nonconformity in Later Seventeenth-Century England* (Caerlŷr, 1987), tt.258–9.

[28]   E. G. Millward (1980); fersiwn diwygiedig yn cynnwys y cyfeiriad at Chimborazo, yn ei *Cenedl o Bobl Ddewrion: Agweddau ar Lenyddiaeth Oes Victoria* (Llandysul, 1991), t.53–61. Rhy ffynhonnell y gosodiad fel *Y Cymro*, 10 Hydref 1895, ond fe ellid cyfeirio hefyd at erthygl gan Isaac Foulkes (Llyfrbryf) yn yr un cyfnodolyn am 12 Gorffennaf 1894:

> Yr oeddwn newydd ddarllen cyfrol fechan o waith Emerson, ac anturiais awgrymu yn fy llythyr fod llawer o debygolrwydd rhwng y ddau. Yn ei atebiad dywedai mai nid *compliment* bychan yr ystyriai gael ei gymharu

ag Emerson fel bardd, er fod gwahaniaeth mawr yn eu diwinyddiaeth. 'Natur,' meddai, 'ydyw unig gyfrwng Emerson at Dduw; ond yr wyf fi yn credu mewn *Cyfryngwr gwell*.'

Dyfynnir yn *Gweithiau Llenyddol Goleufryn*, gol. Alafon (Caernarfon, 1904), t.377.

[29]   LlGC 5878B.

[30]   Rhodd i'r Llyfrgell gan Glynfab C. D. Evans o Ynys-ddu, Chwefror 1933, yw'r casgliad. Yr wyf yn ddiolchgar i'r Dr Ian Glen am ei drafferth yn hel nifer o'r cyfrolau at ei gilydd imi, a hefyd am gadarnhau'r llofnod yn llyfryn Kennedy.

[31]   Ar dudalen 140 y mae 'Galargan' Islwyn.

[32]   *Spring*, ll.242–5; hefyd 251–2, 259–60, 269–71. 'The laureate of the sun' am yr ehedydd, a'r wybren yn 'loud with a thousand larks' o Alexander Smith (*Poems*, Llundain, 1853), ail arg., tt.25 a 168. Y mae dau bennill Cymraeg hefyd: 'Rhwng rhyfeddodau teg y boreu ddydd . . .'

[33]   Eryr Glan Taf, 'Athrylith Edward Young, LL.D. Awdur y "Night Thoughts"', *Yr Haul*, iv, rhif 42 (Mehefin 1853), 210–13. Y mae cyfieithiadau Carn Ingli i'w gweld yn rhifynnau Chwefror, Mawrth, Ebrill a Mehefin.

[34]   Y golygydd at ohebwyr, *Cymru*, xlix (Rhagfyr 1915), 292.

[35]   Y mae Gwenallt yn cydnabod dyled drom i erthygl gan Isabel St John Bliss, 'Young's *Night Thoughts* in relation to contemporary Christian Apologetics', *Proceedings of the Modern Language Association of America*, xlix (1934), 37–70.

[36]   Gomer M. Roberts, *Y Pêr Ganiedydd*, II (Aberystwyth, 1958), tt.131–3.

[37]   W. Forbes, *The Life of Beattie*, II, t.29. Dyfynnir yn *Edward Young: Night Thoughts*, gol. Stephen Cornford (Caergrawnt, 1989), t.21.

[38]   Yr astudiaeth glasurol yw Pierre van Tieghem, *La Poésie de la nuit et des tombeaux en Europe au XVIIIe siècle* (Brwsel, 1921).

[39]   Ar aruchedd gweler yn bennaf David B. Morris, *The Religious Sublime: Christian Poetry and Critical Tradition in 18th-Century England* (Lexington, Kentucky, 1972), a Samuel H. Monk, *The Sublime: A Study of Critical Theories in XVIII-Century England* (Efrog Newydd, 1936; ail arg. Ann Arbor, Michigan, 1960); Albert O. Wlecke, *Wordsworth and the Sublime: An Essay on Romantic Self-Consciousness* (Berkeley, Los Angeles, Llundain, 1973); Marjorie Hope Nicolson, *Mountain Gloom and Mountain Glory: The Development of the Aesthetics of the Infinite* (Ithaca, NY, 1959, ail arg. Washington, 1997).

[40]   Gwelir y syniad mai'r Beibl yw gwir darddle barddoniaeth aruchel gan John Dennis ar ddechrau'r ddeunawfed ganrif. Y mae pennod arno yn Morris, *The Religious Sublime*.

[41]   Ar Young, at argraffiad Cornford o *Night Thoughts* a Morris *The Religious Sublime*, ychwaneger Isabel St John Bliss, *Edward Young* (Efrog Newydd, 1969); Leon Guilhamet, *The Sincere Ideal: Studies in Sincerity in Eighteenth-Century English Literature* (Montreal a Llundain, 1974); John

294   *Nodiadau*

Sitter, *Literary Loneliness in Mid-Eighteenth Century England* (Ithaca, NY, 1982).

[42] Y mae peth ansicrwydd ynglŷn â'r defnydd cyntaf o'r term yn Saesneg i gyfeirio'n uniongyrchol at ysgol o feirdd. Efallai mai Charles Kingsley oedd yr arloeswr mewn erthygl yn *Fraser's Magazine*, Tachwedd, 1853, tt.568–76 ond Aytoun yn 1854 sydd gan yr OED.

[43] LlGC Cwrtmawr 76B, rhif 83.

[44] Yn yr erthygl y mae Islwyn fel petai'n dyfynnu Wordsworth, 'the vision and the faculty divine' (*The Excursion* I, 79) ond fe siglir y ddamcaniaeth i ryw fesur o sylwi, yn y broliant sy'n rhagflaenu'r ail argraffiad (1853) o *Poems* Smith, ar rai llinellau o adolygiad y *Westminster Review*: 'The extracts we have given must have made manifest the fact, that here is a man possessing in an unusual degree the "vision and the faculty divine".' Hefyd yn y broliant gellir sylwi ar y *Nonconformist* yn ei alw 'a finer poet than Keats', yr *Irish Quarterly Review* yn canmol y cerddi fel gwell na 'The Princess' Tennyson a chystal ag *In Memoriam*, a *Parker's National Miscellany* yn mabwysiadu peth o'r delweddu: 'Since Chatterton and Keats, never did the first mornings of a song-field yield so rich and heavy a crop of spring grass all sweet with wild flowers.'

[45] Alexander Smith, *Poems* (1853), tt.10 a 70.

[46] E. G. Millward, *Yr Arwrgerdd Gymraeg: Ei Thwf a'i Thranc* (Caerdydd, 1998), tt.122 a 126; gweler hefyd y mynegai.

[47] Anodd gwybod sut i gyfeirio at *Festus* yn wyneb y mynych fersiynau, ond y mae'r dyfyniad i'w gael ar dudalen 173 o'r argraffiad Americanaidd cyntaf (Boston, 1845, 413 tt.), sef adargraffiad o'r ail fersiwn a gyhoeddwyd yn Llundain yr un flwyddyn, ac sydd â'i dudaleniad yn ymddangos yn bur debyg (xvi+396 tt.). Tebyg mai pumed argraffiad 1852 oedd yr un a ddefnyddiodd Islwyn. Yn y dyfyniad sydd uwchben 'Ceisio gloewach nen' fe geir y gair 'oscillances', ond y mae'r OED yn dangos mai 'oscillancies' sydd ym mhedwerydd argraffiad 1848.

[48] Ar hyn i gyd gweler yr erthygl 'Cyffredinolwyr (*Universalists*)', yn *Y Gwyddoniadur Cymreig*, cyfeiriadau gan R. S. Rogers yn ei *Athrawiaeth y Diwedd* (Lerpwl, 1934) ynghyd ag astudiaeth drylwyr Geoffrey Rowell, *Hell and the Victorians* (Llundain, 1974) ac, yn benodol ar gysylltiad Bailey, Michael Wheeler, *Death and the Future Life in Victorian Literature and Theology* (Caergrawnt, 1990), tt.98–102. Fe gyfunwyd Cyffredinolwyr America a'r Undodwyr yn 1961. Roedd y Rhamantwyr yn Lloegr yn bur gyfarwydd â'r gred drwy Leigh Hunt; ei rieni ef oedd ymhlith y rhai cyntaf ym Mhrydain i arddel Cyffredinoliaeth.

[49] Prif gynnwys y gyfrol yw'r gerdd 'Myddfai', sef y Parchedig T. J. Williams (GBI 589–96). Ceir hefyd 'Yr Adgyfodiad' (GBI 656–7), 'Glan Ebbwy' (GBI 657), ac 'Aeth Blwyddyn Heibio' (GBI 657). Fe ailgyhoeddodd 'Myddfai' hefyd yn rhifyn 20 Gorffennaf o'r *Cardiff Times*.

Pennod Pedwar

¹ LlGC 5854, gyda'r teitl 'Emyn'. Yna, dan y teitl 'Hapus Dyrfa' yn *Caniadau* 1867 a chyda'r llinell 'Troir yn fêl y bustl yno' yn darllen 'wermod yno'. Fe geir yn netholiad T. H. Parry-Williams destun y llawysgrif, gyda'r ddau bennill (yr ail, 'Gwêl a chred!' a'r seithfed 'Iachawdwriaeth ar ei hawel') a adawyd allan o'r *Caniadau*. Ond fe ddylid sylweddoli bod y golygydd wedi diweddaru'r orgraff a'r atalnodi mewn mannau, a'i fod yn dilyn O.M. drwy newid 'Trwyddi rhed afonydd hedd' yn y trydydd pennill i ddarllen 'Trwyddi llif', ac 'Yno nid yw neb yn brudd' i 'Yno nid oes'. Efallai na ddylid talu gormod o sylw i atgof W. Glynfab Williams o achlysur geni'r penillion, ond fe ddylid ei gofnodi: 'Gwelaf y fan lle safai, a'r "niwl yn toi y glyn," heb ddim yn y golwg ond ffermydd Pencwarre, Ffynnon Gwaed, a Brynysgawen, ar yr ochr arall i'r cwm, pan ddaeth iddo'r syniad am yr emyn – "Gwêl uwchlaw cymylau amser."' (*Y Drysorfa*, 1941), 18.

² Mae'n debyg mai 'St Garmon' yw'r dôn a osodir amlaf. Yn 'Llwybrau adgof Aberdar a'i brodorion', *Cymru*, xl, rhif 237 (Ebrill 1911), 210, y mae David Lewis, Llanelli (Dewi Medi) yn dweud fel hyn: 'Yr oedd emyn ardderchog Islwyn . . . newydd ymddangos, ac wedi ei ieuo â'r dôn "St. Garmon", a nefoedd William Morgan (*Y Bardd*) oedd canu ac arwain cynulleidfa yn natganiad yr emyn hwnnw.' Ond y mae tonau eraill, ambell un yn drawiadol ddigon: 'Ehedydd', Mathew W. Davies; 'Hapusrwydd', T. D. Edwards; 'Llanystumdwy. Er cof am Lloyd George', W. Matthews Williams; 'Cân o Fawl', hen alaw yng nghynganeddiad Morgan de Lloyd; 'Hapus Dyrfa', Robert Bryan; heb sôn am fenthyciadau megis 'Frankfort', Nicolai. Y mae hefyd anthemau gan Dan Jones, Pontypridd, Daniel Protheroe a John Henry Roberts (Pencerdd Gwynedd) yn dal yn y catalog.

³ Go brin y byddai Islwyn yn gyfarwydd â John Galt, *Annals of the Parish* (1821) a'r crybwylliad yn nhrydydd paragraff y bumed bennod ar hugain 'the shadows and the clouds of time', nac ychwaith Helen Maria Williams, *Poems on Various Subjects* (1823) a'r llinellau yn 'Duncan, an Ode': 'Deep in the mystic clouds of time / I see a poet called to birth – / I hear a lyre, whose source sublime / With wonder thrills the list'ning earth', er mor briodol yr olaf. (Fe fydd y cyfarwydd yn deall mai o'r We, ac nid o wybodaeth bersonol, y codwyd yr enghreifftiau.)

⁴ Yr emyn yw 'Y mae syched ar fy nghalon' a diddorol sylwi mai'r dôn a osodir yn *Caneuon Ffydd* yw 'Islwyn'.

⁵ Fe ellid mynd ymlaen, wrth gwrs, i wneud rhywbeth yn debyg ar gyfer y penillion eraill, ond fe gyfyngwn ein hunain i ychydig o enghreifftiau, y rhan fwyaf yn gyfeiriadau beiblaidd – 'Coron dêg' yr ail bennill: Iago 1.12, 1 Pedr 5.4; 'Golud': Eff. 1.18, Heb. 10.34; 'Ffynonau bywyd', 'afonydd' a 'bröydd' y trydydd pennill: Dat. 7.17 a 21.6, Salm. 147.14, Gen. 2.10 ('ac afon a aeth allan o Eden, i ddyfrhau yr ardd'). Sylwer, felly, ar yr adlais yn cyfleu syniad o'r nefoedd fel paradwys. 'Saethau', 'gelyn marwol' a 'rhandir fry' y pedwerydd pennill: Salm. 114.6; 17.9; 125.3. Yna am 'Angau yno? Cartref

Anfarwoldeb yw!' cymharer 1 Cor. 15.53–4. 'Awelon glyn marwolaeth' y pumed pennill: 'dan awelon / peraidd, hyfryd tir fy ngwlad' (gweler pennill 1 llinell 3); ac, wrth gwrs, 'glyn cysgod angau' Salm. 23.4. Y mae'r deigryn sy'n syrthio eto'n codi o lyfr Datguddiad 7.17 a 21.4. Fe fydd angen dod yn ôl at y seithfed pennill, 'Nid oes yno neb yn wylo', ond, yn y cyfamser, noder y 'bustl' a gyfnewidiwyd yn 'wermod' yn Galarnad 3.19, 'Cofia fy mlinder a'm gofid, y wermod a'r bustl'; ac fe ryddheir y caethion yn Eseia 61.1 a Luc 4.18. Yn yr wythfed pennill 'ei hanthem', y mae llu o enghreifftiau megis 'Gyda myrdd sy'n canu'r anthem' Pantycelyn, *Ffarwel Weledig*, rhan 3, 1769; ac am 'yn disgleirio fel yr haul' gweler Dat. 1.16. Yna, yn y pennill olaf, cymharer y galon brudd yn llamu â Salm. 38.10.

⁶   Ann Steele (Theodosia, 1716–78), 'A Thought of Life and Death', yn *Poems on Subjects Chiefly Devotional* (1760). Gwerth sylwi bod Charles Wesley yn dewis hapusrwydd fel nodwedd Dydd y Farn (yn emyn 522 o *A Collection of Hymns for the People Called Methodists*, 'Jesus, accept the praise'): 'O happy, happy day / That calls thy exiles home'; geiriau sydd bron air am air yn adleisio Young, *Night Thoughts*, IV, 666–7.

⁷   Y mae hyn yn arbennig o wir am America. Yr enghraifft amlycaf yw *Heaven our Home. We have no Saviour but Jesus, and no Home but Heaven*, gan William Branks, a gyhoeddwyd yn 1861; cyfrifir argraffiad 1864 yn '73rd thousand'.

⁸   LlGC 9499B.

⁹   Gweler *Romantic Revisions*, gol. Robert Brinkley a Keith Hanley (Caergrawnt, 1992).

¹⁰   D. Thorne Evans (1896), t.13.

¹¹   *Cymru*, 1897, t.195.

¹²   Yn y 1940au roedd o hyd lygad-dystion yng Nghaergrawnt i'w ddisgrifio'n bloeddio'n orfoleddus 'Der *Urfaust* ist gefunden' (daethpwyd o hyd i'r *Urfaust*); digwyddodd hyn yn Ionawr 1887.

¹³   Dengys Meurig Walters, yn ei ysgrif ar *Caniadau* yn *Ysgrifau Beirniadol*, III, mai tua Mehefin 1867 y cyhoeddwyd y gyfrol. Ymhlith awgrymiadau gwerthfawr yr erthygl y mae'n casglu, o gofnodion yn LlGC 5879E, bod ym meddwl Islwyn i'r *Caniadau* fod ar batrwm *Oriau'r Bore* Ceiriog.

¹⁴   Nodiadau misol *Y Drysorfa*, xli, rhif 677 (Mawrth 1887), 110–11: 'Llawenydd . . . deall fod gobaith . . . am gael holl weithiau Islwyn allan trwy y wasg, a bod y rhwystrau fu yn llesteirio hyny oddiar ei farwolaeth hyd yn awr, naill ai wedi neu ar gael eu symud . . . Hysbys yw fod y bardd wedi paratoi ei gynnyrchion i'r wasg â'i ddwylaw ei hyn cyn iddo farw. Gwnaeth hyny nid yn unig â'i farddoniaeth, ond hefyd â'i bregethau.'

¹⁵   Gan nad yw'r 92 llinell wedi eu cyhoeddi nac wedi ennyn fawr o sylw, y mae gofyn cynnig adysgrif yma, ac fe argreffir y cyfan, gyda'r newidiadau, yn Atodiad 2.

¹⁶   Y *Cylchgrawn*, II, rhif xix (Hydref 1852), 294–8; y dyfyniad o *Night Thoughts* VII, 389. Dyfynnir hefyd: 'Desire of fame, by various ways is cross'd, / Hard to be gained, and easy to be lost.'

[17]   William Turner, *A Compleat History of the Most Remarkable Providences, Both of Judgment and Mercy, Which Have Hapned in This Present Age* (Llundain, 1697); dyfynnwyd yn J. Paul Hunter, *The Reluctant Pilgrim. Defoe's Emblematic Method and Quest for Form in* 'Robinson Crusoe' (Baltimore, 1966), t.60. Gweler hefyd [L.G.] Carr Laughton a V. Haddon, *Great Storms* (Llundain, 1927), pennod IV, tt.63–94, 'The Great Storm of 1703'.

[18]   Yn ei *Oriau gydag Islwyn* (1901), t.51.

[19]   Llythyr at O. M. Edwards

[20]   Glyn Tegai Hughes (2000), tt.69–96.

[21]   Cymharer Young, *Night Thoughts*, IX, 164–8, a ddyfynnwyd eisoes, ar Ddydd y Farn:

> Amazing period! when each mountain-height
> Outburns Vesuvius; rocks eternal pour
> Their melted mass, as rivers once they pour'd;
> Stars rush; and final Ruin fiercely drives
> Her ploughshare o'er creation!

[22]   Fe geir enghraifft o'r gred yn *Cato*, drama Joseph Addison, y gwyddys bod Islwyn yn ei darllen ar y pryd: 'How beautiful is death, when earned by virtue! / Who would not be that youth? What pity is it / That we can die but once to serve our country' (Act IV, golygfa iv, ll.80–2).

[23]   Dienw, ond pur sicr mai'r golygydd yn 1896 oedd N. Cynhafal Jones, *Y Drysorfa*, lxvi, rhif 798 (Tachwedd 1896), 511–12, mewn adolygiad o *Bregethau* Islwyn; ailgyhoeddwyd adeg dathlu canmlwyddiant geni Islwyn, *Y Drysorfa*, cii, rhif 1222 (Hydref 1932). Daeth Nathaniel Cynhafal Jones (1832–1905) yn weinidog gyda'r Methodistiaid Calfinaidd ac yn olygydd gweithiau Pantycelyn, ond yn 1856 roedd yn llyfrwerthwr teithiol i gwmni argraffu a chyhoeddi P. M. Evans, Treffynnon, a ddechreuodd gyhoeddi *Y Drysorfa* yn 1854 a'r *Traethodydd* yn 1855. Cyhoeddwyd ei gyfrol gyntaf o farddoniaeth yn 1857.

[24]   'Symudai'r haul yn araf draw / Fel elorgerbyd du' (S1 59).

Pennod Pump

[1]   Nid yw Gruffydd yn cynnig profion o ddylanwad Cowper, ac nid yw'r berthynas yn amlwg, a dweud y lleiaf. Y mae'r un peth yn wir am ddylanwad honedig Browning. Ond fe ddylid ychwanegu bod Islwyn, ymhen blynyddoedd, yn cymeradwyo Cowper fel dewis-ddarllen beirdd ieuainc (*Y Gwladgarwr*, 2 Hydref 1869).

[2]   Termau amwys iawn yw 'cyfriniaeth' a 'chyfriniol'. Y drafferth yw nad oes diffiniad sy'n ffitio pob 'cyfrinydd' amlwg, Meister Eckhart, Ieuan y Groes, Thomas Traherne ac yn y blaen. Y mae R. M. Jones (1994) wedi

traethu'n bwyllog a goleuedig ar y mater, er y gellid amau ai cymhlethu pethau gyda gair amwys arall yw galw Islwyn yn 'gyfrinydd Rhamantaidd'.

Yn sicr y mae elfennau o gyfriniaeth natur Jacob Böhme, ac o neoblatoniaeth i'w canfod ynddo, ond ar y llaw arall nid oes dim o'r ymdoddi personol yn y duwdod oedd yn nodweddu cyfrinwyr y Canol Oesoedd. Osgoi'r term fydd orau.

3   Diddorol sylwi ar yr awgrym daearegol ffosilaidd. Roedd dadlau brwd ar berthynas crefydd a daeareg yn y degawdau hyn; meddylier am boblogrwydd cyfrol Hugh Miller, *Footprints of the Creator* (1847), a llwyddiant ysgubol *Vestiges of Creation* gan Robert Chambers, a gyhoeddwyd yn ddienw yn 1844 ac a werthodd 100,000 copi mewn dim o amser. Gweler, ar yr union bwynt, John Morgan, 'Cysondeb yr ysgrythyrau a darganfyddiadau diweddar gwyddiant', *Y Traethodydd*, viii (Ionawr 1852), 52–76: 'Y pwnc mewn dadl yw, A orlifodd y dilyf y sonia Moses am dano, dros yr holl ddaear . . . Nid oes *angenrheidrwydd* i ni dybied fod olion y dylif yn aros ar y ddaear hyd heddyw, tuag at gysoni Daeareg â'r Ysgrythyr; eto, ymddengys yn dra *thebygol* fod ei olion heb eu hollol ddilëu.' (Er nad yw'n cynnwys Cymru ymhlith yr ardaloedd a rydd.) Yr astudiaeth glasurol ar y dadleuon yw Charles Coulston Gillispie, *Genesis and Geology: The Impact of Scientific Discoveries upon Religious Beliefs in the Decades before Darwin* (Efrog Newydd, 1959, Harper Torchbooks; cyhoeddwyd gyntaf yn 1951). Ar lyfr Robert Chambers gweler James A. Secord, *Victorian Sensation: The Extraordinary Publication, Reception and Secret Authorship of 'Vestiges of the Natural History of Creation'* (Chicago, 2001). Rhagarweiniad defnyddiol yn Gymraeg yw Harri Williams, *Duw, Daeareg a Darwin: Yn bennaf ar Dudalennau'r Traethodydd, 1845–1900* (Llandysul, 1979, Cyfres Darlith Davies).

Y mae gan y Parch. E. Hughes, Maesteg, ysgrifau eithaf goleuedig ar ddaeareg yn *Seren Gomer*, xxxvii (1854), 4–8, 114–17, 213–16, 353–5, 404–9, 540–2; o'i safbwynt Fwlcanaidd y mae'n gwrthwynebu syniadau Neifionaidd A. G. Werner (hynny yw, y ddadl ai o dan ddylanwad tân neu ddŵr y crëwyd y creigiau). Y mae ei gasgliadau ynglŷn â 'Gorhenaint y Ddaear, yn ei gysylltiad â'r Hanes Ysbrydoledig' yn eithaf blaengar.

4   Cymharer Akenside, *The Pleasures of Imagination*, I, 164–8, llinellau a godwyd gan Islwyn yn yr ysgrif-lyfr: 'Fancy dreams / Of sacred fountains, of o'ershadowing groves, / Whose walks with godlike harmony resound: / Fountains, which Homer visits; happy groves, / Where Milton dwells . . .'

5   Y mae Saunders Lewis yn gweld cyfeiriad yn y llinellau hyn at yr *Aeneid* VI, 136–7.

6   Wrth drafod pechod gwreiddiol y mae Coleridge yn *Aids to Reflection* (CIXc.15) yn defnyddio hanes Prometheus 'that truly wonderful Fable, in which the characters of the rebellious Spirit and of the Divine Friend of Mankind . . . are united in the same person: . . . thus in the most striking manner noting the forced amalgamation of the Patriarchal Tradition with the incongruous Scheme of Pantheism'.

[7] Yn 1856 y cafwyd y cyfieithiad cyntaf i'r Saesneg o *Buch der Lieder* Heine, sy'n cynnwys *Die Nordsee*, sef John E. Wallis, *Heinrich Heine's Book of Songs* (Llundain). Ym mis Chwefror 1856 hefyd y bu Heine farw.

[8] Thomson, 'Summer', ll.869–70; Keats, 'On Receiving a Curious Shell'. Diddorol, er hynny, yw gweld Hazlitt yn ei ysgrif 'On Familiar Style' (1821) yn cynnwys mwnau Golconda ymhlith termau stoc ysgrifenwyr ffansïol, coegwych. Fe ddâl dyfynnu rhai brawddegau gan mai cael a chael yw hi ar Islwyn ar brydiau i osgoi'r temtasiynau yn y rhan gyntaf, er ei fod yn amlwg yn goresgyn y feirniadaeth yn yr ail ran:

> Do we read a description of pictures? It is not a reflection of tones and hues which 'nature's own sweet and cunning hand laid on', but piles of precious stones, rubies, pearls, emeralds, Golconda's mines, and all the blazonry of art. Such persons are in fact besotted with words, and their brains are turned with the glittering but empty and sterile phantoms of things. Personifications, capital letters, seas of sunbeams, visions of glory, shining inscriptions, the figures of a transparency, Britannia with her shield, or Hope leaning on an anchor, make up their stock-in-trade. They may be considered as *hieroglyphical* writers. Images stand out in their minds isolated and important merely in themselves, without any ground-work of feeling – there is no context in their imaginations. Words affect them in the same way, by the mere sound, that is, by their possible not by their actual application to the subject in hand. They are fascinated by first appearances, and have no sense of consequences. Nothing more is meant by them than meets the ear: they understand or feel nothing more than meets their eye. The web and texture of the universe, and of the heart of man, is a mystery to them: they have no faculty that strikes a chord in unison with it. They cannot get beyond the daubings of fancy, the varnish of sentiment.

[9] [Lewis Edwards], 'Goethe', *Y Traethodydd*, vii (Ebrill 1851), 137–53: bron yn gyfan gwbl ar *Faust*; 'Athroniaeth Kant', ix (Ionawr 1853), 67–77 ac (Ebrill 1853), 208–16. Y mae'r ysgrif gyntaf yn ymwneud â sylfeini epistemolegol yr athrawiaeth, a'r gwybodaethau *a priori* yng nghyfansoddiad y meddwl, yn annibynnol ar y gwybodaethau empiraidd sy'n codi oddi ar brofiadau'r synhwyrau. Yna fe â ymlaen, gan ddyfynnu'n helaeth iawn o Kant ei hun, i drafod yr oblygiadau i syniadau am amser a lle. Y mae'r ail ysgrif yn ymwneud â deall a rheswm.

[10] John Thomas, *Cofiant y Parch. T[homas] Rees, D.D., Abertawy* (Dolgellau, 1888), t.188. Un arall o'r deg oedd D. Seys Lewis y cyfeirir ato yng nghyd-destun *Barddoniaeth*, 1854 (t.313).

[11] *Yr Adolygydd*, Medi 1850, 'Holl-dduwiaeth yr Almaen', 163–79. Yng nghwrs yr ysgrif fe sonnir yn feirniadol iawn am syniadau Bertholdt; er arbed chwilio ofer, gall fod yn werth esbonio mai'r Neo-Kantiad Kuno Fischer (1824–1907) yw hwn. Ei enw gwreiddiol oedd Ernst Kuno Berthold.

[12] [Owen Thomas], 'Anffyddiaeth Germani', *Y Traethodydd*, v (Hydref 1849), 501–21; wedi adrodd tŵf y feirniadaeth newydd o Semler a Baumgarten yn y ddeunawfed ganrif y mae'n canolbwyntio ar Strauss, ond yn dod i'r casgliad cysurlon mai canlyniad yr holl feirniadu ac amau yw 'i'r efengylau ddyfod allan yn fwy na choncwerwyr'.

[13]   Ar Schleiermacher gweler yn Gymraeg: D. Miall Edwards, *Bannau'r Ffydd: Dehongliad Beirniadol o Brif Athrawiaethau'r Grefydd Gristnogol* (Wrecsam, 1929). Yn Saesneg y mae rhagarweiniad byr, hwylus gan Stephen Sykes, *Friedrich Schleiermacher* (Llundain, 1971). Cyfeiriadau defnyddiol eraill yw Keith W. Clements, *Friedrich Schleiermacher: Pioneer of Modern Theology* (Llundain a San Ffransisco, 1987); Claude Welch, *Protestant Thought in the Nineteenth Century*, cyf.1 1799–1870 (New Haven a Llundain, 1972); Richard R. Niebuhr, *Schleiermacher on Christ and Religion* (Efrog Newydd, 1964 a Llundain, 1965); David Jasper, *The Interpretation of Belief: Coleridge, Schleiermacher and Romanticism* (Efrog Newydd, 1986); a'r bennod yn Karl Barth, *Protestant Theology in the Nineteenth Century: Its Background and its History*, cyf. B. Cozens a H. Bowden (Llundain, 1972). Am sylwadau anffafriol ar ei ddylanwad gweler R. M. Jones (1994), e.e. t.208: 'Er mai Calfinaidd oedd y briffordd y tu ôl iddo, perthynai Islwyn yn ddiwynyddol hefyd i ymylon y symudiad mawr mewn diwynyddiaeth rhwng Schleiermacher a Bultmann a geisiodd droi'r ffydd Gristnogol yn gyfan gwbl oddrychol.'

Erbyn 1856 yr unig drosiad uniongyrchol o'i waith i'r Saesneg oedd *A Critical Essay on the Gospel of St Luke* – dienw ond gan Connop Thirlwall, esgob Tyddewi wedi hynny – (Llundain, 1825); argraffiad newydd, gol. Terrence N. Tice (Lewiston, NY a Llanbedr, 1993). Ond i damcaniaethau newydd am yr efengylau a geir ynddo, nid syniadau mwy cyffredinol Schleiermacher.

[14] [Lewis Edwards], 'Athroniaeth a Duwinyddiaeth Coleridge', adolygiad o *Aids to Reflection* Samuel Taylor Coleridge (Llundain, [1825]), *Y Traethodydd*, ii (1846), 331–43. Ar yr ymateb i syniadau diwynyddol Coleridge, gweler Philip C. Rule, S.J., 'Coleridge's reputation as a religious thinker: 1816–1972', *Harvard Theological Review*, lxvii, 3 (July 1974), 289–320.

[15] [Daniel Rowlands], 'John Foster', adolygiad o *The Life and Correspondence of John Foster*; gol. J. E. Ryland, *Y Traethodydd*, x (1854), 444–73. Fe ddaeth Daniel Rowlands yn y man yn olygydd *Y Traethodydd* ac yn brifathro Coleg Normal Bangor.

Yn yr *Eclectic Review*, Hydref 1812, cyhoeddodd John Foster (1770–1843), gweinidog gyda'r Bedyddwyr, adolygiad ffafriol o *The Friend*, ysgrifau Coleridge ar ffurf cyfnodolyn (1809–10). Fe gyhoeddwyd 27 argraffiad o *Essays in a Series of Letters* Foster rhwng 1804 a 1855, ac fe ellid mentro ei fod yn fwy poblogaidd fel awdur ysgrifau na Hazlitt, Leigh Hunt neu Charles Lamb. Un o'r ysgrifau yw, 'On the application of the epithet Romantic', ond y mae'n fwy geiriog na dadansoddol.

[16]   Llaw-fer a awgrymwyd cyn hyn yw 'FICHTE: Hunan = Oll = idealaeth oddrychol; SCHELLING: Oll = Hunan = idealaeth wrthrychol'. Ond sylw brathog Hegel ar Absoliwt neu Oll Schelling yw 'y nos pryd y mae pob buwch yn ddu'. Ar Idealaeth yn gyffredinol gweler yn awr *The Cambridge Companion to German Idealism*, gol. Karl Ameriks (Caergrawnt, 2000).

[17]   *Biographia Literaria*, gol. James Engell a W. Jackson Bate (Llundain a Princeton, NJ, 1983 = *The Collected Works of Samuel Taylor Coleridge*,VII), I, 162, pennod 9.

[18]   Ymhlith y llifeiriant o astudiaethau ar ddaliadau Coleridge y mae dau yn ymwneud yn uniongyrchol â'n pwnc: Gian N. G. Orsini, *Coleridge and German Idealism: A Study in the History of Philosophy* (Carbondale ac Edwardsville; Llundain ac Amsterdam, 1969), a Thomas McFarland, *Coleridge and the Pantheist Tradition* (Rhydychen, 1969). Yn y gwaith olaf y mae McFarland yn trafod (268–71) y term a fathwyd gan yr athronydd Krause, sef 'panentheistiaeth', i geisio arwyddo bod yr Oll yn Dduw, ond bod Duw yn fwy na'r Oll. Gwêl McFarland apêl yr ymgais i'w chael hi bob ffordd, ond ei gasgliad yw mai gwahaniaethu diwahaniaeth yw hyn yn y pen draw.

[19]   Yr ymdriniaeth sylfaenol ar amheuon Fictoraidd yw Walter E. Houghton, *The Victorian Frame of Mind, 1830–1870* (New Haven a Llundain, 1957).

[20]   Am y ddadl nad anfarwoldeb yr enaid ond atgyfodiad y corff – ail-gyfansoddi'r corff megis – oedd hanfod Cristionogaeth Feiblaidd, ac yn wir bod y ddau yn gwbl wrthwynebus i'w gilydd, gweler Oscar Cullmann, 'Immortality of the soul or resurrection of the dead', yn Krister Stendhal (gol.), *Immortality and Resurrection* (Efrog Newydd, 1965), tt.9–53; y mae'r gyfrol yn cynnwys hefyd Werner Jaeger, 'The Greek ideas of immortality', tt.97–114. Yn ei ragymadrodd i'w 'bryddest-awdl', *Yr Adgyfodiad*, a ddaeth yn bedwaredd yn Eisteddfod Rhuddlan 1850, y mae Ieuan Gwynedd hefyd yn cyfiawnhau edrych yn ôl: 'Gan mai ADFERIAD ydyw yr Adgyfodiad, yr oedd yn naturiol sylwi ar gyflwr cyntefig dyn.'

[21]   Sylwer bod Islwyn, mewn mannau yn ei bregethau, yn cydblethu'r cysgod Platonaidd a'r 'cysgod' yn yr ystyr o bersonau a digwyddiadau yn yr Hen Destament yn rhagfynegi'r cyfryw yn y Testament Newydd:

> Y mae yn dda i eglwys y Sylwedd heddyw wrth eglwys y Cysgodau. Y mae yn dda i eglwys Crist hyd heddyw ddarfod i eglwys Moses fod mor hir yn ymffurfio, a bod mor faith ar y ffordd o'r Aifft i Ganaan. Gras mewn ysbryd yw gras y newydd: gras mewn mater, mewn teithiau, mewn arwyddluniau gweledig, mewn lleoedd, mewn mynyddoedd, mewn afon-ydd yw gras yr hen; ac y mae yr hen yn fanteisiol iawn i'r newydd. (*Pregethau*, t.51)

[22]   Y *Gweithiwr Cymreig*, 22 Ebrill 1886.

[23]   Y mae llawer o'r disgrifiadau yn debyg iawn i rai Young yn 'A poem on the Last Day', tt.260–86 yng nghyfrol gyntaf argraffiad 1854.

[24]   Diddorol cymharu llyfryn James Barr, *The Garden of Eden and the*

Hope of Immortality (Llundain, 1992), t.4: 'My argument is that, taken in itself and for itself, this narrative is not, as it has commonly been understood in our tradition, basically a story of the origins of sin and evil . . . it is a story of how human immortality was almost gained, but in fact was lost.'
[25]   R. M. Jones (1994), t.206.
[26]   '"Nature" as aesthetic norm', *Modern Language Notes*, xlii (1927), 444–50; ailargraffwyd yn ei *Essays in the History of Ideas* (Baltimore, 1948), tt.69–77.
[27]   Prif ffynhonnell gwybodaeth Emerson o athroniaeth Fichte oedd drwy adolygiad o weithiau Coleridge gan Frederic Henry Hedge, *The Christian Examiner*, 14 (March, 1833), 108–29.
[28]   'The statesman's manual' yn *Lay Sermons*, gol. R. J. White (Llundain a Princeton NJ, 1972 = *The Collected Works of Samuel Taylor Coleridge*), t.70. Fe geir hanner dwsin o enghreifftiau eraill allan o waith Coleridge yn nhestun a nodyn tt.94–5 o *Lectures 1795 On Politics and Religion*, gol. Lewis Patton a Peter Mann (Llundain a Princeton NJ, 1971). Am fanylion pellach ar y motiff gweler 'The book as symbol', pennod gan Ernst Robert Curtius yn ei *European Literature and the Later Middle Ages*, cyf. Willard R. Trask (Efrog Newydd, 1963), tt.302–47.
[29]   *Biographia Litteraria*, pennod 10; 'Llyfr Natur', I, 134.
[30]   Rhys J. Huws, 'Meddwl Cymru', *Cymru*, xx, Rhif 114 (15 Ionawr 1901), 15–18.
[31]   Am y goleudy fel gobaith, gweler *Pregethau*, t.223, lle mae'r morwr yn dychwelyd, yn amlwg o America i Lerpwl:

> Er fod tair mil o filldiroedd o fôr tònog rhyngddo a'i wlad enedigol, eto y mae gobaith yn ddigon cryf i gyrhaedd trosodd. O'r diwedd y mae ei wlad enedigol gerllaw. Y mae peraroglau gerddi Prydain Fawr yn dyfod gyda'r awelon, ac y mae yn eu hadwaen ar unwaith. O'r diwedd dacw y 'Land's End' yn y golwg. Y mae ei obaith yn cyrhaedd y bywiogrwydd mwyaf wrth fyned i mewn i'r *Roads*, wrth ganfod y *Pier Head*, a'r hen oleudy. Y mae yn estyn allan ei freichiau fel i gofleidio yr hen wlad anwyl.

[32]   Bevan (1955).
[33]   *Collected Letters*, gol. E. L. Griggs (Rhydychen, 1956–9), IV, t.974.
[34]   Y mae Glynfab Williams (1941) yn cofnodi, ar ei ymweliad cyntaf ag Islwyn yn 1876 yng nghwmni Davies, Ton, bod yn llaw Davies gopïau o'r *Graphic* a'r *Illustrated London News*, y bwriadai eu cyflwyno'n anrheg i Islwyn, ond wedi i'r forwyn eu harwain i mewn, nid Islwyn na'i wraig a ddaeth drwy'r drws ond *bulldog* salw a sarrug: 'Yn ei ddychryn fe daflodd y *Graphic* i'r ci. Pan ddaeth y bardd a'i briod i mewn yr oedd Caesar, y ci [y 'ci bach, Caesar', yn ôl Athan Fardd], wedi ymgolli yn y tudalen olaf, a'r tudalennau eraill yn ddarnau mân ar y carped. Yr oedd Islwyn yn hoff iawn o gŵn, cathod, ac adar, a gadawodd i'r ci fynd allan yn ddigerydd.' Olynydd i Caesar oedd Sam: 'Os oes nefoedd i gŵn', meddai Islwyn, 'fe fydd Sam Thomas, Y Glyn, yn sicr o le yno.' Y mae'n amlwg nad oedd Islwyn yn cael

fawr o lwyddiant ar ddisgyblu cŵn, gan ei fod yn *Y Gwladgarwr* am 29 Tachwedd 1873, yn esbonio fel y darniodd y cadeirgi, *crib* 'lythyr Dechreuwr' yn fyrdd o edau.

[35] Basil Willey, *The Seventeenth Century Background* (Llundain, 1934), t.239.

[36] Thomas Chalmers, *A Series of Discourses on the Christian Revelation, Viewed in Connection with the Modern Astronomy* (Glasgow, 1817); fe gafwyd wyth argraffiad yn yr un flwyddyn.

[37] Fe ddangosodd Tegla Davies (1957), mai trosiad o gân Jane Simpson (1811–86) oedd 'Seren Heddwch' Islwyn. Efallai iddi hithau gofio Campbell: 'If any star shed peace, 'tis thou.'

Pennod Chwech

[1] Ceir y manylion gan Nansi Martin, *Gwilym Marles* (Llandysul, 1979), t.26.

[2] Nansi Martin, *Gwilym Marles*; K. V. Jones, 'Stori Gwilym Marles', *Yr Ymofynydd*, xlix, 12 (Rhagfyr 1949), 187; 'Llyfrau a llenorion' [gan O.M.E.], *Cymru*, xxxi, rhif 182 (15 Medi 1906), 142.

[3] Yn ôl Daniel Davies, brawd iddo oedd 'David Davies, Ysw., Penydarren, gŵr tra adnabyddus yn ei ddydd ymhlith Annibynwyr Cymru'. Cawn weld yn nes ymlaen fel y bu Martha yn gofalu am ei hewythr ar ôl marw'r fodryb; y nhw, ond odid, oedd y 'perthynasau o Ferthyr' yn llythyr 1887.

[4] Thomas Espinell Espin, BD, Warden Coleg Queen's, Birmingham (un o athrofeydd Eglwys Loegr), yn ôl pob golwg.

[5] Brynley F. Roberts (1996), tt.150–1.

[6] Sian Rhiannon Williams, '"Mynwy Gu"', *Llên Cymru*, xviii, 3/4 (Ionor–Gorffennaf 1995), 311.

[7] *Y Gweithiwr Cymreig*, 6 Mai 1886.

[8] Gweler D. Gwenallt Jones (1948), t.22.

[9] Y mae prydles newydd Capel Ed, y Goetre, yn Ebrill 1845, yn cynnwys ymhlith yr ymddiriedolwyr pedwar gweinidog, Morgan Howell, Tredegar, Rice Jones, Bishton, William Williams, Mynyddislwyn, a Daniel Jenkyns, Tredegar. Cawn glywed am dynged drist William Williams yn y man.

[10] *Y Drysorfa*, xxvii (1857), 415.

[11] Efallai mai at yr amgylchiad hwn y mae'r hanesyn yn *Cofiant Evan Phillips*, gan J. J. Morgan (Yr Wyddgrug, 1930), tt.126–7, yn cyfeirio: 'Cefais awgrymiadau yma a thraw fod Islwyn ac Evan Phillips yn gu iawn gan ei gilydd . . . Edrydd T. M. James, Rheithor Llanfyrnach, a nai i John Jones, Blaenannerch, amdanynt yn myned ynghyd yn Llundain i'r Oriel Genedlaethol o Ddarluniau i weled "Crist yn gado'r Pretorium" o waith Gustave Doré. Ni allai Islwyn, wan a llesg, wrth dynned y dorf, nesáu i ymyl y darlun, ond ymwthiodd Evan drwyddi, ac â phen gostyngedig, adroddodd

linellau a glywai Islwyn yn y cefn: 'O Iesu mawr, rho d'anian bur . . .'. Yn *Yr Eurgrawn*, lxviii, 1 (Ionawr 1876), 8–11, y mae erthygl gan J. H. Evans, sef Cynfaen, ar y darlun, a oedd ar y pryd yn y Doré Gallery, Bond Street, yn dilyn chwaeth anesboniadwy'r cyfnod drwy ei gael 'o ran testyn, maint, ymgymeriad, a chyflawniad . . . yn ymgyfartalu yn dda gyda gorchestion [Michael] Angelo ei hun'.

[12] Argraffwyd y llythyr yn *IEP* ac yn y rhagymadrodd, t.xx. Y mae Tom Evans, y Bala, un o'r golygyddion, yn gwneud yn glir mai galwad i fugeilio oedd hon: 'His patriotism was intense. Asked once to accept a call to the pastorate of an English Church, he replied, "I cannot leave my people, for they love me, and I love them."' Y mae peth dirgelwch ynglŷn â'r llythyr hefyd, os nad ydym i gymryd bod Islwyn wedi oedi am rai misoedd cyn ateb. Yn ôl *Y Gwladgarwr*, 22 Awst 1874: 'Y mae gweinidogaeth Y Parch. J. Cynddylan Jones yn nghapel Frederick-street, Caerdydd, yn profi yn gymeradwy iawn' – y capel ar bob gwasanaeth yn orlawn. Ond wedyn yn y *Treasury*, xi (1874), 235: 'The Revd John Cynddylan Jones commenced his ministerial work in Frederick Street English Chapel, Cardiff on Nov. 15th.'

[13] Ashton (1967), t.81. Y mae'r feirniadaeth yn LlGC 5857A.

[14] Nid yw'r ddarlith wedi goroesi. Efallai mai allan ohoni y cymerwyd y pedwar tudalen a argraffodd O.M. yn yr Atod. tt.38–41, ond y mae cyfeiriad ynddynt at 'y diweddar' John Griffiths (Gohebydd), a fu farw yn 1877.

[15] Am amserlen Rheilffordd Sirhywi ym mis Rhagfyr 1866 gweler W. W. Tasker, *Railways in the Sirhowy Valley* (Tarrant Hinton, 1978). Y mae'n ychwanegu nodyn: 'It seems the Sunday Service ceased when the LNW took over in 1875–6.'

[16] LlGC 5879E; atgynhyrchwyd yn 'Lloffion' O.M. yn *Y Llenor*, vii (Gorff. 1896), 11.

[17] *Y Gweithiwr Cymreig*, 6 Mai 1886. Y mae Brynley Roberts yn tynnu fy sylw at y dyfynnu o *Culhwch ac Olwen*!

[18] Fe'i henwir yn llythyr Islwyn at Martha, 22 Ionawr 1864: 'I think I took a cold at Abercarne, and I rode over the hill last night, it was rather wet, but nice moonlight. My cousin Rev Ebenezer John curate of Abercarne came to Mr Edwards' house to see me, & I was obliged to go with him to his lodgings, so I didn't reach home till 7 o'clock.'

[19] Dienw, 'Bras-nodion' (1932), 288.

[20] 'Islwyn fel pregethwr' yn *Pregethau* (1896), t.xxi.

[21] Daniel Davies (1896), t.69.

[22] Gweler Trebor Lloyd Evans, *Lewis Edwards: Ei Fywyd a'i Waith* (Abertawe, 1967), tt.238–48.

[23] *Gweithiau William Williams Pantycelyn*, cyf. I, gol. Gomer Morgan Roberts (Caerdydd, 1964) t.46.

[24] Ibid., tt.45–6.

[25] D. Gwenallt Jones (1948), tt.32–3.

[26] 'Diwygiad Sankey a Moody a Chymru', ac '"Odlau'r Efengyl"' [sef

trosiadau Watcyn Wyn], *Y Traethodydd*, y drydedd gyfres, xxx (1962), 8–15 a 12–37.

²⁷ Noder hefyd iddo geisio addasu 29 o salmau Edmwnd Prys (*Cardiff Times*, 10, 17, 24 Awst a 7 Medi 1878). Ei amcan, meddai, oedd 'ymgais i gadw at y gwreiddiol, o ran yr ysbryd a'r feddyliaeth, dim ond yn unig lyfnâu ychydig ar yr acenion ac ystwytho y fydryddiaeth fel ag i'w gwneud yn fwy hawdd a hwylus i'w canu. Barned y cerddorion.' Rhodder un enghraifft:

> Mae'r nef yn dadgan mawredd Duw,
> A'r wybren wiw ei foliant,
> Y dydd i ddydd, a'r nos i nos
> Sy'n dangos ei ogoniant.

²⁸ *Y Llenor*, vii (Gorffennaf 1896), 14.
²⁹ William Griffith (1898), tt.159–64.
³⁰ Dienw, 'Y Diweddar Barchedig William Thomas' (1932), t.291.
³¹ J. Cynddylan Jones (1879; adargraffwyd 1932), tt.294–5.
³² Rhagymadrodd i'r *Pregethau*, 1896, tt.xxv–xxvii.
³³ Daniel Davies (1896), t.68.
³⁴ T. C. Lewis (1944), yn dyfynnu o ysgrifau'r Parchedig David Thomas yn y *Lladmerydd* 'tros hanner canrif yn ôl o dan y teitl Dafydd Terry a Hen Bobl Tabor'.

Pennod Saith

¹ Athan (13 Mai 1886), llith x.
² C [Cranogwen], 'Islwyn' yn *Y Frythones*, I, 1 (Ionawr 1879), 21–3.
³ Yn dilyn y cofnod hwn y mae nodyn ar ddydd Iau 18 Ionawr 1866: 'Paid men up to this date.' Pa ddynion oedd y rhain, tybed? A oedd eisoes wedi dechrau adeiladu'r 'Glyn'? Go brin, gan na fyddai'n symud tan 1871.
⁴ Yn ôl tablau'r wefan *www.eh.net/hmit* fe fyddai'r symiau yna yn 1855 wedi cyfateb yn 2001 i £28.69 am y 12 swllt, £43.04 am y 18 swllt, a £47.82 am y bunt; ond y mae'r fath gymariaethau yn llawn problemau.
⁵ Argraffwyd y llythyr gan R. L. Griffiths (1976), 118, ac mewn nodyn byr fe awgrymir 'mai teulu gwraig Islwyn â'i perswadiodd i ddilyn y gweithgarwch hwn, ac efallai mai dyna pam yr oedd ef a'i wraig yn Abertawe ar y pryd'.
⁶ Y mae gan Aled Gruffydd Jones, *Press, Politics and Society: A History of Journalism in Wales* (Caerdydd, 1993), tt.19 a 246, gymariaethau diddorol: 'The payment of salaried editors was in some instances tied to the circulation figures of their papers. In Caernarfon, John Davies (Gwyneddon) was paid £2 a week for editing *Y Goleuad*, with a £20 bonus should circulation reach 4,000'; a '£2.10s. was paid in 1884 to Thomas Hughes for editing *Gwalia*'.

[7]   Athan (13 Mai 1886), llith x.

[8]   Huw Walters, 'Rhai o ohebwyr *Y Gwladgarwr*', *Taliesin*, 58 (Rhagfyr 1986), 11–25.

[9]   Gwerth sylwi hefyd ar restr arall gan Athan, 20 Mai: 'Nis gwelodd Islwyn mo Eben Fardd erioed, ond hyspyswyd ef gan Ioan Emlyn a Chaledfryn fod Bardd mawr Chwilog yn holi amdano, ac ymfalchïai yntau oblegid y sylw a delid iddo gan Eben.' Byddai'n canmol Ioan Emlyn, Cranogwen ac 'Alaw Ddu, Dr J. Parry, a Dewi Emlyn Evans oeddynt ei ddewisolion cerddorol, a safai "Calfin", Llanelli, yn mysg ei gyfeillion mwyaf twym-frydig' [Calfin = Daniel Richards; cf. D. Michael, *Fy Ngwanwyn*]; a 'Beth bynag ydyw barn y wlad am safle farddol Dewi Wyn o Essyllt, yr oedd Islwyn bob amser yn cyfrif Dewi yn un o brif feirdd ei oes.'

[10]   Roedd Brythonfryn yn un o brif golofnwyr *Y Gwladgarwr* o ganol y 1870au ymlaen ac fe ymddengys iddo fod yn olygydd am gyfnod, ond nid oes sicrwydd pryd yn hollol. Gyrfa go frith a gafodd, yn orsaf-feistr, newyddiadurwr, a gweinidog am dymor byr. Urddwyd ef yn weinidog ar eglwys fechan Soar, Penderyn, yn Rhagfyr 1875, ond ni pharhaodd ei gysylltiad yn hir ac fe'i gorfodwyd i ymddiswyddo. Bu'n cystadlu'n weddol lwyddiannus mewn eisteddfodau o tua 1858 ymlaen, ac yn 1879 enillodd y Gadair yn Eisteddfod Gadeiriol Eryri, yn Llanberis, am bryddest ar y testun 'Crefydd'. Ef oedd un o ffurfwyr Côr Mawr Caradog, Aberdâr, a fu'n fuddugoliaethus yn y Palas Grisial yn 1873. Dywed J. Hathren Davies, 'Beirdd Dyfed', *Cymru*, xxxix (1910), 239–40, ei fod 'yn bopeth yng nghwm Aberdâr yr adeg honno, a chariai ddylanwad anarferol'. Ond y mae'r un awdur yn dweud 'petai wedi iawn-ddefnyddio ei alluoedd, a dangos ychydig yn rhagor o hunan-barch, diameu y buasai yn un o feirdd ac o ddynion cyhoeddus gorau Cymru'. Fe geir sylwadau arno hefyd gan Huw Walters.
    Yn wyneb poethder y ffrae, diddorol yw ei weld yn adolygu marwnad Islwyn i John Jones, Blaenannerch, yn *Y Gwladgarwr*, 14 Medi 1877: 'yr ydym bob amser yn hoff o gyfarfod ag awen Islwyn, oblegyd y mae rhyw ffresni gwanwynol yn perthyn iddi . . . y mae y bryddest hon yn orlawn o feddyliau byw, trydanol, a barddonol i'r pen.' Yna y mae'n erfyn maddeuant am dynnu sylw at wall yn yr odl – ymdrech, Blaenannerch; ac yn rhifyn 21 Medi y mae Islwyn yn diolch am y cywiriad.

[11]   *Y Traethodydd*, xxiii (1868), yn 'Nodiadau llenyddol' [gan y golygydd, Daniel Rowlands], 256–7. Fel hyn yr ymdrinir â'r pwnc: 'Fe allai y tarawa y dernyn canlynol ['Tybiaeth'] ambell i feddwl yn dra dyeithriol, ond nid oes dim yn y llyfr sydd yn fwy tebyg i Islwyn, – dim sydd ar unwaith yn dangos yn fwy clir fewnolrwydd ei ysbryd, a chydymdeimlad dwfn ei awen â chyfrinion y byd ysbrydol.'

[12]   'Yma a thraw ym Morgannwg', *Cymru*, xxvi, rhif 150 (15 Ionawr 1904), 38–40.

[13]   Y mae 'Newyddion y mis' yn *Y Cronicl*, xxxii, rhif 380 (Rhagfyr 1874), 329–31 yn rhoddi adroddiad o'r cyfarfod ar y Sul, 20 Medi, yng nghapel y Tabernacl, gyda Spurgeon yn pregethu gyntaf a Mr Pentecost, gweinidog

Americanaidd, yn annerch ar ei ôl ac yn adrodd fel y bu iddo frwydro yn erbyn ei hoffter at sigârs. 'Cyfododd Mr Spurgeon a dywedodd dan wenu, mewn natur dda, "Er yr hyn a glywsom gan y brawd Pentecost, yr wyf fi yn penderfynu cael *cigar* dda, a'i smocio er gogoniant i Dduw cyn myned i fy ngwely. Nid wyf yn gwybod am orchymyn yn y Beibl yn dweud, *Na smocier.* Y mae yma ddeg gorchymyn, ac y mae hyny yn ddigon genyf fi."' Ond y mae'r cofnodydd yn anghytuno.

[14]   Gweler rhestr Evan Jones (Wrtydyn) yn *Cymru,* iv, rhif 19 (15 Chwefror 1893), 141–4, ynghyd â D. M. Richards, *Rhestr Eisteddfodau hyd y flwyddyn 1901* (Llandysul, 1914).

[15]   Llew Llwyfo, 'Glanffrwd', Y *Geninen,* ix (1 Mawrth 1891), 44–9 a ix, 3 (1 Gorff. 1891), 182–6; y dyfyniad ar dudalen 183.

[16]   Athan (11 Mawrth 1886)

[17]   J. J. Ty'nybraich, 'Ychydig o'm hadgofion am Tafolog', Y *Geninen,* xxxiv, 1 (Ionawr 1916), 22–31; am adolygiad deifiol ar awdl Nicander gweler *Yr Eurgrawn,* lviii (1866), 117–19. Gweler hefyd Tegwyn Jones, *Eisteddfod Genedlaethol Aberystwyth 1865* (Llandysul, 1992), yn enwedig tt.36 a 66–8.

[18]   *Yr Eisteddfod; sef, Cyhoeddiad Chwarterol y Sefydliad Cenedlaethol,* dan olygiaeth Rhydderch o Fôn, Cyf. II (Wrecsam, 1866), tt.236–44.

[19]   J. J. Tŷ'nybraich, 'Ychydig o'm hadgofion am Tafolog', t.27.

[20]   Hywel Teifi Edwards, *Gŵyl Gwalia,* t.153.

[21]   Y mae *Cyfansoddiadau Buddugol* Pwllheli yn cynnwys hefyd pryddest Watcyn Wyn fel pe bai'n gyd-fuddugol, ond ni roddir unrhyw fanylion am y beirniadaethau. Mewn 'rhag-sylw' i'r cywydd ar 'Saint Enlli', nas cynhwysir yn GBI, dywedir mai traethawd P. B. Williams (1843) oedd yr awdurdod am ffeithiau'r gerdd.

[22]   Dewi Wyn o Essyllt (1887), tt.37–8.

[23]   Dyfed (1884), t.47.

[24]   Evan Davies, Trefriw, 'Bywyd ac athrylith Tafolog' III, Y *Geninen,* xxii, 4 (Hydref 1904), 242–5.

[25]   Ceir yr hanes gyntaf yn Y *Geninen,* ac fe'i ailadroddir, yn ei iaith flodeuog arferol, gan Elfed yn ei ddarlith ar Islwyn yn 1888. Y mae un o gyfeillion Ceiriog, David Jones, Y Fan, yn ymhelaethu ryw ychydig yn ei 'Atgofion am Ceiriog', *Yr Eurgrawn,* cix, 5 (Mai 1917), t.179: 'Beth barodd i'r ddau fardd enwog ymweled â Llanidloes yr adeg hon . . . methais, er holi, a chael gwybod. Mae'n ddigon posibl fod gan y ddau gyhoeddiad yn Llanidloes i bregethu. Mr Edmund Cleaton, diacon parchus gyda'r Methodistiaid oedd yn byw yn Faenor Park . . . A chan fod Ceiriog yn byw yn y dref, gwelodd yr hen foneddwr gyfle i gael y tri bardd, "Am Awr – rhwng muriau mor hyglod".'

[26]   *Trysorfa y Plant,* xxix, 844 (Awst 1890), 214–15.

[27]   Athan (20 Mai 1886), llith xi, gyda'r ychwanegiad 'Dyna'r llythyr yn arddull sillebol Islwyn ei hunan.' Fe ddyfynnir rhannau o'r llythyr gan Daniel Davies yn ei erthygl yn *Cymru* 1896, ond y mae'n camgymryd y flwyddyn ac y mae'r ' arddull sillebol' wedi ei newid drwyddi.

[28]   Fe gyhoeddwyd y llythyr, 9 Medi 1875, yn llawn, gyda nodyn rhagarweiniol, gan R. L. Griffiths yn *Cylchgrawn Cymdeithas Hanes y M.C.*, liii, 4 (Rhagfyr 1968), 81–2.

Pennod Wyth

[1]   Y mae copi anghywir ac anghyflawn o'r llythyr yn *Cylchgrawn Cymdeithas Hanes yr M.C.*, xxviii (1943), 89–90.

[2]   Mewn llythyr at Davies, Ton, 6 Chwefror 1896 (AMC 6830).

[3]   *Yr Haul*, Cyfres Caerfyrddin, xxiii (Ionawr 1879), 38.

[4]   Profeb Llandaf 556; hefyd LlGC 163.

[5]   Dyfynnir yn Evan Evans, Gorwydd, *Cofiant John Thomas, Llanwrtyd*, Caernarfon [1926], t.153.

[6]   Yn [O. M. Edwards], 'Lloffion' (1896), tt.10–11.

[7]   Diolchaf i Robin Chapman am dynnu fy sylw at yr hanes yn *Cofiant a Barddoniaeth Ben Bowen*, gol. David Bowen (Myfyr Hefin) (Treorci, 1904), tt.xix–xx.

[8]   Gweler ar y Beirdd Newydd: D. Tecwyn Lloyd, 'Y Bardd Newydd Gynt', yn *Ysgrifau Beirniadol*, III (Dinbych, 1967), tt.71–85; Alun Llywelyn-Williams, 'Y Bardd Newydd', yn *Gwŷr Llên y Bedwaredd Ganrif ar Bymtheg*, gol. Dyfnallt Morgan (Llandybïe, 1968), tt.268–77; Thomas Parry, yn E. Cefni Jones, *Gwili: Cofiant a Phregethau* (Llandysul, 1937), tt.247–57; Ffion Mai Thomas, 'Y Bardd Newydd', *Yr Eurgrawn*, cxxxvii, rhif 7 (Gorffennaf 1945), 201–7; a sylwadau gan E. G. Millward yn *Yr Arwrgerdd Gymraeg: Ei Thwf a'i Thranc* (Caerdydd, 1998), a chan R. Tudur Jones yn ei *Ffydd ac Argyfwng Cenedl*, cyf. II (Abertawe 1982), tt.18–23.

[9]   Ar Creuddynfab (William Williams, 1814–69) gweler Hywel Teifi Edwards, 'Safonau beirniadaeth Creuddynfab' yn *Gwŷr Llên y Bedwaredd Ganrif ar Bymtheg*, gol. Dyfnallt Morgan, tt.187–98, a Huw Llewelyn Williams, *Safonau Beirniadu Barddoniaeth yng Nghymru yn y Bedwaredd Ganrif ar Bymtheg* (Llundain, [1941]).

Atodiadau

Atodiad 1

Rhestr o'r enwau a dderbyniodd gopi cyfarch o gyfrol Islwyn, *Barddoniaeth.*

Mr Ambrose: sef William Ambrose, Emrys 1813–73, gweinidog gyda'r Annibynwyr, ac eisoes yn fardd eisteddfodol adnabyddus. Bu'n gydolygydd Y *Dysgedydd* o 1853 hyd 1873.

Artist: Yn ôl cyfarwyddiadur masnachol Scammell am 1852, o dan 'Artists. Landscape, Marine, Miniature and Portrait', yr oedd William Johns yn byw yn Stryd yr Ardd, Abertawe. Tybed ai hwn ydoedd?

E.G.T.: Eryr Glan Taf, sef William Owen John, Abertawe (1797–1865); cafwyd cipolwg arno wrth drafod Young (tt. 78, 91). Gan nad oes ond ychydig iawn o gyfeiriadau ato yn unman, da o beth fydd ymhelaethu. Ymunodd â'r Methodistiaid Calfinaidd yng nghapel Cruglas, Abertawe yn 1814 ac fe'i codwyd yn flaenor yn 1832, toc ar ôl i'r achos symud i Triniti. Roedd hefyd am gyfnod yn ysgrifennydd yr eglwys ac yn arweinydd y gân. Yng nghyfeiriadur Scammell (1852) 'Grocer' neu 'Dealer in Sundries' oedd William Johns, Heathfield Street. Mae'n debyg mai camgymeriad yw'r 's' ar ddiwedd yr enw, gan fod tystiolaethau eraill mai yn heol Heathfield yr oedd William John yn byw, ac yno'n wir y bu farw. Y mae un hanesydd yn ei gofio'n llyfrwerthwr yn y stryd honno (W. Samlet Williams, *Hanes Methodistiaeth Gorllewin Morgannwg*, I (Caernarfon, [1916]), t.20: 'Cadwai William John siop lyfrau yn Heathfield Street.' Yma hefyd y ceir teyrnged Edward Matthews iddo ac, yn ychwanegol at gerdd Islwyn, benillion coffa eraill gan Avonian (Thomas Francis, Cwmafon)). Ymddengys ei fod ar un adeg yn gweithio yn swyddfa'r *Swansea & Glamorgan Herald*, neu o leiaf dyna'r cyfeiriad a rydd wrth ysgrifennu ym mis Ebrill 1853 at Eben Fardd yn ceisio cael ganddo gyfansoddi englyn neu ddau ar ei briodas. 'Enw y ferch (y wraig yn awr) oedd Harriet a phriodasom ar ddydd y Groglith ddiweddaf.' Gwelwn fod Eben wedi cyflawni'r gymwynas, gan fod llythyr arall ddiwedd y flwyddyn yn diolch am yr 'Epistol Cynwysfawr a dderbyniasom oddiar eich llaw' – er, yn ddryslyd braidd, y mae'n cyfeirio at ei 'Eliza' (LlGC Cwrtmawr 76B. Llythyrau Llenorion cyf.II, a rhif 82, llythyr gan Daniel Richards, Llanelli, yn cynnwys llythyr Eryr Glan Taf at Eben Fardd, ac yn amau cyfeillgarwch honedig yr Eryr). Ochr yn ochr ag englynion coffa Islwyn i Morgan Howell yn *Y Cylchgrawn*, Mai 1852, fe geir 'Deigryn ar Farwolaeth y Parch. M. Howell gan Hiraethus (E. G. Taf)' gyda'r cyfeiriad Glan yr Afon. Yna yng nghyfrol gyntaf *Y Wawr*, cylchgrawn Robyn Ddu Eryri, yn Chwefror 1851, roedd ganddo gerdd naw pennill 'Nodiadau ar Ddyffryn Llwchwr', a chan ein bod yn dyfynnu ei feirniadaeth lenyddol, gwell rhoddi enghraifft o'i gynnyrch ei hun:

> Ar foreu ysblenydd pan oeddwn yn rhodio,
> A'r corau asgellog ddelorent eu cân,
> Nes peri i'm monwes oedd wylaidd gynnesu,
> I ennyn yn fflamau o serch fel y tân;
> Wrth ganfod y cwbl berthynent i natur,
> Yn perffaith arddangos galluoedd fy Iôr,
> Gwaredwr trugarog eneidiau anfarwol,
> A Chrewr y ddaear ëangfaith a'r môr.

Y mae ganddo hefyd lythyr 'Rhieni Plant' yn *Y Cylchgrawn* II, rhif x (Ionawr 1852), tt.10–11, yn dilyn yn union ar ôl ysgrif Islwyn ar 'Enaid', gyda'r cyfeiriad 'Llwyn yr Eryr, ger Abertawy'. Byrdwn y llythyr yw cyfrifoldeb rhieni: 'Y mae miloedd o ferched Cymru o ddiffyg dys-gyblaeth briodol wedi troi yn anniwair, ac wedi colli eu clod, ac yn y diwedd damnio eu heneidiau.' Yna ceir ysgrif 'Meddwdod', a cherdd 'Marwolaeth Crist' yn rhifyn Ebrill (II, xiii, tt.113–14) a'r cyfeiriad erbyn hyn yn Glan yr Afon;

Canodd Islwyn gerdd goffa iddo, 'William John, Abertawe' (GBI 488–90; *Caniadau* 97–9), cyflwynedig, sylwer, 'i'w fab yng nghyfraith, Mr J. Rosser': mae'n bur debyg felly mai ail briodas oedd yr un yn 1853 (cyhoeddwyd y gerdd yn *Y Drysorfa*, xxxv (1865), 252–3; y mae'r cofnod coffa, gan y gweinidog David Howell, ar t.195–6).

Mor bur trwy ganol halogedig fyd
Y teithiodd ef, mor lân ei wisg o hyd!
Cerddai mor ysgafn dros y ddaear hon,
Ni chasglai ddim o laid ei llygredd, bron.

Nid yw'r nodyn coffa yn *Y Drysorfa* yn dweud fawr ddim am ei fywyd bob dydd, na dim oll am ei lenydda ond ei fod yn ymhyfrydu yn 'ein hysgrifenwyr mwyaf medrus'. Ymhlith ei rinweddau nodir: distaw, araf, didwyll, gofalus, gweithgar, meddwl gwreiddiol, bywiog, chwaeth goeth, barn gywir, cywirdeb a gonestrwydd ym mhob peth; egniol yn achos Dirwest a'r 'Feibl Gymdeithas', am flynyddoedd cadwodd ystorfa'r gangen yn Abertawe. Roedd Edward Matthews, Ewenni, yn ei adnabod yn dda ac yn talu teyrnged arbennig iddo:

William John, Abertawe; dyna enw balmaidd . . . [y mae] ei goffadwriaeth heddyw fel y gwin adfywiol i bawb a gafodd adnabyddiaeth hir o hono [roedd] ei feddwl yn llawn o rinweddau creadigol, megis tynerwch, addfwynder, llonyddwch, cariad, gonestrwydd, didueddrwydd, cymwynasgarwch a chydymdeimlad . . . Dyn call, araf, pwyllog . . . o ddarlleniad eang mewn duwinyddiaeth a gwybodaethau cyffredinol . . . gwleidyddwr craff, hanesydd eglwysig manwl.

Llawdden: sef David Howell, 1831–1903, y Deon Howell mewn blynyddoedd i ddod, ond y pryd hyn yn ysgrifennydd Eisteddfod y Fenni, ac yn byw yno yn Somerset Cottage; roedd ei dad, John Howell, yn gydolygydd *Y Cylchgrawn*, a cheir nifer o gyfraniadau gan Llawdden yn y flwyddyn 1852 gyda'i gyfeiriad yn Tre-os, Llan-gan. Gwelwyd eisoes (t.12) iddo sôn am fynychu'r 'Eagle School' yr un pryd ag Islwyn yn ei erthygl 'Peredur' yn *Y Geninen* (xvii, 3 (Gorffennaf 1899), 184–5).

Cu[helyn]: sef Thomas Gwallter Price, 1829–69. Aeth i America ond dychwelodd i Gymru yn 1855 am flwyddyn. Wedi iddo ddychwelyd a chychwyn *Y Bardd Newydd Wythnosol* yn Efrog Newydd, fe gafodd lu o lenorion Cymraeg yn ohebwyr iddo, gan gynnwys Islwyn yn ôl Bob Owen yn *Y Bywgraffiadur Cymreig*. Yn *Seren Gomer* Chwefror 1854 y mae ganddo, yn Gymraeg a Saesneg, 'Benillion cysurol i'r bardd Islwyn gan ei gyfaill Cuhelyn'.

Per[edur] yn ddiau: gweler erthygl Llawdden, 'Peredur'. Er na roddir ei enw priod, canmolir ef gan Llawdden fel 'un o wir blant yr Awen

Gymreig ac fel Cymro diledryw'. Ymddengys mai glöwr ydoedd, ac Annibynnwr 'anhunanol, diymhongar, anymwthiol, llednais a gwylaidd braidd hyd at fai'. Yn yr un rhifyn o *Seren Gomer* â phenillion Cuhelyn, y mae cân 'Balm i glwyf y bardd Islwyn', gan Peredur, Beaufort.

I[oan] *Emlyn*: sef John Emlyn Jones, 1818–73, gweinidog y Bedyddwyr yn Nebo, rhwng Cendl a Glyn Ebwy o 1853 i 1861 a bardd. Y mae'n eithaf tebyg mai drwy Aneurin Jones y daeth Islwyn i'w adnabod, er na chymerodd at olygyddiaeth *Y Bedyddiwr* tan 1861. Yn 1853 fe ddaeth yn ail i Emrys, ac ar y blaen i Iorwerth Glan Aled, ar bryddest faith fel marwnad cyfansawdd i Ieuan Gwynedd, Morgan Howell, Dafydd Rhys Stephen a John Jones (Tegid), ond fe'i cofir heddiw yn bennaf am ei gerdd 'Bedd y Dyn Tylawd'. Cafodd Islwyn lythyr diolch ganddo, dyddiedig 'Ebbw Vale, 17th Nov., 1854':

My dear Islwyn: I have perused your little pamphlet with extreme pleasure, & I trust that it only the beginning of a series of such mind-elevating pöems. I do not like the title very well tho' it is quite descriptive of the contents. Narrow minds however may cavil, and say that it is rather assuming. It is just like calling a book of sermons 'Divinity' . . . The pamphlet itself however makes up for this. I admire the metre very much; it is I think quite in harmony with the philosophy of our language. Blank verse is not so, at least I find that our best bards cut a sorry figure in it. They terminate their lines more or less with insignificant mono-syllables that damns the harmony and even the poetical grandeur of the piece. It is my firm belief that as long as our language will continue to have almost all compound words accented on the penult, so long as that we can never have good pieces in Blank verse. I cannot at all agree with your judge that there is no 'darluniad of Myddfai' in this beautiful elegiac composition.

Israel: William Israel, pregethwr yng nghyfnod diwygiad 1859 o bosibl?

Honddu: sef David Weeks, awdur *Llawlyfr y Glowr* (Treorci, 1877) ac ar y pryd yn byw yn Treherbert. 'Bwriedid', medd Ashton yn ei lyfryddiaeth lawysgrif o weithiau'r bedwaredd ganrif ar bymtheg, 'i hwn ddyfod allan mewn pump o ranau chwe'cheiniog yr un. Ond gan na chafodd yr awdwr ddigon o gefnogaeth, ni chyhoeddwyd mwy na dwy ran yn cynnwys 132 o ddudalennau rhyngddynt.' Y mae'r enw barddol yn naturiol yn awgrymu ei fod yn hannu o Sir Frycheiniog. Y mae dau David Weeks a allai fod tua'r oed iawn: bedyddiwyd un yng nghapel

Annibynnol Crucadarn ar 28 Mawrth 1836, a'r llall yng nghapel y Bedyddwyr Neilltuol, Maesyberllan, Talach-ddu, ar 22 Gorffennaf 1836. Ond tynnu bwa ar fentr yw hyn, wrth reswm.

Mr Aneurin Js: diddorol yw'r Mr.

D. Lewis: Mae'n bur debyg mai D. Seys Lewis, Ifor Gwent, sefydlydd eisteddfod yng Nglyn Ebwy yn 1853 ac un o'r cwmni a fentrodd gyhoeddi *Yr Adolygydd*, oedd hwn; ond posibilrwydd arall yw David Lewis, Ehedydd Gwent, cystadleuydd yn Eisteddfod y Fenni.

Leviad: sef Thomas Levi, 1825–1916, gweinidog gyda'r Methodistiaid Calfinaidd, a chyfrannwr cyson i'r *Cylchgrawn* yn y blynyddoedd 1851–3. Fel golygydd *Trysorfa y Plant* am 50 mlynedd y cofir ef, ond fe gychwynnodd ei waith golygyddol fel cyd-olygydd *Yr Oenig*, misolyn ar gyfer plant a ymddangosodd o Ionawr 1854 hyd ddiwedd 1856. Yr argraffwyr oedd James Rosser a David Williams, Heol Fawr, Abertawe, sef argraffwyr *Y Cylchgrawn*. Yn *Yr Oenig* y cyhoeddwyd 'Gwel Uwchlaw Cymylau Amser', 'Balm Cydymdeimlad' (Atod. xxiii–iv), 'Ynglynion gnodau' (GBI 668), ac 'Arlwynor' ('Un bu llon') Islwyn yn 1854 a 1855. (Ar Levi, gweler Dafydd Arthur Jones, *Thomas Levi* (Caernarfon, 1996), Cyfres Llên y Llenor.)

Davies Bryn: Prin mai John Davies, Ossian Gwent, 1839–92, a olygir gan na fyddai ond pymtheg oed yn 1854; ond fe fu Islwyn ac yntau'n gyfeillion ymhellach ymlaen. Joseph Davies, Brychan (1784?–1864) o bosibl – bardd, llyfrwerthwr, cyhoeddwr, golygydd blodeugerddi, er enghraifft *Llais Awen Gwent a Morganwg* (1824). Y mae *Y Drysorfa* ym Mehefin 1913 yn cynnwys 'Pregeth Goffa am Islwyn, gan y diweddar Barch. Jeremiah Davies, Pontllanfraith (Cyfaill mynwesol i'r Bardd)'. Bu Jeremiah Davies farw yn Ebrill 1891 yn 64 oed; dechreuodd bregethu yn Rhymni, cafodd ei ordeinio yn 1859 yr un adeg ag Islwyn, ac fe'i claddwyd ym mynwent Gelli-groes.

Mr P. John: Mae'n bur debyg mai Philip John, Aberdâr, a olygir; bu'n cyfrannu i *Seren Gomer* ac yn rhifyn Ebrill 1854, sef y rhifyn cyn yr un a gynhwysai 'Ceisio gloewach nen', y mae englynion gan 'Lleurwg' ar eni mab iddo.

Mr Rob. Thos.: Go brin mai Ap Vychan, 1809–80, na Robert Thomas,

Ffestiniog, awdur *Lloffion o Faes Boaz, sef Caniadau* (Y Bala, 1849); nid yw'n amlwg beth fyddai'r cysylltiad.

Teilo: sef Gwilym Teilo, William Davies, 1831–92, fferyllydd, bardd telynegol addawol yn nyddiau ieuenctid, eisteddfodwr brwd a hanesydd lleol. Awgrymir bod ganddo gysylltiad â'r cylchgrawn *Yr Oenig*, ac y mae'r un awdur yn dweud:

> Yn nydd ei nerth a thymor ei ymroddiad yr oedd Teilo yn sefyll yn uchel yn mhlith beirdd ei wlad. Rhwng ugain a deg-ar-hugain o flynyddoedd yn ol [felly 1864–74 – ond fe fyddai ychydig flynyddoedd yn gynharach yn fwy cywir] tri o gedyrn Barddas yn y Deheubarth, a thri cyfaill mynwesol, oeddynt Islwyn, Dewi Wyn o Essyllt, a Gwilym Teilo. Yr oeddynt fel tair seren danbaid yn llewyrchu yn y ffurfafen awenyddol. (Rhuddwawr, *Ceninen Gŵyl Dewi* (1893), 13–16; *Ceninen Gŵyl Dewi* (1894), 12–16; a *Y Geninen* xii, 4 (Ebrill 1894), 124–6.)

Mr Griffiths Dowlais: 2 [gopi] D. J. Griffiths, Horne Tooke, mae'n debyg. Cymerodd ei lys-enw, er mawr ddiflastod i Garnhuanawc, gan y gwleidydd Seisnig radicalaidd o'r ddeunawfed ganrif a oedd yn un o gefnogwyr John Wilkes. Roedd Griffiths o gyffelyb dueddiad ac yn un o'r areithwyr mewn cyfarfod brwdfrydig yn Sirhywi yn 1836. Enillodd yn eisteddfod y 'Free Enquirers' ym Merthyr rhwng 1831 a 1834. Y mae 6d wrth ei enw, fel petai wedi talu. Ceir llythyr nodweddiadol ganddo yn *Seren Gomer* (xv, 200 (Mai 1832), 146–7), o dan y teitl 'Pregethwyr y Bola', sef y rhai sydd 'yn gefnogwyr diffuant i Benboethni Crefyddol, a phob anweddeidd-dra gwallgofus . . . pa rai yn aml sydd wedi neidio o'r clawdd i'r areithfa, heb un dyben yn eu golwg ond esmwythâu ychydig o'u helyntion bydol'.

Rev Wm Jones Brit.: O bosibl mai prifathro'r British School yn Mynyddislwyn, er mai y Parch. William Davies oedd yno yn 1847.

Atodiad 2

Fersiwn Saesneg o'r gerdd Y *Storm*

O LlGC 5854F Emynau a Chaniadau Islwyn 1854–6 (t.102).

It is the voice of God! oblivion hears
And in her gloom a universe appears,
And thundering worlds dance o'er her folded pale
Then soar aloft, responsive to the call.
Rich ~~Fair~~ streams of stars along the heavens pour
Exuberant, the efflux of His power.

Surrounded by a throng of angels crown'd
Angels all fair and countless like the newborn stars around
High in the heavens promulgating the hours
Of Time, He rides, and chaos overawes.
The eager wave retreating, vainly roars
For ever tam'd, shut up with rocky doors.
Embattled cliffs hurl back the assaulting tide,
Here stand! and dare the limit of thy pride.

The morning stars strike forth the song of praise
And worlds responsive swell the heavenly lays.
Oh! on the chimes through many a star rebounds
And ^heightens^ ~~thunders~~ at creation's utmost bound.

10 Nov. [1854]

O LlGC 5854F Emynau a Chaniadau Islwyn 1854–6 (t.106).

The Storm

Hark, mighty is the ~~its~~ roar! and loud the blast
High mid the clouds, frail bubbles,wasting fast ~~spent at last~~
Though water'd from the ocean morn and een
Light floating magazines, air-buoyant stores of heaven!
On wings of zephyrs borne, or wild through ether driven
Chased by the storm. Lo! emptied of their store
Flung on the winds, they ^wash^ ^drench^ the heavens no more.
And see! the mountain ~~fanned by gentler skies~~ crown'd in thundering skies

Shakes his huge limbs ~~and dries~~ drying his giant thies[?].
While o'er his mighty shoulders ~~rolls~~ pours the tide
Of ~~heaven's lofty aqueduct~~ broken clouds. Lo, torrents ~~huge~~ deep and wild
Burst o'er his ~~limbs~~ ribs of rock, ~~frothing~~ foaming and white
~~As~~ Like snow curled into fury on a ~~bleak~~ bare and stormy height.

Alas for thee! led ~~by~~ in the lonely bark
By foaming billows o'er the ~~mighty~~ boundless dark!
Thy^e helm obedient to each ruffian wave,
Each moving by a blue a mountain grave
Yawning along the deep.
                    Alas for thee!
For ~~Lo!~~ Around ~~round~~ ~~the~~ wild billows throng in mighty glee
Shouting the triumph of the rising sea.
The heavens frown and move their stars away,
And o'er the mountain-clouds there comes the hope of day.
Nor lingers there ^yon a solitary ray.
The storm enthroned triumphant in the cloud
Safe in his fort of lightning, ~~roars~~ peals aloud!
The caverns of the thunder open wide
The mountains tremble and the heavens divide;
Impelled ~~And urged~~ aloft ten thousand billows rise,
And marshalled by the winds beseage the skies.
Alas for thee, far from thy native shore,
Saluted only by the wave, the wild, triumphant roar
Of air and ocean mingling in the storm!
Pale is thy cheek, faded thy ~~mighty~~ stalworth form.
And, ~~dost thou think~~ thinkest thou of home amid the waves
That ~~open round~~ yawn around thee like ten thousand graves?
Love ~~like a quenchless~~ the eternal star illumes the way
Clear through the storm, back to thy native bay,
And thou art home again.

Thy voice from heaven descended, Lord!
    And lo, the winds arise
Answering the lofty storm is heard
Bold ~~the~~ echo of the skies.

Methinks I see a hand divine
Triumphant mid the crash
Of stormed heavens! A power benign
Curbing the wide-spread flash!

t.107 yn absennol
t.108 (dalen rydd)

The Storm *(parhad)*

And still it raves, and still we hear the crash
Of falling forests! Still the cloud-born flash
~~Grand~~ Beacon of the storm, lays bare the deep of night
Roofing the vault~~ing~~ of heaven with ~~a sheet of glaring~~ ^{vivid} light,
And showing the proud winds the trophies of their might,
For still they lash the mountains, and the main
To liquid mountains! Still impel the rain
In torrents down, the riches of the sky
Pour'd from the floating reservoirs on high.
And lo, the watery plain, field of the whole,
Surged into madness rises with the gale!
Its high-wrought ^{air-throned} waves reflect the lightning's glare,
Huge hills of water ~~rolling~~ ^{moving} through the air
Resistless as the winds that lash them foaming there.

And still it raves! and still the mountains bend
Beneath _{its}^{the} load: the skies in showers descend.
And many a lowly vale, of ruddy bloom
Turns pale, and shudders mid the general gloom!
~~Her roses fade and leave her bosom bare~~,
Her flowers withering leave her bosom bare,
The treasures of her fields are tossed in air
Tossed in the winds' high arms that drip with rain
Enclose ^{Grasp[?]} huge mountains, hold the daring main
Abroad in ether, far advanc'd ~~in air!~~ on high!
Lo, ~~High~~ ^{Far} o'er the clouds her rosy garlands fly,
Torn from her breast her cornstacks sweep the sky
Deeply she sighs to see her old oaks bare
And naked in the storm, lash'd by the brutal air
With rude winds arm'd.
                    Now by the Tempest led
Each river rises from its stony bed
And leaps the boundary with its army white
Of billows foaming up the wilds of night.
While yet though hast the heart, the proud desire,   (t.109)
For time blows ^{lives} out the flame of hope, quenching ambition's fire.
The loft aim, ~~th'immovable~~ the bold and grand design,
The thrill of new-born hopes, all! all are thine,
And shine the visions of eternal fame

Garlands of hue immortal, ~~exxx [?]~~ thine a name
Lasting as time, emblazoned on the page
Of History, and read by many an age
Revered evermore. Visions of gold!
They vanish in the deep of years, ~~and neer~~ nor e'er incite the old.

O then, aspire!
High be thy aim! and lift the mark yet higher,
For thou art young, ardent, and full of fire.

Atodiad 3

Beirniadu

1866 Bethania, Aberdâr. Cyfarfod Cystadleuol y Nadolig (gweler nodiadau byr yn LlGC 5857A).

1868 Jerusalem, Ystrad. Cyfarfod Cystadleuol dydd Llun y Pasg. Y mae ei feirniadaeth ar gael yn CMA 6789 ond byr a gweddol ddisylwedd yw'r sylwadau – beio gwallau orgraff ond heb eu rhestru.

1871 Llannerch-y-medd. Y mae cyfeiriad yn ei lythyr at Aneurin Fardd (27 Mehefin 1871, LlGC 8104) ei fod i feirniadu yno, gyda Nicander a Mynyddog.

1872 Eryri. Am hon y mae'n cwyno ddwywaith wrth Daniel Davies: 'Yr wyf yn nghanol gorchwyl mawr, sef beirniadu i Eisteddfod Gadeiriol Eryri' (LlGC 3197C, 171, 23 Gor., 1872) ac 'Y mae beirniadu i Eisteddfod Gadeiriol Eryri yn dodi wrthyf yn lled drwm' (LlGC 8105, 2 Awst 1872), sydd o leiaf yn awgrymu ei fod yn mynd o'i chwmpas hi yn gydwybodol.

1873 Dyffryn Aeron. Fe dderbyniodd £3.2.0 am feirniadu yn hon.

1873 Lerpwl a Phenbedw (Liverpool a Birkenhead yr adeg honno, wrth gwrs), Y Gordofigion, Ddydd Nadolig 1873. Beirniadu gyda Nicander ar yr Arwrgerdd 'Ismael', yr enillydd oedd Cadvan; y mae'r nodiadau byr ar y cyfansoddiadau yn enw'r ddau feirniad.

1874 Tonypandy. Y mae llythyr ganddo at Cynddelw ar 17 Awst yn gwneud trefniadau ar gyfer cyfnewid cyfansoddiadau (LlGC 10221D, 184).

1875 Lerpwl a Phenbedw, Y Gordofigion, Nadolig 1875. Yn ôl hysbysiad yn *Y Gwladgarwr*, 4 Mehefin 1875, yr oedd Elis Wyn o Wyrfai ac Islwyn i feirniadu yn y nawfed Eisteddfod. Testun y Gadair oedd 'Awdl goffadwriaethol am y Prif-Feirdd Cymreig, o Aneurin Gwawdrydd hyd Nicander' a William Roberts (Gwilym Eryri) aeth â hi.

1876 Lerpwl a Phenbedw, Y Gordofigion, Nadolig 1876. Beirniad gydag Elis Wyn o Wyrfai. Neb yn deilwng o'r Gadair ('Y Temtiad'); Iolo Caernarfon yn fuddugol ar y Bryddest ('Yr Anturiaethwr'). Gwelwyd eisoes ymosodiad ffyrnig Athan Fardd ar y beirniaid am iddynt atal y wobr.

1877 Tondu, Gorffennaf. Gwelir beirniadaeth Islwyn ar y Bryddest ar 'Ewyllys' yn *Y Gwladgarwr* 17 Awst 1877. Am un o'r ymgeiswyr, 'Ymsyniwr', fe gawn rai o'r ychydig linellau cofiadwy yn ei feirniadaethau eisteddfodol: 'Cyfansoddwr medrus a hwyliog. Gallai hwn ysgrifenu mil o linellau y dydd, feddyliem ni. Oblegid *hit my legs* yw hi gydag ef – *Tally ho!* dros y cloddiau, trwy y nentydd, hidio am neb na dim – am na meddwl, na mesur, nac arall.'

1878 Caerffili, Y Sulgwyn. Roedd gofyn iddo feirniadu 19 beddargraff, un traethawd, 7 pryddest a nifer o awdlau. Cwta iawn yw'r sylwadau a gyhoeddwyd, ond y mae'n egluro ynglŷn â'r feirniadaeth ar destun y gadair ('Yr Haul'):

> Y mae'r beirniad wedi ysgrifenu sylwadau helaeth mewn cysylltiad â'r gystadleuaeth hon, ond ni chaniatâ cystudd a llesgedd iddo ef eu hadysgrifenu ar *fair copy* mewn pryd i'r Eisteddfod. Er hyny nid yw hyny o bwys, gan nad oes un dyddordeb o gwbl mewn darllen beirniadaeth lenyddol i dorf fawr, a chan y bydd i'r feirniadaeth gael ei chyhoeddi yn fuan yn ei chyflawnder.

Ond ni ddigwyddodd hynny, hyd y gwyddys. Am ddyfyniadau ychwanegol gweler Ashton (1967), tt.192 a 195–6.

Diddorol, gyda llaw, yw sylwi arno'n beio diffyg chwaeth a gormodiaith un ymgeisydd yng nghystadleuaeth y bryddest ar y testun 'Trugaredd'. Un o'r llinellau condemniedig yw:

> Pan nad oedd tragwyddoldeb ddim ond baban.

Cymharer llinell o'r *Storm*:

> Pan nad oedd Amser eto wythnos oed. (S1, 22)

Cystadlu
Gwelwyd yn y bennod gyntaf ei ymdrechion eisteddfodol hyd at farwolaeth Ann Bowen, ac am rai blynyddoedd wedyn y mae'n amlwg mai'r *Storm* oedd yn mynd â'i fryd. Yn ôl Ashton, 1857 yw dyddiad yr

awdl 'Y Genhadaeth Gristionogol' (GBI 689–769), gwaith hirwyntog anghyffredin, ond ar gyfer pa gystadleuaeth nid yw ef na minnau'n glir. Ymddangosodd rhannau ohoni dan y teitl 'Y Genadaeth' yn *Y Traethodydd* (xiv, 1858, 294–306), ac y mae arbrofion yn LlGC 5874C, gyda llinellau sy'n awgrymu ffurf arall ar y testun:

> Cariad pena!
> Raiatea
> . . .
> A Maurena
> Pan ei cofia
> Hithau wyla
> . . .
> Raratonga
> Hithau gofia
> Am ei hwylfa
> Dan gymylfawr
> Nef . . .

Yn yr awdl hefyd y mae'r bardd yn benderfynol o ddwyn pob cenhadwr a phob cilfach i mewn, ac y mae'r chwarae ag enwau lleoedd weithiau'n ymylu ar y chwerthinllyd:

> O'r gorwag fyd daw rhagor
> O fewn y cylch, Travancôr.
> Mothelloor am waith ei law
> Rydd haeddol fawredd iddaw.
> Tinnevelly tan foliant
> Melus sy ag aml i sant.
> Swartz yma ryglydda glod, – seren lwys
> Ar hanes eglwys, a Rhenius hyglod.
> Ac o'i bedd cwyd Tranquebar – [ac yn y blaen].

Dyma, fel y noda Gwenallt (t.72), un o effeithiau dylanwad ei hoff fardd Cymraeg, Dewi Wyn o Eifion.

Fe geir rhannau eithaf hapus, er enghraifft y disgrifiad, delfrydiad wrth gwrs, o gyflwr Ynysoedd Môr y De ar ôl gweinidogaeth John Williams:

Moes yn uchel – masnachau
Yma o lwydd yn amlhau,
A diwydrwydd aml-lwyddawl,
Nwyddau, aneddau dan hawl,
A phawb a'u dâ, a phob dôl
Dan addurn Edeneiddiol. –

Ond y mae'r patrwm yn beiriannol, yr is-deitlau fel petaent yn ticio ardal neu berson ar ryw restr enfawr: Robert Moffat, Madagascar, Polynesia, Tahiti, John Williams, Yr India Orllewinol, Greenland, Labrador i enwi ond y rhai ar ddeg tudalen tua'r diwedd. Fe ellid, mae'n debyg, ystyried yr ymgais, yn ei holl feithder pedestraidd, fel ymarferiad – ond ymarferiad at beth? Chwaneg o awdlau tebyg? Y mae Gwenallt yn gosod y mater fel hyn: 'Dywedodd Islwyn yn ei awdl, "Cenedl y Cymry", mai

Chwilio am air a chael mwy

a wna'r bardd caeth. Chwiliodd Islwyn am lawer o eiriau, a chael llawer mwy na digon.'

Dywed Gwenallt hefyd iddo ymgeisio am y gadair yn Llangollen yn 1858 ar y testun 'Maes Bosworth' pan enillodd Eben Fardd ond, os felly, nid yw'r awdl wedi goroesi; tybed a oedd presenoldeb Aneurin Fardd ymhlith yr ymgeiswyr wedi achosi dryswch? Ond *fe* enillodd Islwyn ar hir-a-thoddaid 'Beddargraff Llywelyn', er nid heb beth anghaffael. Y wobr oedd £3 ac fe gafwyd 45 o ymgeiswyr. Darllenwyd beirniadaeth Caledfryn, a rhoddwyd y wobr i Watcyn Fardd o Lanerfyl; ond hysbyswyd drannoeth mai arall oedd dedfryd Cynddelw a Nicander a bu raid i Ab Ithel alw dyfarniad Caledfryn yn ôl, a chyhoeddi 'Llywarch', sef Islwyn, yn fuddugol. Gan nad yw'r gerdd yn GBI, nid drwg fydd ei dyfynnu ('Rhai o Gyfansoddiadau Buddugol Islwyn', gyda nodyn o ragymadrodd gan Edward Davies (Penmorfa), *Cymru,* xxxviii, rhif 222 (Ionawr 1910), 52):

Tra thyner adgof ac ail ymofyn –
Bydd llu i wylo uwch bedd Llywelyn;
I'n rhyddid dirfawr mae'n arwydd terfyn
Dwys; trwy y dalaeth distawa'r delyn;
Gwna Breiniau fil ei ddilyn – i'w feddrod,
Yn ei waelod cydorffwys a wnelyn.

Ym Merthyr ym Medi 1859 enillodd ar chwe englyn i'r 'Tynfaen'; fe'u gwelir gyda'r hir-a-thoddaid. Mae'n amlwg ei fod o hyn ymlaen yn cystadlu'n gyson mewn eisteddfodau mawr a mân, gan amlaf yn aflwyddiannus, a'r peth gorau efallai fydd rhestru'r rhai y gellir bod yn weddol sicr ohonynt:

1867 Eisteddfod Y Gordofigion, Lerpwl a Phenbedw: Awdl 'Gweddi': Tafolog yn ennill, Islwyn yn ail (GBI 243–56); am ei awdl ef dywed y beirniaid, Hiraethog a Chynddelw: 'Awdl o deilyngdod uchel yn mhob ystyr – yn ieithyddol, cynganeddol, awenyddol, a phriodol i'r testyn. Ceidw ei chymeriad yn dda o'r dechrau i'r diwedd' (Evan Davies, 'Bywyd ac athrylith Tafolog', *Y Geninen*, xxvi (Gorffennaf 1904), 189). Ond yr oedd un Tafolog yn 'awdl odidog'. Ymhlith yr ymgeiswyr eraill yr oedd Dewi Arfon, Tudno, Elis Wyn o Wyrfai, Dewi Wyn o Essyllt ac Athan Fardd. Y mae Athan yn adrodd peth o'r hanes (Athan (15 Ebrill 1886, llith xi)): 'O!' meddai, 'gofalaf *fi* na chai *di* ddim ennill, beth bynnag, os na wnai yswirio dy fywyd. Testun ardderchog i mi ydyw; mae'n ateb yr awen Islwynyddol i'r dim, a dyma ddwy linell yn barod eisoes:

> Ffynon cyssuron y sant,
> A'i ganwyll i ogoniant.'

Yna, yn ddiweddarach:

> Fy nghenades yn fy angen ydoedd,
> I ofyn nwyfau o nef y nefoedd;
> Yn daer uwch y pellderoedd – gwnai ofyn
> Rhâd i'r abwydyn uwch rhodau'r bydoedd!

Ac ymhellach dywed Athan: 'Yr oedd amrai ddarnau yn yr awdl, meddai Islwyn, y rhai a gyfansoddwyd ganddo yn nghanol y teimladau mwyaf gwynfydedig a fu ynddynt yn ei fywyd. Dyma ddwy linell a'i boddlonai yn rhyfedd:

> O! canwn yn ['er', yn GBI 255] ein cyni, – mae Mab Ion
> Yn yr uchelion i'n cynrychioli.'

1867 Eisteddfod Ivoraidd Llanelli. Pryddest 'Ymweliad y Doethion â Bethlehem'. Islwyn yn gyntaf (GBI 285–300; argraffiad ar wahân yn 1871), Tafolog yn ail, Dewi Arfon yn drydydd. Hon hefyd yn troi ymhlith y sêr a'r angylion.

1868 Y Groes-wen. Awdl 'Y Wawr' (GBI 213–18; LlGC 5879E).
1870 Y Rhyl. Awdl 'Y Nos' (GBI 193–212). Hon oedd ei gadair gyntaf, a hawdd deall apêl y testun. Unwaith eto, oddeutu pymtheg mlynedd ar ôl *Y Storm*, y mae llawer o ailgylchu:

> Seren ar ol seren sy
> Ar fin y llwybr i fyny,
> I fyny, i fyny fyth,
> Trwy gu ofod tragyfyth,
> I'r lan, i'r lan, trwy'r loewnef,
> Trosodd at ei orsedd Ef.

Cawn fodrwyon Sadwrn eto:

> Oddiyno'n arddunol – i Sadwrn
> Bell sidell ramantol,
> Draw yn deg dry yn ei dwy
> Eirian fodrwy anfeidrol

ac yna ymhen tair llinell yn yr adran hon, gyda'r is-deitl anhapus 'Gwibdaith drwy'r gyfundrefn heulog', nodweddir Sadwrn fel hyn:

> A bythawl loerwawl yn tawel euro
> Pob drych rhamantawl mil-lennawl yno.

Y mae llythrenoldeb, diofalwch a rhodres yn anharddu'r awdl yn rhy aml:

> Os eir amgylchedd seren
> E wna archangel yn hen

neu

> Uranus fawr, y nos fyd,
> Yn hon aroswn ennyd

neu

> A dŵr nef dioda'r nos
> Fil o dyner flodionos

Ar brydiau, er hynny, fe geir rhai o ddelweddau'r *Storm* mewn cyswllt
ychydig yn wahanol, a mwy treiddgar – cwmwl, cysgod, breuddwyd, er
enghraifft:

> A lluniau'r cymylau dros y moelydd
> Acw redant fel cysgodau'u Creawdydd
>
> Cymylau golau i gyd, – llawn ceinder,
> A geid yn nwyfre'r deg Eden hyfryd;
> Nifwl, ie, cwmwl can
> Yno oleuai 'i hunan.
>
> Y cwmwl, cyn y camwedd, – arwisgai
> Bob rhwysg a gogonedd
>
> Amledfawr gymylau adfyd – er hyn
> Sy o rinwedd hyfryd,
> Er yn brudd, i droi ein bryd
> Ar geinfawr fro y gwynfyd.
>
> Breuddwyd fedd allweddau – ysbrydolfyd,
> . . .
>   . . . gysgodau
> O agweddau bodolaeth dragwyddawl.

Y mae Newton yma:

> Newton – Columbus natur . . .
> Dalia 'i law, fel angel Ior,
> Allweddau y bell wyddor
> Wnai ddi-gloi y bydoedd glân,
> Enwog uwchddorau anian . . .

a'i deulu ac Ann rywle yn y sêr, gyda phendantrwydd daearyddol ond
ansicrwydd amseryddol ynglŷn ag anfarwoldeb o hyd yn corddi yn ei
feddwl:

> Palasau y seintiau sydd
> Uwch braw, o fewn eich broydd.
> Ynnoch rywle mae ne' nhad,
> Aur wynfa mam dirionfad.

Oes rhyw gof o'r amser gynt
Eto yn eiddo iddynt,
Rhyw ddolen o'r gadwen gaid
Yn ein huno'n un enaid.

Ann, fy chwaer, sy'n eich nef chwi,
Rhoddwyd nef fore iddi,
Pur anfarwoldeb bore,
Coron cyn loes y groes gre.

Y mae nifer o'r is-deitlau yn awgrymog ynddynt eu hunain: 'Unoliaeth awen, seren, sant', 'Storm y nos', 'Eden yng ngoleu'r lloer', 'Y lloer a phrudd-der', ac y mae un ohonynt 'Breuddwyd y gweithiwr' yn arwain yn eithaf annisgwyl i feysydd gwleidyddol:

Banllefau meibion llafur
Yn y loew bell Jubil bur
Glyw efe, – buddugol fawl
Ar fannau anherfynawl;

Lle mae y werin oll mwyach – tu hwnt
I hawl gormes afiach,
Hwnt i heiyrn eu hen deyrn du,
Heb allu gan drais bellach.

Sylwer, wrth fynd heibio, mai ei gondemniad llymaf o'r cyflogwyr yw ei gerdd Saesneg 'Out on Strike' (y mae'r cyfeiriadau at ostyngiad o ddeg y cant yn y cyflog yn arwydd mai at streic 1875 y cyfeirir):

As I looked at the hungry men
I thought of the Upper Ten,
Whose hounds are richly fed,
While these repine for bread
. . .
The day of the masses dawns,
The day of the working men,
The abyss of Destruction yawns
At the feet of the Upper Ten. (IEP 10)

I ddychwelyd at 'Y Nos': awdl gymysglyd, anwadal ond un o'r ychydig gynhyrchion eisteddfodol o'i eiddo sy'n rhywbeth mwy nag ymarfer prennaidd. Ynglŷn â'r achlysur y mae gan Athan hanesyn na all fod yn gwbl gywir, gan ei fod yn lleoli'r eisteddfod yng Nghaernarfon, ond y mae'n enghraifft go drawiadol o groendeneuwch Islwyn. Yn ôl Athan, yr oedd Islwyn yn pregethu yn y dref ar y Sul o flaen dydd yr eisteddfod lle'r enillodd ar awdl 'Y Nos'. Daeth Cynddelw i'w weld a bu'r ddau yn sgwrsio am oriau. Gwyddai Islwyn mai Cynddelw oedd beirniad yr awdlau, ond ni ddywedodd hwnnw ddim. Cododd Islwyn yn fore gan gymryd 'y trên cyntaf tua'r Ynysddu, ac erbyn cyrhaedd yno, estynodd Mrs Islwyn iddo frysfynag, yr hwn a'i hyspysai mai efe, Islwyn, a ennillodd y gadair. Gofidiai yn fawr am yr anffawd hwn.'

1871 Tywyn, Meirionnydd. Awdl i'r 'Fynwent' (GBI 172–84): Tafolog yn ennill, Islwyn yn ail. Yn hon, fe gofir, y cawn 'y cartre'n barod, – Y dodrefn wedi 'u trefnu', a'r awgrym o densiynau rhyng-deuluol y cyfeiriwyd atynt yn y bennod gyntaf. Nid yw'n brin o'r dagreuol mewn rhai adrannau: 'Bedd y dyn tylawd', 'Dwy chwaer a brawd bach wrth fedd ei mam', 'Sul y blodau', 'Gweddw oedrannus a basged flodau'; ond, yn ôl safonau'r dydd, y mae'n weddol ymataliol. Y mae haen gref o grefydddolder yn rhedeg trwy'r cyfan; di-bwynt yr adeg honno fyddai anfon awdl ddi-grefydd i gystadleuaeth, ond yn achos Islwyn fe allwn dderbyn mai dyna oedd awyddfryd ei feddwl hefyd, ac fe grynhoir hyn yn yr englyn:

> Mynedfa, mwy, o'n hadfyd, – trwy gaddug
> I'r tragwyddol fywyd,
> Arweinfawr ddor i wynfyd,
> Oer gell bedd sy ddor gwell byd.

1872 Caergybi. Yma yr enillodd Islwyn ei ail gadair gydag awdl 'Moses' (GBI 301–18), enghraifft nodweddiadol o fardd yn cyfansoddi wrth y llathen, bron heb unrhyw fflach yn unman. Cawn fanylion ymarferol pwysig mewn llythyr at Davies Ton ar 2 Awst 1872 (LlGC 8105), sef mai £10 oedd y wobr, a chadair gwerth £5.

1872 Lerpwl a Phenbedw, Eisteddfod y Gordofigion. Y mae *fair copy* o fryddest 'Y Groes' yn LlGC 5868C, gyda nodyn mewn pensil, bron yn sicr gan O.M.: 'A fu hon mewn cystadleuaeth? Tybied yr wyf na anfonwyd hi.' Ond y mae beirniadaeth gan Nicander ar ymgais 'Simon' ar destun 'Y Groes' yn y gystadleuaeth am y gadair, a'r awdur i ddewis ei destun a'i fesur:

Mae yn y bryddest hon lawer o bethau ardderchog, ond mae'r cynllun yn ddidrefn a gwallus. Mae hi'n gynwysedig o syniadau ag sy fel pe buasent wedi gwisgo eu nerth allan cyn i'r awdwr eu rhoi mewn geiriau; ac felly, mae'r iaith yn rhy wan i ddatgan y syniadau. Yr oedd y *steam* wedi treulio cyn i'r awdwr gyfansoddi.

Eithaf beirniadaeth, ac anodd credu nad oedd Nicander wedi adnabod arddull, neu lawysgrif, yr ymgeisydd. Dafydd Morganwg (rhagflaenydd Islwyn fel golygydd colofn farddol y *Cardiff Times*) a orfu, gyda'i awdl 'Henaint'.

1877 Treherbert. Yma yr enillodd ei gadair olaf, am ei awdl ar 'Y Nefoedd' (GBI 449–61; LlGC 5868C). Am hon y mae Dewi Wyn o Essyllt yn gormodieithu'n orfoleddus: 'Dyma awdl yn llifeirio drwyddi gan laeth a mêl. O! 'r fath syniadaeth berlewygol, – O! 'r fath don o wynfydedigrwydd a red drwyddi, – O! 'r fath olygfeydd o ogoniant a ddarlynir ynddi'; ac yn yn blaen. Ni ddylid beio Dewi Wyn yn ormodol am ystyried mai ystrydebau crefydd y bedwaredd ganrif ar bymtheg yw hanfod barddoniaeth, ond i'r glust gyfoes heddiw y mae'r diffyg chwilfrydedd yn siom ac yn fwrn. Cymerer, er enghraifft, ddyfyniad sy'n plesio Dewi Wyn yn anghyffredin; fe'i ceir yn union o flaen yr is-deitl 'Lle yr wyf fi', yn dilyn adrannau ar wahanol enwau ar y nefoedd drwy'r Beibl – 'Ail Baradwys', 'Canan', 'Tŷ'r Tad':

> Llawenhawn! 'lle' yw y Nef,
> Sylweddol oesawl haddef.
>
> Nid ystâd anweladwy
> O dan niwl, ydyw yn hwy,
> Ewyllys Crist sydd hollawl
> Brawf mai lle yw'r Ne i'n hawl.

Yn ychwanegol at ategu natur ddaearyddol ei syniadau am nefoedd – syniadau naïf yng ngolwg llawer, efallai, hyd yn oed yr adeg honno – cawn yr argraff fod a wnelom, nid â bardd-bregethwr ond â chystadleuydd pregethwrol. Rhoes heibio'r chwilio a geir yn *Y Storm*; maentumio a geir bellach.

Llyfryddiaeth

Testunau Islwyn hyd at 1878

Awdl: *Albert Dda* (testun y gadair yn Eisteddfod Genedlaethol Abertawe, 1863) (Llanelli, Wrecsam, Llundain, 1869), 48tt.

Awdl: *Y Nefoedd* (Treherbert, [1878]), 31tt.

Barddoniaeth gan Islwyn (Caerdydd, 1854), 16tt.

Caniadau gan Islwyn (Gwrecsam, [1867]), 128tt. Gweler adolygiad o'r gyfrol yn *Y Drysorfa*, xxxvii (xxi), 249 (Medi 1867), 332–4; *Y Traethodydd*, xxiii (1868), 256–7 [gan y golygydd, Daniel Rowlands].

Dr Parry, o'r Bala (cyfansoddiadau buddugol Dosbarth Ysgolion Penllyn, 1874), gan William Thomas (Islwyn), Evan Davies, a Hugh Jones (Dinbych, 1875).

Marwnad i'r Diweddar Barch. David Jones, Treborth (Dolgellau, [1871]), 18tt. ('Buddugol yn nghylchwyl Undeb Llenyddol a Cherddorol Penmachno, Bettws y Coed, Dolyddelen, ac Ysbytty, Nadolig, 1870'.)

Pryddest Farwnadol i'r Diweddar Barchedig John Jones, Blaenanerch (buddugol yn Eisteddfod Aberporth, 25 Gorffennaf 1877) (Aberteifi, 1877).

'The Angel of Gethsemane (Luke xxii, 43) by the Rev. W. Thomas (Islwyn)'. (Un ddalen, heb ddyddiad na man cyhoeddi. LlGC AMC 6795. Ceir nodyn yn dweud y rhoddwyd y copi gan Islwyn ei hun i Mrs Jane Davies, mam Mrs John Morgan y Barri, pan ymwelodd ag ef yn ei afiechyd yn Y Glyn.)

Tri Englyn: *Bedd Talhaiarn*, Eisteddfod y Rhyl, 1870 (un ddalen, heb ddyddiad na man cyhoeddi).

Ymweliad y Doethion â Bethlehem. Y Bryddest Fuddugol yn Eisteddfod Ivoraidd Llanelli, 1867 (Aberdâr, 1871), 24tt.

Testunau Islwyn a gyhoeddwyd wedi ei farwolaeth

Cymru, gan Islwyn, gol. Owen M. Edwards (Gwrecsam, 1897, Cyfres Blodau'r Grug), 136 tt.

Gwaith Barddonol Islwyn, gol. Owen M. Edwards (Gwrecsam, 1897), viii, 864 tt.

Gwaith Islwyn, gol. Owen M. Edwards (Llanuwchllyn, 1903, Cyfres y Fil), 112 tt.

Islwyn, gol. Owen M. Edwards (Gwrecsam, 1897, Cyfres Llyfrau Urdd y Delyn, II), 32 tt.

Islwyn: Detholiad o'i Farddoniaeth, gol. J. T. Jones (Wrecsam, 1932, Cyfres Llyfrau'r Ford Gron, 20), 40 tt. (ail arg. Abertawe, 1977), 40tt.

Islwyn: Detholion o'i Farddoniaeth, gol. T. H. Parry-Williams (Caerdydd, 1948, Cyfres Llyfrau Deunaw), 67 tt.

Islwyn, Pigion o'i waith. Pigion Rhyddiaith. Atodiad Barddoniaeth [gol. Owen M. Edwards] (Gwrecsam, 1897, Cyfres y Llenor, Llyfr xi), 'Atodiad i'r *Gwaith*', tt. i–xxliii; 'Pigion o Ryddiaith', tt. 17–64.

Islwyn's English Poems, gol. Hannah Williams a Tom Evans (Caerdydd, 1913), xxiv, 48 tt. Gweler hefyd *Wales*, iii, 32 (Rhagfyr 1896), 88–9, 257–8, 503–7, 529–30.

Perlau Awen Islwyn, gol. J. M. Edwards (Gwrecsam, 1909), viii, 168 tt.

Pregethau y Parch. William Thomas (Islwyn), gyda rhag-draethawd ar 'Islwyn fel Pregethwr' gan Edward Matthews ac 'Anerchiad' gan Mary Jenkyns (Treherbert, 1896), xxviii, 450tt.

'*Y Storm' Gyntaf gan Islwyn*, gol. Meurig Walters (Caerdydd, 1980, Cyfres Clasuron yr Academi, 1), xii, 174 tt. Am adolygiadau, gweler JONES, Bobi, 'Campwaith y ganrif ddiwethaf – bellach wedi'i gyhoeddi', *Llais Llyfrau* (Gaeaf 1980), 16; MILLWARD, E. G., '"Y Storm" gyntaf Islwyn', *Cylchgrawn Cymdeithas Hanes y Methodistiaid Calfinaidd*, iv (1980), 37–45; WALTERS, Huw, *Poetry Wales*, xvii, 2, (1981), 117–20; WILLIAMS, J. E. Caerwyn, *Y Traethodydd*, 137 (1982), 211–12.

Yr Ail Storm gan Islwyn, gol. Meurig Walters (Caerdydd, 1990, Cyfres Clasuron yr Academi, 2), xix, 137 tt.

Cyffredinol

AARON, R. I., 'Islwyn', *Y Llenor*, viii (1929), 38–55.

AARON, R. I., 'Islwyn a'i gyfundrefn', *Y Ford Gron*, ii, 9 (Gorffennaf 1932), 214 (adolygiad ar ddetholiad y Ford Gron uchod).

BEVAN, Hugh, 'Islwyn: bardd y ffin', *Efrydiau Athronyddol*, xxi (1958), 16–23.

BEVAN, Hugh, *Dychymyg Islwyn*. *Darlith Goffa Islwyn 1965* (Caerdydd, 1965), 41tt. Am adolygiad, gweler WALTERS, Meurig, *Y Traethodydd*, cxxii (1967), 45–8.

BUDDUG [Catherine Jane Prichard], 'Hanner awr gydag Islwyn', *Y Geninen* (Gŵyl Dewi 1897), 29–32.

Canmlwyddiant Geni Islwyn. *Dathliad Cenedlaethol/Islwyn's Centenary. National Celebrations held at Ynysddu and Cwmfelinfach, June 15th, 18th and 19th, 1932* (Caerdydd, [1932]). Rhagair gan Edgar Phillips, Pontllanfraith, tt. 3–6 (Cymraeg), t. 7 (Saesneg).

DAVIES, Daniel (Ton, Ystrad), 'Islwyn', *Cymru*, x, 54 (15 Ionawr 1896), 57–70; *Cymru* x, 56 (15 Mawrth 1896), 165–73.

DAVIES, Daniel (Ton, Ystrad), 'Bywyd ac athrylith Islwyn', *Y Geninen*, xx (Gŵyl Dewi 1902), 30–2, 183–8; *Y Geninen*, xxi (1903), 53–6, 126–7.

DAVIES, Gwyn, *Islwyn, Y Dyn Bach Mawr* (Pen-y-Bont ar Ogwr, 1979, Cyfres Darlith Flynyddol Llyfrgell Efengylaidd Cymru, 1978), 53 tt.

DAVIES, J. Breese, 'Islwyn', *Yr Efrydydd*, ix (Chwefror 1935), 125–31.

DAVIES, W., 'Islwyn', *Tarian y Gweithiwr*, 19 Ionawr 1911, 3.

DEWI WYN O ESYLLT [Thomas Essile Davies], 'Athrylith Islwyn', *Y Geninen*, v (Gŵyl Dewi 1887), 24–41.

DIENW, 'Arwyr Cymru, XXIII: Islwyn (1832–1878)', *Cymru*, lxix (1925), 68–70.

DIENW, 'Bras-nodion [i gyd ar Islwyn]', *Y Drysorfa*, cii, 1220 (Awst 1932), 282–8.

DIENW, 'Islwyn', *Cyfaill yr Aelwyd a'r Frythones* (Mai 1892), 149–56; *Cyfaill yr Aelwyd a'r Frythones* (Mehefin 1892), 197–201.

DIENW, 'Y Diweddar Barchedig William Thomas, Y Babell, Mynwy', *Y Drysorfa*, cii, 1220 (Awst 1932), 289–92.

DYFED [Evan Rees], *Oriau gydag Islwyn* (Gwrecsam, 1901, Cyfres yr Ugeinfed Ganrif, V), viii, 72 tt.

DYFED [Evan Rees], 'Bywyd, cymeriad ac athrylith Islwyn', *Y Geninen*, II, 1 (Ionawr 1884), 43–7.

[EDWARDS, O. M.], 'Lloffion', *Y Llenor*, vii (Gorffennaf 1896), tt. 5–16.

ELPHIN [Robert Arthur Griffith], 'Y bardd newydd: Islwyn', *Y Geninen*, xiv (1896), 67–78.

ERYR GLAN TAF [William Owen John], 'Barddoniaeth Mr W. Thomas (Islwyn), Ynysddu', *Yr Haul*, iv, 48 (Rhagfyr 1853), 403–7.

EVANS, D. Thorne, 'Islwyn a'i weithiau', *Y Drysorfa*, lxvi, 783 (Ionawr 1896), 12–15.

EVANS, Gwynfor, 'Islwyn' yn *Seiri Cenedl y Cymry* (Llandysul, 1986), tt. 224–6.

GOLEUFRYN [William Richard Jones], 'Islwyn: darlith', yn *Gweithiau Llenyddol Goleufryn*, gol. Alafon (Caernarfon, 1904), tt. 370–83.

GRIFFITH, William (Casnewydd), 'Taith gydag Islwyn, trwy rannau o Sir Aberteifi', *Cymru*, xiv, 81 (15 Ebrill 1898), 159–64.

GRIFFITHS, R. L., 'Coffau Islwyn ac adnewyddu'r ddelwedd ohono', *Barn*, 188 (1978), 337–8 (ar achlysur adnewyddu Capel y Babell).

GRUFFYDD, W. J., *Islwyn* ([Caerdydd], 1942, Cyfres Darlith Goffa Islwyn, 18 Ebrill 1942), 31 tt. Am adolygiad, gweler D. T. E. [Evans, D. Tecwyn], *Yr Eurgrawn*, cxxxiv, 12 (Rhagfyr 1942), 380.

HOPKINS, Catrin Elizabeth, 'Gwaith Llenyddol Islwyn (William Thomas 1832–1878)', (Traethawd Ph.D., Cymru (Llanbedr Pont Steffan), 2000).

HOPKINS, Catrin Elizabeth, 'Merched Islwyn', *Taliesin*, 102 (Haf 1998), 83–99.

HOWELL, J. M. (Aberaeron), 'Neillduolion Islwyn', *Cymru*, x, 54 (15 Ionawr 1896), 90–5.

HUGHES, Moelwyn, 'Islwyn', *Y Drysorfa*, cii, 1220 (Awst 1932), 296–302.

HUMPHREYS, E. Vaughan, 'Islwyn', *Y Traethodydd*, lxvi, 302 (Medi 1911), 329–37.

JOB, J. T., 'Canmlwyddiant geni Islwyn', *Y Drysorfa*, cii, 1220 (Awst 1932), 303–6.

JONES, D. Gwenallt, *Bywyd a Gwaith Islwyn*, (Lerpwl, 1948, Cyfres Pobun, XVII), 87 tt. Am adolygiadau, gweler JONES, R. Tudur, *Y Traethodydd*, civ, 451 (Ebrill 1949), 92–4; WILLIAMS, J. E. Caerwyn, 'Islwyn', *Llenor*, xxviii (1949), 225–45.

[JONES], [D.] Gwynfryn, 'Bywyd ac athrylith Islwyn', *Yr Eurgrawn*, cxiii, 10 (Hydref 1921), 388–90; *Yr Eurgrawn*, 11 (Tachwedd 1921), 432–4; *Yr Eurgrawn*, 12 (Rhagfyr 1921), 466–9.

JONES, Hugh (Aberllefenni), 'Meddyliau am Islwyn', *Cymru*, vi (1894), 225.

JONES, J. Cynddylan, 'Islwyn', *Y Drysorfa*, cii, 1220 (Awst 1932), 293–5 (yn Saesneg; ailargraffwyd o'r *Cylchgrawn*, Rhagfyr 1879).

JONES, John Owen, 'Islwyn', *Y Geninen*, x, 4 (Hydref 1892), 215–17; *Y Geninen*, xi (Gŵyl Dewi 1893), 61–4.

LEWIS, H. Elvet, 'Islwyn', *Transactions of the Liverpool Welsh National Society, 1888–9*, 17–29.

PARRY-WILLIAMS, T. H., 'Islwyn, 1832–1878', *Welsh Outlook*, vi, 63 (Mawrth 1919), 72–4.

RHYS, Beti, 'Saunders, Dyfed ac Islwyn', *Cristion* (Medi/Hydref 1993), 7–8.

THOMAS, Cynwyd, 'Bywyd ac athrylith Islwyn', *Y Geninen*, xx (Gŵyl Dewi 1902), 30–2; *Y Geninen*, xx, 3 (Gorffennaf 1902), 183–8; *Y Geninen*, xxi, 1 (Ionawr 1903), 53–6, 126–7.

THOMAS, Cynwyd, 'Islwyn a barddoniaeth Cymru yng nghyfnod Victoria', *Y Traethodydd*, lx (1905), 435–42.

WALTERS, Meurig, 'Bywyd Islwyn', *Y Traethodydd*, cxxiv, 530 (Ionawr 1969), 26–38.

WALTERS, Meurig, 'Islwyn', yn *Gwŷr Llên y Bedwaredd Ganrif ar Bymtheg a'u Cefndir*, gol. Dyfnallt Morgan (Llandybïe, 1968), tt. 214–23.

WALTERS, Meurig, 'Islwyn (1832–1878)', *Cylchgrawn Cymdeithas Hanes y Methodistiaid Calfinaidd*, 2 (1978), 44–5.

WALTERS, Meurig, *Islwyn: Man of the Mountains* (The Islwyn Memorial Society, 1983), 80tt.

WILLIAMS, D. D., 'Canmlwyddiant geni Islwyn a Cheiriog', *Cylchgrawn Cymdeithas Hanes y Methodistiaid Calfinaidd*, xvii, 3 (Medi 1932), 83–8.

WILLIAMS, Wyn, 'Islwyn', *Ysbryd yr Oes*, ii (1905), 177–9, 187–90, 203–4, 228–9.

WILLIAMS, W. Glynfab, 'Islwyn a minnau', *Y Drysorfa*, cxi, 1251 (Ionawr 1941), 14–18.

Agweddau unigol

Athroniaeth a Chrefydd

AARON, R. I., 'Dylanwad Plotinus ar feddwl Cymru', *Y Llenor*, vii (1928), 115–26.

AARON, R. I., 'Athroniaeth Islwyn', *Seren Gomer*, xvi (1924), 257–71.

HOBLEY, W., 'Yr elfen gyfriniol ym marddoniaeth Islwyn', *Y Geninen*, xxvi (Gŵyl Dewi 1908), 23–6.

HOWARD, Frank G., 'Llais India gan Islwyn', *Y Ford Gron* II, 11 (Medi 1932), 263–4.

JONES, D. James, 'Crefydd Cymru a'i beirdd: 1900–1955', *Y Traethodydd*, cxv, 497 (1960), 163–80 (ceir cyfeiriad byr at Islwyn).

JONES, R. M. 'Islwyn: y cyfrinydd rhamantaidd' (Darlith Goffa Islwyn, Coleg y Brifysgol, Caerdydd, Mai 1986) yn ei gyfrol *Cyfriniaeth Gymraeg* (Caerdydd, 1994), tt. 172–210.

THOMAS, T., 'Crist ym marddoniaeth Islwyn', *Y Traethodydd*, lxxii, 324 (Gorffennaf 1917), 211–22.

Llenyddol

ASHTON, Glyn M., 'Islwyn a'r Eisteddfod', *Llên Cymru*, ix, 3/4 (Ionor-Gorffennaf 1967), 177–99.

JONES, William Rees, 'A comparative study of the nature poetry of Ieuan Glan Geirionydd, Alun, Islwyn and Ceiriog' (Traethawd MA, Cymru (Aberystwyth), 1923).

WALTERS, Meurig, 'Trosiadau Islwyn', *Ysgrifau Beirniadol*, ii (1966), 123–55.

WALTERS, Meurig, '"Caniadau gan Islwyn"', *Ysgrifau Beirniadol*, iii (1967), 39–85.

WILLIAMS, Wyn, 'Islwyn a rhamantiaeth', *Y Traethodydd*, lxii (1907), 341–8.

Bywgraffyddol

ASHTON, Glyn M., 'Islwyn a thorri cyhoeddiadau', *Cylchgrawn Cymdeithas Hanes y Methodistiaid Calfinaidd*, lii, 3 (Hydref 1967), 81–4.

ATHAN FARDD [John Athanasius Jones], 'Adgofion am Islwyn', *Y Gweithiwr Cymreig*, 11 Mawrth 1886, t. 3; *Y Gweithiwr Cymreig*, 18 Mawrth, t. 2; *Y Gweithiwr Cymreig*, 25 Mawrth, t. 2; *Y Gweithiwr Cymreig*, 1 Ebrill, t. 2; *Y Gweithiwr Cymreig*, 8 Ebrill, tt. 2–3; *Y Gweithiwr Cymreig*, 15 Ebrill, t. 2; *Y Gweithiwr Cymreig*, 22 Ebrill, t. 2; *Y Gweithiwr Cymreig*, 29 Ebrill, t. 2; *Y Gweithiwr Cymreig*, 6 Mai, tt. 2–3; *Y Gweithiwr Cymreig*, 13 Mai, t. 2; *Y Gweithiwr Cymreig*, 20 Mai, t. 2. Gweler hefyd copi teipiedig M[eurig] W[alters] yn LLGC W. J. Gruffydd, I, 27 o MS 1.607, Llyfrgell Gyhoeddus Caerdydd, yn cynnwys dyfyniadau hyd at 1 Ebrill.

GRIFFITHS, R. L., 'Un o lythyrau Islwyn [AMC 9810]', *Cylchgrawn Cymdeithas Hanes y Methodistiaid Calfinaidd*, lx, 4 (Hydref 1976), 118.

GRIFFITHS, R. L., 'Llythyr Islwyn at Wilym Cowlyd 1875 [LLGC MS 9228C. Hobley Griffith MS 78]', *Cylchgrawn Cymdeithas Hanes y Methodistiaid Calfinaidd*, liii, 4 (Rhagfyr 1968), 81–2.

ROBERTS, Brynley F., '"My dear little boy." Nodyn ar lythyrau Islwyn at Martha Davies', *Ysgrifau Beirniadol*, xxi, (Dinbych, 1996), tt. 147–62.

Cyfeillion

ISLWYN, Dafydd, 'Aneurin Fardd 1822–1904', yn *Ebwy, Rhymni a Sirhywi*, gol. Hywel Teifi Edwards (Llandysul, 1999, Cyfres y Cymoedd), tt. 85–107.

PHILLIPS, Edgar (Trefin), 'Aneurin Fardd, 1822–1904', *Llên Cymru*, vii, 1/2 (Ionor-Gorffennaf 1962), 92–105.
WYN, Watcyn, 'Athan Fardd', *Y Geninen*, iii, x (Gorffennaf 1892), 127–30, a *Ceninen Gŵyl Dewi 1896*, tt. 1–6.

Y Storm

Trosiadau
All is sacred, gan Islwyn (cyfieithwyd gan T. Z. Jones (d.d.), 6tt.
The Storm, Part I, cyfieithwyd gan T. Williams (Llundain, [1938]), 16tt.
'The Storm by William Thomas, 1832–78', cyfieithwyd gan Alfred Perceval Graves, yn *Presenting Monmouthshire*, xxxiii (1972), 46.

Cyfrolau ac erthyglau
DYFED [Evan Rees], 'Ystorm Islwyn', *Y Drysorfa*, lxxi (1901), 436–40, 490–5, 534–8; *Y Drysorfa*, lxxii (1902), 26–30, 109–14, 154–9.
EVANS, Meredydd, '*Y Storm' Gyntaf* (Casnewydd, 1988, Cyfres Darlith Lenyddol Eisteddfod Genedlaethol 1988), 26 tt. Gweler hefyd *Merêd: Detholiad o Ysgrifau Dr Meredydd Evans*, gol. Ann Ffrancon a Geraint H. Jenkins (Llandysul, 1994), tt. 118–41.
GRUFFYDD, W. J., 'Islwyn: Y Storm', *Y Llenor*, ii (1923), 65–85.
HUGHES, Glyn Tegai, 'Islwyn and *Y Storm*', yn *A Guide to Welsh Literature c.1800–1900*, gol. Hywel Teifi Edwards (Caerdydd, 2000), tt. 69–96.
HUWS, Rhys J., '"Yr Ystorm"', *Y Beirniad*, iii, 1 (Gwanwyn 1913), 17–25 (ceir mwy o lawer am gerddoriaeth David Jenkins nag am farddoniaeth Islwyn).
JONES, D. Gwenallt, *Y Storm: Dwy Gerdd gan Islwyn* (Caerdydd, 1954, Cyfres Darlith Goffa Islwyn 1953), 38 tt. Am adolygiadau, gweler LLYWELYN-WILLIAMS, Alun, *Baner ac Amserau Cymru*, 11 Awst 1954, 7; BEVAN, Hugh, 'Coffáu Islwyn', *Y Dysgedydd*, cxxxiv (1955), 102–6.
JONES, D. Gwenallt, 'Y ddwy Ystorm', *Yr Efrydydd*, viii, 3 (Gwanwyn 1943), 15–21.
LEWIS, Saunders, 'Thema *Storm* Islwyn', *Llên Cymru*, iv, 4 (Gorffennaf 1957), 185–95.
LEWIS, T. C., 'Sŵn "Y Storm"', *Y Drysorfa*, cx, 1241 (1940), 108–112. Gweler hefyd ei 'Sŵn y Storm: efrydiau yn niwynyddiaeth Islwyn' (drafft Darlith Davies 1944, AMC 17853).

MILLWARD, E. G., 'Islwyn', yn ei gyfrol *Yr Arwrgerdd Gymraeg. Ei Thwf a'i Thranc* (Caerdydd, 1998), tt. 234–62.

WALTERS, Meurig, 'Astudiaeth destunol a beirniadol o Storm Islwyn' (Traethawd MA, Cymru (Caerdydd), 1961).

WILLIAMS, Tom, 'Islwyn: caniadau'r "Ystorm"', *Y Traethodydd*, cxxxii (1977), 45–50.

Eraill

DAVIES, Ben (Y Pant Teg), 'Dau flodeuyn gan ddau fardd [Tennyson /Islwyn]', *Y Geninen*, xix, 1 (Ionawr 1901), 25–6.

DAVIES, E. Tegla, 'A thithau Islwyn?', yn *Gyda'r Hwyr* (Lerpwl, 1957), tt. 130–40 (awduraeth 'Seren Heddwch'). Gweler hefyd, JONES, Derwyn, *Baner ac Amserau Cymru*, 30 Mai 1957, 5 (yn y golofn 'Ledled Cymru').

DAVIES, Gwyn, 'Islwyn fel emynydd', *Bwletin Cymdeithas Emynau Cymru*, ii, 1 (Gorffennaf 1978), 23–5.

HUMPHREYS, E. Vaughan, 'Englynion, cywyddau ac awdlau Islwyn', *Y Traethodydd*, lxvi, 303 (Tachwedd 1911), 407–29.

HUMPHREYS, E. Vaughan, 'Marwnadau Islwyn', *Y Drysorfa*, lxxxvii, 1035 (1917), 16–20.

Cyfarwyddiaduron masnachol

Furrier's Swansea Directory (1908).

Hunt & Co.'s Directory and Topography for the Cities of Gloucester & Bristol (Gorffennaf 1849).

[Kelly's] The Post Office Directory of Monmouthshire and South Wales (Llundain, 1871).

[Robson's] Royal Court Guide and Peerage. Commercial Directory of London and the Western Counties (1840).

[Scammell's] City of Bristol and South Wales Directory (Chwefror 1852).

Slater's Royal National and Commercial Directory . . . Gloucestershire, Herefordshire, Monmouth-shire, Worcestershire and North and South Wales (Manceinion a Llundain, 1850).

Webster's Directory of Bristol and Glamorgan (1865).

Worrall's Directory of South Wales (Oldham, 1875).

Mynegai